W9-BAU-836

WEGE ZU LIVIUS

WEGE DER FORSCHUNG

BAND CXXXII

1967

WISSENSCHAFTLICHE BUCHGESELLSCHAFT

DARMSTADT

WEGE ZU LIVIUS

Herausgegeben von

ERICH BURCK

1967

WISSENSCHAFTLICHE BUCHGESELLSCHAFT

DARMSTADT

Bestellnummer: 3875
Schrift: Linotype Garamond, 9/11

Satz: Druckhaus Darmstadt GmbH, Darmstadt
Druck: Wissenschaftliche Buchgesellschaft, Darmstadt
Einband: C. Fikentscher, Darmstadt
Printed in Germany

INHALT

V. Livius als Historiker

VI. Die politische Ideologie

VII. Darstellungsprinzipien und Erzählungsstil

VIII. Die Kunst der Reden

IX. Der philosophische und religiöse Hintergrund

X. Sprache und Stil

EINFÜHRUNG

Von Erich Burck

Vor reichlich hundert Jahren erschienen zwei Bücher, die in der Livius-Forschung noch heute Rang und Geltung behaupten: der berühmte „Essai sur Tite Live“ von H. Taine (1855) und die grundlegenden „Kritischen Untersuchungen über die Quellen der vierten und fünften Dekade des Livius“ von H. Nissen (1863). Beide Autoren waren nach ihrer Provenienz, Methode und Intention äußerst verschieden. Jener, am verheißungsvollen Anfang einer großartigen Entwicklung als literarischer Kritiker und Historiker, zeichnete das Bild des Livius auf Grund der von ihm hier erstmals erprobten Milieutheorie. Dabei suchte er die Leistungen des Livius – ohne wissenschaftlichen Apparat – weniger aus den spärlichen Nachrichten über die äußere Umwelt des Historikers als aus der geistigen Atmosphäre Roms und der augusteischen Zeit zu verstehen. Mit starker Einfühlungsgabe, feinem und sicherem Geschmack und Urteil und vollendeter Kunst der Darstellung erreichte er eine imponierende Geschlossenheit seines Buchs, das auf die Vorstellung des Livius als génie oratoire gegründet ist. Demgegenüber hat H. Nissen als gründlich geschulter Quellenhistoriker durch einen systematischen Vergleich der Kriegsereignisse und Verhandlungen der Jahre 200–167 bei Livius und Polybios die historische Substanz der Berichte und die sachlichen Änderungen (Zusätze oder Streichungen) des Livius gegenüber seiner griechischen Vorlage herausgearbeitet. Er sah den Grund der meisten Umgestaltungen in den rhetorischen Tendenzen der lateinischen Literatur, insbesondere des Livius, und verurteilte diese – bei aller Bewunderung seiner Erzählerkunst und Sprache – als Entstellung der sachlichen Berichterstattung des Polybios und als hohle Schönrednerei. Dennoch betonte er, daß Livius, soweit er dem Polybios folge, in den Büchern 31–45 eine in der Faktizität der Ereignisse relativ zuverlässige

Darstellung gegeben habe. Auch Taine hatte sich zur Verdeutlichung der Eigenart des Livius des Vergleichs bedient – aber nicht zur Erkenntnis sachlicher Einzelheiten, sondern zur Erfassung des geistigen Profils und der Leitideen des livianischen Werks. Darum hatte er Livius als Historiker mit Beaufort und Niebuhr, Livius als Geschichtsphilosophen mit Macchiavelli und Montesquieu konfrontiert.

Der Gegensatz zwischen beiden Werken ist offenkundig. Taine geht es primär um die darstellerische Leistung des Livius, Nissen dagegen um seine historische Zuverlässigkeit. Für jenen stehen die Mittel und Ziele des eigenständigen Gestalters, für diesen die Sorgfalt und Treue gegenüber seinen Quellen im Vordergrund. Bei jenem liegt das Schwergewicht – ohne jede historische Perspektive nach rückwärts – auf dem erhaltenen Werk des Livius; bei diesem verschiebt sich der Blick- und Wertpunkt auf die Quellen des Augusteers, von deren Qualität und der Art ihrer Übernahme das Urteil über Livius abhängig gemacht wird. Diese Diskrepanz der leitenden Gesichtspunkte hatte sich bereits seit längerem vorbereitet.

Livius hatte fast ein halbes Jahrtausend von den Tagen Dantes bis zum Ende des achtzehnten Jahrhunderts als Repräsentant und untrügliche Quelle der römischen Geschichte der republikanischen Zeit gegolten. Für Petrarca und Cola di Rienzi war er ebenso Weggenosse und Dialogpartner in politischen und historischen Gesprächen gewesen wie für Macchiavelli, und noch in der Mitte des 17. Jahrhunderts hatte Joh. Freinsheim eine erste zusammenhängende Darstellung der ganzen republikanischen Geschichte Roms in freier Ergänzung der verlorenen Bücher des Livius auf Grund der späteren Benutzer und Epitomatoren gegeben[1]. Stimmen der Skepsis oder Kritik waren nur vereinzelt laut geworden, so etwa von dem Holländer J. Perizonius (1651–1715), dem Italiener G. B. Vico (1668–1744) oder dem Franzosen L. de Beaufort (gest. 1795). Sie hatten in der Urgeschichte Roms poetische oder symbolische Gestalten gesehen, eine Reihe Entlehnungen aus der griechischen Sage festgestellt und allerlei Widersprüche im livianischen Werke kon-

[1] Vgl. P. G. Schmidt, Supplemente lateinischer Prosa in der Neuzeit, Hypomn. 5, Göttingen 1964.

statiert. Die negative Bewertung der römischen Expansion und Weltmachtstellung durch Herder (und später durch Hegel), der vom Blickpunkt der unterworfenen Völker aus die Vernichtung ihrer Staatlichkeit, Sprache und Kultur beklagte, wirkte sich auch auf Livius aus, der die ersten Phasen der italischen und mittelmeerischen Eroberungen Roms als Ruhmestaten darstellt und in ihnen die Bewährung der römischen Wert- und Lebensordnung sieht.

Einen vernichtenden Schlag erhielt aber die Autorität des Livius durch B. G. Niebuhr, der in seiner „Römischen Geschichte“, die von den Anfängen Roms bis zum ersten punischen Kriege reicht, in beständiger Auseinandersetzung mit der ersten Dekade des Livius stand. Er legte dar, daß die älteste Überlieferung Roms vor kritischen Augen auf einige wenige zuverlässige Fakten und notizenartige Berichte reduziert werden müsse und daß zuerst die ältere Annalistik, dann aber vor allem die Geschichtsschreiber der gracchischen und der sullanisch-cäsarischen Zeit diese knappen Tatsachen pastos ausgemalt hätten. Diese Rekonstruktionsbilder oder gar Phantasiegemälde, welchen Vorstellungen und Absichten sie auch entsprungen sein mochten, seien im wesentlichen von Livius übernommen worden, der es gegenüber diesen wilden Ausschmükkungen seiner Vorgänger an Kritik und in der Auswahl der Quellen an Urteilskraft und Konsequenz habe fehlen lassen. So hoch Niebuhr Livius als Erzähler und Meister der lateinischen Prosa schätzte, so wenig Wert maß er ihm als Quellenautor für Roms ältere Geschichte bei[2].

Hier wird der Zwiespalt in der Beurteilung des Livius, den wir eingangs festgestellt hatten, und die Verschiedenartigkeit der Bewertungsmaßstäbe bereits hinreichend deutlich. Mit der Gloriole der sprachlichen Könnerschaft und einer faszinierenden Erzählweise und mit dem Stigma des unkritischen und unmethodischen

[2] Wesentlich vorsichtiger und behutsamer war A. Schwegler in seiner „Römischen Geschichte“ (bis zu den Licinischen Gesetzen), Bd. I–III, Tübingen 1853–58, dessen Werk unverdientermaßen hinter der gleichzeitig erschienenen „Römischen Geschichte“ Th. Mommsens völlig zurückgetreten ist.

historischen Berichterstatters ist Livius seitdem bis zum Beginn unseres Jahrhunderts gekennzeichnet gewesen. Der Essay von H. Taine blieb auf die Fachforschung – mit Ausnahme Frankreichs – ohne tiefere Wirkung. Dagegen hat die Quellenforschung – namentlich in Deutschland – eine große Verbreitung erfahren. Nissens Urteil über die Benutzung des Polybios durch Livius war noch einigermaßen günstig ausgefallen. Aber die Analyse der dritten und vor allem der ersten Dekade mit der übertrieben zuversichtlichen Aufteilung kleiner und kleinster Abschnitte auf verschiedene vorlivianische Annalisten führte bald zu der Vorstellung des Livius als eines bloßen Kompilators oder Centoflickers – nicht viel anders, als man sich damals Ciceros Arbeitsweise in seinen philosophischen Schriften und Vergils Umsetzung des Homer in seiner Aeneis vorstellte.

Nach einer kurzen Phase der Stagnation (über deren Fortdauer in England P. G. Walsh noch im Eingang seines Liviusbuchs [1961] klagt) trat ein langsamer Wandel ein, der nach dem ersten Weltkrieg deutlichere Konturen erhielt und bis heute andauert. In diesen Prozeß wollen die Beiträge dieses Sammelbandes hineinführen und ebenso neue Aspekte und Erkenntnisse wie umstrittene Probleme und ungelöste Fragen zur Diskussion stellen. Die Gründe für diesen Wandel der wissenschaftlichen Betrachtung und der Bewertung des Livius sind zahlreich und sehr verschiedener Natur; einige von ihnen seien wenigstens kurz angedeutet.

Zunächst wird man darauf hinzuweisen haben, daß man sich – anknüpfend an die intensive Quellenforschung des 19. Jahrhunderts – von der Arbeitsweise des Livius allmählich eine natürlichere und organischere Vorstellung machte: kein bloßes Aneinanderreihen und flüchtiges sprachliches Überarbeiten fremder Werkstückchen, sondern eine kontinuierliche Ausarbeitung größerer Passagen anhand einer Hauptquelle, die durch eine oder höchstens zwei Nebenquellen kontrolliert und hier und da berichtigt wurde. Diese These hat A. Klotz[3] an der Darstellung der stadtrömischen und italisch-spani-

[3] Zu den Quellen der 4. und 5. Dekade des Livius, Hermes 50, 1915, 481–536; zuletzt ders., Livius und seine Vorgänger; Neue Wege zur Antike, 3 Bde., Leipzig 1940–41. Einspruch gegen Klotz erhob M. L. W.

schen Berichte der vierten und fünften Dekade wahrscheinlich gemacht. Livius scheint bis zum 37. Buche dem Valerius Antias gefolgt zu sein und den Claudius Quadrigarius zur Kontrolle herangezogen zu haben; vom 38. Buche an ist er aber vermutlich wegen des Ungenügens an Valerius Antias oder wegen besonderer Vorzüge des Claudius Quadrigarius den umgekehrten Weg gegangen.

Damit war der Blick auf geschlossene Erzähl-Einheiten gelenkt, die kurz vorher bereits K. Witte[4] von erzählungstechnischen Gesichtspunkten aus untersucht hatte. Er knüpfte an die Position von H. Nissen an und fragte nach den inneren Gründen, die Livius zur Änderung seiner polybianischen Vorlage gebracht haben dürften. Dabei stellte er fest, daß Livius einzelne Anekdoten oder kürzere Szenen, die bei Polybios nur locker mit der Haupthandlung verknüpft sind, bewußt verselbständigt und durch eine geschlossene Darstellung zu einer „Einzelerzählung" ausgestaltet hat. Solche Abrundungen und Verlebendigungen zur Schaffung künstlerisch selbständiger Einheiten fand er darüber hinaus aber auch bei Erzählungen, die bei Polybios sich in keiner Weise von dem umgebenden Kontext abheben, wie etwa bei Schlachtbeschreibungen, Belagerungsszenen und der Schilderung einzelner militärischer oder politischer Episoden. Ja sogar größere Verhandlungskomplexe mit längeren Reden stellt Livius gern in Form von geschlossenen Einzelerzählungen dar. Damit hatte Witte jenen Änderungen und Zusätzen, die Nissen als rhetorisches Rankenwerk angesprochen hatte, eine künstlerische Absicht des Livius zuerkannt, die – ähnlich wie bei Vergil – im Sinne einer Straffung und Dramatisierung der Einzelszenen und der Erzählweise im ganzen dienen wollte. Eine Gefahr dieser Betrachtungsweise lag freilich darin, daß in der Gestaltung der Einzelerzählungen der Hauptzweck der livianischen Darstellungsart erblickt und darüber die künstlerische und gedank-

Laistner, The greater Roman historians, Sather Class. Lect. 37, Berkeley 1946, 196 S.; methodische Zustimmung (bei Differenzen in den Einzelheiten) gaben P. G. Walsh, J. Bayet und zuletzt R. M. Ogilvie in seinem großen Kommentar zu den Büchern 1–5, Oxford 1965.

[4] K. Witte, Über die Formen der Darstellung in Livius' Geschichtswerk, Rhein. Mus. 65, 1910, 270 ff. und 359 ff.

liche Einheit der Großabschnitte der einzelnen Bücher und Buchkomplexe übersehen werden konnte. Außerdem war keinerlei Bindung zwischen der Form und dem Stoff und Gehalt des livianischen Werks hergestellt.

Ein weiterer Zugang erschloß sich dadurch, daß sich langsam eine neue Auffassung von der Art und den Zielen der römischen Historiographie anbahnte. Die historische Forschung, die aus mancherlei begreiflichen Gründen um die Jahrhundertwende bis zum ersten Weltkrieg in ihrer Selbstsicherheit und in dem Stolz auf ihre Methoden sehr gestärkt worden war, begann sich gewisser Grenzen und Einseitigkeiten bewußt zu werden. Man betonte wieder stärker, daß sich in der Feststellung der Faktizität und der Kausalität der Ereignisse die Darlegung des historischen Geschehens nicht erschöpfen dürfe und daß Geschichtsdeutung tiefer bohren müsse als die reine Tatsachenforschung. Zugleich war man bereit, auch in den frühen Geschichtswerken der Griechen und Römer, in denen man bisher weitgehend nur nach glaubwürdigen Fakten gesucht hatte, ein persönliches Geschichtsbild der Historiographen und eigene Deutungen des historischen Geschehens, sei es religiöser, politischer oder philosophischer Art, zu eruieren und anzuerkennen. Es ist kein Zufall, daß zur gleichen Zeit Herodot, an dessen Seite man im Altertum Livius wiederholt gestellt hat, in seiner gedanklichen und künstlerischen Eigenständigkeit wieder entdeckt wurde und neben Thukydides oder Polybios sich erneut zu behaupten begann. Überhaupt ergab sich dafür ein neues Verständnis, daß eine Geschichtsdarstellung, sofern sie zum Wesen der geschichtlichen Phänomene vordringen will, sich eigener Perspektiven und Kategorien und auch eigener Darstellungsformen zu bedienen habe. Dieser tiefgreifende Wandlungsprozeß, der schließlich zu einer kritischen Einstellung und zur Abkehr vom historischen Positivismus führte und der auch heute noch nicht abgeschlossen ist, kam in mancherlei Hinsicht auch der Erforschung des livianischen Werks und seiner Quellen zugute.

Die vielgeschmähten und plumper Fälschung geziehenen Vorgänger des Livius, die Vertreter der sullanisch-cäsarischen Annalistik, rückten in ein anderes Licht. Gewiß haben sie in der Ausmalung der Fakten sich oft der Übertreibung schuldig gemacht

– und dies sicher auch bisweilen wider besseres Wissen zum Ruhm einzelner Familien oder Stände. Aber wenn sie die Ereignisse der Frühzeit, von denen sie nur in kargen Notizen Kenntnis hatten, nach Analogie der bewegenden politischen Kräfte und Tendenzen ihrer Tage darstellten, oder wenn sie Berichtslücken und leere Jahre in den ihnen vorliegenden Werken durch Rückschlüsse aus den Endergebnissen zu füllen trachteten, haben sie sich vermutlich weitgehend ehrlich um eine Deutung des Geschehens nach den ihnen vertrauten politischen oder militärischen Mächten und Maßstäben bemüht. Natürlich haben sie dabei – wie dies freilich bei historischen Darstellungen nicht selten der Fall zu sein pflegt – die Vergangenheit mit der Elle der eigenen Zeit gemessen. Livius hat sich solcher Zusätze aus eigener Erfindung durchaus enthalten und parteipolitische oder gentilizische Rückblendungen nach Art seiner Vorgänger strikt gemieden. Die Zeiten waren ja nach Aktium auch ruhiger und zukunftsfroher geworden, und der politische Parteienkampf war abgeebbt. Vor allem aber nahm Livius nicht wie die meisten seiner unmittelbaren Vorgänger am politischen Tageskampf teil, für den die Geschichte Roms nicht selten die passenden Exempla – wenn auch meist in sehr persönlicher Sicht – zu liefern hatte. Aber auch für Livius blieb die römische Vergangenheit – wie für die Griechen der Mythos – eine wesentliche Form des menschlichen Selbstverstehens. Dies aber heißt zugleich, daß Livius bei der Übernahme des historischen Stoffs von seinen Vorgängern eigene Wege in der Deutung der Gestalten und Ereignisse einschlagen mußte.

In der Ehrfurcht vor der römischen Geschichte der Frühzeit und in der Verlebendigung der *mores, virtutes* und *res gestae* der republikanischen Führergestalten entwirft er ein Rombild, dessen Fundament er in seiner Praefatio freilegt, wenn er sagt: *ceterum aut me amor negotii suscepti fallit aut nulla umquam res publica nec maior nec sanctior nec bonis exemplis ditior fuit nec in quam tam serae avaritia luxuriaque immigraverint nec ubi tantus ac tam diu paupertati ac parsimoniae honos fuit* (11). Nicht minder bedeutsam ist es aber, wenn er außerdem hervorhebt, daß die Völker der Erde den Anspruch Roms auf göttlichen Ursprung ebenso anerkennen wie Roms Imperium (7). Die politische Ideologie, die Livius von zahlreichen Senatoren oder Legaten in ihren Verhandlungen im

Senat oder mit auswärtigen Mächten vertreten läßt oder selbst zum Ausdruck bringt, berührt sich in entscheidenden Punkten mit der Staatsauffassung und dem Bild einer als vorbildlich angesehenen Vergangenheit Roms, wie wir sie auch bei anderen augusteischen Schriftstellern und Dichtern finden und wie sie die sittlichen, gesellschaftlichen und religiösen Reformen des Augustus bestimmten.

Freilich dürfen uns die erhaltenen Teile seines Werks nicht zu der einseitigen Annahme verführen, als ob Livius Roms Schwächen und Krisen politischer und moralischer Art nicht gesehen hätte. Er läßt den Anfang von mancherlei Depravationen und Korruptionen schon in den letzten auf uns gekommenen Büchern deutlich hervortreten, und die Periochae und späteren Auszüge aus den verlorenen Büchern lassen zumindest weitere Ansatzstellen seiner Kritik erkennen. Man wird vermuten dürfen, daß er auch hier sich von dem Standpunkt seiner Vorlagen abgesetzt, das eigene Urteil gewahrt und die Deutung der einzelnen Persönlichkeiten und Ereignisse in eigener Verantwortung gegeben hat. Dies wird letzten Endes auch dadurch bestätigt, daß Augustus, dessen er in dem erhaltenen Werk viel weniger und zurückhaltender gedenkt, als es die zeitgenössischen Dichter tun, ihn einen Pompejaner genannt hat. Je mehr das livianische Rombild und seine Deutung der Geschichte in der Abhebung von seinen Vorgängern an Tiefe gewinnt, um so stärker dürfte seine Eigenart hervortreten und seine Bedeutung als Historiker – über das Faktum der Bewahrung eines großen Tatsachenreichtums hinaus – exakter erfaßt werden.

Das Analoge gilt auch für die Kunst seiner Darstellung. Wenn hier auch die unmittelbaren Vergleichsmöglichkeiten mit seinen annalistischen Vorgängern fehlen, so hatte doch bereits die Konfrontation mit Polybios wichtige Einsichten in die Mittel und Ziele seiner Erzählweise und Redengestaltung ergeben. Es ist weiter beobachtet worden, daß die sogenannte tragische Geschichtsschreibung des Hellenismus, wie sie vor allem Duris und Phylarch verwirklicht haben, ähnliche Tendenzen einer dramatisierenden Darstellung befolgt hat, wie wir sie auch bei Livius beobachten – offenbar aber in viel äußerlicherer und auf Effekt der Fakta berechneten Form als bei dem auf Verinnerlichung und psychologische Aufhellung bedachten Augusteer. Ob, wann und wie diese Darstellungsweise der hellenistischen Historiographie und ihre theoretische Grundlegung nach Rom eingedrungen sind, ist noch nicht hinreichend geklärt. Es wird in jedem Falle damit zu rechnen sein, daß ihre Adaption nur bei einer inneren Bereitschaft der römischen Historiographen auf Grund eines ähnlichen Darstellungswillens erfolgen konnte. Livius hat diese präformierten Tendenzen einer weithin dramatisierenden Erzählungsweise, die in der vorlivianischen Literatur noch einer Untersuchung harrt, offensichtlich aufgegriffen und zu der ihm eigenen seelischen Vertiefung und Moderierung geführt. Eine solche suggestive Darstellungsform soll den Leser zum Miterleben, aber auch an den zahlreichen Cäsuren und Beruhigungsstellen zur Besinnung führen. Denn Livius will, auch wenn wir sein Werk keinesfalls zum politischen oder moralischen Lehrbuch herabwürdigen dürfen, durch seine Darstellung, wie es in der Tradition der römischen Geschichtsschreibung liegt und seinem eigenen Bekenntnis in der Praefatio entspricht, zur Klärung und Hilfe in den persönlichen und staatlich-politischen Entscheidungen beitragen. Damit schließen sich die künstlerischen Mittel als die seinen politischen und ethischen Intentionen gemäße Form mit dem Stoff und Gehalt seines Werks zu einer wohlbedachten und gereiften Einheit zusammen.

Nach diesen Hinweisen, die nicht mehr wollen, als etliche Ansatzpunkte der Liviusforschung des letzten halben Jahrhunderts aufzuweisen[5], seien einige Bemerkungen zur Zusammenstellung und Anordnung dieses Auswahlbandes angefügt. Es war das Bestreben, die Gestalt und das Werk des Livius von möglichst vielen Gesichtspunkten aus zu beleuchten, die heute in der Forschung eine Rolle spielen. Dabei habe ich es keineswegs vermieden, gelegentlich einander widersprechende Ansichten zusammentreffen zu lassen. Ich glaube, daß gerade dadurch die Leser sowohl zur Lektüre des Livius als auch zur kritischen Prüfung der verschiedenen Thesen und zur Bildung einer eigenen Stellungnahme angeregt werden

[5] Einen genaueren Überblick über die Forschung der letzten 30 Jahre habe ich mit den erforderlichen Literaturangaben in der Einleitung zum Nachdruck meines Buches „Die Erzählungskunst des T. Livius“, Berlin-Zürich 1964, S. IX–XXVIII gegeben.

können. Die aufgenommenen zweiunddreißig Beiträge stammen von zweiundzwanzig Autoren, dreizehn Deutschen und neun Ausländern, der älteste von R. Heinze aus dem Jahre 1918[6], der jüngste von P. G. Walsh aus dem Jahre 1966.

Der Umfang der einzelnen Beiträge ist sehr verschieden. Neben mehreren größeren Aufsätzen, die ganz oder fast ungekürzt[7] nachgedruckt worden sind, und neben einigen geschlossenen Kapiteln aus selbständigen Büchern finden sich auch etliche sehr kleine Ausschnitte. Sie enthalten entweder eine besondere Stellungnahme zu einem speziellen Problem oder eine aufschlußreiche Einzelinterpretation; in *einem* Falle wurden die Resumées der einzelnen Buchkapitel wiedergegeben. Durch die Buchexcerpte sollen die Werke als ganze beileibe nicht zurückgedrängt werden; ich hoffe vielmehr, daß die ausgewählten Abschnitte und die Thesen der Autoren zum Studium des Buchganzen hinführen. Im übrigen habe ich bei der Auswahl der Beiträge etwa die Mitte gehalten zwischen vergriffenen oder nur schwer erreichbaren und leichter zugänglichen Büchern, Dissertationen und Zeitschriften. Wenn es die Originalität oder die Ergebnisse des Beitrags oder der Stand der Kontroversen zu gebieten schienen, habe ich mich nicht gescheut, auch aus einer gängigen Zeitschrift, die leicht zur Hand ist, eine Untersuchung aufzunehmen.

Zur Ergänzung der vorgelegten Abschnitte sind in einzelnen Kapiteln einige Hinweise auf andere Arbeiten angefügt, die sich mit dem gleichen oder einem verwandten Thema beschäftigen. Vollständigkeit ist dabei nirgends angestrebt, vielmehr vornehmlich auf die leichte Zugänglichkeit Bedacht genommen, um dem Gymnasiallehrer, dem studentischen Benutzer oder dem interessierten Laien den Weg zur weiteren Auseinandersetzung mit der Forschung zu weisen und zu erleichtern. Daß der eine Benutzer diese oder jene Arbeit vermissen, ein anderer diesen oder jenen Beitrag überflüssig finden und ein dritter die Art oder den Umfang eines Ausschnitts

[6] Es handelt sich um einen Vortrag, der — wie die anderen Kapitel des Buches – erst nach dem Tode R. Heinzes von A. Körte in dem Bande „Die augusteische Kultur“, Leipzig 1930, veröffentlicht worden ist.

[7] Geringe Kürzungen wurden zumeist wegen des allgemeinen Charakters der Einleitung am Anfang der Aufsätze vorgenommen.

beanstanden wird, ist mir wie jedem Herausgeber eines solchen Sammelbandes bewußt. Es ist nicht möglich, im einzelnen die getroffene Auswahl hier zu begründen. Letztlich muß sie für sich selbst sprechen und sich bereits durch die leitenden Gesichtspunkte und ihre Gliederung rechtfertigen. Dennoch seien zur allgemeinen Orientierung noch einige Hinweise gegeben.

Bei der allgemeinen Umwertung der vorlivianischen Annalistik von Fabius Pictor bis zu Valerius Antias und seinen Zeitgenossen empfahl sich ein kurzer Überblick über die römische Geschichtsschreibung der republikanischen Zeit als Einleitung des Sammelbandes (Kap. 1). Die beiden folgenden Kapitel sollen die äußeren Voraussetzungen, vor allem aber in einer Art Profilzeichnung die tragenden Intentionen und Ideen des livianischen Werks deutlich machen. Dabei dürfte es besonders instruktiv sein, die Vielfalt der Perspektiven zu erkennen, von denen aus heute die livianische Geschichtsschreibung angegangen wird. Der Althistoriker wählt andere Ausgangspunkte als der ideen- oder formgeschichtlich orientierte Philologe oder der Religionshistoriker. Dieselbe Mannigfaltigkeit der leitenden Gesichtspunkte zeigt – man möchte fast sagen überraschenderweise – die Interpretation der so oft behandelten Praefatio, an der man weder im Unterricht der Schule noch in der Universität vorübergehen wird (Kap. 4). Topik und ganz persönliche Auslegung der Aufgabe des Historikers, religiöse, ethische und politische Aspekte im Rombild des Livius, stoffliche und formalkünstlerische Zielsetzungen durchdringen sich hier auf engstem Raum. Welche Überlegungen und methodische Einsichten Livius bei der Auswahl und Benutzung seiner Quellen bestimmt haben, können die Beiträge des Kapitels 5 lehren. Aus ihnen geht auch hervor, wieviel Livius an der Wahrheitssuche gelegen war, selbst wenn er sich dabei nicht der quellenkritischen Methoden bediente, die das 19. Jahrhundert hervorragend ausgebildet hatte und – unbilligerweise – von Livius beachtet wissen wollte.

Stärkeren Einfluß auf seine Deutung der übernommenen Stoffmassen hatte die politische Ideologie, die er sich auf Grund seiner Gesamtkonzeption von der römischen Geschichte und aus den geistigen Antrieben der augusteischen Zeit gebildet hatte. Proben für die dabei zutage tretende Idealisierung und Symbolisierung des alten Roms und der politischen Sendung des Römertums bieten die Kapitel 6 und 8: jenes in verschiedenartigen Tatberichten und Persönlichkeitsgestaltungen, dieses in den Reden einzelner römischer Führer. Von hier werden sich immer wieder – wie auch von Kapitel 7 und 9 – Verbindungsbögen zu Kapitel 2 schlagen lassen, da für die dort gemachten generellen Aussagen hier gleichsam die Einzelbelege folgen. Überhaupt habe ich Querverbindungen zwischen den einzelnen Kapiteln stark im Auge gehabt, selbst auf die Gefahr einzelner Wiederholungen hin.

Aufs engste verknüpft mit dem ideologischen Umdeutungsprozeß ist, wie schon oben angedeutet, die künstlerische Gestaltung des historischen Stoffs. In welche Traditionen Livius in seiner Erzählungskunst und in dem Aufbau der zahlreichen Reden einzuordnen ist, geht aus den Beiträgen der Kapitel 7 und 8 hervor. Neben die einleitenden Abschnitte über die Herkunft und Eigenart der Darstellungsprinzipien und über die allgemeinen Wesenszüge der Kunst seiner Reden tritt eine Reihe von Einzelinterpretationen, die der Veranschaulichung der künstlerischen und psychagogischen Mittel in Sachberichten und Reden dienen sollen. Auch sonst ist, wie bereits das Kapitel über die Praefatio zeigt, an richtunggebenden Interpretationen nicht gespart worden. Doch dürfen solche Einzelanalysen nicht isoliert werden, sondern müssen immer wieder auf übergeordnete Einheiten und auf das Werkganze, soweit es uns sichtbar wird, bezogen werden. Vereinzelungen und vorschnelle Verallgemeinerungen aus wenigen Teilinterpretationen schaden immer. Diese Warnung gilt es besonders bei dem Bemühen zu beachten, den philosophischen und religiösen Hintergrund des livianischen Werks zu erschließen (Kap. 9). Hier stehen sich die Meinungen der einzelnen Forscher wegen der kargen und mehrdeutigen Aussagen des Livius an weit auseinander liegenden Stellen noch sehr kontrovers gegenüber, und es ist kein Trost, daß man dasselbe bei dem gleichen Problemkomplex auch für Sallust und Tacitus feststellen muß.

Den Abschluß bildet ein Kapitel (10) zur Sprache und zum Stil des Livius, in dem P. G. Walsh die Ergebnisse älterer Untersuchungen übersichtlich zusammengefaßt hat. Daß auf diesem Gebiet in den letzten Jahrzehnten nur wenig gearbeitet worden ist, wird jeder bedauern, der einmal von dem Variationsreichtum und der sublimierten Ausdrucksfähigkeit des livianischen Stils, seines Satzbaus und seiner Sprache berührt worden ist. Hier liegt ein weites Arbeitsfeld, das noch vieler Hände und Köpfe bedarf. Die Ursache für die zögernde Inangriffnahme dieser wichtigen Untersuchungen ist vor allem darin zu sehen, daß uns noch immer ein Livius-Lexikon fehlt. Jetzt haben die Amerikaner diese Arbeit in Angriff genommen, und man wird hoffen dürfen, daß nach Fertigstellung dieses Werks die Untersuchungen der sprachlich-stilistischen Fragen einen neuen Aufschwung nehmen werden. So schließt dieser Bericht, der die Arbeitsrichtungen, Probleme und Ergebnisse der Livius-Forschung der letzten 50 Jahre zum Gegenstand hat, nicht mit der Genugtuung über das bereits Erreichte, sondern, wie es der wissenschaftlichen Arbeit zukommt, mit dem Hinweis auf das, was noch ungelöst ist und in Zukunft geleistet werden muß[8].

Es bleibt mir noch übrig, den aufrichtigen Dank an die einzelnen Autoren und Verlage auszusprechen, die ihre Genehmigung zum Wiederabdruck ihrer Arbeiten erteilten, insbesondere auch an jene Herren, die mit Rücksicht auf die gebotene Beschränkung dieses Auswahlbandes großherzigerweise ihre Zustimmung zur Verkürzung ihrer Aufsätze oder zum Nachdruck einzelner Kapitel oder Textabschnitte gaben. Für die mit großer Sorgfalt angefertigten Übersetzungen der englischen Beiträge schulde ich Frau M. L. Gülzow, für die Übertragung der französischen Texte Herrn Dr. R. Carstensen lebhaften Dank. Schließlich weiß ich mich der Wissenschaftlichen Buchgesellschaft, namentlich den unermüdlichen Betreuern dieses Bandes zu herzlichem Dank verpflichtet. Die allseitig gute Zusammenarbeit bei der Genese dieses Bandes möge ein glückverheißendes Omen für eine vielseitige, fruchtbare Nutzung der hier vereinigten Livius-Beiträge sein.

Kiel, im Juni 1967

[8] Beim Nachdruck der einzelnen Beiträge ist davon Abstand genommen worden, die Zitier- und Schreibweise bei Bandangaben, Autoren, Eigennamen u. ä., soweit es nicht die Verständlichkeit beeinträchtigte, restlos zu vereinheitlichen.

I

DIE VORGÄNGER DES LIVIUS

Friedrich Klingner, Römische Geisteswelt, München: Verlag H. Ellermann 1961, S. 66–89.

RÖMISCHE GESCHICHTSSCHREIBUNG[1]

Von FRIEDRICH KLINGNER

Was Geschichte und Geschichtsschreibung sei, ist nicht so selbstverständlich, wie wohl mancher meint. Sie ist nicht in jedem Sinne überall und alle Zeit das Gleiche, ein für allemal Bestimmte, wobei nur immer das Maß verschieden wäre, in dem sich die einzelnen Geschichtsschreiber dem gleichen Ziele genähert hätten.

In einer Hinsicht freilich ist Geschichte wirklich immer dasselbe: sie ist Gegenwart des Vergangenen, für die, die an ihr Anteil haben, eine in die Vergangenheit erstreckte Dimension ihres Daseins, in der nicht nur das, was im Leben jedes einzelnen sonst sofort entschwindet, sobald es da ist, im Gedächtnis beisammen bleibt, sondern auch das noch, was vor seinem Leben vergangen ist, gewissermaßen seinen erweiterten Daseinsbereich ausmacht. Aber das Vergangene wird in sehr verschiedener Weise den Zeiten, Völkern, Menschen gegenwärtig, man möchte sagen: je nach dem, wie sie es verdienen. Jeder Anteil an der Geschichte will, nicht nur nach dem Maße, sondern nach der Qualität, verdient sein, durch Tun und Leiden, durch Forschen und Denken. In dieser Hinsicht ist und bedeutet Geschichte für verschiedene Zeiten, Völker, Menschen nicht ein und dasselbe. Ihr Leben in der geschichtlichen Dimension ist ebenso verschiedenartig wie ihr Lebensvollzug im unmittelbar gegenwärtigen Leben. Geschichte ist dem einen das Geschehnis, an dem ihm etwas Wesenhaftes aufgegangen, dem andern das Geschehen, das, wie auf einer Bühne dargestellt, erschüttert und erhebt, sie ist der Ort der geheiligten Sinnbilder eines Staates, eines Volkes oder sonst

[1] [Vgl. zu diesem Thema auch U. Knoche, Roms älteste Geschichtsschreibung, Neue Jb. 1939, 193 ff.; ders., Das historische Geschehen in der Auffassung der älteren römischen Geschichtsschreiber, ebda. 289 ff. P. G. Walsh, Livy, Cambridge 1961, Kap. II. – Anm. d. Hrsg.]

einer Gemeinschaft, sie ist eine Vorratskammer von Lehrstücken für den Staatsmann und Bürger, ist ein Zeughaus voll Waffen des politischen Kampfes oder auch Inbegriff des Schicksals der Welt, das alle und alles umfaßt, Offenbarung der Vorsehung, Offenbarung des Weltgeistes oder von Volksgeistern, schließlich für manche ein Betätigungsfeld für den verdrängten oder gescheiterten politischen Willen. Dieses alles und noch manches mehr kann für die Menschen Geschichte sein, meist ist sie vieles davon zugleich; dann gilt es das Mehr oder Weniger zu beachten. Welche Möglichkeiten des geschichtlichen Daseins und der Geschichtsschreibung einem Volk, einer Zeit erreichbar sind, sagt viel über ihr Wesen aus.

Und diese Unterschiede gelten schon, ehe noch die Geschichte wissenschaftliche Methoden ausbildet, um sich ihrer Gegenstände zu bemächtigen und zu versichern. Aber auch in einer Geschichte, die in diesem Sinne Wissenschaft geworden ist, pflegen die vorwissenschaftlichen Antriebe weiter zu wirken, es sei denn, daß die Methode sich ganz selbständig macht und Geschichte das Gewesene schlechthin wird, das mit der historischen Methode erfaßt werden kann.

In solchen Gedanken ist hier der Versuch unternommen, einzusehen, wie die römische Geschichtsschreibung zustande gekommen ist, welche Möglichkeiten sie nacheinander erreicht hat, wie das Erreichte jeweils mit der Daseinslage des römischen Volkes und des Geschichtsschreibers zusammenhängt.

Von vornherein gilt es zu bedenken, daß die Geschichtsschreibung im Schrifttum der Römer vor anderen Gattungen durch besondere Würde ausgezeichnet ist. Die Dichtkunst steht im Ansehen unvergleichlich tiefer. Denn nachdem die Römer bis zur Höhe ihres staatlichen Daseins ohne Literatur gekommen waren, waren zuerst ihre Dichter teils Freigelassene fremden Stammes, teils Menschen, die fern von Rom geboren waren, jedenfalls Menschen untergeordneter Art nach römischen Begriffen. Am Anfang wurde die Dichtkunst leicht als bloßes Vergnügen angesehen, bei allgemeinen Lustbarkeiten erlaubt wie Boxer-, Seiltänzer- und andere Gauklerstücke, sonst aber eigentlich verboten. Für Cato sind Dichten und Tafeln gleichwertige Anzeichen eines verlotterten Lebens. Erst Virgil und Horaz haben dem Dichter einen anerkannten, festen Ort im römischen Leben errungen. Römische Senatoren gibt es unter den Dichtern nicht bis zur Kaiserzeit. Umgekehrt haben Geschichte lange Zeit nur Senatoren geschrieben; noch Sallust ist Politiker gewesen, noch Tacitus ein angesehener Consular. Die vorliterarische Urform der Geschichte ist im Sakralwesen des Staates entstanden, der erste Geschichtsschreiber Roms und der erste, der in lateinischer Sprache Geschichte geschrieben hat, sind Senatoren; Cicero sieht in der Geschichte eine angemessene Tätigkeit für einen Consular. Das ist begreiflich. Denn Geschichte schreiben ist zunächst ein Stück Politik, ein neues Organ der Politik, zuerst der äußeren, dann der inneren. Etwas davon macht sich auch später wieder und wieder geltend: Cremutius Cordus ist unter Tiberius zum Selbstmord gezwungen worden, weil er Brutus gelobt und Cassius den letzten Römer genannt hatte.

Dieser tätig wirkende Charakter der römischen Geschichtsschreibung zeichnet sie im großen und ganzen genommen aus und unterscheidet sie von der griechischen, von Herodot, Thukydides, Polybios, Poseidonios – ganz zu schweigen von Ephoros, Theopomp, Timaios. Zwar auch bei den Griechen erhebt die Geschichte den Anspruch, dem Politiker Einsichten zu geben, deren er sich im tätigen Leben bedienen könne, aber eben Einsichten: auf Erkenntnis von Sinn und Wesen kommt es den Griechen in den höchsten, repräsentativen Werken an. Dagegen tritt der Wille zurück, bestimmte Ansichten der Vergangenheit im politischen Leben durchzusetzen, ja aufzunötigen, einzugreifen in die Politik, wie er bei den Römern so oft im Spiele ist.

Geschichte als Werkzeug der Politik in der Hand der Senatoren oder ihrer Helfer ist aber auch besonders wichtig und wirksam gewesen wegen des eigenartigen Verhältnisses der Römer zur Vergangenheit. Der Römer ist sehr eng mit seinen Ahnen verbunden. Sie sind ihm gegenwärtig, greifen in sein Leben ein und geben ihm Anteil an dem ihren. Am sinnfälligsten zeigt sich das bei den Bestattungszeremonien der großen Geschlechter, wie sie uns Polybios 6,53 dargestellt hat. Die Wachsmasken der Verstorbenen, mit den *tituli*, den Inschriften, die Verdienst und Würden anzeigen, darunter, hängen im Hause an der ehrenvollsten Stelle. Diese ständige Gegenwart steigert sich beim Leichenbegängnis. Da wird der Tote öffentlich im Kreise der vorangegangenen Vorfahren, die von Trägern der Masken dargestellt sind, und der Lebenden gepriesen von einem lebenden Mitglied des Geschlechts. Darin gibt sich eine Gemeinschaft der Lebenden und der Toten kund, fast als wäre kein Unterschied. Hier offenbart sich ein geschichtliches Bewußtsein im kleinen, das das Verhältnis der Römer überhaupt zur gemeinsamen Vergangenheit bestimmt und geprägt hat. Die Vergangenheit erstreckt sich wirkend in die Gegenwart herein, mit ihrer Autorität gebietend und beschränkend und richtungweisend, mit ihrer geheiligten Ehrwürdigkeit fromme Anhänglichkeit, Hingabe und Liebe wirkend, mit der Fülle und dem Glanz großer Taten nicht nur anspornend, sondern auch Anteil am Ruhme gebend. *auctoritas*, *pietas* und *gloria* zeichnen das Verhältnis des vornehmen Römers zur Vergangenheit seiner Sippe und des Römers überhaupt zur gemeinsamen Vergangenheit aus und unterscheiden es zum Beispiel von dem des Griechen. Was die *imagines* und *tituli* für den Vornehmen sind, das ist die *rerum memoria,* sind die *rerum monumenta,* die *res gestae populi Romani* für die Römer insgesamt. Der Römer hat das Bewußtsein: das ist mein Ruhm. Er hängt an den Vorfahren und deren Institutionen mit ehrfürchtiger Liebe, achtet sie als lebendig konkrete Gebote.

Jetzt wird es deutlich, daß die Geschichtsschreibung nicht nur als senatorische Schriftstellerei eine besonders hohe Würde hat, nicht nur der Politik entspricht, die die Römer als ihre eigenste Lebensbetätigung angesehen haben, sondern auch den Anlagen der römischen Seele gemäß ist. Die Römer sind von Haus aus auf Geschichte angelegt, und zwar auf Geschichte einer bestimmten Art. Geschichtsschreibung als Frucht der Erkenntnis eines Seins und Wesens am vergangenen Gegenstand haben die Römer spät und nur einmal, in Sallust, hervorgebracht – und auch da nur scheinbar. Ja, selbst die Geschichte, zu der sie berufen waren, hätten sie nie geschrieben, wenn die Griechen ihnen nicht Gedanken und Zunge gelöst und sie immer wieder neu gelehrt hätten, Geschichte zu erfassen und zu erzählen. Dieses Volk, das so auf Geschichte angewiesen war, das so unendlich viel mehr Sinn für konkreten Zusammenhalt in der geschichtlichen Dimension gehabt hat als die Griechen, hat doch in der Geschichtsschreibung keinen Schritt ohne die Griechen tun können. Zum Geschichte-Schreiben genügt eben das, was die Römer von sich aus mitgebracht haben, noch nicht. Es gehört dazu der Wille zum erklärenden, gültigen, dauernden Wort.

Was am Anfang steht, ist ungewiß und umstritten. Zwar bezeugen Cicero und Servius, daß in alter Zeit der oberste Priester Jahr für Jahr die Ereignisse, kriegerische und heimische, aufgezeichnet und das Brett, worauf sie standen, zugänglich gemacht habe, und gewiß hat es priesterliche Aufzeichnungen vor dem ersten Geschichtswerk gegeben. Aber wieviel Ähnlichkeit sie schon mit einem Geschichtswerk gehabt haben, das ist noch in jüngster Zeit Gegenstand des Zweifels gewesen. Seit Mommsen hatte man sich gewöhnt zu meinen, die Pontifices seien die ersten Geschichtsschreiber der Römer gewesen. In früher Zeit, schon im dritten Jahrhundert, hätten darnach die Priester die Geschichte der Stadt seit ihrem Ursprung in der Grundgestalt aufgezeichnet, wie sie dann später so einheitlich festgehalten worden ist. In jüngster Zeit ist nun aber dem ersten Verfasser eines wirklichen Geschichtswerkes, Fabius Pictor, in Matthias Gelzer ein Anwalt erstanden, der das erste römische Geschichtswerk als dessen geistiges Eigentum in Anspruch nimmt und den Pontifices streitig macht. Die Priesterannalen hat es bei genauerem Zusehen gar nicht gegeben, wenigstens nicht als Werk, aus dem Fabius die Geschichte, zumal der Frühzeit, hätte entnehmen können – trotz Cicero, der ein spätes Werk der gracchischen Zeit, die *Annales Maximi,* die sich als Zusammenfassung aller jener uralten Aufzeichnungen gegeben haben, harmlos als Zeugnis für die Art genommen hat, wie die alten Priester urtümlich kunstlos ihre Einträge gemacht hätten. Es ist schwer, darüber richtig zu urteilen. Denn weder die Pontifikalannalen noch das Werk des Fabius ist auch nur bruchstückweise erhalten. Wahrscheinlich ist es, daß die aufbewahrten Tafeln der Priester zwar kein Geschichtsbild, aber doch Geschichtliches enthalten haben, mehr als Gelzer zu wollen scheint, und von den römischen Senatoren auch benutzt worden sind, um sich über das Vergangene Auskunft zu holen. Wie hätte sonst Ennius auf Verständnis rechnen können, als er seine dichterische römische Geschichte nach jenen Brettern *Annales* nannte? Aber gewiß hat das Werk des Fabius Pictor weder sehr viel von seinem Gehalt noch irgend etwas von seiner Form diesen Jahrestafeln zu verdanken gehabt.

Denn was er gegeben hat, das stand bestimmt nicht darauf: eine ausführliche Urgeschichte, durch Aeneas mit der griechischen Sage verbunden, zeitlich in die griechische Chronologie eingeknüpft, ausführlich mit Zeichen und Wundern und doch auch wieder pragmatisch erklärend dargestellt, dann ausführliche Kunde vom Ursprung und von der Großartigkeit römischer Einrichtungen, weltlicher wie religiöser, dann wenige, aber in sich doch ziemlich ausführliche Bilder aus der frühen republikanischen Zeit, und dann die Hauptsache, eine Geschichte seiner Zeit, des ersten und des zweiten Punischen Krieges, deren Art ein Bericht des Polybios über die Gründe des Hannibalkrieges erkennen läßt. Hinter dem Kriegsanlaß wird da in der Tiefe die Machtgier Hasdrubals und seines Nachfolgers Hannibal und das verwickelte Verhältnis zwischen ihnen und dem karthagischen Rat, wie es sich in langer Zeit herausgebildet hatte, als die wahre Ursache sichtbar. Fabius hat also die Vorgänge nicht bloß erzählt, sondern erklärt und verständlich zu machen gesucht. Sonst hätte ja auch schwerlich ein Mann wie Polybios ein halbes Jahrhundert später Achtung vor seinem Werk bezeugt.

Sonst hätte es aber auch seinen Sinn verfehlt, denn es war entstanden als Antwort eines einzigartigen Römers auf eine bestimmte Lage Roms. Einer begabten, geistig fortgeschrittenen Familie entstammt und selbst gewiß nicht zufällig Gesandter Roms zum delphischen Gott nach der Niederlage bei Cannae, als es eins der wichtigsten Anliegen war, die Gunst der Götter wiederzugewinnen, mußte Fabius Pictor Roms Not heftiger als andere empfinden, bei aller neu erworbenen kriegerischen und politischen Macht geistig wehrlos den Griechen, in deren Welt man geraten war, und den karthagischen Gegnern gegenüberzustehen, die durch griechische Schriftwerke die ganze gesittete Welt gegen Rom einzunehmen imstande waren. Er ist mit einem griechischen Werke unter die Griechen getreten und hat ihnen Rom und sein Handeln verständlich zu machen und seine Sache geistig zu verfechten gesucht.

Ein griechisches Werk, verfaßt von einem Römer, ist also die Geschichte des Fabius nicht nur der Sprache nach gewesen, sondern auch der Art und der Absicht nach; sie hat sich an Griechen gewandt. So ist es noch ein halbes Jahrhundert danach bei den späten, entarteten Nachfahren des Fabius gewesen. Wenigstens der eine von ihnen, A. Postumius Albinus, der Konsul des Jahres 151, hat noch in der Vorrede seine griechischen Leser um Nachsicht der Sprache wegen gebeten. Damals war Catos Hohn wohl verdient. Denn nach dem Ende Makedoniens brauchte Rom die gute Meinung der Griechen nicht mehr. Eine griechische Geschichte Roms von einem Römer war sinnlos. Der Grieche Polybios trat auf den Plan. Er konnte die Aufgabe, Rom verständlich zu machen, unendlich besser lösen als damals irgendein Römer.

Das erste lateinische Geschichtswerk ist etwas Verschiedenes, kaum Vergleichbares gewesen, und es hat lange gedauert, bis es geschaffen worden ist. Zwar ist der erste Punische Krieg in lateinischer Sprache um dieselbe Zeit dargestellt worden, als wahrscheinlich Fabius den Hannibalkrieg erzählte, um die Jahrhundertwende. Aber es ist ein Dichtwerk, das Epos des Naevius, das erste in der Reihe der Gedichte, die bis zur Aeneis und weiterhin der Geschichtsschreibung einen Teil der Aufgabe abgenommen haben, die Vergangenheit gegenwärtig zu halten, und zwar vor allem ihren Glanz, Zauber und Ruhm zu feiern und Anteil daran zu geben. Ein zweites episches Gedicht, des Ennius' Annalen, mußte danach noch die ganze römische Vergangenheit und besonders den Hannibalkrieg homerisierend darstellen, ehe zum ersten Male ein lateinisches Geschichtswerk entstehen sollte. Die Dichter sind dem ersten Historiker zuvorgekommen, denn sie waren außer ein paar Aristokraten die einzigen, denen von den Griechen die Zunge gelöst war. Jene Aristokraten aber, in denen etwa das Bedürfnis nach Klarheit über das Erlebte und Gehörte geweckt war, konnten bei Fabius und in seiner Nachfolge ihr Bedürfnis befriedigen; wie sollten sie neue Möglichkeiten entdecken? Dazu bedurfte es der seltsamen Lage und der Geistesmacht des M. Porcius Cato Censorius. Sein Geschichtswerk wandte sich allein an die Römer wie die Epen. Es war aber wie das des Fabius und seiner Nachfolger von einem Manne geschrieben, der am Regiment Anteil hatte. Man könnte davon sprechen, daß sich darin etwas von Fabius und etwas von Naevius miteinander verbunden habe, und gewiß war die Zeit, als das ennianische Gedicht vom Hannibalkriege und vom ersten makedonischen Kriege eben bekannt geworden war (172 v. Chr.), reif dafür. Aber Fabius mit Naevius verbunden gibt noch lange nicht Cato. Ihn führte eine neuartige Lage und ein neues Anliegen zu seinem Werk. Er kämpfte mit den Griechen nicht mehr wie Fabius draußen in der griechisch sprechenden gesitteten Welt, sondern innen vor den Römern; hier galt es jetzt nach einem Menschenalter Roms Sache durchzusetzen, das römische Selbstbewußtsein vor dem eingedrungenen Griechentum zu retten und die Überlegenheit der Römer zu bewähren. Und dieser Kampf war zugleich der Kampf zweier Zeitalter und zweier Schichten innerhalb der römischen Welt gegeneinander: das Alte, Einheimische lehnte sich gegen das Neue auf, das seine Lebensform zu zerstören drohte, die beharrende, wesentlich ländliche Bevölkerung gegen einige von den regierenden stadtrömischen Familien, die, geistig am weitesten fortgeschritten, sich mehr und mehr dem Griechentum öffneten. Dieses erbitterte Ringen Catos ist es, was das senatorische Schrifttum in lateinischer Sprache und was das erste lateinische Geschichtswerk hat entstehen lassen. Schon durch sein bloßes Dasein gibt das Geschichtswerk, ebenso wie die anderen Bücher Catos, den Willen kund, griechische Bücher zu verdrängen. Das Bedürfnis nach dem Schrifttum überhaupt und nach Geschichtsbüchern war offenbar aufgewacht, und zwar auch in Cato selbst. Man mußte es von der griechischen Literatur fernhalten, die, wie er seinem Sohne einprägte, einmal alles verderben würde; und so halb in Haß und Verachtung, halb in uneingestandener Schülerschaft und im Trachten, ein gewisses Minderwertigkeitsgefühl zu überwinden, hat er zuerst eine lateinische Literatur von senatorischem Rang, hat er sein Geschichtswerk geschaffen.

Durch seine Art gibt es sich als Werkzeug von Catos Willen und als Niederschlag seines Daseins zu erkennen. Es eifert gegen die Ruhmredigkeit der Griechen und verhilft dem namenlosen Heldentum römischer Soldaten zu seinem Recht; es bringt Italien gegen die Anmaßung der römischen Großen zu Ehren, die Legionen gegen die adligen Führer, die Gesamtheit gegen den einzelnen großen Mann; es stellt die stets in Kämpfe verstrickte Gestalt seines Schöpfers in gehörig helles Licht und kämpft für sein Ansehen und seinen Ruhm; und es hält dem römischen Volk das Beispiel gesunder Sitten und großer Taten vor. Aber es zeigt auch, wie tief Cato von den

Griechen berührt gewesen ist. Die Gattungsform wenigstens des ersten Teiles, der Urgeschichte Roms und der italischen Stämme und Städte, ist griechisch, der Inhalt insofern, als die Frage nach dem Ursprung italischer Namen und Städte Cato auf die einzig erreichbare Deutung der frühen Vergangenheit, die es gab, die griechische Sage, führt und als auch allgemeine Gedanken über Staatsformen und Staatsleben griechische Ideen abwandeln. Und wenn es sich schließlich zeigt, daß in Cato auch ein Stück von einem Forscher und Gelehrten enthalten ist, so ist doch wohl die Lust am Suchen, Finden und Besserwissen durch die Griechen in ihm rege und wirksam geworden.

Die prägende Kraft ist in diesem ersten lateinischen Geschichtswerk im einzelnen Ausdruck urwüchsig stark, in der Anlage des Ganzen aber fehlt sie; breit und formlos fließt die Erzählung immer mehr auseinander. Man wird auch vermuten dürfen, daß gar manches, was Fabius und seine Nachfolger hatten aussprechen können, für das lateinische Wort noch unerreichbar gewesen ist. Es ist eben ein Unterschied, ob man sich von einer gebildeten Sprache und Kunst, von einer fertigen Form, tragen läßt oder beides erst zu neuem Zweck gestalten muß. Daher auch der Abstand, in dem zuerst noch die Sprache der Geschichte hinter Dichtkunst und Rede zurückbleibt.

Die bedeutende Leistung Catos hat lange keine würdige Nachfolge gefunden. Die beiden, die nach ihm Geschichte geschrieben haben, haben sich gewissermaßen in Teilen seines Geschichtswerkes eingenistet und haben weiter daran gebaut, ohne das Ganze erfüllen zu können.

So ist Cassius Hemina ein *dimidiatus Cato* oder noch weniger. Ihn hat offenbar das Beispiel Catos, und zwar des ersten Teiles seines Werkes, der römisch-italischen Altertumskunde, gelockt. Noch bevor der zweite, zeitgeschichtliche Teil von Catos Werk fertig war, hat er einen Teil seiner Altertumskunde geschrieben. So möchte man das Werk fast lieber nennen als Geschichte, wenn man sieht, wovon die erhaltenen Bruchstücke fast alle handeln. Römische Namen, Gebräuche und Einrichtungen sind erklärt, und zwar ist ihr Ursprung erforscht. Eine neuerweckte Liebe zur Urzeit kann sich nicht genug darin tun, den trojanischen Ursprung der Römer darzustellen, die Geschichte des Aeneas und den Zustand Italiens, den er und die Seinen angetroffen haben. Abenteuerliche Etymologien verbinden sich mit dieser historischen Gelehrsamkeit; die Zeitrechnung versucht, die römischen Dinge in ein bestimmtes Verhältnis zum Trojanischen Kriege, zu Homer und Hesiod zu bringen.

Schon in der Urgeschichte macht sich die Vorliebe des Cassius für die sakralen Altertümer geltend, und sie hat offenbar auch die folgenden Bücher ausgezeichnet. Aber man erwarte nun bei ihm ja kein ehrfürchtiges Sichversenken in eine noch Gott nahe Menschheit der alten Zeit. Nein, er schwelgt darin, auf das platteste alte religiöse Bräuche zu erklären. Der König Numa, der Schöpfer des geregelten Gottesdienstes, muß zum Beispiel bei Cassius geröstetes Mehl zum Opfer vorschreiben, um auf diese Weise eine hygienische Maßnahme durchzusetzen, die ohne das religiöse Gefühl nicht hätte durchgesetzt werden können. Da mischt sich neugelernte aufklärerische griechische Wissenschaft mit der wachgewordenen Liebe zur Vorzeit zu einem barbarischen, mehr wunderlichen als anziehenden Gebilde.

Auf andere Art als Cassius ist L. Calpurnius Piso mit dem bezeichnenden Beinamen Frugi ein *dimidiatus Cato*. Zwar vereinigt er die zuchtmeisterliche Art Catos mit seiner Altertumskunde; das Geschichtswerk ist zugleich Ergebnis und Werkzeug des Lebens eines angesehenen, ja vorbildlichen Römers, der Konsul und Censor gewesen ist; und wenn man bedenkt, daß er der Zeit nach zwischen Cato und den beiden Gracchen steht und den stürmischen Wandel der Dinge in den dreißiger und zwanziger Jahren des zweiten Jahrhunderts tätig miterlebt hat, so möchte man wohl den großen geschichtlichen Atem auch in seinem Werk erwarten. Aber Dasein und Werk ist zweierlei; wie schwer es für einen Nichtgriechen sein kann, das Gewicht seines Daseins mit dem Werke aufzuwiegen, lehren die Römer und lehrt vielleicht niemand eindringlicher als Piso.

Offenbar hat Piso die römische Geschichte reichlich mit Anekdoten ausgestattet, von denen eine Anzahl erhalten ist, und gerade darin zeigt es sich, wie verschieden er bei großer Ähnlichkeit im allgemeinen von Cato gewesen ist. Wenn Cato die tapfere Tat eines Tribunen oder das berühmte Gespräch zwischen Hannibal und seinem Unterführer nach der Schlacht bei Cannae erzählt, so wird es ein Monument. Wenn aber Piso von Romulus erzählt, wie er beim Abendtrunk mäßig gewesen sei in Anbetracht der Amtsgeschäfte des nächsten Tages und dann, harmlos gehänselt, eine ebenso harmlose Witzantwort etwa im Stile Xenophons gegeben habe, so ist das ein flaues pädagogisches Histörchen, der verlotterten römischen Jugend ins Lesebuch geschrieben, und nichts weiter – eine Erfindung übrigens, die, genau wie die Altertumskunde des Cassius, fast erschreckend erkennen läßt, wie banal man die alte Zeit aufgefaßt hat.

Ein Verdienst Pisos, wenn man so will, scheint es gewesen zu sein, der älteren republikanischen Geschichte, von der die Früheren sehr wenig gewußt hatten, mehr Recht und Raum verschafft zu haben. Das mag damit zusammenhängen, daß wahrscheinlich in Pisos Zeit der neue Sinn für die Vorzeit im Collegium der Pontifices das Ergebnis gezeitigt hatte, daß man die alten Tafeln hervorzog und wahrscheinlich ergänzte. Chronik und Geschichtsschreibung sind so einander näher gekommen als bei Cato, der, weit entfernt, auch nur einen Teil seines Werkes Annalen zu nennen, geringschätzig von der Weisheit der Oberpriester abgerückt war.

Piso ist also einerseits bei Cato stehengeblieben, ohne an ihn heranzureichen, und andererseits mag der Umstand, daß er sich an die Kunde der Pontifices gehalten hat, seinem Werke noch mehr urtümliche Einfachheit gegeben haben. Stilistisch ist er jedenfalls rückständig, viel rückständiger als Cato.

Um so entschiedener heben sich von ihm drei Geschichtsschreiber ab, die, gar nicht so viel jünger als er, doch einem anderen Geschlecht angehören und den Wandel der Zeiten in ihren Werken auf sehr verschiedene Art offenbaren, zwei Angehörige des Scipionischen Kreises und ein Mann, der als Lehrer, als Gelehrter und Künstler eine neuartige Gestalt unter den römischen Geschichtsschreibern ist.

C. Fannius, der Schwiegersohn des Laelius und Hörer des Panaitios, der Konsul des Jahres 122, erst Freund, dann Gegner des C. Gracchus im Ringen dieses stürmischen Jahres, hat wahrscheinlich zum ersten Male die inneren Machtkämpfe des römischen Staates zum Hauptgegenstand wenigstens eines Teiles seines Werkes gemacht und damit das Wesentliche seiner Zeit in der Geschichte abgebildet – nicht nur inhaltlich, sondern auch durch die Art des Darstellens selbst. Wenigstens weist der Umstand, daß er nicht nur wie Cato eigene Reden, sondern auch die anderer Staatsmänner seiner Zeit wiedergegeben hat, darauf hin, daß er die Geschichte der Jahrzehnte, die er erlebt hatte, als Geschichte auch der inneren Politik aufgefaßt und in aller Ausführlichkeit berichtet hat.

Für Fannius ist nicht nur Sallusts Lob seiner Wahrhaftigkeit bezeichnend, sondern auch dies, daß er den jüngeren Scipio lange nach seinem Tode in Schutz genommen hat. Man hatte Scipios Ironie als Charakterfehler getadelt, Fannius deckte sie mit der Autorität des Sokrates. So weit ging schon bei dem Schüler des Panaitios und denen, auf deren Verständnis er rechnete, die Anerkennung der griechischen Philosophen, ja, sie durfte auch schon in einem Schriftwerk dieser strengen, senatorischen Gattung ausgesprochen werden. Dazu fügt es sich gut, daß die Sprache dieses Werkes Cicero schon ein halbes Lob abgenötigt hat. Das erhaltene Stück eines weniger einfachen Satzgefüges beweist die Fähigkeit, einen verwickelten Gedanken einheitlich zu fassen.

Ob Fannius schon an dem großen Werke des Polybios gelernt hat? Man möchte meinen, daß es, wenn überhaupt in Rom, im Kreise des Scipio und Laelius gelesen worden ist. Sicher ist es, daß der jüngere Zeitgenosse des Fannius, Sempronius Asellio, im Sinne des Polybios die Geschichte seiner Zeit geschrieben und es am Anfang seines Werkes grundsätzlich abgelehnt hat, nur die Tatsachen in der Zeitfolge aufzuzählen; das heißt nach seiner Meinung Kindergeschichten erzählen. Es kommt vielmehr darauf an, die Absichten und Gründe aufzudecken, darzustellen, was Volk und Senat jeweils beschlossen haben und in welcher Absicht man dies und jenes ausgeführt habe. Nur eine solche Geschichte kann fruchtbar werden und, wiederum im Sinne des Polybios, eine Schule des Staatsmannes sein; wobei freilich der Römer nicht wie Polybios vom politischen Erfolg schlechthin spricht, sondern vom Handeln für das Gemeinwesen: der politische Verstand ist eben beim Römer nicht so wie beim Griechen von der Pflicht, für den Staat zu wirken, ablösbar.

Diese neue Art, Geschichte zu schreiben, erforderte mehr Raum als die älteren Darstellungen. Für einen bestimmten Zeitabschnitt (133–91 v. Chr.) hat Asellio nicht gar so viel weniger Bücher gebraucht als selbst Livius (10: 13). Bei diesem Geschlecht ist also die Saat des Polybios aufgegangen. Aber auch das Widerspiel der pragmatischen Geschichte hat sich in dieser Zeit des schnellen Wandels in Rom hervorgetan, das dichterische Geschichtswerk in Prosa. Coelius Antipater, der erste von vielen, der ein solches Werk gewagt hat, ist auch der erste unter den Geschichtsschreibern, der nicht selbst handelnd an der Geschichte Anteil gehabt hat. Als Rechtskundiger in hohem Ansehen hat er bedeutende Staatsmänner als Redner ausgebildet und ist mit Aelius Stilo, dem ersten eigentlichen Philologen der Römer und Lehrer Varros, befreundet gewesen. Er, der erste Lehrer der Redekunst, hat sein Geschichtswerk dem ersten gelehrten Hüter des Schrifttums gewidmet. Diese neuartige Gestalt im Kreise der Geschichtsschreiber erinnert mit ihrer Daseinsart eher an Ennius als an Cato, Piso und Fannius, und ähnlich verhält es sich mit dem Werke. Denn darin wirkt kaum einer von den Antrieben der senatorischen Geschichtsschreibung, sondern es will eine Art Heldengedicht in Prosa sein, ja, es ist, als ob Coelius mit Ennius in den Wettstreit treten wollte: er hat sich den zweiten Punischen Krieg, ein Hauptstück der ennianischen Annalen, mit Hannibal und seinen römischen Gegenspielern als Helden, zum Gegenstand gewählt, zum ersten Male einen in sich geschlossenen Abschnitt der fernen Vergangenheit. Und für die Darstellungsart hat er sich zum ersten Male jene hellenistische Kunst zum Vorbild genommen, die, der Tragödie verwandt, den Leser nicht als Staatsmann und Bürger belehrt, warnt und anspornt, sondern als Zuschauer gewaltiger, erschütternder Vorgänge bei seiner ganzen Erlebnisfähigkeit packt und an allem Großen, Furchtbaren schauernd Anteil nehmen läßt. Dazu ist eine Sprache nötig gewesen, die, ebenfalls der dichterischen verwandt, durch Rhythmen, Klänge, seltene, dichterische Wörter und dergleichen die Sinne bannt.

Ist nun hiermit wieder eine griechische Möglichkeit für die römische Geschichte gewonnen, hat sich Coelius sogar in gewisser Hinsicht von den Hauptzielen der lateinischen Geschichtsschreiber bisher entfernt, so hat das Ganze doch gerade mit der Übertreibung des Neuentdeckten, Neuerworbenen sehr römisch geklungen. Indem Coelius in Klängen schwelgte, und zwar in solchen, die denen des Ennius ähnlich sind, erfüllte er ein tiefes Bedürfnis der Römer.

Und dann muß man das eine bedenken: zwar hat man später den barbarischen, bunten Überschwang nicht mehr ertragen. Aber trotzdem wäre ohne Coelius kein Livius, kein Tacitus gekommen. Und schließlich ist Coelius bei allem Künstlertum nicht leichtfertig mit den Dingen verfahren. Er hat es sich angelegen sein lassen, Werke der römischen und der karthagischen Seite sorgfältig zu vergleichen und zusammenzuarbeiten.

Wesentlich anders als das Geschlecht, das den jüngeren Scipio und die gracchischen Kämpfe im Mannesalter erlebt hatte, haben die Schriftsteller die römische Geschichte bereichert, die nach dem Schreckensjahrzehnt von 91 bis 82 v. Chr., in der Zeit des sinkenden sullanischen Staates, zu Worte gekommen sind, die Annalisten Claudius, Licinius und Valerius und der Verfasser einer Geschichte seiner Zeit, Sisenna. Was die Annalisten betrifft, so sind sie dem Geschichtsforscher unrühmlich als die schlimmsten Verderber der römischen Geschichte bekannt, und in der Tat: die unbekümmerte, gewissenlose Art, mit der die Vergangenheit um mehr oder weniger guter Zwecke willen verwüstet worden ist, beleuchtet den haltlosen Sinn der damaligen Römer. Dennoch will auch das, was diese wunderlichen Schriftsteller geleistet haben, verstanden sein. Sie sind es gewesen, die die halbleeren Räume der frühen republikanischen Zeit in Besitz genommen und, Überliefertes ausweitend, übertreibend, ergänzend, so ausgefüllt haben, daß ihre Vorgänger aus der Zeit Pisos dagegen wie schüchterne Stümper erscheinen.

Da sind zunächst die Reihen der Aristien früher Zeit, auch sie eine neue Art Heldendichtung, Verherrlichungen der großen Tugenden des Volkes oder fast noch mehr Ruhmesschätze der Familien, die in der Zeit des Geschichtsschreibers blühten. Diese Geschichten erinnern zum Teil an Erzählungen aus der älteren Zeit von Cato und Piso, und sie sind wohl auch zum Teil nach deren Vorbild entstanden. Aber sie wollen nicht mehr anspornen und erziehen: sie verherrlichen einfach. Jeder kennt die Geschichte des Claudius Quadrigarius, wie in den Gallierkämpfen der junge Manlius Torquatus den prahlenden, prunkenden Hünen mit seiner schlichten römischen Tapferkeit erlegt. Das Römertum hebt sich glorreich vom Barbarentum ab. Und der Ruhm der Manlier ist durch diese Ursprungslegende mit der Geschichte der Römer verbunden.

Ursprungslegenden hatte es gegeben, seit die Römer Geschichte geschrieben haben, und gewiß auch schon Familiensagen. Aber zumeist waren es Namen und Gebräuche des römischen Volkes und Italiens, die da erklärt worden waren; die neue Legende dient zu einem guten Teil der Verherrlichung einer Familie.

Jene Aristie hängt in der Überlieferung, wie sie, bei Livius erhalten, durch die Hände des Claudius gegangen ist, mit einer ganzen Reihe von Manlier-Aristien des vierten Jahrhunderts zusammen, von der Rettertat des Manlius Capitolinus an über einen guten Teil des Jahrhunderts reichlich verbreitet, vorbildhaften Beispielen der Tapferkeit, des Gehorsams und der Gesetzesstrenge, in schweren Schicksalswirren zwischen Vätern und Söhnen zur Tragik erhoben.

Mit Claudius hat diese Art Dichtung nicht aufgehört. Geschichten, die er neu eingeführt hat, müssen von seinen Nachfolgern nacherzählt, verwandelt und vor allem umgewertet sein. Wer in jedem einzelnen Falle eine Geschichte gerade so gewendet hat, wie wir sie bei Livius lesen, ist bisher ungewiß; aber oft können wir feststellen, daß Helden solcher Aristien, wahrscheinlich während der sullanischen Zeit, ihre Schicksale gehabt haben: die ganze Familie der Claudier zum Beispiel, früher eine Reihe von Lichtgestalten, ist später in finsteres Dunkel gerückt.

Nachdem einmal der Weg beschritten war, ließ natürlich der Ruhm des Geschichtsschreibers und der verherrlichten Familien die anderen nicht ruhen. Licinius Macer, der gescheite, skrupellose populare Staatsmann, bevölkerte die frühe Geschichte mit einer Reihe von Liciniern, deren Verdienste wahrscheinlich die der Helden des Claudius noch in den Schatten stellten, und öffnete den Zeitgenossen die Augen darüber, daß im ganzen alles, was es im römischen Staat an Volksrechten gab, seinen Vorfahren, den Liciniern, zu verdanken sei.

Nach solchen Leistungen des Licinius dürfte auch Valerius Antias nicht untätig gewesen sein. Allerdings hat bei ihm sicher nicht nur Familienruhmsucht, sondern auch römischer Stolz die Geschichte überprüft und die Ruhmestaten des Volkes in zeitgemäßerer Größe erscheinen lassen; besonders in hohen Zahlen der feindlichen Verluste hat er sich nicht genug tun können. Aber daneben ist er doch kräftig bemüht gewesen, den Valeriern einen breiten Platz an der Sonne des geschichtlichen Ruhmes bei der Verteilung des verfügbaren Zeitraumes zu sichern. Als Feld dieser Tätigkeit hat er sich die ersten Jahrzehnte der Republik ausgesucht. Nicht alles ist in den anerkannten Bestand der römischen Geschichte aufgenommen worden – die Späteren sind denn doch mißtrauisch geworden, und dem Livius ist das schamlose Übertreiben in der Seele zuwider gewesen –, aber bei Plutarch im Leben des Valerius Poplicola ist die Fülle des valerischen Ruhmes unvermindert erhalten, so wie sie Antias dargestellt hatte: schlechthin alles haben Männer dieses Geschlechtes in jenen frühen Zeiten geleistet, als der junge Freistaat um sein Dasein zu kämpfen hatte. Eine Valeria erhält die Stelle der bekannten Cloelia, die Claudier werden in ihre Schranken zurückgewiesen: ein Valerier ist es gewesen, der den Urahn der Claudier erst nach Rom berufen hat.

Allein den römischen Ruhmestempel und vor allem die Familienruhmeshallen dergestalt zu füllen, ist nur die eine Leistung der Annalisten dieser Zeit. Sie haben außerdem die frühen Zeiten mit einer ausführlicheren Geschichte der inneren Politik bereichert. Innere Kämpfe hat es natürlich auch in früherer Zeit in Rom gegeben, und man konnte auch manches davon wissen. Aber seit dem Falle der letzten mächtigen Feinde Roms, besonders seit der gracchischen Zeit, hatten sich die Kräfte der Römer, statt gesammelt gegen die äußeren Gefahren zu stehen, mehr als früher gegeneinander gewendet. Das Staatsleben war zum guten Teil zu einem Kampf der Staatsmänner gegeneinander geworden. Auch die Geschichtsschreibung hatte in der gracchischen Zeit diese Vorgänge aufzunehmen und darzustellen gelernt, aber doch nur in der eigenen Zeit, in der es dergleichen wirklich in dieser Art und diesem Maß gegeben hatte. Jetzt aber konnte man sich auch die Geschichte früherer Zeiten nicht mehr anders vorstellen. Es mußte als unbegreifliche Unterlassung erscheinen, wenn die früheren Geschichtswerke über diesen wichtigen Teil des Staatslebens so wenig berichteten. Und so machte man sich denn ans Werk und holte das Versäumte nach. Damals hat sich die frühe republikanische Geschichte mit breiten Bildern innerer Kämpfe und all den feinen und derben Praktiken der Staatsmänner und Machtgruppen in Senat und

Volksversammlung gefüllt, Abbildern der Zustände einer Zeit, die aus den Fugen gegangen war.

Abseits von diesem Wesen der Annalisten steht Cornelius Sisenna, kein unbekannter Mensch wie Claudius und Valerius, sondern wie Licinius ein angesehener Staatsmann und Redner, aber Aristokrat, mit seinem Sippengenossen Sulla hochgekommen, der Verfasser einer Geschichte seiner Zeit und hierin Nachfolger des Asellio und Vorgänger Sallusts. Gebildet und begabt, anerkannt von Menschen sehr verschiedener Art, muß er die Geschichte der Erschütterungen Roms vom Bundesgenossenkrieg bis zur sullanischen Staatsordnung eindrucksvoll erzählt haben; wir wissen von seinem Werk leider nicht mehr, als daß er damit Sulla gerechtfertigt haben muß und daß er zuerst die Sprache der Geschichtsschreibung auf Grund wissenschaftlicher Grundsätze wunderlich genug gereinigt und geregelt hat.

Im zweiten Jahrhundert v. Chr. hatte ein Cato in einem großen Teil seines Geschichtswerkes den Zweck verfolgt, sich selbst zu rechtfertigen und sein Tun in das gehörige Licht zu stellen. Dafür benutzte man im ersten Jahrhundert Schriften einer eigenen Art, die „Commentarien". Von Geschichtswerken unterscheiden sie sich dadurch, daß sie nur Stoff ohne formale und gedankliche Ansprüche zu vermitteln vorgeben und daß sie sich auf das beschränken, was der Schreibende getan hat oder woran er doch beteiligt gewesen ist. Cäsar hat in seinen Büchern über den Gallischen und über den Bürgerkrieg diese Gattung zur Vollkommenheit emporgeführt. Durchdringender Verstand und klarer Wille bilden sich in dem formstrengen, abstrakten Stil dieser angeblich kunstlosen Darstellung auf das gemäßeste ab. Der Inhalt ist weit davon entfernt, bloßer Tatsachenstoff zu sein. Die Commentarien enthalten nichts Geringeres als das wohldurchdachte Bild, das sich Mit- und Nachwelt von den beiden weltbewegenden Kriegen nach Cäsars Willen machen sollten.

Wendet sich nun der Betrachter zu Sallust, so überschreitet er innerhalb des eigentlich geschichtlichen Schrifttums eine wesentliche Grenze. Nicht nur, daß seine Werke bis zum Ende des Altertums gelesen und zwei von ihnen bis heute erhalten sind: diese Werke haben zuerst von allen römischen Geschichtswerken etwas unbedingt Gültiges an sich. Was ist aber das wesentlich Neue, das Sallust bei allem Zusammenhang mit seinen Vorgängern von Cato an seinerseits in die römische Geschichtsschreibung gebracht hat? Sallust hat die Römer auf eine neue Weise gelehrt, die Ursachen ihres Schicksals zu erkennen. Er ist der erste römische Historiker, der das ganze römische Schicksal als einen einheitlichen Vorgang hat auffassen können. Und er hat eine Form gefunden, die ihn auf beschränktem Raum doch das Ganze hat sichtbar machen lassen. An seinem „Catilina“ mag das deutlich werden. Ein Mensch wie Catilina ist Ergebnis und Symptom der Krankheit Roms. Aus dem kritischen Zustand, in den es unter Sulla geraten ist, ergibt sich in solchen Menschen das Begehren nach Tyrannis; und daraus wieder folgen alle Taten des Verschwörers. Die Kette von Ursachen und Folgen verläuft also im Bereich der sittlich kranken oder gesunden Zustände des Volkes, und so ist es immer und überall bei Sallust. Die realpolitischen Ursachen und Anlässe sind für ihn Nebensache, wie übrigens auch das bloß Tatsächliche und die Zeitfolge – darin scheut er sich nicht vor Ungenauigkeiten und vor dem Vereinfachen. Es ist wesentlich bei Sallust, daß Catilina aus dem realpolitischen Schachspiel, soweit es möglich ist, herausgelöst und dafür um so inniger in den Zusammenhang der Pathologie des römischen Volkes eingeführt ist.

Der sittlich-politische Verfall von Volk und Staat, das ist es, worauf der Blick Sallusts immer verzweifelter ruht, je mehr er den einheitlichen Vorgang begreift, an dessen Ende er selbst lebt. Der Fall des letzten ernstlichen Feindes, Karthagos, hat im Innern erst Machtgier, dann Geld- und Genußgier entfesselt, Sulla die letzten Hemmnisse beseitigt; nun geht es unaufhaltsam ins Verderben. Die Kräfte und Werte, die ursprünglich geherrscht und Rom groß gemacht haben – der Römer faßt sie mit dem Worte *virtus* zusammen –, sind ausgestorben. Nur in zwei Männern seiner Zeit, in Cäsar und Cato, sind sie noch erschienen, aber getrennt voneinander: die Werte der Kraftentfaltung nach außen in Cäsar, die Werte der Selbsteinschränkung (*modestia*) in Cato. Mit tiefem Bedürfnis nach dem Großen, Rechten blickt Sallust auf die Geschichte. Der Vergleich zwischen Cäsar und Cato gehört ebenso zu seinem geschichtlichen Weltbild wie die finstern Überblicke über die ganze römische Geschichte.

Jedes der drei Werke ist dazu da, dieses Gesamtbild von einem begrenzten Gegenstand aus zu zeigen, und dieses Verhältnis eines umgrenzten Gegenstandes zum Ganzen der römischen Geschichte begründet die neue Form; sie gleicht nur äußerlich der monographischen Form des Coelius.

Wie eigen diese Leistung des Sallust und wie römisch ihr Gepräge aber auch ist, so bleibt sie doch die Frucht der Begegnung eines Römers mit dem Werk eines Griechen. So wie das geschichtliche Denken des Polybios im Werke des Asellio fruchtbar geworden ist, so ist Sallust im Widerspruch gegen das Bild des sullanischen Staates herangereift, das Poseidonios hinterlassen hatte.

Und schließlich ist noch eines wichtig. Sallust wäre der Historiker, der er ist, nicht geworden, ohne die Resignation, ohne den Verzicht auf Hoffen und Wollen, der die Jahre seiner Schriftstellerei auszeichnet. Auch das unterscheidet ihn von den früheren Geschichtsschreibern der Römer.

Livius – um jetzt zu dem letzten in der Reihe zu kommen, der die Annalistik der republikanischen Zeit unter Augustus abgeschlossen hat –, Livius gibt dem Leser weder ein Gesamtbild der römischen Geschichte, obwohl er sie von Anbeginn bis zu seiner Gegenwart erzählt, noch Erkenntnis der Ursachen, noch überhaupt eine denkerische Arbeit. Er ist Erzähler ohne den Anspruch, Denker zu sein. Als Annalist ist er nicht so sehr der Nachfolger des Sallust als der des Piso, Claudius und Valerius Antias. Aber in der Zeit folgt er auf Sallust; mit Virgil zusammen offenbart er, im Gegensatz zu Sallust, das Verhalten der frühen augusteischen Zeit zur Geschichte.

Nur einmal, in der Vorrede des ganzen Werkes, entwirft er eine Gesamtansicht der römischen Geschichte: in den Grundlinien ist das Bild Sallusts festgehalten. Ergebung in das absinkende Schicksal Roms liegt auch diesem Werk zugrunde, das, bald nach der Schlacht bei Actium begonnen, während der Herrschaft des Augustus geschaffen ist. Livius trauert im Grunde um die alte *res publica*. Trotzdem gibt sich eine gewisse Ruhe, die Erleichterung der augusteischen Zeit schon in der Vorrede kund. Bei aller entsagenden Trauer spürt der Leser doch auch Stolz auf die Gegenwart, so viel wie nötig ist, um vor der Vergangenheit die Augen aufzuschlagen und die Geschichte Roms als ein Ganzes mit neuem Blick in ihrer Ehrwürdigkeit zu sehen.

Denn es ist wirklich ein neuer Blick. Zwar ist Livius, wie gesagt, Nachfolger des Claudius und Valerius, und was er gibt, ist im großen und ganzen der verglichene, überprüfte Inhalt ihrer Werke. Und dennoch ist es ganz anders. Es fehlt die Sucht, die leeren Zeiträume zugunsten von Volksruhm oder Familienruhm gierig zu besetzen, ehe ein anderer darüber kommt, die Gewissenlosigkeit im Überbieten, Erdichten, Konstruieren, kurz, der unvornehm überhitzte, krampfhaft gierige Wille der vorigen Geschlechter. Livius hat vielmehr als Sohn seiner Zeit gesammelt, was vorhanden war, zwar sich wohl bewußt, wie schlimm das Überlieferte verwüstet sei, aber auch überzeugt, daß nur die Überlieferung mit der Vorzeit verbinden kann, und mit einer Liebe neuer Art, die unerschlossene Werte aufleuchten läßt. Er hat nichts gewollt, als mit ehrfürchtiger Hingabe, mit *pietas,* die Geschichte Roms von neuem zu erzählen. Sie ist für ihn ein Raum unvergleichlichen Wertes, der Würde und der Majestät, und eben darin ist etwas Augusteisches und auch etwas tief im Römer Angelegtes erfüllt worden. Man findet ähnliches zwar auch bei manchen Vorgängern, aber unvollkommen, verunreinigt durch gierige Leidenschaften oder andere Barbarei. Diese reine Andacht zu den Ursprüngen ist bei den Augusteern neu, und damit erst ist ein gültiges Verhältnis zur Vorzeit gewonnen, ohne platte Sucht, zu erklären und zu wirken, eine vornehme, fromme Gebärde in Gegenwart hoher Dinge.

Diese Gesinnungen sind im Werk des Livius fast nie geradezu ausgedrückt. Alles liegt eigentlich in der Art des Erzählens, und hier trifft nun der Betrachter zum Schluß auf das, was vielleicht an Livius das Schönste, aber auch dem Begreifen und Beschreiben mit kurzen Worten am wenigsten zugänglich ist. Ein bildlicher Ausdruck mag versuchen, auf das Wesentliche hinzudeuten. Der Zauber des Livius liegt nicht in der Kraft, Gegenstände und Vorgänge anzuschauen oder mit den Gedanken zu durchdringen, sondern in der Seele und dem Adel der inneren Bewegungen, mit denen er die feierliche, Jahrhunderte erfüllende Zeremonie der römischen Geschichte begehen läßt und selber mitbegeht.

II

LEBEN UND GESTALT

Ronald Syme, Livy and Augustus, Harvard Stud. in Class. Phil., Bd. 64, Cambridge: Harvard Univ. Press 1959, S. 37–42. Übersetzt von Marie-Louise Gülzow.

LEBENSZEIT DES LIVIUS

Von Ronald Syme

Livius schrieb seine Praefatio um 27 v. Chr., vermutlich nach der Vollendung der Bücher 1–5, als eine Einleitung zum ersten Teil des Werkes. Er erklärt, daß er die Absicht habe, die Darstellung bis zu seiner eigenen Zeit, also bis zu den Bürgerkriegen, *ad haec nova*, fortzusetzen. Die Praefatio zu Buch 31 bestätigt, daß er geplant hatte, die ‚ganze römische Geschichte' zu schreiben[1].

Wann und wo wollte er aufhören? Nissen und die meisten Gelehrten nach ihm haben angenommen, daß Livius die Absicht hatte, seine Darstellung bis zum Tode des Kaisers Augustus fortzusetzen; daß das Jahr 9 v. Chr., bis zu dem er gelangte, in der Tat ein unpassender und unerklärlicher Abschluß sei; daß der Autor sein Werk noch nicht vollendet hatte, als er im Jahre 17 n. Chr. starb[2].

Demgegenüber sollte man sich vor Augen halten, daß Livius sich die Lebensdauer des Augustus oder seine eigenen Chancen, ihn zu überleben, nicht im voraus ausrechnete. Zwar könnte einem fleißigen Bürger von Patavium, einem Musterbeispiel für die geordnete Lebensweise, die diesem für gute Sitten bekannten *municipium* einen so weitreichenden Ruhm eintrug, eine hohe Lebenserwartung

[1] 31, 1, 2: *profiteri ausum perscripturum res omnis Romanas.*

[2] Nissen geht so weit zu behaupten, daß sechs weitere Bücher hätten geschrieben werden können (Rh. Mus. 27 [1872], 558). Vgl. auch A. Klotz, RE XIII 818; Schanz-Hosius, Geschichte der römischen Literatur II[4] (1935), 300; A. Rosenberg, Einleitung und Quellenkunde zur römischen Geschichte (1921), 146. Bayet weist in der Einleitung seiner Ausgabe (S. XI) hin auf *„une date plus charactéristique, peut-être la mort d'Auguste"*. Ebenso M. L. W. Laistner, The Greater Roman Historians (1947), 80: „Livius' eigentlicher Plan mag es gewesen sein, seine Geschichte bis zum Tode des Augustus weiterzuführen, bis zu einem Augenblick, den er selbst nur um drei Jahre überlebte."

zugestanden werden; und kein Zeitgenosse hätte sich in seinen kühnsten Hoffnungen und schlimmsten Befürchtungen vorstellen können, daß der Erbe Cäsars (im Jahre 63 v. Chr. geboren), der schwächlich und oft krank war, immer weiterleben würde bis zu dem Jahr, das wir 14 n. Chr. nennen. Doch das wäre eine leichtfertige Argumentation; sie ginge am Wesentlichen vorbei. Trotz aller seiner Vorliebe für das Große und das Gute und aller Dankbarkeit eines Patrioten gegenüber dem Urheber der gegenwärtigen glücklichen Ordnung schrieb Livius keine Biographie des Ersten Bürgers. Er schrieb *res Romanae.*

In dem ursprünglichen Plan des Livius war der Abschluß klar: Actium, das Ende der Bürgerkriege und der Triumph des jungen Cäsar:

> *at Caesar, triplici invectus Romana triumpho*
> *moenia, dis Italis votum immortale sacrabat*[3].

Als er diesen Endpunkt im Aufbau seiner historischen Darstellung erreichte, beschloß er, fortzufahren (so möchte man annehmen). Er fügte als Ergänzung neun Bücher hinzu (Buch 134–142). In der Praefatio zu einem seiner späten Bücher sagte Livius, ihm sei zwar genug Ehre zuteil geworden, doch es dränge ihn weiterzuschreiben[4]. Vielleicht bezog er sich dabei auf jene neun Bücher, den letzten Abschnitt seines Werkes.

Nun bleibt noch eine kurze Erörterung der Gründe für die vorherrschende Meinung über die Umstände, unter denen Livius sein Leben und sein Werk beendete. Klotz hat mit allem Ernst behauptet, daß Buch 142 unvollendet sei[5]. Er argumentiert von der Kürze der Periocha her. Doch das ist ein charakteristisches Merkmal, das sie mit anderen Büchern dieser Gruppe gemeinsam hat; und sie ist nicht annähernd die kürzeste. Die Bücher 139 bis 142 berichten über die Ereignisse der Jahre 12–9 v. Chr.; jedes Buch behandelt ein Jahr. Es war der triumphierende Höhepunkt der großen

[3] Aen. 8, 714 f.

[4] Plinius zitiert, Nat. hist., praef. 16: *satis iam sibi gloriae quaesitum et potuisse se desidere, ni animus inquies pasceretur opere.*

[5] RE XIII 818, cf. Bayet, a. a. O. XV.

Eroberungszüge in Illyrien und jenseits des Rheins. Die Feldzüge des Jahres 9 v. Chr., der Tod des Drusus in Germanien und die ganze Aufregung um sein Begräbnis gaben genügend Stoff und Möglichkeiten.

Ein Problem bleibt. Nicht nur, daß Livius – so wird behauptet – mit der Feder in der Hand starb (denn das ist der geheiligte Satz)[6]. Innerhalb von drei Jahren oder in noch kürzerer Zeit (14–17 n. Chr.) hätte er nicht weniger als zweiundzwanzig Bücher geschrieben (121–142). Die Handschriften der Periocha von Buch 121 tragen die Überschrift *qui editus post excessum Augusti dicitur*. Was bedeutet diese Angabe?

Klotz vertritt die Ansicht, Livius habe in dem *exordium* dieses Buches selbst bestätigt, daß er nun nach dem Tode des Augustus schrieb. Klotz interpretiert *dicitur* als *dicitur a Livio*[7]. Das ist nicht die einzig mögliche Erklärung. Es ist bekannt, daß der Redaktor der Periochae durchaus eigene Zusätze und Kommentare anbrachte. Die Überschrift mag nur eine Schlußfolgerung sein. Man hat behauptet, daß der Redaktor in Buch 121 die eine oder andere Angabe gefunden hätte, die kaum zu Lebzeiten des Augustus hätte veröffentlicht werden können[8]. Dieser Gedanke ist nur auf den ersten Blick einleuchtend, doch er bleibt es nicht sehr lange. Buch 121 scheint hauptsächlich den Kämpfen des Cassius gegen Dolabella gewidmet zu sein. Wo liegt der Stein des Anstoßes? Oktavian hatte den Beschluß des Senats aufgehoben, der Dolabella geächtet hatte.

[6] A. Klotz, RE XIII 818: ‚offenbar hat ihm der Tod die Feder aus der Hand genommen'; Schanz-Hosius, Gesch. d. r. Literatur II[4] (1935) 300: ‚wenn ihm nicht der Tod die Feder aus der Hand nahm'; A. Rosenberg, a. a. O. 146: ‚der Tod entriß ihm die Feder'; A. H. McDonald, OCD (1949), 509: ‚*he probably died pen in hand*'.

[7] RE XIII 819. Cf. Bayet (a. a. O. XVI): *La tradition manuscripte des Periochae nous atteste bien que le livre CXXI fut composé après la mort d'Auguste*'. Auch A. Rostagni, La letteratura di Roma Repubblicana ed Augustea (1939), 389, cf. 456. Wie andere Gelehrte nimmt Rostagni an, daß Livius auf den Tod des Caesar Augustus im Buch 121 hinwies – und auch darauf hinwies, daß er zu schreiben fortfahre (bestätigt durch Plinius, NH, praef. 16).

[8] So O. Rossbach in seiner Ausgabe (Teubner, 1910), XXIII.

Eine Kleinigkeit in der damaligen Zeit. Das vorhergehende Buch berichtete von den Proskriptionen: für einen Historiker der heikelste Teil in der vielseitigen und nicht gerade erbaulichen Laufbahn des jungen Cäsar.

Es verdient Beachtung, daß in der Überschrift nicht *scriptus*, sondern *editus* steht. Daher ist die übereilte Annahme unberechtigt, daß Buch 121 (und die einundzwanzig darauffolgenden Bücher) nach 14 n. Chr. geschrieben wurden. Eine einfachere Hypothese verdient den Vorzug: Die Bücher 121–142, die gegen Ende der Regierungszeit des Augustus verfaßt wurden, sind aus irgendeinem Grunde zurückgehalten und der Welt erst später zugänglich gemacht worden.

Es hat sich gezeigt, daß die große Gruppe der Bücher, die die einundzwanzig Jahre der Bürgerkriege behandeln (109–133), von 49 bis 29 v. Chr., ganz natürlich in drei Einheiten zerfällt. Sie enden mit dem Tode Cäsars, der Schlacht von Philippi und dem Triumph Oktavians. Auf diese drei Einheiten folgten die neun Bücher der *res publica restituta,* wobei alle vier Einheiten gleich lang und gleich umfangreich waren. Diese Gruppierung war durch die Geschichte selbst vorgegeben. Daraus folgt jedoch nicht, daß der Teil, den der Verfasser herausgab, genau mit den Einheiten übereinstimmte, in die er sein Material um einer angemessenen Gestaltung – und um der Erfordernisse des Aufbaues willen – einteilte. Livius begann mit genauen Dekaden, aber er konnte sie nicht beibehalten. Doch Dekaden gefielen vielleicht den Schreibern oder Herausgebern; und die Aufteilung des gesamten Werks in Dekaden ist in der Spätantike bezeugt.

Wenn man die Überschrift zu Buch 121 gelten lassen will und für brauchbar hält (und das ist ein großes Problem), könnte man vermuten, daß Livius die Veröffentlichung für einige Zeit eingestellt hatte: Buch 120, das von den Proskriptionen handelt, bildet in der Tat einen Einschnitt. In jedem Fall ist die Annahme, daß Livius nur drei Jahre brauchte (oder weniger), um die letzten zweiundzwanzig Bücher zu schreiben, gewagt und steht auf schwachen Füßen. Viele Theorien über den Aufbau des Livianischen Werkes setzen eine ziemlich gleichmäßige Schaffensquote voraus, im Durchschnitt etwa drei Bücher pro Jahr[9]. An sich spricht nichts gegen die Annahme, daß der alte Mann bis zu seinem Tode stetig weiterschrieb. Varro begann seine *Res Rusticae* im Alter von achtzig Jahren.

Doch nichts erklärt die große Beschleunigung gegen Ende seines Lebens, die es ihm ermöglichte, die ereignisreiche Zeit von den Proskriptionen bis zum Tode des Druses (43–9 v. Chr.) in drei Jahren oder weniger zu erledigen. Livius hatte größere Geschicklichkeit erworben, so wird gesagt[10]. Vielleicht. Seine Aufgabe wäre nun leichter geworden[11]. Ganz bestimmt nicht. Die eigene Zeit war schwieriger und auch gefährlicher. Livius war ein Pionier.

Es ist ein Phantasiebild und nichts weiter – der greise Verehrer der Klio, müde, aber unersättlich, entfaltet eine fieberhafte Aktivität, die nur der Tod aufhalten kann. Die Wahrheit ist vielleicht nüchterner – und instruktiver. Nichts spricht dagegen, daß Livius mehrere Jahre vor seinem Tode die Feder ganz ruhig aus der Hand gelegt hat. Auch ist es unwahrscheinlich, daß er jemals hoffte oder wünschte, den Tod des Kaisers Augustus vorwegzunehmen. Außerdem stand das Jahr 9 v. Chr., das keineswegs ungeeignet für einen Abschluß war, für Livius unumstößlich fest – und war in der Tat gut gewählt.

An dieser Stelle ist es angebracht, die angeblichen Daten zu der Frage, wie lange Livius gelebt hat, zu überprüfen. Nach der Chronik des Hieronymus wurde der Historiker im Jahre 59 v. Chr. geboren[12]. Das ist ein kanonisches Datum. Es wird in den meisten Handbüchern der lateinischen Literatur, in den großen wie den kleinen, angeführt, ohne daß es im geringsten angezweifelt oder

[9] Schanz-Hosius, a. a. O. 299. U. Kahrstedt errechnete einen Durchschnitt von 100 bis 108 Tagen pro Buch (Gesch. der Karthager III [1913], 143.)

[10] Bayet, a. a. O. XXV: *‚la rapidité croissante du travail de l'historien, attestée pour les derniers livres.'*

[11] Bayet, a. a. O. XVI: *‚la rapidité de composition des derniers livres, où l'historien avait moins de questions à développer.'* Wight Duff nimmt die Tatsache einer Beschleunigung an, versucht aber keine Erklärung (A literary History of Rome to the close of the Golden Age [1909], 642).

[12] Chron., S. 164 H (im Jahre 1958 nach Abraham): *Messalla Corvinus orator nascitur et Titus Livius Patavinus scriptor historicus.*

mit einem Wort der Warnung versehen wird. Zufälligerweise ist es aber unsicher.

Die Gelehrten, die sich brav nur mit einem Autor zu gleicher Zeit beschäftigen und sehr ungern einen festen Ausgangspunkt aufgeben, haben es versäumt, nach der allgemeinen Gültigkeit derjenigen Einzelheiten über lateinische Autoren zu fragen, die Hieronymus dem Werk *De viris illustribus* von Sueton entnahm, um seine Übersetzung von Euseb durch Anmerkungen zu ergänzen. Es ist aber sicher, daß Hieronymus willkürlich und nachlässig vorging. Wo Fakten überliefert sind, an denen er überprüft werden kann, lassen sich große Irrtümer nachweisen: z. B. daß Catull im Jahre 58 v. Chr. gestorben sein soll oder Asinius Gallus im Jahre 14 n. Chr.[13].

Nun ordnet Hieronymus unter dem Datum 59 v. Chr. Livius und den Redner Messalla Corvinus ein. Doch seiner Rolle bei der Schlacht von Philippi und dem Datum seines Konsulates (31 v. Chr.) nach zu urteilen, kann Messalla kaum so spät wie 59 v. Chr. geboren sein. Es ist angemessen, etwa 64 v. Chr. anzunehmen. So Borghesi vor vielen Jahrzehnten; die meisten Gelehrten sind heute der gleichen Meinung. Hieronymus ist im Irrtum. Wie und warum irrte er sich? Vielleicht (so ist behauptet worden) fand er in seiner Quelle die Angabe über ein Konsulat *Caesare et Figulo* und deutete sie falsch, indem er übereilt das berühmte Konsulat *Caesare et Bibulo* annahm. Das bedeutet 59 v. Chr. anstatt 64 v. Chr.[14].

So weit, so gut, was Messalla Corvinus anbelangt. Sicher ist es nicht richtig, die Änderung des Datums für Messalla gelten zu lassen und sie nicht gleichzeitig für Livius anzuerkennen. Doch nur wenige haben die Schlußfolgerung gezogen und es gewagt, 64 für Livius anzusetzen[15]. Synchronismen dieser Art waren ein einfacher

[13] In diesem und anderen Punkten beachte man die ausführliche und sorgfältige Arbeit von R. Helm, „Hieronymus' Zusätze in Eusebius' Chronik und ihr Wert für die Literaturgeschichte", Philologus Suppl. XXII (1929).

[14] H. Schulz, De M. Valerii Messallae aetate (Progr. Stettin, 1886), 6.

[15] Bemerkenswert ist G. M. Hirst, CW XIX (1926), 138 f. = Collected Classical Papers (1938), 12 ff., mit seiner Meinung, die er keineswegs allein vertritt.

oder auch betrügerischer Kunstgriff, der von den Altertumsforschern gern gebraucht wurde. So wurde das Geburtsdatum des Cornelius Gallus bequemerweise dem Datum Vergils, 70, zugeordnet; Hieronymus gibt als sein Todesjahr 27 v. Chr. an, *XLIII aetatis anno*[16]. Gallus mag jedoch einige Jahre älter gewesen sein als Vergil. Was Livius betrifft, lassen wir das Jahr 64 als annähernd richtig gelten, und sei es nur aus dem Grunde, weil es keinen anderen Anhaltspunkt gibt. Und dieses Datum kann Vorteile haben.

Das ist noch nicht alles. Hieronymus bietet uns auch das Todesjahr des Livius, das er mit 17 n. Chr. angibt: *Livius historiographus Patavi moritur*[17]. Kann das irgendwie nützlich sein? Wieder ist Messalla Corvinus wichtig. Hieronymus gibt sein Todesjahr mit 12 oder 13 n. Chr. an (12 n. Chr. in der besten Handschrift)[18]. Einige Wissenschaftler waren aus verschiedenen Gründen geneigt, 13 n. Chr. gelten zu lassen[19]. Aber es gibt ein gewaltiges Gegenargument. Hieronymus gibt das Alter des Messalla mit zweiundsiebzig Jahren an. Wenn man von 64 und nicht von 59 ausgeht, dann erhält man 8 n. Chr. als sein Todesjahr. Das kommt sehr gelegen. Es stimmt mit Belegen bei Ovid überein, die andeuten, daß Messalla starb, bevor der Dichter ins Exil ging[20]. Deshalb sollte 8 n. Chr. gelten[21]. Nicht, daß hier kein Widerspruch möglich wäre[22].

[16] Chron. S. 164 H. Dio erzählt jedoch vom Tode des Gallus im Jahre 26 v. Chr. (LIII 23, 5 ff.). Es ist unangebracht, dieses Datum mit der Feststellung des Hieronymus über das Alter des Schriftstellers zu kombinieren und seinen Geburtstag auf 69 oder 68 festzulegen, wie Schanz-Hosius es tun, a. a. O. 170. Cf. meine Beobachtungen in Class. Qu. XXXII (1938), 40.

[17] Chron. S. 171 H.

[18] Als Zeugnis R. Helm, a. a. O. 46 ff.

[19] So PIR[1], V 90; F. Marx, Wiener Studien XIX (1892), 50 ff. Die Tatsache, daß Frontinus (De aq. 102) von der Berufung eines anderen *curator aquarum* nach Messalla im Jahre 13 n. Chr. berichtet, hat zweifellos Übergewicht – und ist nicht leicht zu erklären.

[20] Ex Ponto I 7, 29 f., cf. Tristia IV 4, 25 ff.

[21] So J. A. Hammer, Prolegomena to an Edition of the Panegyricus Messallae (1925), 10; Schanz-Hosius, a. a. O. 23.

[22] Der neuere Artikel über Messalla Corvinus (RE VIII A 136) legt die bedeutsamsten Punkte ‚eindeutig‘ auf das Jahr 13 n. Chr. fest. R. Helm,

Es hat sich erwiesen, daß man der Angabe des Hieronymus über das Todesjahr des Livius nicht trauen kann. Der Historiker hat vielleicht länger als bis 17 n. Chr. gelebt. Dies wäre Trost und Hilfe für diejenigen, die gern glauben möchten, daß Livius nicht weniger als zweiundzwanzig Bücher nach dem 19. August 14 n. Chr. schrieb. Doch das muß man nicht zu ernst nehmen.

Es gibt eine andere Beweisführung. Wenn der Tod des Messalla vier oder fünf Jahre früher festgelegt werden muß als die auf 59 v. Chr. basierende Berechnung, warum sollte das nicht auch für den Tod des Livius gelten? Die einzige und letzte Angabe darüber, wie lange Livius gelebt hat, findet sich bei Sueton und ist von Hieronymus überliefert. Sie besagt, daß er wohl mit fünfundsiebzig Jahren gestorben ist. Eine Annahme (oder ein Irrtum), die als Geburtsdatum 59 v. Chr. festsetzt, würde als Todesjahr 17 n. Chr. ergeben. Doch wenn 64 v. Chr. tatsächlich das richtige (oder annähernd richtige und geschätzte) Geburtsjahr ist, wäre er im Jahre 12 n. Chr. oder um diese Zeit gestorben.

Wenn dem so ist, daß Livius also von 64 v. Chr. bis 12 n. Chr. gelebt hat, bekommt seine Schaffensperiode einen ganz anderen Aspekt, und verschiedene Annahmen müssen in Frage gestellt werden.

Ausgehend von der Voraussetzung, daß Livius fast ununterbrochen fünfundvierzig Jahre lang regelmäßig gearbeitet habe (von etwa 27 v. Chr. bis 17 n. Chr.), haben einige Gelehrte eine Durchschnittsleistung von ungefähr drei Büchern pro Jahr ausgerechnet. Doch der Rhythmus des Autors muß nicht unbedingt gleichmäßig und ununterbrochen gewesen sein. Auch deutet nichts darauf hin, daß er für irgendein Buch ungefähr vier Monate brauchte. Nehmen wir ein Beispiel. Seine Quellen und seine Arbeitsmethoden lassen sich für die Zeitspanne von den Nachwirkungen des Krieges gegen Hannibal bis zur endgültigen Niederlage Mazedoniens (Buch 31 bis 45) erraten. Es wäre kühn zu behaupten, daß Livius mehr als zwei oder drei Wochen brauchte, um Buch 31 zu schreiben.

der das Datum bei Hieronymus anzweifelt, kommt zu der Feststellung, daß der Redner allem Anschein nach vor dem Jahre 1 n. Chr. schon verstorben war.

Nichts spricht daher gegen die Vorstellung, daß Livius, wenn er um 29 v. Chr. sein Werk begann, um 1 n. Chr. bei Buch 133 und somit beim Ende der Bürgerkriege angelangt war – wenn nicht sogar einige Jahre früher. Dann mag es wohl eine Unterbrechung gegeben haben. Danach hat ihn vermutlich der Wendepunkt des Jahres 4 n. Chr. (die Adoption des Tiberius durch Augustus) ermutigt, fortzufahren und seinen Epilog zu schreiben, der die Jahre 28 bis 9 v. Chr. umfaßt. Diese neun Bücher könnten um 10 oder 12 n. Chr. fertiggestellt worden sein – ob man nun glaubt oder nicht, daß der Historiker noch länger, bis über den Tod des Augustus hinaus, gelebt hat.

Friedrich Klingner, Römische Geisteswelt, München: Verlag H. Ellermann 1961. S. 444–450
und S. 452–468.

LIVIUS

Von Friedrich Klingner

Zur Zweitausendjahrfeier

Vier Zweitausendjahrfeiern haben an das Zeitalter des Augustus, an seine Leistungen, die ununterbrochene Dauer seines Ruhmes und die Männer, die ihn gestiftet haben, erinnert: im Jahre 1930 an Virgil, 1935 an Horaz, 1937 an Augustus und nun im Jahre 1941 an den Geschichtsschreiber jener Epoche, Titus Livius aus Padua, den Erzähler der römischen Geschichte vom Ursprung der Stadt bis zum Jahre 9 v. Chr., dessen Werk sich so sehr durchgesetzt hat, daß er außer Sallust und Cäsar alle früheren Geschichtsschreiber ersetzt und verdrängt hat und so Inbegriff der Geschichte des Freistaats geworden und auch geblieben ist, bis ihn die kritische Geschichtsforschung des 19. Jahrhunderts gewissermaßen abgesetzt hat.

Die vier Gedenkjahre sind in Italien von Staats wegen mit Vorträgen und Ausstellungen in aller Öffentlichkeit, aber auch in den Kreisen, denen die Antike gegenwärtig ist, gefeiert worden, mit bemerkenswerter Bereitschaft, Wesen und Wert jener bedeutenden Zeit zu verstehen und zu würdigen. Mommsens eindrucksvolles Bild der römischen Geschichte, worin außer Pompeius, Cicero und anderen auch Augustus den Schatten für das leuchtende Cäsarbild hergeben mußte, bannt die Geister nicht mehr so wie ehedem, so daß wir, von seiner einseitigen Liebe und seinem einseitigen Haß befreit, uns wieder mehr im Einklang mit den Stimmen der Jahrhunderte befinden. Auch für Livius ist eine günstigere Zeit gekommen. Die Wissenschaft des 19. Jahrhunderts war seinem Ruhm gefährlich geworden, viel gefährlicher als die bloß verneinende Kritik des 18. Denn sie hatte gelernt, sich von der überlieferten Fassung der Geschichte zu befreien, indem sie die Überlieferung geschichtlich erklärte, und nach Maß und Bedürfnis des eigenen

Denkens aus dem jenseits der Überlieferung liegenden Rohstoff des Tatsächlichen eine neue Geschichte aufzubauen. Livius hat sie nicht schätzen können, der weder gute Materialien lieferte noch Geschichtsforscher gewesen war, wie man stillschweigend verlangte. Darin nämlich hat sie, die doch alles andere historisch erklärte, dogmatisch und nicht historisch gedacht, daß sie nicht daran zweifelte, die Maßstäbe des eigenen historischen Denkens seien schlechthin gültig und nicht selbst ein Stück Geschichte und damit bedingt und eingeschränkt in ihrer Gültigkeit. So ist es dahin gekommen, daß man vielfach Livius mit dem Bedauern, nichts Besseres zu haben, zusammen mit anderen, leider ebenfalls schlechten Geschichtstexten notgedrungen von Fall zu Fall benutzt, aber kaum eigentlich gelesen hat, um sich daran zu erfreuen.

Erst jetzt ist mit der Einsicht in die Bedingtheit jeder Art des geschichtlichen Denkens der Blick auch auf die Geschichtsschreiber frei, die dem modernen Ideal sehr fern sind wie Livius. Hat er gleich etwas ganz anderes gewollt als wir, so ist sein Werk als Äußerung des Geistes jener immer denkwürdigen Epoche bedeutend. Was wiegen nun noch die sehr leicht sichtbaren Fehler und Mängel, die wir gar nicht leugnen oder verkleinern wollen: daß er, weder Staatsmann noch Heerführer noch kritischer Forscher, einer schwer verfälschten Überlieferung hilflos verfallen ist? Er bleibt ein großer Schriftsteller, der dem alten Rom in einer seiner bedeutendsten Situationen seine Geschichte so erzählt hat, daß es sich gern darin wiederfinden und sein Werk anerkennen und sich zu eigen machen mochte. Seine Stimme ist die Stimme Roms geworden. Er hat die Sprache geformt, in der das Rom des Augustus sein Verhältnis zu der neu erschlossenen Vergangenheit ausgesprochen hat, und das ist nichts Kleines. Man muß vorbereitet dafür sein, den Ton dieser Sprache zu vernehmen. Dann aber wird man Schönheit gewordene römische Größe vernehmen, die gelassen durch die Zeiten zieht, solange es Menschen gibt, die würdig und imstande sind, daran Anteil zu gewinnen.

Deshalb kann man noch immer dem, der sich in die römische Geschichte von ihren legendenhaften Anfängen bis gegen das Ende der Samnitenkriege – genauer: bis zum Jahre 293 – und dann vom Beginn des Hannibalkrieges bis zur Schlacht bei Pydna (168) einlesen will, nur empfehlen, es zuerst mit Livius zu versuchen und dann erst zu modernen Büchern überzugehen. Wir wollen ja nicht nur wissen, wie es in der Königszeit, beim Galliersturm, im Hannibal-, Antiochos- und Perseuskriege wirklich und genau zugegangen ist, sondern auch, wie das Rom des Augustus, das Rom, das uns faßbar und verständlich ist, weil es zu uns spricht, über seine Vergangenheit gedacht hat, und das finden wir bei Livius. Wir wissen es, Augustus selbst hat sein Werk anerkannt, obwohl er darin an Cäsar das Fragwürdige hervorgehoben und Pompeius so gepriesen fand, daß er den Geschichtsschreiber einen Pompejaner nannte. „Das tat ihrer Freundschaft keinen Schaden", läßt Tacitus den unter Tiberius angeklagten Geschichtsschreiber Cremutius Cordus zu seiner Verteidigung sagen (*ann.* 4, 34). Freundschaft bestand zwischen dem Kaiser und Livius, und dafür spricht auch, daß man ihm im Kaiserhause Einfluß auf einen der Prinzen verstattete, Claudius, den späteren Kaiser, der sich in seiner Jugend, angeregt von Livius, selbst in der Geschichte versucht hat (Suet. *Claud.* 41, 1). So nehmen wir denn dieses Werk als vollgültiges Stück der augusteischen Geisteswelt, und gerade die ersten Bücher, die der Geschichtsforscher von heute vielleicht am geringsten achtet, sind in dieser Hinsicht besonders wertvoll, weil darin der Hauch des Geistes, der sich nach dem Sieg des Augustus bei Actium beim Eintritt in das neue Zeitalter erhoben hat, noch stärker als in den übrigen fühlbar ist. Denn es ist offenbar das große gemeinsame Erlebnis der ersten Jahre des Augustus, der eigentlichen hohen Zeit der Epoche, das gewesen, was ihn hat Geschichte schreiben lassen, und das ist in den ersten Büchern, die gleichzeitig mit der Aeneis und Horazens Oden entstanden sind, noch am frischesten.

Damit wäre denn gesagt, daß wir trotz allen Mängeln im livianischen Werke wesentliche Geschichtsschreibung sehen, nämlich eine echte Begegnung Roms mit seiner Vergangenheit in einer bedeutenden Schicksalsstunde.

Nur im Vorübergehen sei es angemerkt, daß es auch mit den sachlichen Irrtümern des Livius nicht so schlimm bestellt ist, wie es nach soviel Kritik dem Laien scheinen könnte. Wir sind heute im Gegenteil geneigt, dessen inne zu werden, wieviel er durch eine Überlieferung, deren Gebrechen wir nun durchschauen, ohne sie noch übermäßig betonen zu müssen, doch immer noch gewußt hat, wie dicht sein Werk von Wirklichkeit erfüllt ist. Aber das soll hier nicht weiter verfolgt werden. Statt uns mit dem stofflichen Inhalt zu befassen, gehen wir dem Gedanken nach, der soeben ausgesprochen ist: daß das Werk des Livius die Frucht einer wesentlichen Begegnung Roms mit seiner Vergangenheit sei, und fragen zuerst, was es eigentlich gewesen ist, was ihn hat Geschichte schreiben lassen, welches sein Anliegen, welches sein Gedanke gewesen ist.

Hier ist es freilich nötig, zu unterscheiden zwischen den Denkinhalten eines Geschichtsdenkers und der Denkart eines Geschichtserzählers, der gar nicht Denker sein will. Livius ist kein Geschichtsdenker, und man soll ihn nicht mit Gewalt dazu machen. Er trägt fast keine Reflexionen, selten einfache Urteile vor. Auch hat er nicht eine unausgesprochene, aber ausgedachte Verstandeserkenntnis in sein Werk gelegt, die sich etwa in der Folge und Verkettung der Ereignisse selbst darstellte. Die Römer neigen im allgemeinen weniger als die Griechen zu solchem Geschichtsdenken, und unter den Römern wieder hat Livius viel weniger davon als Sallust und Tacitus. Doch ist es ein unterscheidbarer, sehr bestimmter Geist, der da am Werke ist. Und darum ist die Geschichte des Livius, obwohl er doch nur das Überlieferte getreulich weitergeben will und dem jeweils gewählten Vorgänger Abschnitt für Abschnitt nacherzählt, dennoch sehr rein gestimmt. Was ist es also, was hier wirkt und gestaltet? Was ist das Wesentliche an dieser Begegnung Roms mit seiner Vergangenheit in Livius?

So oder ähnlich haben die gefragt, die in den letzten Jahrzehnten über Livius nachgedacht haben – und es ist viel über ihn in diesen Jahren geschrieben worden. Da ist es nun besonders Livius der Volkserzieher, auf den man vorzugsweise geachtet hat, der Verkünder eines staatsmännischen Ideals, nämlich dessen des Augustus. Livius hat die Geschichte in einem neuen, eben dem augusteischen Geiste ausgelegt: das Ganze des römischen Volkes und Staates gegen das Einzelne, Teilende, Entzweiende überall zur Geltung gebracht, den bösen Wahn der Habgier, Herrschsucht und Parteileidenschaft, der in den Bürgerkriegen gewütet hat, verurteilt, Eintracht und Opferfreudigkeit gepriesen, die gottgewollte Herrschaft der Römer über die andern Völker verherrlicht, wie sie Augustus vollendet hatte, an Aufstieg geglaubt – trotz dem Sittenverfall, den er beklagt – und an die Kräfte und Werte im römischen Wesen, die ihn bewirken; diese sind es, auf die er allenthalben achtet, die er erzählend hervortreten läßt. Da ist vor allem *virtus,* die mannhafte, tapfere Art des römischen Bürgers, *pietas,* der fromme Sinn, der sich im Verhältnis zu den Göttern, den Eltern und Verwandten, den Schutzherren und Schutzbefohlenen und dem Vaterlande treu bewährt, *iustitia,* die Rechtlichkeit, *fides,* die Verläßlichkeit, *clementia,* die Milde, die zur Nachsicht bereit ist, *magnitudo animi,* der hohe Sinn, der auf Großes gerichtet ist und über Niederes wegsieht, *moderatio,* die Fähigkeit, das eigene Ungestüm zu bezwingen und die Grenzen höherer Ordnung zu achten[1].

Man hat den Begriff des Volkserziehers Livius so weit getrieben, daß die „Genesung des römischen Volkes“ nach den Bürgerkriegen und seine „geistige Konsolidierung“ als sein eigentliches Ziel erscheint. Sogar seine feine psychologische Kunst stellt man als Mittel zum Zweck, als „heilende Psychagogie“ hin[2].

Der prüfende Betrachter wird an diesen und ähnlichen Gedanken zweierlei unterscheiden. Livius hat in der Geschichtsschreibung wie Virgil und Horaz in der Dichtkunst das verwirklicht, was die geschichtliche Daseinslage ermöglichte und erforderte. Jene bewahrende, wiederherstellende, erneuernde, ordnende, der Harmonie des ganzen römischen Daseins zugewandte Sinnesart, die den besten Geistern der Zeit gemeinsam ist, spricht sich ebenso wie bei den Dichtern auch bei Livius aus, und sie ist im Bunde mit dem staatsmännischen Wirken des Augustus. Dies ist das eine. Das andere wäre der absichtsvolle Versuch, durch erzählte Geschichte pädagogisch auf die Menschen einzuwirken. Was nun dieses zweite angeht, so sieht freilich der Römer im allgemeinen gern in der Geschichte einen Vorrat von *exempla,* von nachahmenswerten und verwerflichen Beispielen, und gilt es einen Entschluß zu fassen, so hält er sich und anderen solche Beispiele vor. Und Livius selbst fordert in der Vorrede den Leser auf, auf Lebensformen, Sitten, Männer und Verhaltungsweisen zu achten, wie sie Aufstieg und Niedergang bewirkt

[1] So etwa E. Burck, Die Welt als Geschichte 1, 1935, 446 ff.
[2] So F. Hellmann, Livius-Interpretationen, Berlin 1939, S. 26.

haben, und sich für das eigene Verhalten im Staatsleben ein Beispiel daran zu nehmen. Doch vereinzelt man dies, erklärt man den ganzen Livius aus diesem Bestreben, so liegt das Mißverständnis nahe, das ganze Werk als ausgeklügeltes, auf Wirkung berechnetes Unternehmen, als bloße Publizistik aufzufassen. Damit würde man dem Geschichtsschreiber nicht gerecht. Er spricht ja selbst vorher von der tiefen Befriedigung des Gemüts, die es ihm gewährt, wenn er sich anschauend in die alte Zeit versenkt.

Ein Volk – das römische, das eigene –, erstes, führendes Volk in der Welt, ist den andern an kriegerischer Fähigkeit überlegen, vom göttlichen Willen zur Herrschaft berufen von Anbeginn, ohne Gewinnsucht und Herrschgier, vielmehr vor allem rechtlich und in seiner Rechtlichkeit, indem es für sein und seiner Verbündeten gutes Recht einstand, Schritt für Schritt den wunderbaren Weg von kleinen Anfängen bis zu der ihm gebührenden Majestät der Herrschaft über den Erdkreis aufgestiegen, einer Herrschaft, die ursprünglich und wesenhaft auf dem Gehorsam beruht, den man dem Wertvolleren willig leistet[3], einer Herrschaft also, die nichts anderes ist als die des Wertes in der Welt. Dieser Größe, dieser sittlichen Würde Roms, dieser Schicksalsfügung ist Livius mit religiös gestimmter Ehrfurcht zugewandt, so ergriffen und so tief bewegt, wie man es nicht vor dem selbstverständlich Offenbaren ist, sondern vor dem, was verborgen war und sich jetzt erst beglückend geöffnet und enthüllt hat. Das hat es ihm angetan, darum schreibt er. Reich und überreich tut sich ihm in den Räumen der Vergangenheit eine Welt des Wertes auf. „Und nun spotte man noch“, schreibt er hingerissen von der Selbstlosigkeit des Titus Manlius Torquatus, der im Hannibalkriege seine schon sichere Wahl zum Konsul unter Hinweis auf sein Alter und die gefährliche Kriegslage verhindert hat[4], „man spotte noch über Menschen, die das Alte anstaunen! Ich glaube nicht, daß in einem etwa bestehenden Staat von Weisen, wie ihn Denker mehr ersinnen als kennen, die Führenden charakterfester und von Herrschsucht freier und die Menge besser geartet ausfallen

[3] 22, 13, 11.
[4] 26, 22, 14.

könnte". Das heißt: das alte Rom ist so gut wie der Idealstaat Platons und der anderen Philosophen und hat vor ihm den Vorzug der Wirklichkeit voraus – ein Gedanke übrigens, den schon Cicero ausgesprochen hatte.

Imperium und sittlicher Wert: beides verbunden war in den vergangenen Jahrzehnten vor dem Siege des Augustus in Frage gestellt und fast schon verloren geglaubt. Als Livius erwachsen wurde, hatte Horaz[5] dem „gottlosen Geschlecht fluchbeladenen, dem Untergang verfallenen Geblüts", das Rom vernichten werde, nachdem es so viele Jahrhunderte lang seine schlimmsten Feinde nicht haben vernichten können, im Prophetenton gedroht, der Barbar werde als Sieger durch die Stadt reiten und die Stätte zur Wüste machen. Und man könnte hier noch andere Worte Horazens, aber auch andere, verwandte von Cicero[6] anführen, um zu zeigen, daß das mehr als ein flüchtiger Einfall des Dichters ist. Das war die Ansicht der Dinge in den vierziger Jahren v. Chr. für einige der wachsten, besten Geister gewesen, und auch ein Virgil hatte sich davon nur dadurch zu befreien vermocht, daß er einen religiösen Glauben dagegen setzte, den Glauben an eine Umkehr in der letzten Not von Schuld und Leid zu ursprünglicher Reinheit und zum Heil. Doch auch in ihm war die Furcht vor dem Ende geblieben, und andere, wie Sallust, stellten die Dinge so dar, daß der Leser keinen Ausblick ins Freie hat und fürchtet, diesem Volke sei nicht mehr zu helfen. So tief ging das Grauen, daß die Menschen, an der Wurzel ihres Daseins erschüttert, die Not wie einen Stand der Ungnade im religiösen Sinne nehmen konnten, wie eine religiöse Schuld, ein *piaculum*, das nach Entsühnung verlangt. Dies alles muß man als Hintergrund gegenwärtig haben, um das Anliegen des Livius und seinen Blick auf die Geschichte ganz zu verstehen. Stolz auf das Imperium und Freude am sittlichen Wert sind bei ihm ebenso verbunden wie beim frühen Horaz und bei Sallust Sorge um das Reich und der Zwang, überall das Arge zu sehen. Nur daß dort der Zusammenhang noch offener zutage liegt: Verkommenheit führt zur Uneinigkeit und diese schließlich zu den Bürgerkriegen, Bürger-

[5] epod. 16, 1 ff.

[6] Cic., *de leg. agr.* 1, 26; *pro Rab. perd.* 33. Vgl. (Sall.) *ad Caes.* 1, 5, 2.

krieg aber läßt das Imperium verfallen und Rom zur Beute der Barbaren werden. Und wie in dieser Not und Gefahr religiöse Schuld und Ungnade der Götter im Spiel zu sein schienen, so fühlte man nach der Rettung im neuen Zustand Bedürfnis und Zuversicht, entsühnt im rechten Verhältnis zu den Göttern zu leben und sich ihrer Huld und ihres Segens zu erfreuen. Die Umkehr war nicht nur ein politisches, sondern auch ein religiöses Ereignis, Augustus und seine Ordnung von übermenschlicher Weihe umglänzt; das besagt ja der Name Augustus[7]. Daher die fromme Verehrung, in der Livius der Geschichte des Imperiums und der Entfaltung seiner sittlichen Kraft und Würde naht. Schließlich antwortet dem Erlebnis der äußersten Gefahr, die das Dasein Roms in Frage gestellt hatte, die Idee der Ewigkeit Roms, das Bedürfnis und der Glaube, auf unzerstörbarem Grunde zu ruhen. Wie denn überhaupt das Hochgefühl der Zeit des Augustus und die Gedanken, in denen es sich ausdrückt, von den Schreckenszeiten lebt, die vorangegangen waren, vom Erlebnis tödlicher Gefahr und von den Kräften der Innerlichkeit, die damals in einigen Menschen erschlossen worden waren.

Das Hochgefühl schlägt übrigens bei Livius ebensowenig wie bei Virgil und Horaz in Überheblichkeit um, und es ist wichtig, dies in seinem Geschichtsbewußtsein zu bemerken. Wohl wagt der Blick wieder, neu ermutigt, sich zur Größe und Würde Roms zu erheben, aber er verehrt sie in der Geschichte, vor allem in der fernen Vergangenheit, als Vorbild, ohne sich und das gegenwärtige Geschlecht auf die gleiche Stufe zu stellen oder sich gar darüber zu erheben, vielleicht auch in der Gegenwart, aber als gute Fügung, als demütig empfangenes hohes Gut, als Aufgabe. Wir wissen leider nicht genau, wie er die nahe Vergangenheit und die eigene Zeit dargestellt hat. Aber wir erkennen es in den erhaltenen Teilen allenthalben, wie er über den tiefen Fall des Geschlechtes, dem er angehört, und zwar nicht mit dem Bewußtsein, daß das abgetan sei, trauert im Aufblick zur Höhe früherer Zeiten. Diese Trauer dämpft das Hochgefühl und läßt es nicht zum Hochmut werden.

Es ist im Verlauf der bisher vorgetragenen Gedanken schon

[7] Vgl. G. Stübler, Die Religiosität des Livius. Stuttgart-Berlin 1941, 201 ff.

nebenbei deutlich geworden, daß das Geschichts- und Gegenwartsbewußtsein, das das Livianische Werk beseelt, seinen genauen geschichtlichen Ort in einer fruchtbaren, aber schmalen Grenzsituation zwischen den Zeiten hat und ein recht gebrechliches, schnell vergängliches Ding ist, so wie überhaupt die augusteische Hochkultur, von der freilich Jahrhunderte geistig gelebt haben, eine nur kurze Zeit dauernde Blüte gewesen ist. Das ist es, was nun in einer zweiten Gedankenreihe verfolgt werden soll. Denn die eine Seite an Livius, seine Teilnahme an dem allgemeinen Aufschwung der Geister und am gemeinsamen Bestreben, ist teils im Vorgetragenen genugsam bezeichnet, teils auch von anderen im einzelnen geschildert. Dagegen lohnt es zu zeigen, wie das Geschichtswerk des Livius nur an der Grenze zweier Zeiten so hat entstehen können und wie es bedingt ist durch ein merkwürdiges, unwiederholbares Verhältnis zu Altrom, worin sich Einssein und Fremdheit, Zugehörigkeit und Abstand, Wiederfinden und Trennung in eigener Weise verschlingen.

Livius ist einer von den „Letzten“, die in der Geschichte der Literatur eine so bedeutsame Rolle spielen. Er hat noch einmal in der neuen Zeit die alte Aufgabe auf sich genommen, die Geschichte Roms vom Ursprung an zu erzählen. Kein Späterer hat es ihm nachgetan, und das ist begreiflich. Denn es war nur so lange möglich, wie man die alte Zeit des Freistaates noch nicht als abgeschlossenen, fremden Zeitraum ansah, wie man in der Staatsordnung des Augustus noch vorzugsweise eine Wiederherstellung sah, das heißt, nur in der ersten Zeit des Prinzipats. Später kam die Erkenntnis, daß der Bürgerkrieg die alte römische Welt, das alte Gemeinwesen nicht nur gefährdet, sondern zerstört hatte, daß man davon Abschied genommen hatte, ohne dessen recht inne zu werden, daß der Prinzipat einen Bürgerkriegssieg verewigt hatte. Von da an waren Werke wie das des Livius unmöglich. Die Zeit des Freistaates wurde ein fremdes Zeitalter, entweder gleichgültiger als vordem, sofern man sich nämlich wohl und überlegen in dem neuen Zustand fühlte, oder aber – wenn man von bloß gelehrter Kennerschaft absieht – mit heftigerer, gefährlicherer Leidenschaft ersehnt, betrauert und einer fragwürdigen Gegenwart als Gegenbild vorgehalten. Es beginnt die Geschichtsschreibung der Zeit des julisch-claudischen Kaiserhauses, deren Anliegen es ist, zu zeigen, wie es zu dem gegenwärtigen Zustand, das heißt zum Prinzipat, gekommen ist[8]. Der Prinzipat wird zum Problem, und die schweren Fragen erheben sich, die später Tacitus wieder aufgenommen und vertieft hat. Cremutius Cordus ist der erste, bei dem sie gefährlich scharf geworden sind; ihn hat zwar Augustus in seiner gelassenen Herrscherweisheit ertragen, aber unter Tiberius ist der Konflikt gekommen: angeklagt, weil er Brutus, den Cäsarmörder, gelobt und Cassius den letzten Römer genannt hatte, hat er sich selbst den Tod gegeben, und sein Werk ist von Staats wegen verbrannt worden (Tac. *Ann.* 4, 34). Schon Livius hält die alte Zeit mahnend der Gegenwart vor und setzt die eine der andern entgegen, aber daraus wird bei ihm noch kein gefährlicher Zwiespalt, noch keine Frage nach Recht und Unrecht der gegenwärtigen Form des Staatslebens; das dürfen wir aus der Stimmung der erhaltenen Teile und aus dem guten Verhältnis zwischen Livius und Augustus getrost schließen, wenngleich sich in dem Ausspruch des Augustus, Livius sei Pompejaner, die bevorstehende Schwierigkeit bereits ankündigt. Er hat die versöhnlichste Geschichte geschrieben, die es je in Rom gegeben hat; ein Stück *pax Augusta* ist das Werk einmal genannt worden. Gegensätze, die bald wieder feindlich auseinandertreten sollten, sind einmal und gerade noch versöhnt beieinander in diesem Werk, das in den Jahren der allgemeinen Versöhnung seinen Ursprung hat. In dieser Gestalt, dargestellt mit ruhig verehrendem Blick ohne Hintergedanken, konnte Altrom den späteren Geschlechtern überliefert werden. Aber entstehen konnte ein solches Werk, ebenso wie die übrigen Hochleistungen der augusteischen Kultur, die das geistige Erbe der Kaiserzeit begründet haben, nur an der Grenze zwischen den beiden Zeitaltern.

In diese Grenzsituation, in die geschichtliche Lage am Beginn des Prinzipats, gehört auch das eigentümliche Verhältnis zum alten Rom und seiner Geschichte, worin Zugehörigkeit und Abstand zugleich wirksam sind. Vor allem der Abstand ist ein überaus wichtiges, für die Zeit bezeichnendes und längst nicht nach Gebühr

[8] Den Anfang macht, gleichzeitig mit den ersten Stücken des livianischen Werkes, Asinius Pollio, indem er eine Geschichte der Bürgerkriege schreibt, *periculosae plenum opus aleae* (Hor. *carm.* 2, 1, 6).

gewürdigtes Bedingnis des livianischen Geschichtswerkes und seiner Eigenart.

Jede Zeit sucht sich den Dichter, den Geschichtsschreiber, der ihren Bedürfnissen genug tut und sie vor der Nachwelt gültig vertritt. So werden Menschen zu Sinnbildern ganzer Zeitalter emporgehoben, die in anderen Zeiten im Dunkel verborgen geblieben wären. Man kann sich nicht denken, daß ein Ennius der Dichter des augusteischen Rom geworden wäre, ebensowenig wie das Umgekehrte, daß eine Natur wie Virgil der Herold des Ruhmes der großen Herren der Jahrzehnte nach dem Hannibalkriege hätte werden können. Und was die Geschichte betrifft, so hätte ein Cato keinen Raum in der gedämpften Welt um Augustus gehabt. Sie hat sich zu ihrem Geschichtsschreiber einen Mann aus Patavium im Veneterlande, einen Gelehrten und Künstler, ein lauteres, argloses Gemüt ausgewählt, einen also, der weit davon entfernt war, selbst Geschichte zu machen. Die Geschichte, die ein solcher schrieb, mußte freilich anders ausfallen als die eines Cato und der meisten anderen vor Livius. Wenn man es böse bezeichnen will, mußte es eine Geschichte des wohlmeinenden Privatmannes werden.

Von Haus aus war die Geschichtsschreibung in Rom Sache von Staatsmännern und selbst ein Stück Politik gewesen. So hatte Fabius Pictor, der erste römische Geschichtsschreiber, nach dem Zweiten Punischen Kriege das siegreiche, aber geistig bis dahin wehrlose Rom auch in der griechisch sprechenden Welt mit einem griechisch geschriebenen Geschichtswerk gerechtfertigt und als vollwertigen Kulturstaat hingestellt. So hatte der alte Cato wenig später in seiner Geschichte gegen die neue, griechischen Einflüssen zugängliche Art, gegen die großen herrschenden Familien gestritten, indem er gegen eine Geschichte der großen Einzelnen seine Geschichte der römischen Heere und des römischen Volkes gesetzt hatte, und überhaupt seine Ansichten verfochten. So war es lange geblieben; die Geschichtsschreibung war eine senatorische Schriftstellerei, eine Fortsetzung der Politik mit anderen Mitteln. Noch Tacitus hat später als Konsular Geschichte geschrieben, um das richtige Urteil über das erste Jahrhundert des Prinzipats zu retten, und gegen das Ende des Altertums hat noch einmal ein vornehmer Senator, Nicomachus Flavianus, Geschichte geschrieben, auch er gewiß mit dem

Willen, einen politischen Standpunkt zu verfechten; in diesem Falle war es der Standpunkt des um seine überlieferte Kultur kämpfenden heidnischen Hochadels. Freilich, um die Wende vom zweiten zum ersten vorchristlichen Jahrhundert, in dem neuerungsfreudigen Rom der Gracchen, ist zum ersten Male ein Geschichtsschreiber aufgetreten, der kein Staatsmann, sondern Gelehrter und Wortkünstler gewesen ist, Coelius Antipater, der Darsteller des Hannibalkrieges, und mit dieser neuartigen Gestalt ist eine Geschichte neuer Art gekommen, das Heldengedicht in Prosa. Und nach ihm, in der Zeit des sullanischen Aristokratenstaates und in Cäsars Zeit, hat es neben den Geschichte schreibenden Staatsmännern wie Cornelius Sisenna, Licinius Macer, Sallust und Aelius Tubero Annalisten wie Claudius Quadrigarius und Valerius Antias gegeben, von denen die Geschichte nichts zu berichten weiß. Es scheint also, als habe sich die Geschichtsschreibung längst der Art des Livius genähert. Und sie hat es auch getan. Nur darf man eins dabei nicht übersehen: auch diese unpolitischen Annalisten haben wahrscheinlich auf ihre Art Politik gemacht. So wie im Jahrhundert vorher die großen Herren selbst geschrieben hatten, um für ihre Ansichten oder ihren Ruhm zu wirken, so konnte jetzt der kleine Sippengenosse, der Gefolgsmann oder gar der Freigelassene dieses Geschäft übernehmen. So erkennen wir gerade noch, daß Valerius Antias die Geschichte der ersten Jahrzehnte des jungen Freistaates rücksichtslos zugunsten des Ruhmes seiner Sippe[9] verfälscht hat. Man hat sich ihn als Angehörigen der mächtigen valerischen Sippe, aber eines Zweiges vorzustellen, der es im öffentlichen Leben nie weit gebracht und dennoch seinen Sippenstolz bewahrt hatte[10]. Auch dieser nächste Vorgänger des Livius macht also in seinen Annalen noch eine Art praktische Politik, ist noch in das Getriebe des öffentlichen Lebens

[9] Ein Vorfahr taucht in der valerischen Sippenpolitik während des Zweiten Punischen Krieges auf. Der Prätor M. Valerius hat als Flottenkommandanten den Legaten P. Valerius Flaccus; dieser wieder beauftragt einen L. Valerius Antias, abgefangene Gesandte Philipps von Makedonien zu Schiff nach Rom zu bringen: Liv. 23, 24, 3 ff., 38–39, 4, wohl aus valerischer Familienüberlieferung; vgl. 24, 40, 5.

[10] Daß so etwas möglich war, zeigt das Beispiel Catilinas.

einbezogen, wie es sich in Rom abspielt. Erst recht gilt das natürlich von Sisenna, dem Parteigänger der sullanischen Nobilität, von Licinius Macer, dem popularen Agitator, von Aelius Tubero, dem Cäsarianer. Sie hatten alle ihre Hände mit in dem großen Spiel und wußten gründlich Bescheid darum, sie brachten ihre Erfahrungen, ihre Liebe und ihren Haß, ihre Bitternisse mit in die Geschichte.

Was eine solche Geschichte von geistig einfachen Männern der Tat an Vorzügen und Nachteilen haben kann, ist leicht einzusehen. Sie spricht unmittelbar aus einer Situation heraus und aus Verhältnissen, die den erzählten ähnlich sind. Andererseits ist sie in das Triebwerk der Politik zu sehr verstrickt, um sich zur Unbefangenheit freier, weiter Sicht erheben zu können, die immer Abstand voraussetzt. Die Leidenschaften des Kampfes schreiben mit an der Geschichte. *Exempla maiorum,* Beispiele der Vorfahren, sucht der Römer in der Geschichte; der Politiker braucht sie, sonst kann er seine Pläne und Vorschläge nicht rechtfertigen. Nun gut, der Geschichte schreibende Politiker schafft sie herbei. Fehlen sie, so erfindet er sie, beruft sich womöglich auf uralte Leinwandbuchrollen, wobei er sicher sein kann, daß niemand diese in den Archiven aufsucht und ihn der Lüge überführt ... Adel ist Macht, Adel beweist man durch die Ahnenbilder im Atrium und die Inschriften darunter, die Ämter und Verdienste der Vorfahren nennen; auch die Leichenreden im Familienarchiv geben darüber Auskunft. Doch im Kampf um den Vorrang hilft der Ehrgeiz nach, mehrt den Ehrenschatz des Hauses, und solche gefälschte Familienüberlieferung fließt dann in die Geschichte Roms ein. Es ist vor allem die frühe, von den älteren Historikern nur ganz spärlich erzählte Geschichte, worin sich die Kampfleidenschaften der spätrepublikanischen Geschichtsschreiber ausdichtend oder auch erfindend ergehen konnten. Eduard Schwartz hat es wahrscheinlich machen können, daß ein solcher Annalist eine Verschwörung in den ersten Jahren des Freistaates zu dem Zweck erfunden hat, um an diesem Ebenbild die catilinarische Angelegenheit und die Art, wie Cicero sie behandelt hatte, zu verhöhnen[11]. Wo solches möglich ist, da muß das Bewußtsein, für das Überlieferte verantwortlich zu sein, sehr tief stehen.

[11] *Notae de Romanorum annalibus.* Programm Göttingen 1903.

Je größer eine gewisse Lebensnähe dieser Geschichtsschreibung des Freistaates ist, desto schlimmer ist es mit der Wahrheit bestellt.

Livius ist kein Senator, kein Staatsmann, nicht einmal Stadtrömer gewesen. Seine Heimatstadt Patavium – Padua – hatte eine ruhmvolle eigene Vergangenheit und war stolz darauf; aber im römischen Staate hatte sie erst im Jahre 49 das volle Bürgerrecht erhalten. Und mag es selbst die Familie des Livius – von dem manche Äußerungen auf vornehme Herkunft schließen lassen – schon früher besessen haben, so ist doch das eine gewiß, daß sie mit der hohen Politik in Rom nichts zu tun gehabt hat. Als Paduaner, als Künstler und Gelehrter und als der Mensch, der er von Natur war, ist Livius dem politischen Getriebe der Hauptstadt ferner gewesen als wohl irgendein namhafter Geschichtsschreiber vor ihm. Im Grunde hat er hierin nicht anders dagestanden als Virgil, der aus dem nahen Mantua stammte. Halb von außen hat er das politisch-geschichtliche Wesen angeschaut, das er darzustellen unternahm.

Einen solchen Mann brauchte das Rom des Augustus. Keiner von denen, die den Bürgerkrieg an hohen Stellen miterlebt hatten oder deren Familien beteiligt gewesen waren, hätte das geschichtliche Rombild des neuen Friedensreiches entwerfen können. Denn keiner war den bitteren Erinnerungen und Leidenschaften des Kampfes so entrückt, daß er die Gelassenheit hätte aufbringen können, die dazu nötig war. Auch hatten sie zu tief in die Vorgänge hineingeblickt, um mit reiner Begeisterung Geschichte schreiben zu können. Was in anderen Zeiten Ansporn gewesen war, war jetzt, in einer veränderten Welt, ein Hindernis: sie standen der Politik zu nahe[12]. Sollte sich das unter Augustus erneuerte Rom in einem Geschichtswerk bezeugen, so mußte es ein Mann wie Livius schreiben.

Der politische Laie, der wohlgesinnte Privatmann ist vielleicht überhaupt eine wesentliche Gestalt in diesem neuen Rom. Hatte der

[12] Asinius Pollio hat zwar zur gleichen Zeit wie Livius Geschichte geschrieben, aber es war das Werk eines Mannes, der sich vor Actium dem Augustus verweigert hatte und abseits stand, eher der Anfang der widerstrebenden, dem Prinzipat abholden Geschichtsschreibung als Ausdruck des augusteischen Rom.

Prinzipat den Frieden gebracht, so hatte er auch das leidenschaftlich bewegte öffentliche Leben genommen, hatte, so überraschend das klingen mag, die Römer zu entpolitisieren begonnen. Die eigentlich wichtigen Dinge wurden nicht mehr im Senat ausgekämpft, sondern verborgen vor der Öffentlichkeit hinter den Mauern des Palatium vom Kaiser und dessen höheren und niederen Helfern, Fachleuten der Verwaltung, geregelt. Eine ganze Schicht von Menschen, deren Leben in der Politik aufgegangen war, lieferte zwar noch die Inhaber der alten Ämter und der höheren Stellen im Heere, näherte sich aber dennoch dem Stande des Privatmannes, des Geführten, um nicht zu sagen: des Untertans, dem der Einblick in die *arcana imperii* und das Mitbestimmen über Wohl und Wehe Roms entzogen, der Mitbesitz am Staate geschmälert war. *Inscitia rei publicae ut alienae,* Nichtbescheidwissen um das Gemeinwesen als etwas Fremdes: so hat Tacitus bitter den Zustand bezeichnet, den der Prinzipat gebracht hatte (*hist.* 1, 1).

Laie im Verhältnis zur hohen Politik wird also der Römer unter dem Prinzipat. Dieser Lage ist nun der Blick des politischen Laien Livius auf die Geschichte gemäß. Zwar fehlt ihm so jene eigentümliche Lebensnähe der älteren Geschichtsschreiber. Er durchschaut weder das realpolitische noch das strategische Triebwerk der Vorgänge. Menschen mit entlarvendem Blick für die Wirklichkeit dieser Dinge werden bei ihm immer wieder den Eindruck haben, so könne es nicht zugegangen sein. Auch der Mangel an sachlicher Genauigkeit kann Fachleute zur Verzweiflung bringen. Aber die Römer haben sich daran nicht gestoßen. Sie suchten im allgemeinen in der Geschichte etwas anderes als das bloßgelegte Uhrwerk der Vorgänge, und vollends unter dem Prinzipat sahen sie mehr und mehr als Laien auf ihre alte Geschichte.

Es ist auch durchaus nicht nur Schaden daraus erwachsen, daß Livius der hohen Politik, dem politisch-kriegerischen Getriebe des alten Freistaates ferngestanden hat. Vor allem war für die Wahrheit bei ihm besser gesorgt als bei seinen Vorgängern. *Sine ira et studio, quorum causas procul habeo,* nimmt Tacitus für sich in Anspruch. Man kann es mit besserem Recht von Livius sagen. Alle die Versuchungen, denen die Geschichte schreibenden Politiker und auch die anderen in einer leidenschaftlich erregten Welt schreibenden Historiker ausgesetzt waren, fochten ihn nicht an. Von Natur ein redliches, argloses Gemüt, verfolgte er keine eigennützigen Pläne, war in keinen Kampf der Machtgruppen verstrickt, stand dem ehrgeizigen Wettkampf der stadtrömischen Familien fern und wurzelte schließlich in seiner entlegenen, ihrer Sittenreinheit wegen berühmten paduanischen Heimat[13], so daß ihm das politisch erhitzte, ziemlich verdorbene stadtrömische Wesen im Grunde fremd war. So trat er unbefangen wie keiner vor ihm an seine Aufgabe heran. Man kann gewiß sein, das, was ihm überliefert war, unverfälscht bei ihm zu finden. Freilich ist es schon vor ihm arg verwüstet gewesen. Livius hat das zum Teil gewußt und hat sich gewundert. Wenn sich seine Kritik darauf beschränkt hat, abweichende Aussagen zu verzeichnen und hin und wieder nach der Wahrscheinlichkeit zu urteilen, so liegt darin kein Mangel an Wahrheitssinn. Hatte sich im Altertum über ein Stück Geschichte einmal eine Überlieferung gebildet, so war sie eine Art Realität[14]. Hinter sie zurückzugehen, wäre niemand in den Sinn gekommen. Gewissenhaftes Bewahren im Erneuern der Darstellung und allenfalls hier und da ein Berichtigen im einzelnen war schon viel; das hat Livius getan, und darin liegt ein wesentlicher Unterschied zwischen ihm und seinen Vorgängern.

Ein zweiter Vorzug, der dem Livius aus seinem Abstand zu der hohen Politik in Rom erwächst, ist die Ehrfurcht und Liebe, womit er an seine Aufgabe geht, die Offenheit für die Werte des alten Rom. Allzu große Nähe ist manchmal der Verehrung nicht gut, Abstand lehrt unter günstigen Umständen liebevoll entdecken. Livius unterscheidet sich hierin von den anderen römischen Geschichtsschreibern, ähnlich wie Cicero von den Staatsmännern seiner Zeit, die sich im Besitz der „Erbweisheit der Nobilität"[15] zwar auf das Umgehen mit stofflichen und geistigen Machtmitteln besser als er verstanden, aber als illusionslose Praktiker Würde und Größe des römischen Staates, das geheiligte Vermächtnis der Vorzeit, rein

[13] Wichtig, daß er dort auch gestorben ist.

[14] Vgl. W. Hoffmann, Livius und der Zweite Punische Krieg; Hermes, Einzelhefte 8. Berlin 1942, 104 ff.

[15] M. Gelzer, RE. „Tullius" 1939, 1089.

anzuschauen und darzustellen nicht vermochten. Dazu bedurfte es des Mannes, den man gerade deshalb als den „Romulus aus Arpinum“, als den, der sich als Erben der Scipionen aufspielt, verhöhnt hat[16]. Sie hatten es leicht zu spotten, aber etwas ahnten sie nicht: diese Schwäche war auch eine Stärke. So hat auch kein Stadtrömer, kein Senator zur Zeit des Augustus den Römern ein liebenswertes Bild ihrer Vorzeit in ihr Leben mitgegeben. Dazu mußte Livius kommen, über dessen „Patavinität“, das heißt über dessen paduanische Provinzlerart, Asinius Pollio gespottet hat, wobei er Eigenheiten des Stils meinte, vielleicht nicht ohne an seine provinzhafte treuherzige Art im allgemeinen zu denken. Es liegt freilich etwas hoffnungslos Weltfernes, Wohlmeinendes darin, wie Livius die harten Machtmenschen der alten Zeit mit der milden, edlen Gebärde der augusteischen Kunst auftreten läßt. Und doch hat er nicht nur Unrecht mit seiner Liebe und Ehrfurcht. Sie läßt ihn auch echte Wahrheit sehen, die Wahrheit, um derentwillen er schreibt: Größe, Wert und Würde des geschichtlichen Rom. Es ist ja doch wirklich bei allem Abschreckenden, das uns die entlarvende moderne Forscherarbeit gezeigt hat, auch viel ehrfurchtgebietende innere Größe und sittliche Würde in der Geschichte Altroms enthalten. Livius hat recht, wenn er die hohen Werte, auf die der Römer blickt, darin ausgeprägt findet, ganz abgesehen von der gezügelten Kraft, die das Weltreich geschaffen hat. Wir unsererseits sehen es mit Staunen, wie unverbrüchlich die geheiligten Formen und Maßstäbe des Lebens im alten Rom lange Zeit gegolten und wie sich diese vollkräftigen, harten Menschen daran gebunden haben. Diese Wahrheit in den Blick zu bekommen und mit solcher Liebe anzuschauen, daß der Antrieb für das Riesenwerk der Erneuerung der gesamten römischen Geschichtsüberlieferung ausreichte, dazu war die eigentümliche Daseinslage des Livius, sein Blick halb von außen, seine „Patavinität“ – wenn man das Wort einmal so im weiteren Sinne verwenden darf – eine und nicht die geringste Vorbedingung.

Es schien uns geboten, einmal auf diese sonst wenig beachtete Seite an Livius, am augusteischen Geistesleben zu blicken: auf den

[16] [Sall.] in Cic. 7.

Abstand zu dem bis dahin lebenden altrömischen Wesen, auf die Ferne, den Abschied. Sich-wieder-Finden, Wiederaneignen: ja; aber ehe das möglich ist, muß man sich entfernt, verloren haben. Dieses Verhältnis zeichnet das Zeitalter des Augustus und sein Geistesleben aus. Damit hängt es auch zusammen, daß sich das geistige Bild der geschichtlichen Welt, die Bilderwelt der Ideen und Symbole, mehr als früher von der unmittelbaren Wirklichkeit des äußeren, politischen Lebens trennt, dafür aber in sich bedeutender wird und eine gewisse innere Wahrheit gewinnt. Es beginnt das, was am Ende des Altertums so merkwürdig ist: strahlkräftige geistige Bilder schweben über einer furchtbaren, weithin unmenschlichen Wirklichkeit des Staatsmechanismus. In gewissem Sinne verfälscht ein Dichter wie Virgil, ein Geschichtsschreiber wie Livius das Bild seiner Zeit, indem er uns verführt, über ihre Härten wegzusehen.

Es schien also nötig, einmal darauf zu achten, daß das livianische Werk auch den Abschied von der alten römischen Welt in sich schließt. Doch ist es nicht so gemeint, als sei dies die allein wichtige Hauptsache. Vielmehr ist ganz gewiß das ursprüngliche Einssein und die Wiedervereinigung wenigstens ebenso wichtig und wirksam. Es kommt darauf an, beides gebührend zu bedenken, will man geschichtlichen Ort, Stand und Daseinslage dieses Werkes und damit sein Wesen erkennen. So ist denn Livius ganz gewiß in erster Linie Römer, der Rom und seiner Geschichte ursprünglich zugehört, der seine eigene Vergangenheit noch einmal feierlich mitbegeht, indem er „die Taten des römischen Volkes" erzählt, der nach den Bürgerkriegen gewissermaßen geistig in die alte Heimat wieder heimkehrt, sich eins damit fühlt, sich mit allen seinen Kräften dazu bekennt, nichts in Frage stellt, nichts aufgibt. Verurteilt er etwas, so sind es nur die Fehler einzelner Menschen. „Gar nicht römisch" nennt er dann wohl das Verurteilte. Rom selbst hat im ganzen keine Tat zu bereuen, keinen Schritt zurückzutun gehabt. Seine ganze Geschichte stellt sich als ein wunderbarer Zusammenhang richtiger Vorgänge dar. Immer ist es im Recht, man könnte von Unfehlbarkeit sprechen. Drückt sich diese Überzeugung bei Livius mit einer Innigkeit aus, in der die eben überstandene Gefahr nachschwingt, so wurzelt sie doch tief in einer römischen Eigenart: nichts aufzugeben, keinen Schritt zurückzugehen. Etwas ungeheuer Positives liegt hierin, das nur Hinzufügen, nicht Wegnehmen kennt. Freilich ist damit auch etwas ungewöhnlich Engstirniges verbunden. Der Römer kennt in Politik und Geschichte meist kein wahres Gegenüber, keinen fremden Standpunkt, sondern nur gutes oder ungutes Verhalten zu Rom[17]. Die Freiheit des Geistes, die dazu gehört, sich in ein fremdes Volk hineinzudenken, ist den Römern lange Zeit versagt geblieben; erst bei Tacitus erscheint sie, tragisch verdüstert. Livius erweist sich in diesem Stück als Römer wie irgendeiner.

Nur daß sich bei ihm dieses angestammte und keineswegs aufgegebene römische Wesen mit später, reifer Gesittung zusammengefunden hat. Die Römer der alten Zeit, die diesen harten, beharrenden Willen betätigt und Rom als Staat groß gemacht haben, sind zweifellos in Wirklichkeit Menschen gewesen, mit denen nicht gut Kirschen essen war. Man preist die Männer alten Schlages, die die Samniten- und Punierkriege geführt haben. Nun, man kann daran zweifeln, ob wir es mit ihnen aushalten würden. Bei Livius erwecken diese Gestalten keine solchen Bedenken. Wie kommt das, da er doch ebenso engstirnig imperial denkt wie die Römer vor ihm? Doch wohl eben daher, daß sich dieser treu bewahrte, geistig enge altrömische Sinn bei ihm mit der Milde, Weite und Schönheit des späten, in langen, leidvollen Erfahrungen und in der Liebe zur griechischen Geisteswelt gereiften Menschentums, das die feinste Blüte der Zeit des Augustus ist, verbunden und vereinigt hat. Auch dies ist römisch: im Alten beharren und trotzdem ohne inneren Umsturz feinster Gesittung fähig sein. Es ist etwas Komplexes, was so in den hohen römischen Leistungen zustande kommt; aber das ist nicht immer eine Schwäche. Das Werk des Livius ist von der höchsten Seelenkultur dieser späten Zeit und von der Innerlichkeit geprägt, die damals einige Menschen gewonnen haben. Er erzählt die Geschichte vom Inneren der Beteiligten her[18] wie Virgil, in Abfolgen innerer Bewegungen und Gebärden, die ein unfehlbarer Sinn für Schönheit und Harmonie leitet und gestaltet. Er sieht auf die inne-

[17] Hierzu vgl. W. Hoffmann, Livius und der Zweite Punische Krieg; Hermes, Einzelhefte 8 Berlin 1942, 25 f.

[18] Vgl. G. Funaioli, Camillo e i Galli in Tito Livio; Estratto dal volume „Studi Liviani" (Istituto di Studi Romani); Rom 1934, 21.

ren Werte, die sich im Handeln ausprägen, mehr als auf seinen äußeren Verlauf, seine mechanischen Ursachen und Wirkungen. Und dabei ist er so altrömisch!

In dieser Gestalt ist die altrömische Geschichte auf spätere Geschlechter gekommen, in dieser Gestalt haben sie sie geliebt und sich dafür erwärmt. Es ist sehr zweifelhaft, ob sie trotz aller ihrer inneren Größe so lange, und zwar auch Menschengeschlechtern, die sie unmittelbar nichts anging, liebenswert erschienen wäre, wenn sie nicht Livius so herbstlich verklärt, bildhaft verwandelt und menschlich mild erzählt hätte. Der alte Cato hat seinen Zeitgenossen etwas zu sagen gehabt und hätte einigen von uns wieder etwas zu sagen, aber Livius hat zu zwei Jahrtausenden gesprochen.

Wilhelm Hoffmann, Livius und die römische Geschichtsschreibung. Aus: Antike und Abendland, Bd. 4, Hamburg 1954, S. 171–186.

LIVIUS UND DIE RÖMISCHE GESCHICHTSSCHREIBUNG[1]

Von Wilhelm Hoffmann

Während noch vor 1914 in Deutschland das Urteil über den römischen Historiker Livius großenteils ablehnend lautete, hat man sich seit den zwanziger Jahren in zahlreichen Untersuchungen und Abhandlungen mit Erfolg darum bemüht, einen neuen Zugang zu ihm zu finden. Wir verstehen heute wieder, warum jener Mann im Altertum sowie seit der Renaissance solch hohes Ansehen genoß, warum er seinen Platz unter den großen Schriftstellern Roms gefunden hat. Wir lesen ihn mit neuem Genuß und haben wieder die Maßstäbe gewonnen, um uns an der Schönheit seiner Darstellung zu erfreuen. Er ist seitdem so oft und scheinbar auch in abschließender Weise gewürdigt worden, daß man sich fast scheut, noch einmal das Wort zu ergreifen[2].

Unser neues Liviusbild wird in erster Linie der philologischen Forschung verdankt; sie ging aus von einer Untersuchung der Form, betrachtete die Sprache, den Aufbau der Erzählungen, die Anlage der Bücher, faßte damit das uns erhaltene Werk in erster Linie als künstlerische Leistung von bleibendem Wert; und dieser Eindruck

[1] Zum Stand der Forschung vgl. den Artikel Livius von A. Klotz in der R.-E. XIII (1926) 816 ff., ferner die Einleitung von E. Burck zu seiner Auswahl der 1. Dekade (Heidelberger Texte, Bd. 7, 1947, bes. S. 22 f.) sowie die von K. Büchner gegebene Besprechung der seit 1937 zu Livius erschienenen Literatur (Büchner-Hofmann, Lat. Literatur u. Sprache 1951, S. 143 ff.).

[2] R. Heinze, Augusteische Kultur (1930) 91 ff., (Neudruck 1956); Fr. Klingner, Livius (Die Antike 1925); ders., 2000 Jahre Livius (Neue Jahrb. 1943, 49 ff.; in diesem Bande S. 48–67); E. Burck, Livius als augusteischer Historiker (in diesem Bande S. 96–143); G. Funaioli, Livius im Plan seines Werkes (Die Antike 1943, 214 ff.); E. Howald, Vom Geist antiker Geschichtsschreibung 1944, 163 ff.

bleibt zunächst als der bestimmende haften. Freilich versuchte man noch darüber hinaus zu gehen. Man stellte zunächst fest, daß Livius in seinen künstlerischen Ansichten, in den Grundsätzen, die er bei der Gestaltung der einzelnen Erzählungen befolgte, in naher Verbindung zu den anderen großen Schriftstellern der augusteischen Zeit gestanden habe. Und man folgerte weiter, er sei selbst in gleicher Weise wie etwa Vergil oder Horaz als einer der charakteristischen Exponenten seiner Zeit anzusprechen, ähnlich wie diese beiden Dichter habe auch er es unternommen, in seinem Werk den eigentlichen Bestrebungen des Augustus gerecht zu werden. Dabei hat man freilich schon bald empfunden, daß hiermit allein die geschichtliche Erscheinung des Livius noch nicht erschöpfend gewürdigt wird. So hat Fr. Klingner in seinem 1943 erschienenen Aufsatz „2000 Jahre Livius" eine Reihe von Gedanken ausgesprochen, die über das bisherige Bild hinausgehen, vor allem den Blick auf die besondere Situation gelenkt, in der Livius als Sprecher römischer Tradition der im Grunde so anders gearteten Zeit des Augustus gegenüberstand[3], und damit eine Frage angerührt, die weniger vielleicht für eine rein literarische Würdigung des Schriftstellers, um so mehr aber für seine geschichtliche Beurteilung bedeutsam ist.

Man hat das hier vorliegende Problem nicht in seinem ganzen Umfang zu würdigen vermocht, solange man davon überzeugt war, daß Livius, darin im Einklang mit seinen Zeitgenossen Vergil und Horaz, es unternommen habe, die römische Vergangenheit aus dem Erlebnis der Augusteischen Epoche heraus neu zu werten und zur Darstellung zu bringen, ja daß auch er erfüllt von jener inneren Harmonie, die aus Vergils Werk oder den Reliefs der Ara Pacis noch zu uns zu sprechen scheint, gar bemüht gewesen sei, in seinem Werk Vergangenheit und Gegenwart miteinander zu versöhnen. Denn man unterließ es dabei zu fragen, ob für ein solches Planen des Livius überhaupt die Voraussetzungen gegeben waren. Bietet sich doch die Zeit des Augustus dem kritischen Blick keineswegs so in sich geschlossen und ausgeglichen dar, wie man das aus den Zeug-

[3] a. a. O., bes. 56 ff.; vgl. auch die von K. Büchner gegebene Würdigung a. a. O. 143 ff.

nissen ihrer Dichter vielleicht entnehmen könnte. Wir wissen, daß der Widerspruch zwischen den aus der Vergangenheit her abgeleiteten Forderungen und der anders gearteten Gegenwart nicht nur die Jahrzehnte der Bürgerkriege erfüllt, sondern auch noch in die Regierungszeit des Augustus hineingewirkt hat[4]. Erkennt man das aber an, dann rücken Werk und Persönlichkeit des Livius zum Teil in ein anderes Licht. Denn Livius als Historiker war in besonderem Maße der Vergangenheit verpflichtet; sie in ihren wesentlichen Ideen zu erfassen und zu gestalten, mußte seine vornehmste Aufgabe sein, sofern er wirklich jenes Gefühl der Verantwortung gegenüber seinem Gegenstand in sich trug, das den echten Historiker auszeichnet[5]. Damit also deutet sich das für seine Beurteilung entscheidende Problem bereits in Umrissen an. Konnte er denn Geschichte schreiben, ohne damit auf die Dauer in Widerspruch zu einer Gegenwart zu geraten, die von ganz anderen Gesetzen bestimmt wurde? Wie hat er der ganzen Spannung jener Jahre Rechnung getragen, wie hat sie sich in seinem Werk selbst ausgewirkt?

Wie berechtigt es ist, diese Fragen aufzuwerfen, spüren wir, wenn wir den Livius aufschlagen und zu lesen beginnen. Vieles ergreift uns hier, was nicht allein durch die Kunst der Darstellung zu erklären ist, was nicht allein deswegen als wertvoll erscheint, weil es in ähnlicher Weise auch bei Vergil ausgesprochen ist. Eine andere Stimmung liegt über seinen Worten, zumal in der Vorrede; nicht das Hochgefühl, in einer Epoche zu leben, die Rom und der Mittelmeerwelt Frieden und Sicherheit gegeben hat, erfüllt das Ganze, sondern eher eine gewisse Melancholie. Mögen manche der aufgezeigten Parallelen auch darüber hinwegtäuschen, insgesamt erhält man doch das Gefühl, daß der Historiker anders seiner Zeit gegenüberstand als die großen Dichter, daß er etwas anderes auszusagen hatte als sie.

Man hat, wie schon kurz anzudeuten war, bei Livius und Vergil

[4] Hingewiesen sei in diesem Zusammenhang vor allem auf R. Syme, The Roman Revolution (Oxford 1939, dt. „Die römische Revolution" 1957), bes. 276 ff.

[5] Das Verhältnis des Livius zu der ihm vorliegenden Tradition wurde am Beispiel der 3. Dekade von mir in der Schrift „Livius und der 2. Punische Krieg" 1942 (Hermes Beih. 8) untersucht.

gleichartige Bestrebungen aufzuweisen gesucht[6]. Gewiß scheinen solche Zusammenhänge gegeben zu sein. Um das Jahr 27 hat Livius mit der Ausarbeitung seines Geschichtswerkes begonnen, nur zwei Jahre zuvor hatte Vergil die Georgica beendet und sich mit dem Epos von Aeneas jenem großen Stoff zugewandt, in dem er aus der Sage Sinn und Ziel des römischen Daseins, gipfelnd in Augustus, gestalten wollte. Es waren die gleichen Jahre, in denen Augustus durch eine Reihe von Erlassen die gesetzlose Ära der Bürgerkriege zum Abschluß brachte und sich bereit erklärte, seine Macht in die Hände von Senat und Volk zurückzugeben. Rückkehr zur Vergangenheit, Wiederherstellung der einstigen Ordnung war die Parole. Nahe liegt die Vermutung, daß auch Livius von dieser großen allgemeinen Bewegung, den Hoffnungen jener Jahre ergriffen worden ist, und wir somit einen gemeinsamen Ausgangspunkt für beide Schriftsteller annehmen dürfen.

Doch wenn wir nun beide Werke vergleichen, erkennen wir, daß es sich bei dem Epos von Aeneas und der römischen Geschichte des Livius um zwei im Grunde völlig verschiedene Dinge handelt. Dabei möge der äußere Unterschied zwischen Geschichtsschreibung und epischer Gestaltung völlig unberücksichtigt bleiben. Was hier auffällt, ist etwas anderes: Bei Vergil erhält die Sage von Aeneas ihre Bedeutung als Anfang der römischen Geschichte im Hinblick auf das, was schließlich Augustus vollenden sollte. Bereits zu Beginn des 1. Gesanges wird das große Thema angeschlagen. Die Bestimmung des Aeneas ist die Gründung Roms; dieses Rom umfaßt die Stadt, das Volk und sein Reich. Groß und schwer klingen die Worte des höchsten Gottes an Venus, die um das Schicksal ihres Sohnes Aeneas bangt:

> „*Romulus excipiet gentem et Mavortia condet*
> *moenia Romanosque suo de nomine dicet.*
> *his ego nec metas rerum nec tempora pono,*
> *imperium sine fine dedi.*“ (1, 276/79)

[6] Vgl. etwa hierzu Fr. Klingner, Livius a. O.; E. Burck, Die Erzählungs-Kunst des T. Livius (1934) (2. Aufl. 1964); F. Hellmann, Liviusinterpretationen (1939); G. Stübler, Die Religiosität des Livius (Tübinger Beitr. XXXV 1941); W. Hoffmann a. O.

„Romulus wird das Geschlecht weiterführen, die Mauern der dem Mars heiligen Stadt errichten und ihre Bewohner nach seinem Namen Römer nennen. Diesen setze ich keine Grenzen in der Welt und in der Zeit, eine Herrschaft ohne Ende habe ich ihnen gegeben." Die Brücke ist hier geschlagen von Aeneas zu des Dichters eigener Gegenwart, denn in ihr hat sich die Größe Roms erfüllt, für die es keine Grenzen der Zeit und des Raumes gibt. Von ihr spricht Vergil noch an zwei anderen Stellen. Auf dem Schild des Aeneas sehen wir, nach dem Sieg von Actium, Augustus auf der Schwelle des Apollotempels sitzen und über die Völker der bewohnten Erde bis hin zu den Strömen Rhein und Euphrat blicken (8, 720 ff.), und in der Unterwelt weist Anchises bei seinem Blick in die Zukunft Roms auf Caesar Augustus hin, der ein neues goldenes Zeitalter für die Menschen heraufführen werde (6, 791 ff.). Die Gegenwart erscheint sinnvoll in den Ablauf der gesamten vorangegangenen Entwicklung eingefügt, von ihr her sind die Maßstäbe gewonnen, um das, was war, zu begreifen.

Livius will nun in seinem Werk Roms Weg vom Mythus bis zur Gegenwart hin gestalten. Mit knappen Worten wird die Sage, die Vergil zum Gegenstand seiner Dichtung machte, mehr angedeutet als wirklich erzählt. Sie steht für ihn noch jenseits des eigentlich historischen Interesses; erst mit Romulus beginnt die wirkliche Erzählung (1, 4), denn Gegenstand ist die Geschichte Roms im echten Sinne des Wortes, d. h. die Darstellung dessen, was die Römer im Lauf einer mehr als 700jährigen Entwicklung geleistet haben. Bringt nun nicht ein solches Thema eine sinnvolle Ergänzung zu dem Werk des Dichters? Auch Livius ist durchdrungen von der Größe seines Gegenstandes. Die Römer sind für ihn das erste Volk des Erdkreises; mögen auch die Götter nur im Mythus sichtbar auf die Erde herabsteigen, so ist er doch zutiefst davon überzeugt, daß es göttliche Bestimmung war, wenn Rom zu seiner Größe aufsteigen konnte. Die anderen Völker sind im Grunde mit ihm nicht zu vergleichen, nur seine Vergangenheit ist der Darstellung wert. Und wenn die Menschen einer späteren Zeit immer von neuem die Frage nach den Ursachen der Größe Roms bewegte, so vermochte ihnen nicht zum wenigsten Livius darauf eine Antwort zu geben. Von hier aus gesehen, mag Livius wirklich in einer echten Nähe zu Vergil stehen.

Und doch ist der Standpunkt, von dem aus er das Vergangene wertet und gestaltet, ein anderer. Er sieht, und das zeigt sogleich die Vorrede zu seinem Werk, in der geschichtlichen Entwicklung des römischen Volkes auch den Niedergang[7]. Einst war Rom groß an Leistung und Gesinnung seiner Bürger, doch von dieser Höhe ist es abgesunken, Reichtum, Habgier und Luxus haben zum Niedergang geführt, der dem Geschichtsschreiber fast als ausweglose Verhängnis erscheint. Dem gleichsam triumphierenden Wort des Dichters von der Herrschaft, der keine Grenzen gesetzt seien, steht hier die Äußerung gegenüber von dem Imperium, dessen Größe schon das Maß übersteige, von dem Volk, dessen allzu groß gewordene Kräfte sich selbst aufzehren[8]. Eine Spannung tut sich auf zwischen einst und jetzt, die man im Verlauf der Darstellung um so stärker empfindet, je nachhaltiger in den glanzvollen Bildern einer großen Vergangenheit der Abstand zur Gegenwart deutlich wird. Vom Anbruch eines neuen glücklichen Zeitalters darf der Dichter sprechen; mag auch Livius rühmend erwähnen, daß Augustus nach Actium der Welt den Frieden geschenkt habe (1, 19, 3), so deutet er doch mit keinem Wort darauf hin, daß jetzt erst die römische Geschichte ihre eigentliche Erfüllung gefunden habe. Trübe und düster bietet sich ihm die eigene Epoche dar, von ihr will er sich abwenden, um in der Vergangenheit die Sorgen und das Leid zu vergessen, die ihn in der Gegenwart quälen. Und diese in der Vorrede angeschlagenen Töne klingen weiter nach, sie überschatten weithin die uns erhaltenen Teile seines Werkes. Für ihn ist das Maß die Vergangenheit, an ihr mißt er die unvollkommene Gegenwart.

[7] Zu den bisherigen Deutungen der Praefatio vgl. vor allem G. Funaioli a. O., Fr. Klingner (in diesem Bande 48 ff., bes. 52 ff.), wobei mir allerdings die doch recht skeptische Haltung des Historikers gegenüber seiner Zeit, wie sie mit Recht von Klotz a. O. 819 hervorgehoben wurde, allzusehr in den Hintergrund gerückt zu sein scheint.

[8] praef. § 4: „*res est praeterea et immensi operis, ut quae supra septingentesimum annum repetatur et quae ab exiguis profecta initiis eo creverit, ut iam magnitudine laboret sua; et legentium plerisque haud dubito quin primae origines proximaque originibus minus praebitura voluptatis sint festinantibus ad haec nova, quibus iam pridem praevalentis populi vires se ipsae conficiunt.*“

In Vergils Augen wird die Sage von Aeneas sinnvoll durch das Heraufkommen einer Epoche, die sie im eigentlichen Sinn des Wortes erfüllen sollte. Mahnungen und Warnungen an eine unwürdig gewordene Generation bringt die Geschichte bei Livius. Soll man noch mehr sagen? Für den Historiker gibt es jene Brücke nicht, mit der Vergil fernste Anfänge und lebendige Gegenwart unmittelbar verknüpft, es fehlt bei ihm – wenigstens hier – jene Harmonie und Ausgeglichenheit, die man so gern als „augusteisch" hinstellt und auch in seinem Werk hat aufzeigen wollen.

Daß Livius mit seinem Geschichtswerk ein wesentliches Anliegen erfüllt hat, zeigt die Zustimmung, die er schon bald, auch in der Umgebung des Herrschers selbst, gefunden hat[9]. Er wird also, will man hieraus einen Schluß ziehen, durchaus ausgesprochen haben, was die Menschen damals bewegte. Aber gerade das berührt uns heute zunächst seltsam. Wie war es denn möglich, in den Jahren 27/25, die den Zeitgenossen das Ende von Krieg und Willkür gebracht hatten sowie eine neue Ordnung heraufzuführen begannen, ein derartiges Werk zu planen und gleich in der Vorrede Worte zu schreiben, die geeignet sein konnten, jede Hoffnung auf eine bessere Zukunft zum Verstummen zu bringen? Nun, der Römer hat offensichtlich damals diese Problematik nicht empfunden, wie sein Verhalten gegenüber Livius beweist. In keiner Weise wirkten die Vorrede und der Gesamttenor des Werkes irgendwie revolutionierend, sondern entsprachen anscheinend durchaus dem, was man von

[9] Daß Livius zu seinen Lebzeiten schon hohe Anerkennung gefunden hat, scheint einmal aus den von Plinius in der Vorrede zum 1. Buch seiner Naturalis historia wiedergegebenen Worten des Livius selbst hervorzugehen, die er am Anfang eines uns nicht mehr erhaltenen Buches geschrieben hat: „*satis iam sibi gloriae quaesitum, et potuisse se desinere, ni animus inquies pasceretur opere*" (frg. 58 Weißenborn-Müller), ferner aus Plin. epist. 2, 3, 8. Zu den persönlichen Beziehungen zu Augustus vgl. Liv. 4, 20, 5 ff. und besonders Tacitus ann. 4, 34: „*Titus Livius, eloquentiae ac fidei praeclarus in primis Cn. Pompeium tantis laudibus tulit, ut Pompeianum eum Augustus appellaret; neque id amicitiae eorum offecit.*" Hinzuweisen wäre noch auf Sueton, Claudius 41, 1, der berichtet, daß Livius den kaiserlichen Prinzen Claudius angeregt habe, sich mit einer Darstellung der römischen Geschichte seit 44 zu befassen.

einem Geschichtswerk erwartete. Warum das so war, wird deutlich, werfen wir einen Blick auf die Vorgänger des Livius[10].

Da zeigt sich nämlich, daß seine uns eigentümlich anmutende Sicht der Vergangenheit für das römische Bewußtsein nichts Neues bedeutet hat. Zwei Motive durchdringen seit der Mitte des 2. Jahrhunderts das Denken der Römer über die eigene Geschichte. Den Stolz auf die Taten der Vorfahren, die Überzeugung, daß sich Rom zu Recht allen anderen Völkern als überlegen erwies, finden wir in Ansätzen schon zu jener Zeit ausgesprochen, wo die Römer über Italien hinaus den Schritt zur Beherrschung der Mittelmeerwelt taten. Wenn Fabius Pictor um 200 der römischen Gründungssage in seinem Werk einen besonderen Raum zuwies, so tat er das nicht bloß, um Roms Anfänge auch mit der in der griechischen Welt beheimateten Sage von Aeneas zu verknüpfen, sondern vor allem, um darin zugleich den göttlichen Ursprung seiner Vaterstadt aufzuzeigen. Naevius und Ennius kündeten in ihren Epen von den großen Leistungen Roms bis zur jüngsten Vergangenheit hin; die epische Form gab ihnen, vor allem Ennius, den hohen Stil der Erzählung, ursprünglich angemessen den Helden der homerischen Sage, nun aber übertragen auf die Männer, in denen der römische Adel seine eigenen Vorfahren sah. Wohl sollten die folgenden Generationen, die in Prosa schrieben, jene innere Größe nur noch selten erreichen; pomphafte Siegesberichte, ins Maßlose gesteigerte Zahlen von gefallenen und gefangenen Gegnern dienten nicht selten als Ersatz für das, was der Darstellung an echter Würde abging –

[10] Zusammenfassende Überblicke geben: Fr. Klingner, Römische Geschichtsschreibung (Die Antike 13, 1937, S. 63 ff.; in diesem Bande S. 17 ff.); U. Knoche, Roms älteste Geschichtsschreibung, Neue Jahrb. 1939, 193 ff., und das historische Geschehen in der Auffassung der älteren röm. Geschichtsschreiber, ebenda 289 ff. – Zu den Anfängen der röm. Geschichtsschreibung vgl. vor allem M. Gelzer, Röm. Politik bei Fabius Pictor (Hermes 1933, 129 ff.) und Der Anfang röm. Geschichtsschreibung (ebd. 1934, 46 ff. Beide Arbeiten jetzt in Kl. Schriften, Bd. 3, 1964, 51 ff. u. 93 ff.). Eine die Arbeiten der letzten Jahrzehnte, besonders die von Gelzer sowie die quellenkritischen Forschungen von Klotz (Neue Wege zur Antike Reihe 2, Heft 9/11, 1940/41) verwertende eingehende Darstellung von der Entwicklung der römischen Annalistik fehlt noch.

und damit wurde es immer schlimmer, je weiter die Zeit fortschritt, bis hin zu Valerius Antias, der nach Sulla lebte. – Aber so unvollkommen uns das auch anmuten mag, überzeugt von der Größe Roms sind auch alle Geschichtsschreiber der Epoche des Bürgerkrieges gewesen. Für sie existierte nur Rom; das Schicksal der Stadt ist der eigentliche Mittelpunkt der Erzählung; die Ereignisse außerhalb Roms oder gar Italiens sind für sie nur bedeutsam, soweit sie unmittelbar auf die Stadt selbst zurückwirkten.

Aber die römische Geschichtsschreibung ist bekanntlich mehr geworden als nur eine Verherrlichung des eigenen Volkes. Sie wuchs seit der Mitte des 2. Jahrhunderts in eine neue Aufgabe hinein, die hinfort für sie eigentümlich werden sollte. Cato steht hier am Anfang. Sein eigenes politisches Dasein war erfüllt gewesen von dem Kampf gegen die neuen Tendenzen, die mit dem Aufstieg Roms zur Vormacht im Mittelmeer spätestens seit dem Ende des 2. Punischen Krieges sich bemerkbar zu machen begannen[11]. Er griff die Männer an, die wie Scipio dank ihrer überragenden Stellung und persönlichen Geltung das Gefüge der alten Ordnung zu sprengen drohten, er geißelte alle Zeichen der Zersetzung, die er unter seinen Zeitgenossen zu erblicken glaubte. Er stellte, vor allem in seinen Reden, die er dann in sein Geschichtswerk aufnahm, neben seiner eigenen Person die große Vergangenheit als Maß hin und sah von diesem Hintergrund her besonders scharf die Verfallserscheinungen der Gegenwart. Von frühester Zeit an hatten sich die Römer ihren Vorfahren verpflichtet gefühlt, in ihrem Denken und Tun immer wieder auf sie berufen und daraus zu einem wesentlichen Teil die Kraft und Stetigkeit des Handelns gewonnen. Nun aber, wo eine neue Generation, in andere Lebensformen hineinwachsend, fremden, nicht römischen Einflüssen hingegeben, jene alten selbstverständlichen Bindungen zu verlieren begann, da erschien es ihm als Pflicht, mit der ganzen Kraft und Leidenschaft seines Wortes die verderbte Umwelt zu ihren echten Aufgaben zurückzurufen. Gegenwart und Vergangenheit setzte er damit in eine

[11] Vgl. hierzu vor allem Fr. Klingner, Cato Censorius und die Krisis Roms (Antike 1934; jetzt: Röm. Geisteswelt 2. Aufl. 1943, Bd. 1, 27 ff., 4. Aufl. 1961, 34 ff.).

neue Beziehung; er fühlte die Spannung, die zwischen beiden bestand. Noch glaubte er selbst an die Möglichkeit, sie zu beseitigen, stellte ihre Überwindung doch für seine Person kein Problem dar, aber der Kampf seines Lebens, dessen bleibendes Denkmal sein Geschichtswerk wurde, machte sie zum erstenmal offenkundig. Es ist eine für die römische Geschichte zwar bekannte, aber stets von neuem bedeutsame Erscheinung, daß fast alle Versuche, der ständig weiter um sich greifenden Krise nach 150 zu begegnen, letzten Endes immer wieder auf die Wiederherstellung eines – angeblich schon früher bestehenden – Zustandes abzielten, von den Gracchen an über Sulla, Cicero, Brutus und Cassius hin zu Augustus. Was sich früher bewährt hatte, so glaubte man, werde auch in der Zukunft für den Staat heilsam sein. Die Abkehr von den Grundsätzen der Vorfahren habe zum Niedergang geführt; gelinge es wieder unmittelbar an dem Vergangenen anzuknüpfen, so werde auch Rom gerettet werden. Hier fand nun, darin Catos Vorbild folgend, die römische Annalistik ihren geschichtlichen Ort. Wenn Piso zur Zeit der Gracchen in seinem Geschichtswerk, zweifellos mit etwas primitiven Mitteln, etwa den König Romulus als Vorbild richtiger Lebensführung hinstellte (frg. 8 Peter), so verfolgte er damit sicherlich ähnliche Absichten wie sein großer Vorgänger. Doch vielleicht er schon, gewiß aber seine Nachfolger, gingen hierin tiefer. Die Geschichte des 5. Jahrhunderts, einst nur in dürftigen Notizen überliefert, rief jetzt die Aufmerksamkeit wach. Die damaligen Kämpfe zwischen Patriziern und Plebejern wurden ausgemalt mit den Farben der modernen Zeit; der Typ des verantwortungslosen Tribunen sowie die Erscheinung des engstirnigen, unbelehrbaren Aristokraten, den Zeitgenossen nur allzu gut bekannt, fanden Eingang in diese frühen Erzählungen. Die Bilder sind aus den ersten Büchern des Livius vertraut: Menschenmassen rotten sich in der Stadt zusammen, das Forum ist erfüllt von Haß und Leidenschaft, Redner schildern die Leiden der Unterdrückten, wiegeln mit ihren Worten die Zuhörer auf, man lärmt, greift zu den Waffen, der innere Frieden ist bedroht. Es mag sein, daß in erster Linie die Freude an der Aktualisierung ferner Begebenheiten die Annalisten bewogen hat, solche Szenen aus der Gegenwart in die Frühzeit zurückzuverlegen, aber, zunächst vielleicht unbeabsichtigt, wurde dadurch noch mehr erreicht. Die Ständekämpfe, die man jetzt mit den modernen Farben ausmalte, gehörten der Vergangenheit an, auf sie folgten, wie jeder wußte, die großen Zeiten der römischen Geschichte, die Eroberung von Veji, die Unterwerfung Italiens und die Siege über Karthago. Also in jenen frühen Jahrhunderten hatte das römische Volk, mochten die übrigen Parallelen noch so offenkundig sein, seine innere Krise zu überwinden vermocht. Was aber hat es damals dazu befähigt? Die Frage war gestellt in dem Augenblick, wo man die Ständekämpfe unter dieser neuen Sicht zu sehen begann; sie mußte damals bereits, nicht erst im Werk des Livius, dessen Bücher 2–4 uns allein noch die Auseinandersetzung damit zeigen, beantwortet worden sein[12]. Da forderte einmal die ständig von außen drohende Gefahr den Zusammenhalt der Bürgerschaft; vor allem aber war entscheidend, daß die Gesinnung des Volkes, trotz allen negativen Erscheinungen, während des 5. Jahrhunderts im Grunde gesund war. Ging es um das Ganze des Staates, verstummte die Zwietracht, jeder ordnete sich willig dem Gebot der res publica unter. Nur wenn die Ständekämpfe bereits um 100 unter dieser Perspektive gesehen wurden, läßt es sich verstehen, daß dem Römer die frühen Zeiten nach wie vor in ihrer Gesamtheit als die große vorbildliche Epoche seiner Geschichte erschienen. Gerade das Fehlen dessen, was man als rettendes Element in der Vergangenheit immer wieder hervorhob, wurde damals bitter beklagt. In dem Bestreben,

[12] Man hat die Ansicht vertreten, erst Livius habe in der Schilderung der Ständekämpfe des 5. Jahrhunderts die das Negative überwindenden positiven Kräfte hervorgehoben und damit die neue Haltung der augusteischen Zeit zum Ausdruck gebracht; vgl. etwa E. Burck, Die Erzählungskunst des T. Livius; F. Hellmann, Liviusinterpretationen; aber dabei bleibt die Frage offen, wie dann die früheren Annalisten diese Epoche in den Gesamtablauf der römischen Entwicklung haben einordnen können. Es ist doch bezeichnend, daß noch Sallust die Zeit bis zur Zerstörung Karthagos hin durchweg positiv gewertet hat (Coniuratio Catilinae 6 ff., Bellum Jugurthinum 41); erst in den Historien scheint er auch die Epoche vor den Punischen Kriegen als Zeiten des Verfalls gedeutet zu haben: vgl. Fr. Klingner, Über die Einleitung der Historien Sallusts (Hermes 1928, 165 ff., jetzt in „Studien zur griech. und röm. Literatur", hrsg. v. K. Bartels 1964, 571 ff.). W. Schur, Sallust als Historiker (1934) bes. 92 ff.

den Niedergang des eigenen Volkes seit der Mitte des 2. Jahrhunderts zu erklären, stellte man fest, daß kein mächtiger Staat seit dem Ausscheiden Karthagos Rom mehr zur Zusammenfassung aller seiner Kräfte zwinge[13], man hob gleichzeitig hervor, daß mit dem Eindringen von Reichtum und Luxus der Römer die alte Tradition preisgegeben, das Gefühl für seine Pflichten gegenüber dem Staat vergessen habe. Konnte das, was einst Rom instand gesetzt hatte, seine Krise zu überwinden, nicht zu neuem Leben erweckt werden? Zweifellos gewann die Geschichtsschreibung zwischen 130 und 80 in dem Versuch, diese Möglichkeit aufzuzeigen, eine echte Aktualität.

Aber wie nun alle Reformversuche bis hin zu Sulla nichts bessern konnten, begann man zu spüren, daß die Spannung zur eigenen Zeit fast unüberbrückbar geworden war. Eindrucksvolle Worte findet Cicero um das Jahr 52 im 5. Buch von de re publica für diese Lage des Staates. Anknüpfend an die Worte des Dichters Ennius *„moribus antiquis res stat Romana virisque"* führt er aus, wie einst die großen Persönlichkeiten Roms, selbst dem Gebot der Vorfahren gehorchend, die Lebensgewohnheiten von einst durch ihr lebendiges Beispiel wiederum den Nachkommen weitergaben. Doch seine Zeit habe beides verloren, die großen Männer, wie jede sittliche Ordnung. Kaum ein Abbild des einstigen Rom sei geblieben, denn nicht einmal die Formen und Umrisse des einstigen Staates habe man zu wahren vermocht. „Nur mit dem Wort halten wir den Staat noch fest", so schließt er, „den wir durch unsere eigenen Fehler, nicht etwa durch ein äußeres Ereignis in der Tat schon längst verloren haben"[14]. Welcher Abstand zu Cato 100 Jahre zuvor! Cicero findet nur noch müde Worte der Klage, ohne selbst die Kraft in sich zu fühlen, wirklich dem Unheil zu steuern, mochte er auch, von den Schwankungen der politischen Konstellationen beeindruckt, bis zum Ende seines Lebens sich der Hoffnung auf eine Rückkehr zur alten

[13] Vgl. Fr. Klingner, Hermes 1928, 165 ff. M. Gelzer, Nasicas Widerspruch gegen die Zerstörung Karthagos, Philologus 1931, 261 ff. (jetzt in „Vom röm. Staat" Bd. 1, 1943, 78 ff., bes. 88 ff., Kl. Schriften Bd. 2, 1963, 39 ff.). Schur a. O. 67 ff.

[14] *„Nostris enim vitiis, non casu aliquo rem publicam verbo retinemus, re ipsa vero iam pridem amisimus."* (5, 1, 2).

Ordnung hingeben. Was er bei seiner Veranlagung nicht tun konnte, letzte Folgerungen zu ziehen, das hat nach ihm Sallust getan. Schonungslos hat er den Weg des Abstiegs aufgezeigt, auf dem es keine Rückkehr mehr gibt: der Stand der Nobilität, einst Garant der Größe Roms, ist in Luxus und Egoismus verkommen, bietet das Bild völliger Zersetzung, ist unfähig geworden, das Gebot der Stunde zu erfüllen.

Sichtlich ist hier ein Endstadium erreicht; betrachtet man wie Sallust den Weg der römischen Entwicklung, so hat damit das Anliegen der Annalistik seit Cato seinen Sinn verloren – und es scheint kein Zufall, daß mit den sechziger Jahren, von Aelius Tubero abgesehen, die Reihe der Annalisten aufhörte –, denn wie konnte man noch glauben, das Beispiel der Vorfahren werde irgendwie die tief gesunkenen Zeitgenossen beeindrucken oder gar zu einer Erneuerung der res publica führen? In jenen dunklen Jahren nach Philippi schien die Hoffnung vollends geschwunden zu sein, die politischen Formen von einst würden noch einmal lebendig werden[15]. Man kannte in der allgemeinen Not nur noch eins: die Hoffnung auf Frieden. Für Menschen, die so dachten, konnte der Blick auf die Vergangenheit zwar noch eine unbestimmte Sehnsucht erwecken, aber auch nicht mehr. Geschichtsschreibung im bisherigen Stil schien sinnlos geworden zu sein.

Von diesem Hintergrund nun hebt sich Livius ab. Gleich zu Anfang seiner Vorrede betont er seine Absicht, die Reihe der Annalisten weiterzuführen. Man hat das bisher einfach als Tatbestand zur Kenntnis genommen, aber es steckt darin doch eine bedeutsame Entscheidung. Livius kannte Sallust, in der Praefatio klingen dessen Gedanken noch deutlich an; aber die letzten Folgerungen, die sich aus der geschichtlichen Sicht des Sallust ergaben, hat er sich nicht zu eigen gemacht, sondern über ihn weg wieder an Valerius Antias und Claudius Quadrigarius angeknüpft. Das heißt aber, daß ihm die Voraussetzungen einer Geschichtsschreibung alten Stils mit dem Anspruch, durch das Vorbild der Vorfahren auf die Zeitgenossen zu wirken, wieder gegeben zu sein schienen, mögen auch die Worte aus der Vorrede, wonach viele von einem Geschichtswerk vor-

[15] Vgl., abgesehen von Sallust, Horaz epod. 7 und 16.

wiegend eine Darstellung der modernen Zeit erwarteten, eine Einsicht in die Problematik seines Beginnens verraten (praef. § 4). Dieser Entschluß aber konnte nur reifen in einer Zeit, deren Stimmung gegenüber den Jahren 60–35 völlig gewandelt war. Nach Actium stand Octavian vor der Aufgabe, die Ära der Gesetzlosigkeit und Willkür zu beenden. Recht und Gesetz aber gab es für den Römer nur, soweit es bereits durch die Vorfahren gestaltet war. Jede Neuordnung war nur gerechtfertigt, konnte nur Bestand haben, wenn sie die Rückkehr zum Alten in sich beschloß. Für den Römer hätte die Bereitschaft, die alten Formen als überholt, für die Zukunft als wirkungslos anzuerkennen, zu einer ausweglosen Situation geführt; für ein Volk, das seit jeher gewohnt war, in seiner Vergangenheit das Maß für Gegenwart und Zukunft zu sehen, war ein Bruch mit der Tradition schlechthin unvorstellbar. Und Augustus selbst trug diesem ungeschriebenen Gesetz Rechnung, indem er nach 31 feierlich versprach, die alte *res publica* wiederherzustellen. Es war ein Versprechen, ein Programm, das noch zu erfüllen war, denn die feierliche Rückgabe seiner revolutionären Gewalten an Senat und Volk im Januar 27 schuf nur die Voraussetzungen dafür, mehr nicht. Ähnliches war schon einmal geschehen, als Sulla nach dem Sieg über die Marianer die alte Senatsherrschaft wiederhergestellt hatte, und das war eine kurze Episode geblieben. Die Menschen, die mit wachem Bewußtsein noch die letzten Jahrzehnte der Bürgerkriege miterlebt hatten, waren mißtrauisch geworden; sie hatten als Erbe die bittere Einsicht der vorangegangenen Generation übernommen und durch eigene Erfahrung als richtig erkannt, daß nicht durch Gesetze, sondern nur durch die innere Wandlung der Bürger der alte Staat wieder zu neuem Leben erweckt werden könne. In den Dienst dieser Aufgabe stellte sich damals auch der Dichter Horaz, vor allem in seinen Römeroden, damit in gewissem Sinne schon jenes Thema aufgreifend, das nach römischer Tradition im eigentlichen Sinn der großen Geschichtsschreibung zukam[16].

[16] In diesem Zusammenhang sei besonders auf carm. 3, 1 und 6 hingewiesen; zu der Skepsis gegenüber der Wirksamkeit von Gesetzen vgl. Sallust, Catilina 9, Liv. praef. § 9, Horaz carm. 3, 24, 35 ff. *„quid leges sine moribus vanae proficiunt."*

Aber die Wiederaufnahme der annalistischen Geschichtsschreibung, wie sie jetzt durch Livius erfolgte, legte gleichzeitig damit auch sein Verhältnis zur Gegenwart in bedeutsamer Weise fest. Wenn er in den Jahren seit 27 mit seiner Darstellung der römischen Geschichte begann, war doch nach allem, was wir über die bisherigen Funktionen geschichtlicher Werke im römischen Bewußtsein wissen, auch eine unabdingbare Voraussetzung die Einsicht, daß die Gegenwart von ihrer einstigen Höhe abgesunken sei. Eine Schau der Vergangenheit, die in den Taten des Augustus die Vollendung und Rechtfertigung der bisherigen römischen Geschichte zu sehen bereit war, wie Vergil es tat, schloß sich hier von selbst aus, denn darin fehlte jene Spannung, die für die römische Geschichtsschreibung eigentümlich war und die Livius ganz bewußt wieder aufnahm. Macht man sich diese Zusammenhänge klar, so begreift man seine Kritik an der eigenen Zeit, die bereits in der Vorrede ihren Ausdruck findet, versteht vor allem aber auch, warum die Zeitgenossen, einschließlich Augustus, darin nichts Ungewöhnliches zu sehen brauchten. Nur wenn der Historiker die Gegenwart in ihrer ganzen Unvollkommenheit empfand und das hervorhob, konnte er die Vergangenheit als wirklich verpflichtendes Vorbild hinstellen.

Aus einem für die frühe Zeit der Bürgerkriege typischen Anliegen ist somit das Werk des Livius hervorgegangen. Wie aber sah er die Vergangenheit, die er seinen Lesern als verpflichtendes Vorbild hinstellen wollte? Wir fassen in den ersten Büchern noch die großen Linien seines Geschichtsbildes. Im Mittelpunkt stand für ihn der Staat der Vorfahren, in dem der einzelne aufging, jene Verfassung, die auch dem einzelnen Bürger die Mitarbeit an dem Gemeinwesen gewährte, der Rom seine Größe verdankte, in der es sich im echten Sinn des Wortes erfüllt hatte. Die Tat des älteren Brutus hatte hierfür einst die Voraussetzungen geschaffen. Zu Anfang seiner Geschichte stand Rom unter der Herrschaft von Königen. Servius Tullius gab ihm in Nachfolge eines Romulus und Numa Pompilius die Gesetze, die für sein weiteres Dasein die Grundlage bildeten. Die Ermordung dieses Königs verhinderte den angeblich von ihm gehegten Plan, das Volk sich selbst regieren zu lassen (1, 48, 9 f.). Unter dem Eindruck der Tyrannis des letzten Tarquiniers, für den es keinerlei Bindung an Recht und Gesetz mehr gab, reifte Rom endgültig zur Freiheit. „*Liberi iam hinc populi Romani res pace belloque gestas, annuos magistratus imperiaque legum potentiora quam hominum peragam. Quae libertas ut laetior esset, proxumi regis superbia fecerat.*" (2, 1, 1/2). „Des von nun an freien römischen Volkes Taten in Krieg und Frieden will ich schildern; die jährlich wechselnde Obrigkeit und die Herrschaft der Gesetze, die mehr Macht besaßen als die Menschen. Daß man diese Freiheit um so freudiger empfand, dafür hatte des letzten Königs Übermut gesorgt." Mit diesen Worten beginnt das zweite Buch. Als das Werk der früheren Könige erscheint die Erziehung des römischen Volkes zu dem Zustand, in dem es fähig war, die Freiheit zu ertragen und für sich nutzbar zu machen[17]. Das Ergebnis dieses geschichtlichen Prozesses, in dem der Staat von der Herrschaft und Willkür eines einzelnen befreit zum Besitz aller wurde, ist in des Wortes eigentlicher Bedeutung die res publica Romana. Ihr Bestehen ist unlöslich mit der Freiheit, der libertas, verknüpft. Jede Form der Alleinherrschaft, sei es in Gestalt königlicher Macht oder gar tyrannischer Willkür, steht zu ihr in Gegensatz, ist ihr tödlicher Feind. Diese große Errungenschaft des jungen Rom war um so verpflichtender für alle, als sie in den schweren Kämpfen gegen Porsenna unter Einsatz der letzten Kräfte und höchster Bewährung persönlicher Tapferkeit noch einmal errungen werden mußte. Die Nachkommen sahen in ihr das heiligste Vermächtnis, und ohne die Freiheit, die eigentliche Grundlage der res publica, schien Rom nicht mehr bestehen zu können. Als der Senat mit dem siegreichen Etruskerkönig verhandelte, wies er alle Bedingungen zurück, die zu einer Wiederkehr der Königsherrschaft führen könnten. „*ea esse vota omnium*", so heißt es da (2, 15, 3/4), „*ut qui libertati erit in illa urbe finis,*

[17] Vgl. 2, 1, 3 ff. Aus den Worten: „*neque ambigitur, quin Brutus idem, qui tantum gloriae Superbo exacto rege meruerit, pessimo publico id facturus fuerit, si libertatis immaturae cupidine priorum regum alicui regnum extorsisset*" wird nun weiter abgeleitet, daß erst in diesem Augenblick, keineswegs aber früher, die Abschaffung des Königtums möglich gewesen wäre.

idem urbi sit. proinde, si salvam esse vellet Romam, ut patiatur liberam esse orare." „Das sei das feierliche Gelöbnis aller: Sollte die Freiheit ihnen genommen werden, möge auch die Stadt selbst zugrunde gehen. Deshalb richteten sie an ihn die Bitte, wolle er Roms Fortbestand, dann möge er ihm auch die Freiheit belassen."

Von dieser Auffassung her begreift man, wie ein Anschlag gegen diese Grundbedingung der res publica in den Augen des Römers zum schwersten Vergehen wurde. Eindrucksvoll steht am Beginn der Geschichte des römischen Freistaats die Tat des ersten Consuls Brutus, der seine eigenen Söhne dem Beil des Henkers überantwortete, da sie versuchten, die Tarquinier zurückzuführen. Dieses Beispiel rücksichtsloser Härte, ausgeübt um des Staates willen selbst gegen die nächsten Blutsverwandten, wurde verpflichtend für die folgenden Generationen. Keiner durfte es mehr wagen, jene libertas anzutasten, ohne die äußersten Strafen zu erwarten. Selbst ein Manlius Capitolinus, der in schwerster Stunde das Capitol vor den Galliern gerettet hatte, wurde vom Tarpejischen Felsen gestürzt, da er seine Hand nach der Krone auszustrecken wagte. Das, was man hierüber dachte, wird besonders deutlich bei der Geschichte von Sp. Maelius zu Ende des 5. Jahrhunderts. Kraft seines Reichtums hatte dieser Mann in der Zeit schwerster Hungersnot die Plebs durch Getreidespenden für sich gewonnen; er tat das aber nicht um des Volkes willen, sondern um damit eigene Ziele zu verfolgen; er begann nach dem Königtum zu verlangen. Zur Unterdrückung jener Gefahr wurde L. Quinctius Cincinnatus zum Dictator ernannt. Auf offenem Markt soll der Hochverräter verhaftet werden; da wird er bei dem Versuch, sich zu widersetzen, von dem Magister equitum C. Servilius Ahala erschlagen (4, 13/14). Durch den Anblick seines Endes gerät das Volk in höchste Erregung; doch der Dictator rechtfertigt die unerhörte Tat. Dieser Mann, so ruft er aus, war geboren in einem freien Volk, das Recht und Gesetze kenne, er habe gewußt, daß aus dieser Stadt einst die Könige vertrieben und in dem gleichen Jahr noch die Söhne des Consuls wegen ihres Versuchs, die Königsherrschaft wiederherzustellen, auf des Vaters Veranlassung hingerichtet worden seien; wenn ein solcher Mann sich dann noch Hoffnungen auf das Königtum gemacht habe, sei ihm das Recht abzusprechen, als Bürger behandelt zu werden[18]. Noch die Zeitgenossen des Livius mußten empfinden, daß mit dieser Rede des T. Quinctius Capitolinus nicht bloß eine längst vergangene Tat gerechtfertigt wurde, sondern mehr noch jenes Ende des Tiberius Gracchus, der 133 im Tumult durch die Hand des Scipio Nasica fiel. Ja, und wenn man in diesen frühen Berichten den Gegner der res publica außerhalb des Gesetzes stellte, den Tyrannenmord gleichsam zu einer höheren Pflicht machte, mußte dann nicht auch Caesars Ermordung an den Iden des März 44 als patriotische Tat erscheinen? Mag sich Livius auch eng an das von seinen Vorgängern Gestaltete gehalten haben, niemand wird verkennen, daß in der Rede des Dictators aus dem späten 5. Jahrhundert auch ein Stück seiner eigensten Überzeugung mitschwingt. Sie beschließt gleichzeitig in sich das Urteil des Livius über zwei der bedeutendsten Gestalten der Bürgerkriegsepoche. Das Schicksal, das Tiberius Gracchus traf, der mit seinen Anträgen an die Volksversammlung die große revolutionäre Bewegung einleitete, erscheint ihm ebenso gerechtfertigt wie Caesars Ende, der sich in seinem Tun am weitesten von der alten res publica entfernen sollte. Diese hier angedeutete Linie läßt sich noch weiter führen. So sehr nämlich Livius jede ausgesprochene Tendenz vermeidet: dem Senat und den alten regierenden Schichten gehören bereits in den frühen Perioden der römischen Geschichte seine eigentlichen Sympathien, die Tribunen aber trifft nicht selten bittere Kritik. Unschwer wird man angesichts der deutlichen Parallelität zwischen den Ständekämpfen und der Zeit der Bürgerkriege hieraus folgern können, daß Livius dem Treiben der Tribunen von Tiberius Gracchus an bis hin zu Clodius ablehnend gegenübergestanden hat. Das Ergebnis jüngster Untersuchungen, wonach er die Maßnahmen des Tribunen

[18] 4, 15, 1 ff. Die in unserem Zusammenhang wichtigsten Worte lauten: *„nec cum eo tamquam cum cive agendum fuisse, qui natus in libero populo inter iura legesque, ex qua urbe reges exactos sciret eodemque anno sororis filios regis et liberos consulis, liberatoris patriae, propter pactionem indicatam recipiendorum in urbem regum a patre securi percussos, ... in ea Sp. Maelius spem regni conceperit.“* (3 f.) Zur Analyse der Erzählung: Burck a. O. 93 ff.

M. Livius Drusus im Jahre 91 als demagogisch verurteilt habe, bestätigt eine solche Annahme in willkommener Weise[19]. Wir messen heute die Bedeutung einer geschichtlichen Gestalt vor allem nach dem Ausmaß ihrer Wirkung auf Gegenwart und Zukunft; Livius scheint einen anderen Weg gegangen zu sein. Für sein Urteil war bestimmend das Verhalten der einzelnen Männer zu der res publica im alten Sinne. So hat er zwar den jüngeren Cato geschätzt, doch von Caesar sagte er, man könne nicht entscheiden, ob er mehr zum Nutzen oder zum Schaden für den Staat geboren sei[20]. Bei einer solchen Blickrichtung konnte er der Geschichte der vergangenen 100 Jahre nicht gerecht werden; im Grunde sah er in den Bürgerkriegen eine Abirrung, wenn nicht gar eine Entartung der römischen Geschichte.

Ein solches Urteil, das sich mit einer gewissen Folgerichtigkeit aus seinem Gesamtbild der römischen Vergangenheit entwickelte, ist nicht neu gewesen. Wir treffen es bereits an in dem, was die konservativen Römer der 60er, 50er und 40er Jahre, unter ihnen vornehmlich der jüngere Cato und Cicero, gedacht und gesagt haben. Sie kämpften damals, mitten in die großen Auseinandersetzungen verstrickt, leidenschaftlich gegen eine Entwicklung an, die zur Auflösung des alten Freistaates führen sollte. Noch schien hier für die Mitlebenden alles im Fluß zu sein; man fühlte die ganze Zerrissenheit der Gegenwart; ohne sich darüber im klaren zu sein, wie sehr man bereits selbst auf einem anderen Boden stand, blickte man zurück auf die Vergangenheit und glaubte, mit den aus ihr abgeleiteten Forderungen noch etwas retten zu können. Die

[19] I. Haug, Der röm. Bundesgenossenkrieg 91–88 v. Chr. bei Titus Livius (Würzburger Jahrb. f. d. Altertumswissensch. Bd. 2, 1947, 100 ff., bes. 103 ff.).

[20] Seneca, naturales quaestiones 5, 18, 4 (Liv. frg. 48 Weißenb.-Müller) *„quod de Caesare maiore volgo dictatum est et a T. Livio positum, in incerto esse, utrum illum magis nasci rei publicae profuerit, an non nasci, dici etiam de ventis potest.“* Über Cato sagt er: *„cuius gloriae neque profuit quisquam laudando, nec vituperando quisquam nocuit, quum utrumque summis praediti fecerint ingeniis“* (Hieronymus' Vorrede zu Buch 2 in Hoseam = Liv. frg. 45 (Weissenb.-Müller).

Entwicklung der 40er Jahre freilich zeigte das Ausmaß dieses Irrtums.

Als Livius schrieb, war der Bürgerkrieg zu Ende. Mit dem Sieg von Actium hatte die Welt Frieden und Ordnung wiedergefunden. Trotz aller noch fortbestehenden Kritik konnte davor niemand die Augen verschließen. Und wenn Augustus nun in feierlicher Form seine Absicht aussprach, die res publica wiederherzustellen, da wird Livius, ähnlich wie mancher andere, geglaubt haben, daß es möglich sein werde. Wie sehr er davon überzeugt war und wie zumindest anfänglich sich seine Hoffnungen auf Augustus richteten, zeigen eine Reihe von Stellen aus seinem Werk. Als er von der Errichtung des Janustempels durch den König Numa Pompilius erzählt, sagt er: „*bis deinde post Numae regnum clausus* (erg. Janus) *fuit, semel T. Manlio consule post Punicum primum perfectum bellum, iterum, quod nostrae aetati dii dederunt ut videremus, post bellum Actiacum ab imperatore Caesare Augusto pace terra marique parta*" (1, 19, 3). „Nur zweimal ist der Janustempel (zum Zeichen des Friedens) seit der Regierung des Königs Numa geschlossen worden, einmal unter dem Consul T. Manlius nach dem Ende des 1. Punischen Krieges, das zweite Mal in unserer Zeit, was zu sehen uns die Götter vergönnt haben, als nämlich nach dem Abschluß des Krieges von Actium Caesar Augustus Land und Meer den Frieden gebracht hatte." Und an späterer Stelle nennt er Augustus den restitutor der alten, in den letzten Jahrzehnten verfallenen Tempel (4, 20, 7). Wesentliches also von dem, was auch die Dichtung an Augustus pries, ist hier festgehalten. Es braucht in diesem Zusammenhang nicht noch besonders hervorgehoben zu werden, daß Livius bei der Schilderung der Kämpfe zwischen Octavian und Antonius, wie noch die Periochae erkennen lassen (bes. 130/33), deutlich für ihn gegen seinen Gegner Partei genommen hat. Bestätigend tritt zu diesen Äußerungen die Nachricht, wonach der Historiker in persönlichen Beziehungen zu dem Herrscher selbst gestanden habe[21]. Das alles setzt zweifellos eine innere Bindung voraus. Wir wissen freilich heute, daß die Hoffnungen des Livius, aufs Ganze der Ereignisse gesehen, eine Illusion waren, sie gingen von Vorausset-

[21] Vgl. Anm. 9

zungen aus, die in diesem Sinn nicht mehr bestanden. Dieser Sachverhalt mochte vielleicht belanglos sein, soweit es sich um Überlegungen handelte, die in dem stillen Arbeitszimmer des Verfassers angestellt wurden; aber die Geschichtsschreibung war ja nun gerade in der Vorstellung des Römers und auch des Livius keine private Sache, sondern ein Stück lebendiger Auseinandersetzung mit den Problemen der Gegenwart. Und an diesem Punkt mußte nun der Gegensatz zwischen dem traditionellen Bild und der gewandelten Wirklichkeit spürbar werden. Wirken wollte Livius mit der Darstellung der Geschichte auf seine Zeitgenossen. „Nützlich und heilsam sei", so führt er in seiner Vorrede aus, „die Betrachtung der Vergangenheit, denn dort finde man in weithin leuchtender Höhe Beispiele für jegliches Tun im Guten wie im Bösen" (praef. § 10). Aber Vorbild und Mahnung kann doch die Geschichte nur insoweit geben, als dem Betrachter gewisse gleichartige Voraussetzungen zwischen einst und jetzt bewußt sind. Das heißt auf das Werk des Livius angewandt: Nur wenn der Hintergrund, auf dem sich die großen Handlungen der Vergangenheit abspielten, noch der gleiche war, konnte er auf eine solche Wirkung hoffen.

Aber lesen wir nun etwa die Schilderung der Ständekämpfe in den Büchern 2 bis 4 seiner Annalen. Da ist die Rede von erregten Auseinandersetzungen in der Volksversammlung, vom Treiben aufrührerischer Tribunen, von den Beratungen des Senats, von dem Verhalten kluger und besonnener Consuln oder adelsstolzer Patrizier. Leidenschaftlich nehmen dort die Bürger an den Entscheidungen, die das Schicksal des Staates betrafen, teil. In Ciceros Tagen mochten dergleichen Schilderungen noch aktuell sein, aber was hatte das alles noch den Menschen nach 31 oder gar nach 19/18 zu sagen? Schon längst hatte die Volksversammlung ihre Rolle als echte Repräsentantin des Populus Romanus verloren; die Wahlen in den Comitien erregten, von den Zwischenfällen 21/19 abgesehen, kaum mehr die Gemüter, die Consuln waren, soweit sie nicht zu den nächsten Vertrauten des Herrschers zählten, ohne bestimmenden Einfluß auf den Gang der Ereignisse; selbst der Senat war, obwohl er sich noch immer regelmäßig versammelte, für die Augen der Öffentlichkeit an die zweite Stelle gerückt. Wohl mögen manche diesen Wandel beklagt haben – wirklich dagegen anzukämpfen vermochten sie nicht –, aber das Leben ging trotzdem seinen Gang weiter. Die Menschen erfreuten sich des lang entbehrten Friedens, begrüßten die Wiederkehr gesicherter Verhältnisse und begannen sich an die neue Ordnung zu gewöhnen. Konnte denn, wie die Dinge nun einmal lagen, die Mehrheit der römischen Bevölkerung überhaupt noch ernsthaft ein Wiederaufleben der Institutionen des alten Freistaates herbeisehnen, nachdem sie in dem letzten Jahrhundert so sehr versagt hatten? Für ihre Standesgenossen, die im politischen Leben standen, hatten die Annalisten der republikanischen Zeit vornehmlich geschrieben; an wen konnte sich Livius wenden? Der Kreis derer, die an den großen Entscheidungen unmittelbar mitwirkten, war im Vergleich noch zu der vorangegangenen Generation sehr klein geworden, und mochten diese, wie vielleicht Augustus selbst, die Schilderungen des Historikers mit Interesse lesen, in ihren Handlungen und Entschlüssen mußten sie den augenblicklichen Gegebenheiten Rechnung tragen, die eben von dem Bild des Historikers völlig verschieden waren. Daneben aber war nun eine andere Schicht emporgekommen, literarisch gebildet, ein Publikum, das bereitwillig alle Neuerscheinungen aufnahm, darüber diskutierte und sich daran erbaute; diese Leute aber wollten etwas anderes als politische Belehrungen; sie forderten eine ihrem Geschmack entsprechende Gestaltung des geschichtlichen Stoffes; für sie trat ganz von selbst der politisch bedeutsame Inhalt zurück hinter der Form. Nun ist gewiß die Forderung nach einer wirklich lesbaren römischen Geschichte schon von Cicero erhoben worden[22], aber für ihn war dies, wie aus seiner gesamten Einstellung zum Staat hervorgeht, doch noch zutiefst ein politisches Anliegen gewesen. Das aber traf für große Teile der römischen Gesellschaft nach 31 nicht mehr zu. Die Einstellung gegenüber einem Geschichtswerk hatte sich gewandelt.

Livius hat sichtlich darauf Rücksicht genommen. Allenthalben spürt man sein Bemühen um eine Darstellung, die den höchsten Ansprüchen genügen konnte. Die Lehren der hellenistischen Erzählungskunst waren ihm vertraut; von ihnen ausgehend formte er

[22] Cicero, de legibus 1, 5. Vgl. de oratore 2, 51 ff.

seine Sprache, die in Ciceros Prosa ihr Vorbild sah[23]. Aber darin fassen wir nicht den einzigen Unterschied, der ihn von den früheren Geschichtsschreibern abhebt. Noch bedeutsamer vielleicht scheint in unserem Zusammenhang ein anderes Moment: Auch für ihn war im Grunde das, was er schilderte, keine echte Gegenwart mehr. Er entnahm es vielmehr einer ihm bereits vorgegebenen Tradition, nicht mehr dem unmittelbaren Erleben, wie seine annalistischen Vorgänger. Anders als diese hat er, wie man mit Recht hervorhob, einschneidende Eingriffe in die Überlieferung vermieden[24]. Man hat das aus seiner ganzen Wesensart zu erklären gesucht, der ein solches Beginnen nicht entsprochen habe; zweifellos mit Recht. Aber ist nicht ein derartiges Verhalten auch kennzeichnend für den Wandel der Zeit? Die lebendige Verbindung, in der die frühen römischen Historiker zu dem politischen Treiben ihrer Tage standen, gab ihnen die Impulse zur Umgestaltung – man mag auch sagen zur Verfälschung – der Tradition. Für Livius bestand ein solcher Anlaß nicht mehr, wo die Kämpfe großen Stils in Volksversammlung und Senat verstummt waren. Politik und Geschichte begannen sich für ihn aus ihrer einstigen Verflechtung zu lösen. Von einer anderen Beobachtung her läßt sich das hier Gesagte noch vertiefen. Zweifellos im Sinn der alten Annalisten hat sich Livius darum bemüht, seiner Gegenwart an dem Beispiel ihrer Vorfahren gleichsam einen Spiegel vorzuhalten. Immer wieder weist er seine Leser darauf hin, um wieviel besser doch die Vergangenheit gewesen sei. Aber derartige Vergleiche, die im Mund eines Cato zu aufrüttelnden Anklagen geworden wären, erscheinen bei ihm eher als resignierende Feststellungen. Spürbar wird das bereits in den Worten der Vorrede, wo er von der modernen Zeit spricht, die weder ihre Fehler noch die Heilmittel dagegen zu ertragen wisse. Und diese Grundstimmung wird in den weiteren Büchern festgehalten. Als in den

[23] Vgl. Norden, Antike Kunstprosa Bd. 1 (1898) 234; Klotz a. O. 846 ff. Zu dem Einfluß der hellenistischen Geschichtschreibung grundlegend: E. Burck: Die Erzählungskunst des T. Livius, bes. 176 ff.

[24] Klingner, Livius a. O. 299 ff. W. Hoffmann a. O. bes. 104 ff. Auf den Abstand des Livius von der Vergangenheit weist Klingner, Neue Jahrb. 1943, 60 ff. hin.

inneren Zwistigkeiten vor der Einsetzung des Decemvirats die Volkstribunen die durch die Consuln einberufenen Soldaten von der Erfüllung ihres Eides abhalten wollen, heißt es weiter: „Aber noch nicht war diese Mißachtung alles Göttlichen, bezeichnend für die heutige Zeit, gekommen, und noch nicht legte jeder eigenmächtig für sich Eide und Gesetze aus, sondern suchte vielmehr die eigenen Sitten jenen Vorschriften anzupassen" (3, 20,5). Würdig an diesen Satz reihen sich die Worte zu Anfang des 4. Buches, wo das Volk trotz der Agitation der Tribunen bei der Wahl nur den Patriziern seine Stimme gibt und somit zeigt, daß ihm das Wohl des Staates über allem steht: „Wo könnte man heute diese Selbstbescheidung, Billigkeit im Urteil und Höhe der Gesinnung, die damals das ganze Volk erfüllten, auch nur bei einem einzigen Mann antreffen?" (4, 6, 12)[25]. Livius glaubt, wenn er so schreibt, sichtlich nicht mehr an eine Wiederkehr solcher Zustände; auch für seine Person gibt es im Grunde keinen Weg mehr zurück zu dem Denken vergangener Jahrhunderte. In einer oft angeführten Stelle im 43. Buch wird das geradezu ausgesprochen; um seine Einstellung zu den Prodigien zu erklären, sagt er da: „Auch ich bin nicht frei von der Haltung jener Leute, die heute allgemein glauben, daß die Götter keinerlei Vorzeichen kundtun, und deshalb so gut wie keine Prodigien mehr melden und in den Jahrbüchern aufzeichnen." Sichtlich sind hier vergangenes und modernes Empfinden geschieden; doch in den darauffolgenden Worten wird nun angesichts dieser Andersartigkeit eine wichtige Entscheidung getroffen; es heißt dann nämlich: „Aber wenn ich die alten Geschehnisse darstelle, wird irgendwie auch mein Sinn von jenem alten Glauben berührt, und eine gewisse Scheu führt mich dazu, das, was jene so klugen Männer einst für den Staat anzuerkennen gewillt waren, nun auch einer Aufnahme in mein Geschichtswerk für würdig zu halten" (43, 13, 1/2). Der Historiker achtet das Vergangene, mag es auch seiner eigenen Anschauung

[25] *„Nondum haec quae nunc tenet saeculum neglegentia deum venerat, nec interpretando sibi quisque ius iurandum et leges aptas faciebat, sed suos potius mores ad ea accomodabat."* (3, 20, 5). *„Hanc modestiam aequitatemque et altitudinem animi ubi nunc in uno inveneris, quae tum populi universi fuerit."* (4, 6, 12).

nicht mehr entsprechen. Getragen von einer echten Ehrfurcht der alten Überlieferung gegenüber versucht er nun darüber hinaus, sich in die vergangenen Stimmungen und Begebenheiten hineinzuversetzen, sie noch einmal ganz aus sich heraus, ohne andere Rücksichten, *tota mente,* wie er sagt (praef. § 5), nachzuerleben. Die Tradition wird für ihn zu einem selbständigen Wert.

Unmerklich fast, dem Historiker vielleicht noch nicht in ganzem Ausmaß bewußt, aber für uns in seinem Werk doch schon spürbar, bereitet sich eine neue Sicht der Vergangenheit vor. Er sah in ihr das, was Rom groß gemacht hatte, stand in Liebe und Ehrfurcht vor ihr, aber doch mit dem schmerzlichen Bewußtsein, daß sie unwiederbringlich dahin war. Das konkrete politische Anliegen von einst ging über in eine romantische Schau.

Kehren wir noch einmal zurück zu dem zu Anfang angestellten Vergleich zwischen Livius und Vergil. Wie verschieden sind Ausgangspunkt und Weg ihrer geistigen Entwicklung gewesen! Der Dichter fand in den schweren Erschütterungen nach 44 zu den Grundfragen des menschlichen Daseins. Sein Blick umfaßte das Ganze. Er begriff damals das Zeitbedingte der geschichtlich gewordenen Formen des Staates und war bereit, jede Ordnung zu bejahen, die Frieden und Sicherheit zu geben vermochte. Vorbehaltlos konnte er so Gestalt und Taten des Augustus anerkennen, der als Wohltäter in sein eigenes Leben eingegriffen und darüber hinaus den Wirren der Bürgerkriege ein Ende gesetzt hatte. Es hatte seinen tiefen Sinn, wenn er zum Inhalt seines Epos von Aeneas eine ferne Sage machte, in der nur die allgemeinen Linien der kommenden römischen Entwicklung vorgeformt waren. Dort gab es das noch nicht, was später zum Anlaß erbitterter Auseinandersetzungen werden sollte: Kampf des Volkes gegen die Gewalt der Könige oder Tyrannen, Gegensätze der Stände untereinander, Ringen der einzelnen Persönlichkeiten um die Macht; es fehlten dort die festen politischen Begriffe und Ideologien, die den Bürger zwangen, für die eine oder andere Sache Partei zu ergreifen. Das alles stand dem Dichter fern, wie er ja auch selbst an der Politik seiner Tage keinen unmittelbaren Anteil hatte. Mag auch sein Leben und Schaffen nicht ohne das Bewußtsein von Roms Größe zu verstehen sein, so ist doch sein Rombild herausgehoben aus einer einmaligen Situation in das Allgemeingültige.

Zweifellos hat auch Livius in seinem Werk etwas für die Folgezeit Wesentliches über Rom ausgesagt, und darin berühren sich Dichter und Historiker. Aber während Vergil schon in dem Jahrzehnt zwischen 40 und 30 einen aus dem Geschichtlichen herausgehobenen Standort den Dingen gegenüber fand, entwickelte sich die Sicht des Livius in dem Ringen um die Darstellung der römischen Vergangenheit. Er ging aus von dem geschichtlich gewordenen Rom mit seinen Spannungen und Problemen. Maß war für ihn der Staat der Punischen Kriege, das heißt eine in der Vergangenheit liegende einmalige Form, die im Grunde unwiederholbar war. Damit aber mußte eine Auseinandersetzung mit der Zeit des Augustus für ihn etwas ganz anderes bedeuten als für den Dichter, denn die von den republikanischen Annalisten übernommenen Denkformen machten an sich eine unbefangene Anerkennung des Neuen unmöglich, wurden doch darin an die von Augustus geschaffene Ordnung Forderungen gestellt, die nicht zu erfüllen waren. Viele Römer unmittelbar nach 31 gingen in ihren Vorstellungen von ähnlichen Voraussetzungen aus wie Livius, und zwar gerade die Kreise, die in ihren Empfindungen noch unmittelbar mit dem Staat verbunden waren und es für ihre Pflicht hielten, ihre Kräfte in den Dienst der res publica zu stellen. Für sie schien eine Verwirklichung dieses Anliegens nur im Rahmen des Althergebrachten möglich zu sein; sie vermochten sich nicht vorzustellen, daß auch eine andere Ordnung diesen Dienst am Staat möglich machen könne. Ein solches Verhalten ist menschlich begreiflich, kennzeichnend aber besonders für den Römer. Sich frei zu machen von einer jahrhundertealten festgewurzelten Vorstellung, daß lediglich in den Taten der Vorfahren das Maß zu sehen sei, war für eine Generation, die noch die Bürgerkriege miterlebt hatte, kaum möglich. Aber die geschichtliche Entwicklung ging über diese Empfindungen der Menschen hinweg. Was sie dachten, gehörte der Vergangenheit an; was als lebendige Wirklichkeit sie umgab, war die Ordnung des Augustus; sie vermochte die allgemeinen Anliegen der Zeit, Frieden, Wohlfahrt und Sicherheit, zu erfüllen und rechtfertigte sich dadurch selbst. Eine vollkommen neue Situation für das historische Denken mußte sich daraus ergeben, da man erlebte, daß eine Zeit kam, die ihren Leistungen nach bejaht werden konnte und doch zutiefst verschieden war von dem alten Rom. Eine echte Lösung für diesen Zwiespalt, in den man hier geraten war, vermochte jene Epoche nicht zu finden, auch Augustus selbst nicht, der sich in seinem Tatenbericht ja noch durchweg der alten republikanischen Kategorien bediente. Noch war der Abstand dazu nicht groß genug.

In diese Spannung, man könnte auch sagen Krise des historischen Bewußtseins der Römer gehört Livius. Er hat sich mit ihr gedanklich nicht auseinandergesetzt – das lag seiner Natur fern –, aber daß sie auch für ihn bestand, zeigt sein Werk, und in der Arbeit an ihm wies er auf die Wege zu ihrer Lösung hin. Als er zu schreiben begann, sah er sich als einen der Annalisten, die vor ihm waren und nach ihm sein würden; er begriff nicht, daß sein Schaffen zugleich Abschluß und Neubeginn werden sollte. Sein ursprüngliches Anliegen war noch im alten Sinn politisch gewesen. Nicht zu Unrecht aber bewunderte die Nachwelt vor allem an ihm sein hohes formales Können, seine Kunst der Darstellung. Mochte er noch unter dem Bann der überlieferten Vorstellungen stehen, auch die Welt, die ihn umgab, deren Resonanz er bei seiner empfänglichen Natur besonders stark spürte, formte mit an seiner Arbeit. Unter seinen Händen wuchsen viele der einst schlicht gestalteten Berichte empor zu echter Größe von zeitloser Geltung. So wurde das Werk des Livius etwas anderes, als er ursprünglich beabsichtigt hatte, nicht ein Mittel zu politischer Wirkung, sondern ein Denkmal römischer Größe, vor dem man stand in Bewunderung und Ehrfurcht, aber doch zugleich mit dem Bewußtsein, daß es eben ein Denkmal, kein lebendiges Stück der eigenen Gegenwart mehr war.

Es ist kein Zufall, daß er keine Nachfolger mehr gefunden hat. Nur noch ihm, der in seiner Jugend wenigstens im Abglanz den alten Freistaat erlebt hatte, stand das, was er schilderte, nahe, war für ihn wertvoll; der Generation bereits, die unter Augustus groß wurde, war das alles schon fern gerückt. Die Dichter der Augusteischen Zeit, weniger gebunden an eine bestimmte politische Tradition, vermochten vorbehaltlos das Große zu bejahen, was sie erleben durften; für alle die Römer aber, die noch ein lebendiges Bild der alten res publica in sich trugen, bedeutete diese Zeit, mochten sie sich auch vor ihren großen Leistungen nicht verschließen, etwas unsagbar Schmerzliches, den Verzicht auf einen Staat, in dem allein sie geglaubt hatten, Sinn und Erfüllung ihres Daseins zu finden. Livius wurde zu ihrem Sprecher. Wir verstehen, wenn wir sein Werk lesen, warum es für viele so schwer wurde, sich von jener Vergangenheit zu lösen, warum bis zum letzten Augenblick sich immer wieder Männer fanden, die verzweifelt gegen das unentrinnbare Verhängnis anzukämpfen suchten.

Das Werk, das Livius uns hinterlassen hat, konnte nur in der Zeit des Augustus entstehen, wo sich Altes und Neues endgültig voneinander schieden; insofern gehört es mit vollem Recht zu ihr. Aber nicht Glück und Freude geben ihm das Gepräge, sondern eher Schmerz und Entsagung, der Abschied von einer Welt, die unwiederbringlich dahin war.

Erich Burck, Livius als augusteischer Historiker. Aus: Die Welt als Geschichte, Bd. 1, Stuttgart: Verlag W. Kohlhammer 1935. S. 448–487.

LIVIUS ALS AUGUSTEISCHER HISTORIKER*

Von Erich Burck

Die Frage nach dem Geschichtsbilde des Livius und nach seiner geschichtsdenkerischen Leistung läßt eine Reihe verwickelter Probleme vor uns erstehen. In welchen Kräften sah er die entscheidenden geschichtsbildenden Mächte, mit welchen Kategorien suchte er ihrer habhaft zu werden und sie zu begreifen, welchen Sinn sah er in dem Ablauf des ganzen historischen Geschehens? Hat er über die Fragen des Verhältnisses von Persönlichkeit und Masse, von Wirtschaft und Politik, von Zufall und Gesetzmäßigkeit im geschichtlichen Werdeprozeß nachgedacht und zu welchen Ergebnissen und Urteilen ist er gekommen? Eine Antwort auf alle diese Fragen ist darum so schwierig, weil Livius der geschichtsphilosophischen Spekulation in seinem Werke so gut wie keinen Raum gelassen hat. Er ist darin ein echter Römer, und mit einer uns bisweilen geradezu aufregenden ἀναισθησία geht er an all den Partien des Polybios vorüber, wo dieser durch die Vordergründigkeit der berichteten Ereignisse hindurch zu den wirklich geschichtsbildenden Kräften und zum tieferen Sinngehalt des Geschehens mit bohrender Schärfe des Denkens vorzudringen versucht. Keinem von diesen Abschnitten vergönnt Livius Aufnahme in sein Werk. Ebensowenig aber eignet ihm, wiederum im tiefsten Unterschiede zu Polybios, eine fanatische Hingabe an die als richtig erkannte Methode der Darstellung, die es leidenschaftlich in immer erneuten Rechtfertigungsversuchen gegen-

* Es erscheint angebracht, darauf aufmerksam zu machen, daß dieser Aufsatz (1935) vor den beiden in diesem Bande vorausgehenden Aufsätzen von Fr. Klingner (1943) und W. Hoffmann (1954) geschrieben worden ist und nur um seiner spezielleren Thematik willen hinter diese beiden Arbeiten, die auf diesen Aufsatz mehrfach Bezug nehmen, gerückt worden ist. – Anm. d. Hrsg.

über der Methode anderer Forscher zu verteidigen und behaupten gilt. Er schreibt, man möchte beinahe sagen, mit unbeirrbarem Instinkt und mit einem gefühlsmäßig tief verankerten Glauben an seine Methode, die er im einzelnen sich ins Bewußtsein zu erheben nicht das geringste Bedürfnis hat[1]. Dieses Sicherheitsgefühl erinnert weitgehend an die Haltung der Augusteischen Dichtkunst, deren große Schöpfungen alle frei sind von der vielen hellenistischen Kunstwerken eigenen Glut oder Nervosität der Abwehr fremdartiger, die eigene Position bedrängender Kunstprinzipien, die im Gegenteil eine natürliche Sicherheit des Daseins und eines geradezu organischen Wachstums atmen, wenn sich wohl auch Vergil und besonders Horaz zu einer höheren Klarheit und Bewußtheit der darstellerischen und gehaltlichen Prinzipien erhoben haben. Gerade dies aber erschwert es ungemein, die tragenden Ideen und Kräfte des Livianischen Geschichtswerks in aller Deutlichkeit herauszuarbeiten. Weiterhelfen kann hier zunächst nur der Vergleich, der durch die Gegenüberstellung geschlossener durchgeformter Partien mit älteren oder gleichzeitigen Berichten die ihnen immanenten Gesichtspunkte der Gestaltung zu klären sucht.

Ich greife zu diesem Zwecke eines der markantesten Ereignisse aus der älteren Geschichte Roms heraus, die bekannte Erzählung vom Sturze der Decemvirn, die wir auf Grund der Forschungen E. Täublers[2] von ihrer ältesten uns erreichbaren schriftlichen Fassung an bis herab zu Livius als ein Stück aus der „Geschichte der öffentlichen Meinung Roms", als einen Ausschnitt des sich wandelnden historischen Bewußtseins der Römer verfolgen können. Es steht fest, daß die Römer etwa um die Mitte des 5. Jahrhunderts zur ersten Kodifizierung des damals geltenden Rechts geschritten sind, und daß diese Aufgabe von den Decemvirn geleistet wurde, die mit

[1] Man wird sich in diesem Zusammenhange gern der feinsinnigen Bemerkung von H. Taine erinnern: *„Peu importe, sous quelle forme l'idée générale entre dans l'âme, émotion ou formule abstraite. Il faut seulement que les faits épars se groupent sous leur cause unique, que l'esprit sente ou voie leur lien, en un mot, qu'il comprenne."* (Tite-Live S. 138.)

[2] E. Täubler, Untersuchungen zur Geschichte des Decemvirats und der Zwölftafeln. Hist. Stud. 148. Berlin 1921.

besonderen Vollmachten ausgestattet das Zwölf-Tafel-Gesetz schufen und die danach – wahrscheinlich wegen Überschreitung ihrer Befugnisse – gezwungen wurden, ihr Amt niederzulegen. Dieser historische Tatbestand ist in mündlicher Rede in den rund zweihundert Jahren, die zwischen jener Gesetzgebung und dem ältesten uns erreichbaren schriftlichen Bericht darüber liegen, sehr erheblich ausgestaltet worden und hat bei Fabius Pictor (nach Diodor 12, 23 f.) etwa folgende Berichtsform angenommen:

Einer der zehn Gesetzgeber entbrannte in Liebe zu einem armen Mädchen aus edlem Geschlechte, das er durch Geld für sich zu gewinnen suchte. Als die Jungfrau sein Werben zurückwies, schickte er falsche Ankläger gegen sie aus, von denen sie einer als seine Sklavin vindizieren und sie dann dem Decemvir zuführen sollte. Der falsche Ankläger erhebt nun in der Tat auf dem Markte gegen das Mädchen seine Anklage, der Decemvir macht sich selbst zum Richter und spricht das Mädchen trotz des Protestes seines Vaters dem Ankläger zu. Als es nun weggeführt werden soll, denkt der Vater zuerst an Widerstand, der ihm aber bei der großen Zahl seiner Gegner aussichtslos scheint, ergreift dann in seiner Verzweiflung blitzschnell ein Messer von einer Fleischbank, tötet sein eigenes Kind, um es nicht in die Hand des Decemvirn fallen zu lassen, stürzt aus der Stadt zu dem Heere, das auf dem Algidus steht, und dort entbrennt ein Aufruhr, der schließlich zum Sturze und zur Bestrafung der Decemvirn führt.

Dieser kurze, etwas nüchterne Tatsachenbericht erfuhr nun im Laufe von etwa weiteren hundert Jahren dadurch eine starke Belebung und Veranschaulichung, daß die einzelnen Personen, die in dem ältesten Berichte des Fabius anonym auftraten, Namen erhielten und bestimmten Ständen zugeteilt wurden und daß ihre persönlichen und familiären Verhältnisse näher geschildert und die Einzelheiten des ganzen Geschehens immer reicher ausgemalt wurden. Es wäre abwegig, hierbei von Fälschungen sprechen zu wollen; im wesentlichen stellen diese Ausformungen des alten Berichts nur den Versuch der jüngeren Historiker dar, auf Grund einer erweiterten Kenntnis des öffentlichen und privaten Lebens die überlieferten Tatsachen politisch, juristisch und psychologisch zu unterbauen – freilich ohne jedes Gefühl für die Zeitbedingtheit und Andersartigkeit der geschilderten Ereignisse – und sie dadurch zu einer erhöhten Allgemeinverständlichkeit zu erheben, gelegentlich wohl auch, um sie als zugkräftiges historisches Exemplum für eigene politische Thesen zu verwenden. In der Sullanischen Annalistik hatte dann nach mehrfachen Zwischenbearbeitungen die Erzählung etwa folgende Gestalt angenommen:

Der stolzeste und vornehmste unter den Decemvirn, Appius Claudius, verliebt sich in ein schönes Mädchen aus der Plebs, namens Verginia, die Tochter des Centurionen Verginius, die mit dem ehemaligen Volkstribunen Icilius verlobt ist. Appius Claudius wirbt mit Geschenken um die Gunst und Liebe des Mädchens, das aber alle Annäherungsversuche zurückweist. Da läßt er durch einen seiner Klienten gegen Verginia die Klage erheben, sie sei die heimlich ausgesetzte Tochter einer seiner Sklavinnen und daher in Wahrheit sein Eigentum. Appius macht sich selbst zum Richter in dieser Angelegenheit. Verginia wird von ihrem Oheim und Bräutigam verteidigt, die die gemeinen Machenschaften des Appius durchschauen, mit schärfsten Worten gegen sein tyrannisches Regiment aufbegehren und sich über den augenblicklichen Anlaß hinaus zu Wortführern der überhaupt in allen Dingen durch die Decemvirn entrechteten niederen Volksschichten machen. Unter dem Eindruck dieser Rede verschiebt Appius den Urteilsspruch auf den nächsten Tag. Inzwischen wird der Vater der Verginia, der in dem Heere in der Nähe Roms steht, herbeigeholt. Am folgenden Tage findet eine neue Gerichtsverhandlung statt, bei der der Vater eine große Verteidigungsrede hält, in der er die Lügen des Anklägers zu entlarven sucht und in der er wie tags zuvor Icilius mit allem Nachdruck für die Rechte der Plebs eintritt. Umsonst: Appius selbst bezeugt die Wahrheit der Aussage seines Klienten und spricht ihm das Mädchen zu. Da ersticht Verginius sein eigenes Kind, rettet sich vor den Zugriffen der Liktoren in der dichten Volksmenge, reitet ins Heerlager, schürt dort den Aufstand, und unter seiner Führung zwingt die empörte Menge die Decemvirn zum Rücktritt von ihrem Amte.

Der besondere Sinn der neuen Fassung ist klar; er wird von zwei Grundgedanken bestimmt. Erstens zieht sich durch die ganze Geschichte beherrschend der Gegensatz von zwei verschiedenen Klassen hindurch, einer dünnen Oberschicht, deren Vertreter Appius Claudius ist, die alle Macht in ihrer Hand vereinigt hält und sie völlig willkürlich gebraucht, und der breiten entrechteten Masse des Volks, die sich der Willkür der Decemvirn schutzlos preisgegeben sieht. Der Übergriff des Appius Claudius und sein Rechtsbruch werden der Anlaß zu einer Revolution der rechtlosen unteren Volksklassen gegen die führende tyrannische Oberschicht. Die zweite Tendenz der Erzählung geht dahin, den Ablauf des Geschehens möglichst realistisch und in allen Einzelheiten möglichst lebensnahe abrollen zu lassen. Wir stellen z. B., um nur das wichtigste Moment herauszuheben, gegenüber der älteren Fassung der Geschichte fest, daß wir jetzt statt *eines* Gerichtstermins plötzlich *zwei* Verhandlungen an *zwei* aufeinanderfolgenden Tagen haben; das entspricht ganz dem römischen juristischen Usus, nach dem das Verfahren *in iudicio* von dem Verfahren *in re* getrennt wird. Die Gründe dieser Ausweitung und Umdeutung liegen auf der Hand: aus dem Erleben der Bürgerkriege und Klassengegensätze im letzten Jahrhundert der römischen Republik heraus glaubte der Verfasser die alte Geschichte nur dann richtig in ihren Ursachen aufhellen zu können, wenn er sie als Widerspiel der seine eigene Zeit beherrschenden geistigen und politischen Kräfte, als Kampf zweier verschiedener Klassen auffaßte und darstellte – eine Methode der Fehldeutung, die wir auf Grund gewisser Ähnlichkeiten der wirtschaftlichen und sozialen Lage auch in den letzten fünfzig Jahren in großen historischen Darstellungen beobachten konnten.

Und nun zurück zu Livius! Als erstes fällt an seiner Darstellung (3, 44–50) gegenüber der vorangehenden auf, daß er keine wesentlichen äußeren Änderungen an der Erzählung vorgenommen hat. Die Personen bleiben nach ihrem Stand und nach ihren persönlichen Verhältnissen die gleichen wie in der früheren Fassung; auch bei Livius findet die Gerichtsverhandlung an zwei Tagen statt, auch bei ihm tritt am ersten Tage der Bräutigam und am zweiten Tage der Vater der Verginia dem Appius entgegen. Dann aber stellen wir fest, daß der Geist, von dem die beiden Männer geleitet werden, ja, der Sinn der ganzen Erzählung wieder ein völlig anderer geworden ist. Livius betont schon einleitend die keusche, reine Gesinnung des Mädchens, die sie im Hause der Eltern von Kind auf eingeatmet hat und um derentwillen sie von ihrem Bräutigam geliebt wird. Als nun vor dem Richterstuhle des Appius der Kampf um ihren Besitz entbrennt, läßt Livius den Icilius nicht als drohenden Propagandaredner für die entrechtete Masse der Plebs eintreten, sondern ihn für die *pudicitia* seiner Braut gegen die *libido* des Decemvirn ankämpfen. Er ruft die *fides* der Götter und Menschen an und läßt mit dem Gelöbnis seiner eigenen auch durch den Tod nicht zu brechenden Treue seine Rede machtvoll ausklingen: *me vindicantem sponsam in libertatem vita citius deseret quam fides!* Das flackernde Pathos eines wilden Revolutionärs ist dem tiefglühenden Ethos eines zum *pater familias* herangereiften und einsatzbereiten römischen Bürgers gewichen. Am zweiten Prozeßtage aber verzichtet Livius überhaupt darauf, den Gang der Gerichtsverhandlung in allen einzelnen Phasen in seiner Darstellung zu verfolgen und begnügt sich hier mit wenigen kurzen Hinweisen auf die gehaltenen Reden. Aber statt dessen zeigt er, wie Verginius vor den Verhandlungen im Trauergewand bittend im Volke umhergeht und wie er die Männer auffordert, jetzt in Treue zu ihm zu halten, da er selbst für ihre Kinder und Frauen im Felde gestritten habe und noch im Heere zu ihrem Schutze stehe. Das Schwergewicht der Erzählung ist also aus der früheren sozialen und juristischen Sicht auf eine ethische Basis verschoben worden. Wenn nach der Tötung der Verginia durch ihren Vater sich nicht nur die römischen Truppen und die Bevölkerung der Hauptstadt auf die Seite des Verginius stellen, sondern schließlich auch große Teile des Senats in leidenschaftlicher Opposition gegen die Decemvirn und ihre wenigen Anhänger aufbegehren, so bedeutet das nach Livius nicht einen wilden Klassenkampf, nicht den Aufbruch der entrechteten Plebs gegen die herrschenden Tyrannen, sondern ein machtvolles Bekenntnis des gesamten römischen Volkes zur *fides* und zu den tragenden ethischen Grundwerten der römischen Familie, einen Akt der Notwehr zur Erhaltung des sittlichen Fundaments des Staates gegen seine Verächter.

Dieser Auslegung einer einzelnen Geschichte durch Livius kommt grundsätzliche Bedeutung zu, und wir dürfen in den Zügen, die seine Fassung von der der älteren Historiker unterscheidet, konstitutive Merkmale seines Schaffens sehen. Die wichtigste Erkenntnis ist die, daß Livius von dem Glauben erfüllt ist, daß die römische Geschichte, ja der geschichtliche Prozeß schlechthin – denn wir werden sehen, daß er zwischen beiden eine nahezu völlige Identifikation vollzogen hat – nur als Geschichte des römischen Volksganzen[3] sinnvoll begriffen werden kann und daß eine Bewertung ihrer verschiedenen Entwicklungsphasen nur vom Standpunkt des Wohl und Wehe des gesamten römischen Volkes aus vorgenommen werden darf. Er überblickt dieses Volk in seiner politisch-militärischen, rechtlichen und sozial-wirtschaftlichen Struktur vom obersten Beamten herab bis zur Masse der Kleinbürger und ist durchdrungen davon, daß in allen Gliedern des *populus Romanus* auf Grund ihres gleichen Wesens von Natur ein bestimmtes Zusammengehörigkeits- und Verantwortungsgefühl der einzelnen für das Ganze vorhanden gewesen ist, das trotz aller zeitweiligen Aufspaltung des Volksganzen in wirtschaftliche oder politische Gruppen bei jeder ernsten Krise bis zur Zeit der Bürgerkriege stark genug zur Abwehr der drohenden Gefahren war und in dessen Aktivierung die Voraussetzung für jeden Entwicklungsfortschritt in der Vergangenheit und in der Zukunft gesehen werden muß. Am schönsten kommt diese Überzeugung, die trotz wiederholter bitterer Bemerkungen über Verfallserscheinungen in den späteren Jahrhunderten von einem kraftvollen und vorwärtsdrängenden Optimismus getragen ist, in der Darstellung der ersten zwei Jahrhunderte der römischen Republik zum Ausdruck. In der großen Zahl der Kämpfe zwischen Konsuln und Volkstribunen, zwischen Patres und Plebs, bei deren z. T. eingehender Behandlung Livius durch die Tradition in den Einzelheiten wenig gebunden war und die innere Verknüpfung der Ereignisse weitgehend auf Grund seiner Gesamtschau der römischen Entwicklung aus seinem Geschichtsdenken heraus vollzog, läßt er unendlich häufig, selbst bei krisenhafter

[3] Die Übersetzung von *populus Romanus* mit „römisches Volksganzes“, die im folgenden häufiger gebraucht ist, soll nur der Verdeutlichung der in Frage stehenden politischen Gegensätze dienen, will aber beileibe nicht einer Verwässerung des Eigenwertes und Eigenbereichs dieser zwei für römisches und deutsches Denken so bezeichnenden zentralen Begriffe um einer billigen Modernisierung willen das Wort reden.

Zuspitzung der innenpolitischen Lage, beide Parteien willig von ihrem Streite abstehen, wenn außenpolitische Gefahren oder Kriege drohen. Die Männer, die eben noch erbittert auf dem Forum um die Rechte ihres Standes gegeneinander gestritten haben, kämpfen für die gemeinsame Sache gegen den auswärtigen Feind Schulter an Schulter in musterhafter, echt römischer Disziplin, als ob es nie einen Konflikt zwischen ihnen gegeben hätte. Hier innere Widersprüche in der Darstellung des Livius sehen zu wollen, zeugt von einer falschen psychologisierenden Betrachtungsweise, die Livius von den denkerischen Voraussetzungen des 19. Jahrhunderts her zu interpretieren sucht. Wo aber nicht unmittelbare Kriegsgefahr das römische Volk zur Besinnung ruft, da kann mitten im heißesten Streite der Mahnruf zur Einigkeit aus dem Munde überragender, wirklich auf das Volksganze bedachter Führer oder das gute Beispiel einzelner in der Überbrückung momentaner Gegensätze Wunder wirken (3, 19–21; 3, 67–68; 4, 10, 8–10 u. a.). Als im Jahre 406 der Senat bestimmt, daß die bis dahin unbezahlten Soldaten aus einer allgemeinen Steuer einen Staatssold erhalten sollen, da strömt die Menge dankerfüllt vor der Kurie zusammen, preist die Senatoren als wahre Väter und erklärt sich bereit, für das Vaterland freudig das Leben einzusetzen (*ut nemo pro tam munifica patria, donec quicquam virium superesset, corpori aut sanguini suo parceret* 4, 60, 1). Die Tribunen *communis ordinum laetitiae concordiaeque soli expertes* wollen die Menge gegen diese Regelung, gegen die sie rein rechnerisch Bedenken vortragen, mobil machen. Indessen: *patres bene coeptam rem perseveranter tueri; conferre ipsi primi; et quia nondum argentum signatum erat, aes grave plaustris quidam ad aerarium convehentes speciosam etiam conlationem faciebant. cum senatus summa fide ex censu contulisset, primores plebis, nobilium amici, ex composito conferre incipiunt. quos cum et a patribus conlaudari et a militari aetate tamquam bonos cives conspici volgus hominum vidit, repente spreto tribunicio auxilio certamen conferendi est ortum. Et lege perlata de indicendo Veientibus bello exercitum magna ex parte voluntarium novi tribuni militum consulari potestate Veios duxere.* Damit ist der entscheidende Endkampf gegen Roms mächtigsten Gegner aus der Frühzeit der Republik, gegen Veji, eingeleitet, der nach zehn Jahren mit der Zerstörung der Stadt endete und für Rom eine neue Phase seiner Entwicklung inmitten Italiens einleitete. Der Sieg der *res publica* über die *res privata,* die *concordia ordinum* als oberstes innenpolitisches Ziel, die völlige Einsatzbereitschaft aller im Kampfe gegen den auswärtigen Feind finden in diesen wenigen anschaulichen und einprägsamen Sätzen einen außerordentlich starken Ausdruck und lassen die Kräfte deutlich werden, von denen nach der Überzeugung des Livius die Vorwärts- und Aufwärtsentwicklung Roms abhängt.

Sehr nahe steht dieser Erzählung der Bericht von der Übernahme der Heereslieferungen für die römischen Truppen in Spanien durch Privatleute im Jahre 215 (23, 48, 4–49, 4). Und was Livius in diesen beiden Schilderungen in anschaulicher Verdichtung dem Leser bildhaft vor Augen stellt, das läßt er ihn als staatspolitische Forderung aus dem Munde des Konsuls Laevinus vernehmen, der im Jahre 210 bei der Begründung einer Flottenvorlage, deren Lasten das Volk zunächst nicht übernehmen will, in einer uns heute geradezu überraschenden programmatischen Formulierung die Grundsätze entwickelt, auf denen der Aufstieg des Staates und das Wohl des römischen Volks beruhen. Er geht davon aus, daß die Magistrate dem Senate oder der Senat dem Volke wie an Ehre so auch an Opferwilligkeit vorangehen müßte, und fährt dann fort: *si quod iniungere inferiori velis, id prius in te ac tuos ipse iuris statueris, facilius omnis oboedientis habeas. nec impensa gravis est, cum ex ea plus quam pro virili parte sibi quemque capere principum vident ... res publica incolumis et privatas res facile salvas praestat; publica prodendo tua nequiquam serves* (26, 36). Seine Worte haben einen vollen Erfolg, und Magistrat, Senat und Volk opfern unter dem Eindruck seiner Rede und des großartigen Beispiels freudig und reichlich, so daß neue Mannschaften für die Flotte angeworben werden können und Rom zuversichtlicher in den zweiten Hauptabschnitt des Krieges, den Livius mit diesem Jahre beginnen läßt, eintreten kann. Es ist sehr bedeutsam, daß Livius gerade bei der Schilderung zweier so wichtiger Kämpfe, wie es die Kriege gegen Veji und gegen Hannibal sind, in dieser eindrucksvollen Form seinem Leser die Kräfte bewußt zu machen sucht, die Roms Bestand und Erfolg in dieser kritischen Zeit verbürgt haben. Jetzt erkennen wir auch, daß die so oft aufgeworfene Frage, ob Livius zur Aristokratie oder zur Plebs nach seiner politischen Haltung zu rechnen sei, falsch gestellt und unberechtigt ist. Livius kennt kein *aut-aut* in seiner Stellungnahme, sondern nur ein *et-et;* er schreibt keiner von beiden Gruppen einen Selbstwert zu, sondern sieht in beiden nur die lebendigen Träger der Idee des Volksganzen, die zu ihrer Verwirklichung und zur Aufrichtung der *concordia omnium* alle Kräfte einzusetzen haben. Nur von dieser Sicht aus gewinnt er auch die innere Freiheit zur Gestaltung der großen eindrucksvollen Reden der Konsuln oder Volkstribunen in den Kämpfen zwischen Patres und Plebs, aus denen einzelne Sätze als Beweisstellen für diese oder jene parteipolitische Orientierung des Livius herauszulesen höchst gefährlich ist. Die Kraft des persönlichen Einsatzes ist bald in einer konsularischen, bald in einer tribunizischen Rede stärker fühlbar; das liegt nicht an der rhetorischen Begabung des Livius, der die momentane formale Leistung höher stünde als eine Konsequenz des politischen Urteils, sondern hat seinen Grund darin, daß ihm von seiner höheren Warte aus klar überschaubar vor Augen liegt, was die eine oder die andere Partei zum Aufbau des ihnen gesetzten gemeinsamen Zieles beitragen und für was er sich selbst dabei einsetzen kann. Es bedeutet eine solche indirekte Stellungnahme für gewisse Teilziele der einen oder der anderen Partei aber niemals die Billigung des gesamten Programms, geschweige denn eine grundsätzliche Ablehnung der anderen Partei. In den schweren Jahren der Bürgerkriege nach dem Tode Caesars war ihm das Wissen um die geschichtsbildende Kraft des Volksganzen als stille Hoffnung für eine Besserung der chaotischen Verhältnisse auf dem Gebiete der Politik und Wirtschaft, Religion und Moral langsam erwachsen und hatte sich unter den Segnungen der *pax Augusta* in ihm zum festen Glauben verdichtet, von dem sein Werk lebendiges Zeugnis ablegt. Es ist kein Zufall und wohl auch nur zum Teil durch den Gegenstand seiner Darstellung bedingt, daß Livius sich gerade in den ersten Büchern immer aufs neue gegen den Fluch der *discordia* und des Streites der Parteien wendet und in ihnen den Keim des völkischen Verderbens sieht: *(factiones) fuerunt eruntque pluribus populis exitio quam bella externa, quam fames morbive quaeque alia in deorum iras velut ultima publicorum malorum vertunt* (4, 9, 3). Hier fühlen wir, wie die Erinnerung an die Schrecken und Erfahrungen der Bürgerkriege ihm die Feder geführt hat. Erst auf diesem dunklen Untergrunde können wir seinen hellen freudigen Zukunftsglauben recht verstehen, wenn er nach einem höchst aufschlußreichen Vergleiche zwischen der Macht und den Erfolgen Alexanders des Großen und denen des römischen Imperiums, das er bezeichnenderweise ebenso von großen Führern wie vom erfahrungsreichen Senate wie von der kampferprobten Masse der römischen Bürger errichtet und gesichert sieht, zuversichtlich schließt: *mille acies graviores quam Macedonum atque Alexandri avertit avertetque (scil. miles Romanus), modo sit perpetuus huius, qua vivimus, pacis amor et civilis cura concordiae* (9, 19, 17). So sehr sich Livius hierin mit Vergil und Horaz verbunden gefühlt haben wird, in einem so starken Gegensatze befindet er sich, wie auch die Analyse der Verginiaerzählung gezeigt hat, zu den Annalisten der Sullanischen und auch der Gracchischen Epoche, die aus dem Erleben der Bürgerkriege heraus schrieben, vom Volksganzen und von einer *concordia ordinum* nichts wissen wollten und einen geschichtlichen Fortschritt nur im Kampfe der Stände und Parteien und im Siege eines Parteiführers über den andern sahen. Livius unterscheidet sich aber auch wesentlich von der Einstellung eines Cato oder Ennius, von denen der eine unter bewußter Ablehnung der großen Führerleistungen der römischen Aristokratie die römische Geschichte lediglich als die Taten des römischen *Volkes* gedeutet wissen wollte, während der andere unter Verzicht auf die gebührende Bewertung der Verdienste des Volkes im wesentlichen nur in den *aristokratischen Führergestalten* die Träger der Geschichte und des Fortschritts gesehen hatte. Es ist in diesem Zusammenhange auch nicht unwichtig, sich daran zu erinnern, daß die meisten Historiker der republikanischen Zeit am Ende einer heißen politischen Laufbahn oder auch nach dem plötzlichen Abbruche derselben ihre Werke geschrieben haben und daß die von ihnen auf dem Forum im politischen Tageskampfe vertretenen Anschauungen von grundlegender Wichtigkeit für ihre Deutung der römischen Geschichte geworden sind, daß aber Livius niemals in der öffentlichen Politik hervorgetreten ist und daß weder eine in der Tagespolitik erworbene und vertretene politische Überzeugung noch etwa gar irgendwelches Ressentiment über politische Mißerfolge auf sein Geschichtsdenken Einfluß geübt haben. Hierauf ist auch der gegenüber dem oft überschießenden heißen Brodem der Sullanischen Annalistik wohltuend ruhige Tenor der Livianischen Darstellung zurückzuführen, dessen wir bereits oben Erwähnung getan haben.

Im Mittelpunkte des Livianischen Geschichtswerks steht das römische Volk; nur ihm und seiner Entwicklung gilt das Interesse und das Bemühen des Livius. Damit setzt er ohne jedes kritische Bedenken die von allen früheren römischen Historikern gepflegte Tradition fort, die Geschichte eines fremden Volkes nur insoweit in die Darstellung einzubeziehen, als dieses Volk mit Rom in Berührung kam. Nur selten regt sich in ihm der Wunsch, wenn eine fremde Nation zum erstenmal ihre Klingen mit Rom kreuzt, nach ihrem Ursprung und ihrer bisherigen Entwicklung, nach ihrer Verfassung und Kultur zu fragen[4]; niemals versucht er jedoch während der Kampfzeit der Eigengesetzlichkeit und Eigenwertigkeit der fremden Politik nachzugehen; fast niemals verfolgt er über die Zeit der Verwicklung mit Rom hinaus die fremde Geschichte weiter. Läßt er sich dazu aber doch einmal, etwa unter dem Einfluß des Polybianischen Berichts, verleiten, so ruft er sich selbst zu seinem Thema zurück: *non operae est persequi, ut quaeque acta in his locis sint, cum ad ea, quae propria Romani belli sunt, vix sufficiam* (33, 20, 13); *abstulere me velut de spatio Graeciae res immixtae Romanis, non quia ipsas operae pretium esset perscribere, sed quia causae cum Antiocho fuerunt belli* (35, 40, 1) u. a. In diesen Sätzen spricht sich nicht nur das Bewußtsein von der Größe seines Themas und dem Umfange seiner Arbeit aus, sondern es wird verhalten auch ein Werturteil fühlbar, daß die Geschichte anderer Völker ein tieferes Eingehen auf sie und eine eingehende Behandlung gar nicht verdient. Geschichte in dem Sinne, wie sie Livius versteht und wie wir ihn im

[4] In den erhaltenen Büchern ist das nur ganz vereinzelt der Fall; in den späteren wird man vielleicht ein stärkeres Interesse für die Völker voraussetzen dürfen, mit denen die Römer erst in den letzten Jahrzehnten in engere Berührung gekommen waren, die Britannier (vgl. Tac. Agr. 10), Gallier und Germanen (vgl. Liv. Per. 103 f.; dazu E. Norden, Die germanische Urgeschichte in Tacitus' Germania, Berlin 1920, 150 f.).

folgenden noch zu klären haben werden, gibt es nach seiner Überzeugung nur in Rom, bei anderen Völkern aber überhaupt nicht. Auf dieser Auffassung (und nicht nur auf einer durch äußere Rücksichten bedingten Themaabgrenzung) ruht letztlich seine Ablehnung einer Behandlung anderer Völker und ihrer Geschichte um ihrer selbst willen. Hieraus erklärt es sich auch, daß Livius, der an die hohen ethischen Qualitäten der alten Römer fest glaubt und gerade durch sie die römische Geschichte in ihrem Verlauf bestimmt werden läßt, anderen Nationen gegenüber verhältnismäßig leicht mit einer moralischen Aburteilung zur Hand ist. Ich brauche dafür nur an das in der dritten Dekade geradezu schlagwortartig wiederholte Urteil von der *fraus Punica, perfidia, avaritia, crudelitas Hannibalis* und von der Identifizierung von Wörtern wie „Verschlagenheit" mit *ingenium Punicum* (34, 61, 14) oder von „einen Hinterhalt legen" mit *ars Punica* (25, 39, 1) zu erinnern. Umgekehrt löst Livius bei der Anerkennung eines Gegners ihn bisweilen gleichsam aus seinem Volksverbande heraus, weil dort die gerühmten *virtutes* eigentlich gar nicht Platz haben können, und bezieht ihn ideell in den römischen Kreis ein, z. B. den Liparäer Timasitheus, der ein von Camillus mit einem Weihgeschenk nach Delphi entsandtes und von seinen Leuten gekapertes Schiff aus religiöser Scheu nicht plündert, sondern ihm sicheres Geleit gibt; darum nennt ihn Livius einen *Romanis vir similior quam suis* (5, 28, 3), während Diodor (14, 93) seine καλοκἀγαθία und Plutarch (Cam. 8) seine ἀρετή und δύναμις rühmen. Ein ähnliches Urteil fällt Livius bei seiner Schilderung der Meinungsverschiedenheiten, die in Karthago nach der Niederlage vom Frühling 203 herrschen: *tribus certatum sententiis, e quibus ... tertia – Romanae adversis rebus constantiae erat – reparandum exercitum Syphacemque hortandum, ne bello absisteret, censebat* (30, 7, 6; bei Polybios 14, 6 fehlt die Parenthese!). Hierin spricht sich zweifellos ein ungeheuer gesteigertes nationales Selbstgefühl aus, das uns noch weiter beschäftigen wird.

Man darf aber doch auf der anderen Seite gewisse Urteile über fremde Nationen, die sich bei Livius finden, nicht vorschnell verallgemeinern, um ihm daraus den Vorwurf einer ungerechten parteiischen Beurteilung anderer Völker und Männer zu machen. So hat man z. B. getadelt, daß auch Livius die an Tacitus besonders gerühmte und gerügte Kunst des Verschweigens in starkem Maße geübt habe und dem Hannibal als Strategen in keiner Weise gerecht zu werden suche. Dem ist entgegenzuhalten, daß Livius auch für die strategischen Leistungen der römischen Führer kein Augenmaß gehabt hat und sie nicht würdigt; von einer bewußt einseitigen Stellungnahme gegenüber einem gegnerischen Führer darf man hier also nicht sprechen. Auch das soll man nicht aus dem Auge verlieren, daß es sehr häufig römische Feldherrn sind, die vor dem Angriff in einer Heeresversammlung die schwersten Anwürfe gegen ihre Gegner vorbringen (z. B. besonders deutlich die Rede des Konsuls Cn. Manlius im Jahre 189 gegen die Gallograeker 38, 17). Ein so stark situationsmäßig gebundenes Urteil darf man nicht sofort als Meinungsabgabe des Livius über ein fremdes Volk bewerten, und es ist kein Widerspruch darin zu sehen, wenn er einen römischen Führer bei einer solchen Gelegenheit den Gegner als ungefährlich charakterisieren und den drohenden Kampf bagatellisieren läßt und nach errungenem Siege die Leistung der Römer doch selbst als kriegerischen Erfolg anerkennt und preist. Zudem muß man sich immer wieder gegenwärtig halten, daß es Livius bei seinen Aussagen über fremde Völker primär gar nicht um die anderen geht – wie man das von seiten der modernen Kritik so gern wahr haben möchte –, sondern daß es ihm stets nur um Rom zu tun ist. Die anderen Völker stehen immer nur im Scheinwerferlicht, das von Rom ausstrahlt und nur Sektoren der fremden Länder und Völker bestreichen kann und soll. Ganz allgemein lassen sich aber doch wohl folgende zwei Behauptungen vertreten, die mir für Livius als Augusteer bezeichnend zu sein scheinen. Erstens trifft er neben und nach den Puniern mit seinem Verdammungsurteil vor allem die kleinasiatischen Griechen und Syrer, *vilissima genera hominum et servituti nata* (36, 17, 5; vgl. 35, 49, 8). Hierin spricht sich im Gegensatz zur Caesarischen Zeit, die sich dem östlichen Einfluß weit geöffnet hatte, die Erfahrung des Kampfes zwischen Antonius und Octavian aus, die alle politisch, geistig und religiös führenden Augusteer eine entschlossene Abwehrhaltung gegen ein weiteres Vordringen orientalischer Anschauungen, Sitten und Gebräuche einnehmen ließ. Auf der andern Seite aber läßt sich feststellen, daß Livius, wenn auch zuweilen nur mit einer gewissen Überwindung, zur Anerkennung der kulturellen Überlegenheit Griechenlands, vor allem Athens, bereit ist. Die Gewandtheit der Athener in Schrift und Wort erwähnt er, freilich mit einem unverkennbaren Beigeschmack von Geringschätzung, bei der Erzählung ihrer Kämpfe gegen Philipp im Jahre 200: *Athenienses quidem litteris verbisque, quibus solis valent, bellum adversus Philippum gerebant* (31, 44, 9)[5] – eine Stelle, die an Sallusts Urteil erinnert: *unius tamen M. Catonis ingenium versutum loquax callidum haud contemno. parantur haec disciplina Graecorum. sed virtus, vigilantia, labor apud Graecos nulla sunt* (*ad Caes.* 2, 9, 3). Der Leistungen der Athener auf dem Gebiete der Architektur und Plastik gedenkt er kurz vorher, als er über die Zerstörung und Verwüstung der attischen Grabmäler und Heiligtümer durch Philipp berichtet: *ornata eo genere operum (scil. templorum et sepulcrorum) eximie terra Attica et copia domestici marmoris et ingeniis artificum praebuit huic furori* (*scil. Philippi*) *materiam* (31, 26, 11). Und in seinen Darlegungen über die Bacchanalien in Italien und Rom steht schließlich in der Einleitung ein Satz, der die Bedeutung der Griechen für den kulturellen Aufstieg Roms vorbehaltlos und gerecht anerkennt: *Graecus ignobilis in Etruriam primum venit nulla cum arte earum, quas multas ad animorum corporumque cultum nobis eruditissima omnium gens invexit, sacrificulus et vates* etc. (39, 8, 3). Wenn man diese drei Äußerungen zusammennimmt, dann stimmen sie in überraschender Weise mit den berühmten Versen Vergils zusammen, die uns auch noch in anderer Hinsicht das Verständnis des Livianischen Werkes eröffnen können:

> *excudent alii spirantia mollius aera –*
> *credo equidem –, vivos ducent de marmore voltus;*
> *orabunt causas melius, caelique meatus*
> *describent radio, et surgentia sidera dicent:*
> *tu regere imperio populos Romane memento –*
> *haec tibi erunt artes – pacique imponere morem,*
> *parcere subiectis et debellare superbos.* (Aen. 6, 847–53.)

[5] Herr Professor Münzer weist mich liebenswürdigerweise auf Catos Rede vor den Athenern hin, die Livius wohl vorgeschwebt haben kann:

Diese Verse bilden den Abschluß der Heldenschau in der Unterwelt und stellen in ihrer lapidaren Form und programmatischen Gültigkeit nicht nur die Krönung der Worte des Anchises dar, sondern schließen alle dem Aeneas im Verlaufe seiner Irrfahrten gegebenen Prophezeiungen und zukunftssichtigen Träume in wundervoller Verdichtung zusammen: Aeneas darf angesichts der Erben seines Reiches und der Vollender seiner Aufgabe schauend erfahren, daß ihm nicht nur das Ziel gesetzt ist, die Penaten von Troia nach Italien zu bringen und ihnen eine neue Heimat zu sichern, sondern daß diese Tat nur der Anfang einer unendlich langen Entwicklung ist, während der das römische Volk die Herrschaft über die ganze Welt erringen wird und an deren Ende als Ziel ein neues goldenes Zeitalter unter der Leitung des Augustus steht. Das ist der Spruch des Schicksals und der Wille der Götter. Ein göttlicher Weltplan wird dem Aeneas enthüllt, in dem als Vorkämpfer, Sinnträger und Vollender allein das römische Volk Platz hat. Darin offenbart sich eine patriotische und geschichtsphilosophische Einstellung, die sich mit dem Geschichtsdenken des Livius aufs engste berührt, wenn wir auch den Vergilischen Gedanken einer Zeitenwende und der Wiederkehr einer *aetas aurea* unter Augustus bei ihm nur in schwachen Andeutungen finden. Man kann aber ohne Übertreibung sagen, daß das Geschichtswerk des Livius nach seinen denkerischen Voraussetzungen und auf seinen Sinngehalt hin geprüft eine weit angelegte, großartige Ausführung der Heldenschau der Aeneis ist. Livius lehnt es zwar im Proömium ab, auf die mythische Urgeschichte des römischen Volkes einzugehen und die Anfänge der Stadt *miscendo humana divinis* erhabener zu gestalten; das bedeutet aber in keiner Weise, daß er eine gottgewollte Setzung am Anfang der römischen Geschichte und ein vom Schicksal bestimmtes τέλος ihrer Entwicklung aus der römischen Geschichte eliminieren wollte. Im Gegenteil, er ist genau wie Vergil davon überzeugt, daß Rom nach dem Willen der Götter gegründet worden ist und daß es sich im Laufe seiner Geschichte dem Spruch des Schicksals gemäß die

Antiochus epistolis bellum gerit, calamo et atramento militat (fm. 7). Man darf auch nicht vergessen, daß Livius keine Gelegenheit hat, über die Griechen des 5. und 4. Jahrhunderts eingehender zu handeln.

Weltherrschaft erobern soll und wird. Das ist es, was die römische Geschichte erst zu einem sinnvollen Ganzen macht, daß sie einen göttlichen Weltplan verwirklicht, in dem die Geschichte anderer Völker nur insoweit einen Sinn gewinnt, als sie im Laufe des geschichtlichen Prozesses sich dem römischen Imperium eingliedern und an seiner Entwicklung teilhaben dürfen. Diese Überzeugung erinnert in ihrer Geschlossenheit und Größe an geschichtsphilosophische Spekulationen von Vertretern der christlichen Heilsgeschichte, ist aber doch grundlegend dadurch von ihnen unterschieden, daß sich bei Livius die Idee des politischen Supremats des auserwählten römischen Volkes bis ins Göttliche hinaufgesteigert hat, während jene die primär konzipierte göttliche Heilsidee sich in die irdischen Bereiche herabsenken und sie in der Geschichte der auserwählten Völker aufleuchten lassen. Ganz schlicht und in seiner persönlichen, bekenntnishaften Form fast rührend wird der Gedanke vom gottgewollten Ursprung Roms, nachdem Livius bereits genau wie Vergil den Aeneas nach dem Willen des Fatums nach Italien hat kommen lassen (1, 1, 4), gleich zu Beginn des Werkes ausgesprochen, wobei die Gleichsetzung von *fatum* und *dei*, die auch sonst im Werke noch begegnet, stoischen Anschauungen entspricht: *sed debebatur, ut opinor, fatis tantae origo urbis maximique secundum deorum opes imperii principium* (1, 4, 1). Von diesem Glauben läßt Livius auch das römische Volk, vor allem seine großen Führer, erfüllt sein. Sie sind Träger einer Mission und fühlen sich als Glieder einer nicht abreißenden Kette von Vorkämpfern für Roms Weltherrschaft und Größe. Dieses Bewußtsein gibt ihnen Kraft in schwersten Zeiten und reißt sie vorwärts zum Kampfe gegen den Feind genau so wie zur Überwindung des Widerstandes, der sich etwa in den eigenen Reihen erheben sollte. So wenig Livius bei seiner Methode der indirekten Charakterisierung der Persönlichkeiten Gelegenheit hat, diese letzte Triebfeder in der Einsatzbereitschaft und im Handeln der römischen Führer mit eigenen Worten zu enthüllen, so bezeichnend ist es doch, daß er in den zwei schwersten Krisenzeiten der römischen Geschichte, die wir in seiner Darstellung noch erhalten haben, bei der Zerstörung Roms durch die Gallier und im zweiten Punischen Kriege, die beiden Helden, auf die er auch sonst alles Licht sammelt und die er zuweilen zum

Sprecher seiner eigenen Gedanken macht, Camillus und Scipio Africanus, von diesen letzten Bindungen Zeugnis ablegen läßt. Als nach der Vertreibung der Gallier in Rom Stimmen laut werden, die für eine Übersiedlung nach Veji eintreten, lehnt sich Camillus mit der ganzen Kraft seiner Persönlichkeit gegen diesen Plan auf. Der Boden Roms ist heilig, an ihm hängt das Schicksal der Stadt und des Reichs: *non sine causa dei hominesque hunc urbi condendae locum elegerunt*, und er preist wie Vergil in tiefer Begeisterung die Schönheiten der italienischen Heimat. Mit dem stärksten Argumente aber schließt er: *quod cum ita sit, quae, malum, ratio est haec expertis alia experiri, cum iam ut virtus vestra transire alio possit, fortuna certe loci huius transferri non possit? hic Capitolium est, ubi quondam capite humano invento responsum est eo loco caput rerum summamque imperii fore; hic cum augurato liberaretur Capitolium, Iuventas Terminusque ... moveri se non passi; hic Vestae ignes, hic ancilia caelo demissa, hic omnes propitii manentibus vobis di* (5, 54, 6). Der bedeutungsvolle Gedanke von der ewigen Erhaltung der völkischen Kraft und Jugendfrische Roms, der in den letzten Worten des Camillus nur eben leise anklang, rauscht in mächtigen Akkorden in der Rede des Scipio auf, die er nach einer Revolte seines Heeres in Sucro an seine Truppen richtet: *quid? si ego morerer, mecum expiratura res publica, mecum casurum imperium populi Romani erat? ne istuc Iuppiter Optimus Maximus sirit urbem auspicato dis auctoribus in aeternum conditam huic fragili et mortali corpori aequalem esse. Flaminio, Paulo, Graccho, Postumio Albino, M. Marcello, T. Quinctio Crispino, Cn. Fulvio, Scipionibus meis, tot tam praeclaris imperatoribus uno bello absumptis superstes est populus Romanus eritque mille aliis nunc ferro nunc morbo morientibus* (28, 28, 11). Von dieser Warte aus verlieren auch die Fehlschläge und Niederlagen, die das römische Volk erlitten hat, ihre für den ersten Augenblick niederziehende Schwere. Sie können den vorgesehenen Lauf der Geschichte nur auf Augenblicke hemmen, ihn aber nie ernstlich gefährden. Es geht vorwärts auch über Leichen, und von einer im neuen Kampfe gewonnenen Höhe aus erscheint der Weg durchs Tal nicht mehr als ein Zeichen der eigenen Schwäche, sondern als Beweis der Zähigkeit und Energie, die sich immer wieder nach oben durchkämpft. Ja, ist es sogar nicht häufig so, daß die Momente der siegreich überwundenen Schwäche in dem Augenblick einer erneuten Kraftprobe mehr Mut zu geben vermögen als eine große Zahl rasch errungener Erfolge? Jetzt wird es verständlich, warum Livius (wie übrigens auch gelegentlich Horaz) in den Reden von Feldherrn vor einer Schlacht diese ebensosehr auf große römische Siege wie auf Niederlagen zurückgreifen und durch den Hinweis auf ihre beispielhafte Bedeutung seine Soldaten anfeuern läßt. Wie die Soldaten durch solche von ihren Führern gebildete Beispielketten, die Livius auch gern in die aus Polybios entnommenen Reden einfügt, für den Sinn des historischen Geschehens einen Blick gewinnen sollen, so wird Livius nicht müde, eine ähnliche Reihenbildung in der Akzentuierung und Bewertung der dargestellten Ereignisse vorzunehmen, um den Leser immer wieder auf das Endziel hinzuweisen, das durch die jahrzehnte- und jahrhundertelangen Kämpfe errungen werden soll: die Weltherrschaft Roms. Jeder bedeutende militärische Erfolg ist ein Schritt auf dieses Ziel zu, aber es sind ungeheuer viele und große Kriege zu bestehen, bis es endlich erreicht ist. *Tantae molis erat Romanam condere gentem* sagt Vergil am Schlusse seines Proömiums, ehe er mit der Schilderung der Irrfahrten und Kämpfe des Aeneas beginnt, und aus gleicher Gesinnung heraus schreibt Livius, bevor er in die Behandlung der Samnitenkriege eintritt: *eo anno adversus Samnites ... mota arma; Samnitium bellum ancipiti Marte gestum Pyrrhus hostis, Pyrrhum Poeni secuti. quanta rerum moles! quotiens in extrema periculorum ventum, ut in hanc magnitudinem, quae vix sustinetur, erigi imperium posset!* (7, 29). Es besteht Gefahr, daß der Leser bei der Überfülle der Kriege, die darzustellen bisweilen den Livius selbst eine bange Furcht ankommt, das geistige Band verliert, das den Sinnzusammenhang im Ablauf der Ereignisse sichern soll. Livius ist sich dieser Gefahr bewußt gewesen und hat ihr nach Kräften gesteuert. Es ist nicht möglich, alle die Punkte aufzuzählen, durch die er in verschiedener und oft sehr geistreicher Weise die Sinnlinien legt, die das ganze Werk zusammenhalten; aber ich möchte doch ohne viele verbindende Worte einige Stellen aus dem Texte herausheben, um gleichsam auf einige Pfeiler hinzuweisen, von denen sich leicht über größere Partien hinweg Brücken schlagen lassen, auf denen wir sicheren

Schrittes im raschen Voranschreiten von den ersten Anfängen der römischen Geschichte ihrem Zielpunkt entgegenstreben und den Sinnzusammenhang des Ganzen überschauen können.

Die Einleitungskapitel, in denen Livius die römische Geschichte vor der Gründung der Stadt behandelt, sind von einem ungewöhnlichen Tempo erfüllt, als ob sie schon dadurch das rasche Wachsen und die zunehmende Festigung der jungen Macht verdeutlichen wollten, der Romulus ihren endgültigen Platz zuweist und deren Ausbreitung er weiter kräftig fördert. Seiner Stadt gilt die erste Prophezeiung des eben zum Gott erhobenen Königs: *nuntia, inquit, Romanis caelestes ita velle, ut mea Roma caput orbis terrarum sit; proinde rem militarem colant sciantque et ita posteris tradant nullas opes humanas armis Romanis resistere posse!* (1, 16, 7). In den Kämpfen zwischen Patres und Plebs ist das Bewußtsein um Roms zukünftige Größe bei aller Verbitterung der Parteien gegeneinander nicht erloschen: *quis dubitat, quin in aeternum urbe condita, in immensum crescente nova imperia, sacerdotia, iura gentium hominumque instituantur?* (Rede des Volkstribunen Canuleius i. J. 445; 4, 4, 4,). Als gegen Ende der ersten Dekade Livius die Frage aufwirft, ob Rom einem Alexander hätte erfolgreich Trotz bieten können, und als er in einer Rückschau auf die vergangenen Kämpfe und in einer Vorschau auf die größten Gefahren, die in den späteren Jahrhunderten Rom bedroht haben, nach einem eingehenden Vergleich zwischen Alexander und Rom zu einem unbedingten Ja kommt, formuliert er u. a. die Sätze: *plurimum in bello pollere videntur militum copia et virtus, ingenia imperatorum, fortuna per omnia humana maxime in res bellicas potens; ea et singula intuenti et universa sicut ab aliis regibus gentibusque, ita ab hoc quoque (scil. Alexandro) facile praestant invictum Romanum imperium* (9, 17, 3–4); *iam in opere quis par Romano miles? quis ad tolerandum laborem melior? uno proelio victus esset: Romanum quem Caudium, quem Cannae non fregerunt, quae fregisset acies?* (19, 9). Nichts kann den römischen Siegeslauf hemmen. Im achten Jahre des zweiten Punischen Krieges, das nach Livius eigenem Geständnis einen Gleichstand der Kräfte brachte und die beiden Gegner gleichsam auf die Ausgangsbasis ihres Ringens zurückwarf, spürt er doch schon Morgenluft nach der dunklen Nacht der ersten Kriegsjahre und sieht im Anschluß der Ätoler und des Attalus an Rom bereits den ersten Hinweis auf Roms spätere Vormachtstellung im Osten: *iam velut despondente fortuna Romanis imperium orientis* (26, 37, 5). Und vor der Schlacht von Zama läßt Livius den Scipio seinen Truppen verkünden, daß dieser Kampf nicht die Sieger für einen Tag, sondern für die Ewigkeit bestimmen werde und daß die Entscheidung darum gehe, ob Rom oder Karthago den Erdkreis als Siegesunterpfand erhalten solle (30, 32). Nach der siegreichen Beendigung des zweiten Punischen Krieges aber beim Vordringen der Römer in Griechenland und Kleinasien läßt Livius die Stimmen im römischen Lager wie in den Kreisen der Bundesgenossen und auch der Gegner Roms immer lauter und zahlreicher werden, die ihrer Hoffnung oder ihrer Furcht Ausdruck geben, daß jeder neue Sieg die Römer dem Ziele der unumschränkten Weltherrschaft immer mehr nähere. Gewiß mögen solche Stimmen schon während der Kriege selbst oder kurz nach ihnen in Rom, Griechenland und Kleinasien vernehmbar gewesen sein und von Polybios auf aktenmäßiger Unterlage in sein Werk aufgenommen worden sein; es ist aber in diesem Zusammenhange ohne Belang, ob Livius im Einzelfalle dem Polybios gefolgt oder von sich aus solche Zusätze in seine Darstellung eingefügt hat; wichtig ist vielmehr, daß alle diese Äußerungen in Verbindung mit den eben aufgeführten Zeugnissen über die frühere Entwicklung Roms gesehen werden müssen und daß sich nur so die Sinnlinien erkennen lassen, die Livius selbst durch sein Werk gelegt hat. Ich führe, weil Beschränkung geboten ist, nur noch drei Stellen an, die zeigen, wie sich in den erhaltenen letzten zehn Büchern die Hinweise auf Roms Weltherrschaft als τέλος der Gesamtentwicklung immer mehr häufen und wie sie immer dichter zusammenrücken. Im Jahre 191 feuert der Konsul M'. Acilius seine Truppen vor der Schlacht bei den Thermopylen mit den Worten an: *illud proponere animo vestro debetis non vos pro Graeciae libertate tantum dimicare, ... sed illum quoque omnem apparatum, qui in dies ab Epheso expectatur, praedae futurum, Asiam deinde Syriamque et omnia usque ad ortum solis ditissima regna Romano imperio aperturos. quid deinde aberit, quin ab Gadibus ad mare rubrum Oceano finis terminemus, qui orbem terrarum amplexu finit, et omne humanum genus secundum deos nomen Romanum veneretur?* (36, 17, 13). Ein Jahr später bestätigen nach der Schlacht von Magnesia die Gesandten des Antiochus dem Scipio die Wahrheit der von Acilius ausgesprochenen Sätze: *positis iam adversus omnes mortales certaminibus haud secus quam deos consulere et parcere vos generi humano oportet* (37, 45, 9). Und noch im gleichen Jahre geben die Gesandten der Rhodier denselben Gefühlen vor dem römischen Senate Ausdruck: *alia enim aliis et honesta et probabilis est causa armorum; illi agrum, hi vicos, hi oppida, hi portus oramque aliquam maris ut possideant; vos nec cupistis haec antequam haberetis, nec nunc, cum orbis terrarum in dicione vestra sit, cupere potestis. pro dignitate et gloria apud omne humanum genus, quod vestrum nomen imperiumque iuxta ac deos immortales iam pridem intuetur, pugnastis* (37, 54, 15).

Unaufhaltsam drängt sich aber jetzt die Frage auf, wie Livius in diesem Weltplan, dessen etappenweise Verwirklichung wir uns eben klarzumachen gesucht haben, die göttlichen und die menschlichen Kräfte verteilt hat. Der Wille der Götter hat Rom zur Herrin aller Völker bestimmt; greift er auch gestaltend in den historischen Prozeß ein? Sind die Römer etwa gar nur willenlose Spielfiguren in der Hand der Götter, wie es eine irrige Auffassung des Vergilischen Aeneas zu glauben geneigt war, oder bestimmt der Wille der Menschen den Gang der Geschichte? Es ist bekannt, daß zahlreiche hellenistische Historiker, vor allem solche der sogenannten peripatetischen Richtung, etwa Duris von Samos oder Phylarch, entgegen der streng rationalen Deutung und Erklärung der Ereignisse durch Thukydides, in ihrer Darstellung gerade die irrationalen Elemente herausgearbeitet und das Schwergewicht auf die Momente des Geschehens gelegt hatten, die gegen alle menschliche Berechnung völlig unerwartet eintraten. Bei einer solchen Betrachtungsweise wird der geschichtliche Prozeß zu einem dramatisch bewegten, ständigen Auf und Ab, in dem der Mensch nicht mehr der richtungweisende Gestalter des Geschehens ist, sondern der ohnmächtige Spielball in der Hand überirdischer Gewalten; die menschliche Geschichte wird zur reinen Schicksalsgeschichte. Je nach ihren religiösen oder geschichtsphilosophischen Voraussetzungen sahen die Vertreter einer solchen Geschichtsauffassung in der Tyche, die über allem Geschehen steht und es durch überraschende Eingriffe vorwärts treibt, eine kleinliche, tückische Gottheit oder eine sinnvoll waltende, Böses strafende und Gutes vergeltende Weltenlenkerin. Diese Anschauungen, die auf das Geschichtsdenken des Polybios und Poseidonios einen entscheidenden Einfluß geübt haben, sind nach Rom eingedrungen und haben die römische historische Überlieferung mitgestalten helfen. Wir können deutliche Spuren eines Tyche-Glaubens bereits in der Geschichtsschreibung des ausgehenden zweiten Jahrhunderts feststellen, und es ist dann vor allem Sulla gewesen, der in der Selbstdarstellung seines Lebens die entscheidenden Wendungen seines Aufstiegs auf das Walten der Tyche zurückgeführt hat. Er ließ sich durch diese Eingriffe der Schicksalsgöttin aber nicht, wie das die peripatetischen Historiker wollten, an die Kleinheit der Menschen und die Nichtigkeit ihrer Berechnungen und Pläne gemahnen, sondern ihm bedeutete diese Abhängigkeit im Gegenteil eine ungeheuere Steigerung des menschlichen Selbstbewußtseins. Er fühlte sich ausgezeichnet, wenn die Tyche selbst ihm den Weg ebnete und ihn von Erfolg zu Erfolg schreiten ließ, und er sah sich in eine Art persönliches Schutz- und Vertrauensverhältnis zur Schicksalsgöttin gehoben, so daß er mit Stolz von *seiner* Tyche sprach und sich als den Liebling der Götter bezeichnete.

Eine ähnliche Auffassung der Tyche tritt uns auch an einer Stelle des Livianischen Werks entgegen, die einer kurzen Erwähnung wert ist, weil es sich dabei um eine der wenigen theoretischen Erörterungen handelt, in denen sich Livius Rechenschaft über die tragenden Kräfte des römischen Aufstiegs zu geben sucht. Bei dem bereits erwähnten Vergleiche zwischen den Leistungen Alexanders des Großen und denen des römischen Volkes stellt er auch die Fortuna des großen Makedonenkönigs der Fortuna römischer Führer gegenüber und versucht zu beweisen, daß römische Konsuln unendlich oft entgegen aller menschlichen Voraussicht unter den ungünstigsten innenpolitischen oder militärischen Bedingungen doch den Sieg über ihre Gegner erfochten haben, weil ihre Fortuna ihnen die Siegespalme reichte. Hier gerät Livius in eine gefährliche Art der Argumentation hinein, die er kaum noch mit seinen kurz vorher gemachten Ausführungen über die *virtus* und *disciplina militaris* der großen römischen Führer in Einklang bringen kann, mit der er sich aber auch in Widerspruch zu den tragenden Ideen seines Werkes setzt. Eine Erklärung findet dieser merkwürdige Umstand darin, daß diese Kapitel, wie längst erkannt, eine Replik auf kürzlich erhobene Angriffe von seiten romfeindlicher Historiker darstellen und daß Livius hier von einer ihm aufgezwungenen Basis aus argumentiert und mit einem logischen Begriffsapparat und mit Kategorien zu arbeiten gezwungen ist, deren er sich sonst nicht bedient. Gerade die Singularität dieser Stelle tut aber mit besonderer Eindringlichkeit kund, wie sehr er sich im übrigen Werke von der Geschichtsauffassung jener Männer unterscheidet, die das menschliche Planen und die menschliche Leistung zugunsten überirdischer Mächte in der Deutung des Geschichtsprozesses zurückdrängen wollten. Livius ist auch hierin ganz Augusteer, daß er die einflutenden hellenistischen Gedankenströme, in die man sich in der Zeit der ausgehenden Republik freudig hineingestellt und die man kräftig weitergetrieben hatte, staut und zurückdrängt. Er schließt sich weder den Gedanken Sullas über die Bedeutung der Tyche noch denen der peripatetischen Historiker oder ihrer römischen „Schüler" an. Seine Anschauungen über das Schicksal und die Götter berühren sich eng mit denen Vergils. Wie dieser glaubt er, daß vom Fatum zwar ein unverrückbares Endziel aufgerichtet wird, daß die Wahl des Weges aber den Menschen überlassen bleibt. Nicht an den kleinen Wendungen des Alltags und in der bizarren Gestaltung momentaner Situationen offenbart sich der Wille der Götter, sondern schicksalhaft sind nur die großen Wenden und Kehren der Geschichte festgelegt. Sonst beherrscht der menschliche Wille das Feld, der menschlichen Handlungsfreiheit wird ihre volle Würde gesichert. Nicht in einer Kette von schicksalsbestimmten Leiden sieht Livius den Sinn der Geschichte beschlossen, sondern in mutig vorwärts getriebenen Taten. Dadurch strömen in seine Darstellung gegenüber dem lähmenden Pessimismus und niederdrückenden Ohnmachtsgefühl so mancher hellenistischer Geschichtswerke ein ungeheuer mitreißender Schwung und ein lebendiges Kraftgefühl ein. Den Vejentern ist vom Schicksal ihr Untergang bestimmt *(Veios fata adpetebant)*; M. Furius Camillus ist der vom Schicksal ausersehene Führer zur Zerstörung der Stadt *(fatalis dux)* – aber wie er Veji erobert, das bleibt seiner Entscheidung und *virtus* überlassen, und die Größe seines Erfolges wird durch den Spruch des Schicksals in keiner Weise geschmälert. Wieder ist es Scipio Africanus, den Livius seine eigenen Gedanken aussprechen läßt, als er dem Gesandten des Antiochos nach der Schlacht von Magnesia antwortet: *Romani ex iis, quae in deum immortalium potestate erant, ea habemus, quae dii dederunt* (gemeint ist der Sieg, der nach dem Eingeständnis der Gesandten die Römer zu Herren des Erdkreises gemacht hat); *animos, qui nostrae mentis sunt, eosdem in omni fortuna gessimus gerimusque, neque eos secundae res extulerunt nec adversae minuerunt* (37, 45, 11) – zwei Sätze, die bezeichnenderweise in der Polybianischen Vorlage der Rede fehlen. Was hier mit Bezug auf die römische *temperantia* und *clementia* zur Begründung der geplanten Einstellung von Feindseligkeiten gesagt wird, gilt natürlich prinzipiell für jede *virtus*, auch für den römischen Angriffsgeist und die Handlungsfreiheit der römischen Führer, denen Rom seine Erfolge in den vielen Kriegen dankt.

Im übrigen sind die Stellen selten, in denen Livius das Fatum als bestimmende Macht einführt. Dabei geht es ihm wie dem Sprecher der Cannensischen Legionen, die auf Senatsbeschluß nach Sizilien gesandt bis zum Kriegsende dort kämpfen sollen und sich durch eine Gesandtschaft mit der Bitte an M. Marcellus wenden, wieder an anderen Kämpfen teilnehmen zu können, um sich zu rehabilitieren. Der Führer dieser Gesandten wirft die Frage auf, wen denn eigentlich die Schuld an der Niederlage von Cannae treffe, und er ist unwillkürlich geneigt, um seine Kameraden von der Verantwortung freizusprechen, nächst den Führern dem Zorn der Götter und dem Fatum alle Schuld beizumessen (25, 6, 6). Auch Livius wird sich viel weniger bei entscheidenden Siegen im Stolz auf die Leistungen des eigenen Volkes als vielmehr bei schweren Niederlagen der über den Menschen waltenden göttlichen Macht bewußt, wie das ja menschlich begreiflich und bei dem gesteigerten Nationalgefühl der Römer besonders verständlich ist. Zur Begründung der Niederlagen an der Allia und bei Cannae scheint ihm eine allein auf Menschen und sachliche Umstände gegründete Motivierung nicht ausreichend; es ist vielmehr der Wille des Schicksals selbst, der den Römern diese Wunden geschlagen hat. In keinem Falle darf aber verschwiegen werden, daß sich auch hier nach der Auffassung des Livius im Spruche des Fatums nicht ein blindes Ungefähr austobt, sondern daß ein gerütteltes Maß menschlicher Schuld die Römer hat ins Unglück kommen lassen. Vor der Allia-Schlacht haben die römischen Gesandten sehr schwer das Völkerrecht verletzt, und der Senat hat sie hinterher, statt sie zu strafen, gar zu Militärtribunen gewählt; für die Niederlage von Cannae aber muß zu einem guten Teil die Zwietracht der römischen Führer und die verbrecherische *temeritas* des Terentius Varro verantwortlich gemacht werden. Aber trotz dieser schweren Einzelschickungen wird der göttliche Weltplan nicht aufgehalten: *ea fato quodam data nobis sors est, ut magnis omnibus bellis victi vicerimus* (26, 41, 9).

Dieser Satz, ein heller Fanfarenton in einer Stunde der schwersten Not, bestätigt noch einmal schlagend, was wir oben über die tatenfrohe, zuversichtliche Grundstimmung des Livianischen Werkes ausgeführt haben, die auch durch furchtbare Kriegsnot nie ernstlich gestört wird. Aber wenn auch das Schicksal dem Siegeslauf des römischen Volkes nur für kurze Zeit Einhalt gebietet, so erwachsen ihm doch aus seinen eigenen Reihen ernste Gefahren. In doppelter Weise stellt sie Livius seinem Leser vor Augen. Auf der einen Seite reißt er ihn bisweilen mitten aus den Darlegungen über die ältere Geschichte Roms unvermittelt heraus und lenkt seinen Blick von den bewunderungswürdigen Taten der Altvordern und den Beweisen ihrer vorbildlich hohen Gesinnung auf das schlaglichtartig erleuchtete Rom der Gegenwart – ein Kontrast, angesichts dessen sich ihm stets ein leiser Klageruf, eine Äußerung schmerzlichen Bedauerns über den Wandel der Gesinnung zu entringen pflegt. Diese Stellen sind zu bekannt, als daß es nötig wäre, hierfür Beispiele anzuführen. Auf der andern Seite bezeichnet Livius, besonders in den späteren Büchern, einzelne Ereignisse, wie etwa den Transport der von Marcellus in Syrakus erbeuteten Kunstwerke nach Rom (25, 40), den Triumph des Manlius über die Gallograeker, *semina futurae luxuriae*, (39, 6, 9) oder die Einführung der Bacchanalien in Rom (39, 8 ff.) ausdrücklich als die Anfänge einer sich immer tiefer einfressenden Fehlentwicklung und einer religiös-moralischen Depravation des römischen Volkes. Unzweifelhaft müssen alle diese Stellen wie jene über den allmählichen römischen Machtaufstieg in einen Sinnzusammenhang gerückt werden. Dabei ergibt sich eine höchst interessante Gegenbewegung zu jener aufwärtsführenden Kurve, und mit dem Gegeneinander dieser beiden Entwicklungslinien wird ein spannender Kampf und eine fesselnde innere Dramatik über das ganze Werk des Livius gebreitet: je mehr nämlich das Imperium Romanum nach Umfang und Machtfülle wächst, um so stärker wird es gerade auch durch die Einflüsse, die aus den neueroberten Gebieten ins Kernland strömen, in seinem inneren Bestande gefährdet. Aber es wäre eine verhängnisvolle Verkennung des Livianischen Geschichtsbildes, wenn man, wie das einzelne Forscher gemeint haben, in seinen Hinweisen auf solche Zersetzungserscheinungen die bestimmenden Sinnlinien des ganzen Werkes erkennen und eine Verfallstheorie zur Leitidee der Livianischen Darlegungen machen wollte. Zwar könnte ein solcher Schluß durch gewisse Gedankengänge des Proömiums gerechtfertigt scheinen, wenn Livius dort erklärt, daß er nach der Gründung und Erweiterung des Imperiums auch den Verfall der *mores* darlegen wolle bis zu unserer Zeit, „in der wir weder unsere Verkommenheit mehr ertragen können noch die Mittel, die man dagegen anwendet" (Proöm. 9). Aber es ist unverkennbar, daß diese Sätze unter dem Einfluß einer nur im Proömium stärker berücksichtigten Geschichtsauffassung geschrieben sind, die ihren Ursprung im Kreise des Scipio Nasica[6] gehabt hat und die Sallust mit unerbittlicher Konsequenz zu Ende gedacht hat. Danach hat für das römische Volk, dessen innere Kräfte nach dieser Ansicht nur durch die Furcht vor auswärtigen Feinden zusammengehalten wurden, mit der Zerstörung Karthagos der Zwang zu jeder inneren Bindung aufgehört, und im wilden Streite seiner eigenen Glieder ist der römische Volkskörper dem sicheren Untergange preisgegeben. Eine Möglichkeit, diesen Zerfleischungsprozeß aufzuhalten, sieht Sallust nicht. Das Grausen vor dem Untergange, das uns aus seinen Historien entgegenschlägt, kennt Livius aus den Jahren der Bürgerkriege auch, aber er ist darin ein Mensch des neuen Zeitalters mit einem neuen Glauben, daß er in der *pax Augusta* wieder Aufstiegsmöglichkeiten sieht und sich

[6] Vgl. M. Gelzer, Nasicas Widerspruch gegen die Zerstörung Karthagos. Philol. 86, 1931, S. 261 ff.

mit aller Macht für sie einsetzt. Der Strom der Kräfte, die Rom von der ihm schicksalsgesetzten Siegeslaufbahn herabziehen, ist für ihn nicht der Hauptstrom der geschichtlichen Entwicklung, aus dem es kein Entrinnen gibt, sondern eine störende Nebenflut, die gebändigt werden kann und muß. Diese Überzeugung bricht schon im Proömium durch, wenn Livius nach der oben angeführten resignierten Wendung fortfährt, daß gerade dies das Heilsame und Fruchtbringende an der Geschichte ist, daß man ihr für sich und den Staat die Vorbilder und abschreckenden Beispiele entnehmen kann. Das klingt schon nicht mehr so pessimistisch, sondern zeugt vielmehr von einer recht sicheren Hoffnung auf den richtigen, d. h. staatserhaltenden Entscheid jedes einzelnen Lesers in seiner Haltung und seinem Tun angesichts der ihm vorgelegten historischen Vorbilder. Wir wollen auch nicht vergessen, daß Livius das Proömium bei der Edition der ersten fünf oder zehn Bücher geschrieben hat; damals mag seine Hoffnung auf einen Wiederaufstieg noch etwas zag gewesen sein; sie ist aber im Laufe der Jahre immer zuversichtlicher und fester geworden. Wir kennen zwar die späteren Dekaden nur umrißhaft nach ihrem Tatsachenbestand, nicht nach ihren leitenden Ideen; es kann aber nach den erhaltenen Büchern nicht zweifelhaft sein, daß Livius in seiner Darstellung der Bürgerkriege zwar den Verfall der *mores* und die dadurch heraufbeschworenen Gefahren nicht unterdrückt hat, daß er aber in ihnen nicht das Schicksal Roms beschlossen fand. Er enthüllt vor seinen Lesern die Bilder der Auflösung nicht aus einer dumpfen Verzweiflungsstimmung heraus, sondern weil er aus ihnen die Kräfte des abschreckenden Beispiels entbinden und sein Volk im Abscheu vor ihnen zu den *virtutes* zurückrufen will – *discite moniti* (Verg. Aen. 6, 620) –, durch die sich Roms Schicksalslauf zur unumschränkten Weltmacht ungefährdet vollenden kann.

Welches sind die Triebfedern des römischen Aufstiegs und welcher Art sind die *virtutes*, die ihn garantieren? Hier müssen wir uns des Beispiels erinnern, das der Ausgangspunkt unserer Betrachtungen war, der Geschichte vom Sturze der Decemvirn. Sie lehrte eindeutig, daß es nach der Meinung des Livius weniger die intellektuellen Fähigkeiten, auch nicht wirtschaftliche oder technische Fertigkeiten, sondern charakterliche Werte und moralische Kräfte sind, die den

Lauf der Geschichte bestimmen[7]. Freilich handelt es sich beim Sturze der Decemvirn lediglich um einen spontanen Akt der Abwehr unerträglich gewordener tyrannischer Zustände und um die Wiedereinführung der alten Staatsverfassung; aber Livius sieht auch in einer neuaufbauenden Innenpolitik und in der militärischen Expansion den Fortschritt immer nur durch sittliche Entscheidungen und Werte des populus Romanus gewährleistet. Dabei gilt für alle Teile seiner Darstellung, was wir auch bereits feststellen konnten, daß er die durch die Tradition überlieferten Ereignisse in ihrem Tatsachenbestande nicht oder nur wenig verändert, daß er sie aber durch eine neue Deutung seelisch vertieft und bereichert. Ein Beispiel mag dies verdeutlichen, das uns zugleich an einige der wichtigsten Mächte seines Wertkanons heranführt: die bekannte Erzählung des Horatius Cocles, zu der uns Dionys von Halikarnaß einen interessanten Parallelbericht bietet, mit dem wir beginnen (5, 23 f.)[8].

Die Römer sind von den Etruskern in der Nähe der Stadt Rom geschlagen worden und müssen sich über den Tiber hinter die Mauern der Stadt zurückziehen. Horatius Cocles und zwei Kameraden wehren im Handgemenge den nachdrängenden Feinden den Zugang zur Brücke, bis sich der letzte Römer über den Fluß gerettet hat. Jetzt rufen die Freunde die drei Kämpfer zurück, aber nur zwei folgen ihren Rufen. Horatius Cocles jedoch bleibt, damit noch hinter seinem Rücken die Brücke abgebrochen werden kann. Er wählt einen Platz, der ihm Rücken- und Seitendeckung bietet, und wehrt sich, als einzelne Feinde näherkommen, tapfer mit Schwert und Schild. Er hält die Feinde auch ab, aber sein Schwert wird stumpf und sein Schild von Pfeilen schwer. Da greift er zu den Waffen der Toten, die vor ihm liegen, und kämpft weiter. Er wird mehrfach verwundet, besonders schwer am Oberschenkel, aber er kämpft weiter. Endlich ist die Brücke abgebrochen; er springt mit allen seinen Waffen in den Strom und rettet sich trotz seiner Verwundung zu den Freunden auf das andere Ufer. In der unge-

[7] Vgl. K. Meister, Die Tugenden der Römer, Heidelberger Rektoratsrede 1930, 21.

[8] Zu der übrigen aufschlußreichen Parallelüberlieferung vgl. F. Münzer, R. E. VIII 2331 f.

wöhnlichen Körperkraft und in der außerordentlichen Zähigkeit des Horatius Cocles findet Dionys also vornehmlich die Erklärung für seine Heldentat.

Ganz anders Livius (2, 10); er erzählt etwa so: Als sich die Römer zurückziehen müssen, nimmt Horatius Cocles mit zwei Kameraden am Brückenkopfe Stellung, gibt der zurückweichenden Truppe kurze Befehle, warnt vor Unordnung und rät, hinter seinem Rücken die Brücke abzubrechen. Seine Übersicht und sein Mut wecken bei Freund und Feind Staunen. Als sich endlich der letzte Mann auf dem anderen Ufer befindet, zwingt Horatius Cocles auch seine beiden Kameraden, den andern zu folgen, als echter Kamerad nur auf ihr Wohl, nicht auf das seine bedacht. Er hat jetzt den Mut, die Feinde zum Kampfe herauszufordern und durch Zurufe abzulenken von dem, was hinter seinem Rücken geschieht. In breiter Schrittstellung, trotzigen Auges bleibt er stehen, ein Vorbild tapferer, heldischer Gesinnung. Und als endlich die Brücke zusammenkracht, richtet er eine kurze Bitte um Schutz an den *pater Tiberinus*, stürzt sich dann in die Fluten und rettet sich zu den Seinen.

Das äußere Bild des Kampfes, das Dionys so breit ausgemalt hatte, tritt bei Livius ganz zurück. Wir hören kein Wort von den heranstürmenden Gegnern, von den vielen Toten, vom Wechsel der Bewaffnung und von den verschiedenen Verwundungen des Helden. Dafür offenbart aber jede seiner einzelnen Handlungen, die Livius anführt, eine neue Seite seines Charakters, seinen klaren umsichtigen Blick, seinen echten Kameradschaftsgeist, seinen Mut, seinen Kampfestrotz, seine Zähigkeit und zuletzt schließlich seinen frommen Sinn. Während es Dionys um eine lückenlose Verknüpfung der äußeren Handlung geht, strebt Livius eine überzeugende innerliche Verknüpfung an; nicht als Tat der Muskeln allein, wie Dionys, sondern als die Leistung einer geistig, seelisch und charakterlich ebenso wie körperlich hervorragenden Persönlichkeit deutet Livius die Tat des Horatius Cocles. Männer wie er verkörpern den Geist der römischen Truppe und bestimmen den Lauf der römischen Geschichte. Und wer etwa glaubt, daß Livius im Horatius Cocles bewußt idealisierend einen Heldentypus der grauen Vorzeit schildere, dem die Römer der späteren Jahrhunderte nicht mehr entsprächen, der mag einmal die Reihe der Zweikämpfer, die Livius im Laufe seines Werkes zu schildern Gelegenheit findet, an sich vorüberziehen lassen, und er wird feststellen, daß alle diese Vorkämpfer vom gleichen Geiste beseelt sind, von Manlius Torquatus (7, 10) und M. Valerius Corvinus (7, 26) an – ich nenne gerade sie, weil uns hier ein aufschlußreicher Vergleich[9] der Livianischen Erzählung mit ihrer Vorlage bei Claudius Quadrigarius (HRR. fg. 10 b, 12) möglich ist – über Claudius Asellus (23, 46) und P. Quinctius Crispinus (25, 18) hinab bis zu Spurius Ligustinus, dessen flammende Rede an seine Kriegskameraden von einem heiligen Schwunge der Opferbereitschaft getragen ist, der dem Geiste der vorher genannten Einzelkämpfer durchaus gleicht (42, 34).

Der Ehrenplatz in der Rangordnung der Werte gebührt der *virtus,* die bei Livius keineswegs sittliche Vollkommenheit bedeutet, sondern ganz wie im alten Rom die im Angriff kühne und in der Verteidigung zähe Kraft und Tapferkeit bezeichnet: *et facere et pati fortia Romanum est* (2, 12, 9). Damit stellt er einen Wert heraus, in dem schon Polybios (31, 29, 1) den für jeden Staat, aber besonders für den römischen grundlegenden Wert gesehen hatte. Man darf ohne Übertreibung sagen, daß die römische Geschichte den Beweis für die Richtigkeit dieses Urteils liefert und daß jede vorurteilsfreie Geschichtsdarstellung dies bestätigen wird. Es wäre daher auch ein uferloses Unterfangen, aus den erhaltenen Büchern des Livius Beispiele hierfür beibringen zu wollen. Indessen mögen einige weniger offen daliegende Tatsachen Erwähnung finden, aus denen vielleicht noch eindringlicher als aus der großen Zahl römischer Siegesberichte hervorgeht, wie fest der Glaube an die unüberwindbare *virtus Romana* in Livius verwurzelt gewesen ist und ihn bei seiner Darstellung (gewiß ihm selbst oft unbewußt) geleitet und beeinflußt hat. Es hat sich nämlich beobachten lassen, daß Livius in seinen Berichten über römische Niederlagen geradezu ängstlich darauf bedacht ist, auf die *virtus* des römischen Heeres keinen Makel fallen zu lassen. So macht er für die schwere Niederlage an der Allia die Unbesonnenheit und das Unrecht der

[9] Im einzelnen durchgeführt von R. Heinze, Die Augusteische Kultur, Leipzig 1930, 97 ff.; vgl. in diesem Bande S. 378 f.

römischen Gesandten, die Verblendung und Sorglosigkeit der römischen Führer, den ungeheueren Schrecken des Heeres angesichts der wilden Gallier, ja das Schicksal selbst verantwortlich. Während Plutarch (Cam. 18) berichtet, daß sich die Römer schlecht (αἰσχρῶς) geschlagen hätten, und Diodor (14, 114 f.) von erheblichen Verlusten spricht, läßt Livius es gar nicht zu einem regelrechten Kampfe kommen, so daß das römische Heer ungeschlagen dasteht. Aus der gleichen Absicht schiebt er die Schuld an der Niederlage an der Trebia wesentlich der Meinungsverschiedenheit der römischen Führer und insbesondere der *ferocitas* des Sempronius zu, die Schuld an der Niederlage am Trasimenischen See der *ferocitas* und *impietas* des Flaminius und dem Wirken des Fatums und die Schuld an der Niederlage von Cannae der *discordia ducum,* der *temeritas* Varros, ungünstigen Witterungsverhältnissen und Geländeschwierigkeiten und schließlich wiederum dem Fatum zu. In allen diesen Fällen können wir feststellen, daß Livius die eben erwähnten Schuldmomente zum größten Teile bereits in der Tradition angedeutet fand; er zeichnet sie aber nach, indem er sie gewaltig verstärkt – nicht aus parteipolitischer Sicht, die früher in verhängnisvollster Weise bei der Ausgestaltung dieser Schlachtberichte dem gegnerischen Führer die Schuld an der Niederlage zugeschoben hatte, nicht aus absichtlicher Schönfärberei *ad maiorem gloriam Romae,* sondern einfach aus der Überzeugung heraus, daß an das Versagen der oft erprobten *virtus* des römischen Heeres schlechterdings nicht geglaubt werden kann und darf. Das Mindeste, was Livius zur Entlastung der römischen Truppen im Falle der Niederlage tut – meistens handelt es sich dabei nur um kleinere Schlappen – ist dies, daß er beim nächsten Kampfe betont, wie das Gefühl der Schande das Heer, das nicht gewohnt ist, besiegt zu werden, zu besonderen Bravourleistungen antreibt und ihm auch einen glorreichen Sieg sichert. Höchst bezeichnend ist es auch, daß Livius aus diesem Glauben nicht nur das römische Volk und seine Führer in Stunden der Not neue Hoffnung schöpfen läßt *(in hac ruina rerum stetit una integra atque immobilis virtus populi Romani, haec omnia strata humi erexit ac sustulit* [26, 41, 12] aus einer Rede des P. Scipio; vgl. auch 27, 33, 1–11), sondern daß er diese Meinung auch römischen Gegnern in den Mund legt. So läßt er nach der

Gefangennahme des römischen Heeres in den Caudinischen Pässen den Führer der Samniten Herennius Pontius ausrufen: *ea est Romana gens, quae victa quiescere nesciat* (9, 3, 12), und gut hundert Jahre später ganz ähnlich Hannibal: *cum eo nimirum hoste res est qui nec bonam nec malam ferre fortunam possit! seu vicit, ferociter instat victis; seu victus est, instaurat cum victoribus certamen* (27, 14, 1). Nicht anders urteilt Latinus bei Vergil über Aeneas und seine Mannen:

> *bellum importunum, cives, cum gente deorum*
> *invictisque viris gerimus, quos nulla fatigant*
> *proelia nec victi possunt absistere ferro* (Aen. 11, 305)

und Hannibal bei Horaz über die *gens Romana:*

> *merses profundo, pulchrior evenit;*
> *luctere, multa proruet integrum*
> *cum laude victorem geretque*
> *proelia coniugibus loquenda* (4, 4, 65 f.; vgl. 3, 3, 53 f.).

Man soll neben diesen wuchtigen Zeugnissen aber auch nicht solche kleine, höchst sprechende Wendungen außer acht lassen, mit denen Livius seine Erzählungen abzurunden und zu schließen pflegt: *fatigatos caede diutius quam pugna victores nox oppressit* (30,8, 9); *vincit tamen omnia pertinax virtus* (25, 13, 14) etc.

Neben die *virtus* tritt wie im altrömischen Sittenkodex die *pietas,* in der nicht nur die Römer selbst, sondern auch die Griechen eine der Wurzeln der römischen Größe und Erfolge zu sehen pflegten (z. B. Pol. 6, 56, 6; Poseid. bei Athen. 6, 274 A). Dabei hat allerdings der im Altrömischen sich im wesentlichen in einer Verpflichtung gegenüber der *familia* und *gens* erschöpfende Bedeutungskreis des Wortes, zu dem Livius in der wundervoll beseelten Erzählung vom jungen T. Manlius (7, 4–5) noch ein herrliches *exemplum* beisteuert, sich beträchtlich erweitert und bezeichnet jetzt in Angleichung an den Begriffsumfang von εὐσέβεια in erster Linie die rechte Gesinnung des Einzelnen und des gesamten Volkes gegenüber den Göttern. Mit unserer „Frömmigkeit“ hat *pietas* freilich auch jetzt noch wenig zu tun; sie meint nicht so sehr eine Gesinnung und ein religiöses Fühlen als vielmehr die peinlich gewissenhafte Erfüllung des Kultes und der den Göttern schuldigen Opfer. Das Bewußtsein, gerade dadurch einen Sonderrang vor allen Völkern einzunehmen und einen Anspruch auf göttliche Förderung des geplanten Werkes zu erwerben, ist im römischen Volke stets lebendig gewesen; *ein* Beispiel aus der bis zu den Kirchenvätern reichenden Reihe von Zeugnissen möge als Beleg genügen: *intellegi potest eorum imperiis rem publicam amplificatam, qui religionibus paruissent. et si conferre volumus nostra cum externis, ceteris rebus aut pares aut etiam inferiores reperiemur: religione, i.e. cultu deorum, multo superiores* (Cic. *de nat. deor.* 2, 3, 8). Auch in den Livianischen Menschen ist das Wissen um die überragend hohe Bewertung kultisch-religiöser Pflichten durch den römischen Staat lebendig und kann im Falle der Nichtanerkennung dieser Verpflichtungen seitens des Senats oder auch der Volkstribunen zu scharfen Angriffen gegen diese führen, wie wir es aus so mancher Rede aus der Zeit der Kämpfe zwischen Patres und Plebs kennen, insbesondere aus der von tiefster *pietas* erfüllten Rede des Camillus nach der Vertreibung der Gallier aus Rom (5, 51–54), aber auch aus späterer Zeit aus den flammenden Worten des Cn. Manlius Vulso vor dem Senate (38, 48, 14). Wenn dieser u. a. auch darauf hinweist, daß der römische Senat mehr als alle anderen Körperschaften fremder Völker bei Beginn und Durchführung seiner Unternehmungen die Götter zu Rate ziehe und sich dabei feierlicher Form bediene, so kann diese Aussage durch nichts besser illustriert werden als durch das Werk des Livius. Die vielen Prodigien, Orakelsprüche, Wunderzeichen, Supplikationen, Gelübde, Sühnopfer, Lektisternien usw. hat er in seine Darstellung keineswegs nur deshalb aufgenommen, weil die annalistische Tradition es ihm nahelegte, sondern vielmehr darum, weil er in diesen lebendigen Äußerungen des Volksglaubens eine entscheidende Kraftquelle für das Leben der Nation sah, die es nach ihrer Verschüttung in den letzten Jahrzehnten der Republik neu zu erschließen galt: *parva ista (scil. auspicia et religiones) non contemnendo maiores vestri maximam hanc rem fecerunt* (6, 41, 8). Es ist bekannt, was Augustus alles zur Wiederherstellung der verfallenen Tempel und für die Wiederbelebung der altrömischen Kulte getan hat; auch die römischen Dichter, allen voran Vergil und Horaz, haben sich in den Dienst der religiösen Erneuerung des römischen Volkes gestellt, und Livius berührt sich aufs engste mit ihnen sowohl in der liebevollen Versenkung in kultisch-religiöse Details als auch in der Bejahung des Volksglaubens und seiner Deutung aus einer stoischen Grundhaltung heraus. Diese läßt ihn auch gelegentlich an diesem oder jenem Bericht einen leisen Zweifel äußern oder gegenüber einer gesteigerten Leichtgläubigkeit des Volkes in kritischen Jahren (21, 62, 1; 24, 1, 6 etc.) eine gewisse Zurückhaltung üben, aber sie läßt ihn niemals zu einer übertriebenen Skepsis oder einer grundsätzlichen Verneinung kommen. Wenn er Jahr für Jahr fast ausnahmslos die beobachteten Prodigien und Vorzeichen und ihre Sühnungsmittel aufzählt, dann denkt er nicht daran, wie das manche unter den hellenistischen Historikern getan haben und die moderne Forschung es gelegentlich deuten wollte, seinen Lesern zur Erhöhung ihrer Spannung prickelnde Sensationen und Wunder zu bieten, sondern er will das ethisch-religiöse Fundament zeigen, auf das sich der römische Staat gründet. Ästhetische Kategorien müssen bei der Sinndeutung dieser und verwandter Berichte fast völlig ausscheiden, es kommt ihnen eine Bedeutung nur insoweit zu, als sie kompositionell für den jeweiligen Einsatz der verschiedenen Sonderberichte mitbestimmend gewirkt haben. Livius hat sich nämlich mit der Einfügung alter Kultformeln und mit der Schilderung heiliger Riten keineswegs in den ersten Büchern verausgabt, wie das bei einer gewissen Pedanterie hätte leicht geschehen können, sondern er verstreut sie geschickt über alle uns erhaltenen Bücher, mit jeder Detailbeschreibung auf die Kardinaltugend der *pietas* aufs neue hinweisend und doch zugleich ihren Geltungsbereich stetig erweiternd. Auch dies verdient Beachtung, daß er aus kompositionellen Rücksichten heraus, zumal in der ersten Dekade, auf das rasche Tempo spannender Kriegsberichte bisweilen eine ruhige und beruhigende Schilderung religiös-kultischer Akte folgen läßt.

Die Gestalt, die das Ideal der *pietas* am stärksten verkörpert und in der wir gegenüber der Tradition besonders intensiv die neuen Kräfte der Livianischen Geschichtsdeutung fühlen, ist Camillus, *diligentissimus religionum cultor*. Als er zum Diktator im Kampfe gegen Veji ernannt wird, tritt er, ein *fatalis dux* wie Aeneas, im Bewußtsein der schicksalhaften Setzung der Stunde und Aufgabe sein Kommando an und führt es im Geiste der *pietas* von Anfang bis Ende durch (5, 19–22). Ehe er Rom verläßt, gelobt er für eine siegreiche Heimkehr große Spiele und den Bau eines Tempels für die *mater Matuta.* Kurz vor der Einnahme der Stadt fragt er wegen der Verteilung der Beute beim Senate an, gelobt den Zehnten dem Apollo und nimmt vor dem Entscheidungskampfe in feierlicher Weise die nötigen Opfer und die *evocatio* der *Iuno regina* vor. Als die Beute über Erwarten groß ist, bittet er die Götter, wenn ihnen sein und des römischen Volkes Glück allzu groß scheine, es sie durch eine möglichst kleine Buße entgelten zu lassen. Dann aber läßt er die Götterbilder und Geschenke aus dem Tempel holen: *colentium magis quam rapientium modo.* Und während nach den Berichten des Dionys und Plutarch vornehme Reiter bzw. Handwerker das Bild der Juno wegführen, schildert Livius, wie aus dem ganzen Heere ausgewählte Jünglinge nach vollzogenen Waschungen in weißen Gewändern, ehrfurchtsvoll das Heiligtum betreten und mit heiliger Scheu Hand ans Werk legen. Der Geist der *pietas,* der ihren Führer beseelt, leitet auch ihr Tun.

Aufs engste verbunden mit der *pietas* sind *iustitia* und *fides.* Ein Bündnis oder ein Vertrag werden unter Anrufung der Götter abgeschlossen, und die Beachtung der eingegangenen Verpflichtungen ist zugleich ein Gebot der *fides* gegenüber dem Vertragspartner wie ein Gebot der *pietas* gegenüber den Göttern. Die enge Verbindung dieser Begriffe ist uns aus der römischen Politik der punischen Kriege wie aus der diese Anschauungen des Senates propagandistisch weitertragenden griechisch geschriebenen Annalistik vertraut. Wie Fabius Pictor[10], so tritt auch Livius mit aller Leidenschaft dafür ein, daß der erste und zweite punische Krieg von den Römern nicht aus Eroberungslust, sondern in Wahrung der gefährdeten Interessen der römischen Bundesgenossen als *bella iusta* geführt worden sind. Während aber bei Fabius vornehmlich außenpolitische Rücksichten die Triebkraft für seine Argumentation waren, handelt es sich bei Livius darum, den Wert der sittlichen Entscheidung und ethischer Kategorien im römischen Volke selbst zur Geltung zu bringen. Die

[10] Vgl. M. Gelzer, Römische Politik bei Fabius Pictor. Hermes 68, 1933, S. 129 ff.

Vertragstreue der Römer ist gelohnt worden durch die Götter, die Hüter des Rechts; das stellt Scipio mit allem Nachdruck Hannibal gegenüber heraus: *neque patres nostri priores de Sicilia neque nos de Hispania fecimus bellum; et tunc Mamertinorum sociorum periculum et nunc Sagunti excidium nobis pia ac iusta induerunt arma. vos lacessisse et tu ipse fateris et di testes sunt, qui et illius belli exitum secundum ius fasque dederunt et huius dant et dabunt* (30, 31); das letzte für Livius entscheidende Wort fehlt bei Polybios (15, 8). Auch für die Kriege des Ostens wird fast in jedem Einzelfalle der Nachweis von Livius erbracht, daß es sich um ein *pium ac iustum bellum* handelt; das lesen wir auch bei Polybios häufig genug und geht gewiß auf Äußerungen führender römischer Politiker zurück. Aber eine Wendung wie die, mit der Q. Marcius Philippus am Beginn eines neuen Kriegsjahres seinen Truppen Mut macht, wird man bei Polybios vergeblich suchen: *favere etenim pietati fideique deos, per quae populus Romanus ad tantum fastigii venerit. vires deinde populi Romani iam terrarum orbem complectentis cum viribus Macedoniae ... comparavit: quanto maiores Philippi Antiochique opes non maioribus copiis fractas esse?* (44, 1, 11). Was für die Begründung der späteren römischen Kriege und Erfolge gilt, ist auch für die Motivierung der früheren Kämpfe nach der Auffassung des Livius zutreffend, wie die eingehenden Darlegungen über den Beginn des ersten Samnitenkrieges zeigen (7, 29–32). Darüber hinaus stellen wir, wie bei unseren Erörterungen über die *virtus*, auch für die *iustitia* und *fides* fest, daß Livius häufig auf dem Umwege der Interpretation römischer Taten durch die römischen Gegner dem Leser die seiner eigenen Darstellung immanenten leitenden Gesichtspunkte ins Bewußtsein zu erheben versucht. Als dem Camillus bei der Belagerung von Falerii durch einen verräterischen Lehrer der Falisker die gesamte Jugend ausgeliefert werden soll, weist er dieses Ansinnen empört zurück: *sunt et belli sicut pacis iura, iusteque ea non minus quam fortiter didicimus gerere. Arma habemus non adversus eam aetatem, cui etiam captis urbibus parcitur, sed adversus armatos ... eos tu ... novo scelere vicisti: ego Romanis artibus, virtute opere armis, sicut Veios vincam* (5, 27, 6). Eine großartige Steigerung erfährt diese Haltung aber nun doch dadurch, daß Livius, was kein Parallelbericht tut, den Eindruck dieser Tat auf die Falisker wiedergibt: *fides Romana, iustitia imperatoris in foro, in curia celebratur.* Immer wieder hallt uns aus der Rede der Gesandten, die dem Camillus zum Danke für seine Handlungsweise die freiwillige Übergabe der Stadt verkünden sollen, das Wort *fides* entgegen, und ihre Ausführungen gipfeln in dem Satze: *eventu huius belli duo salutaria exempla prodita humano generi sunt: vos fidem in bello quam praesentem victoriam maluistis*[11]; *nos fide provocati victoriam ultra detulimus.*

Als schroffsten Gegensatz zum römischen Wesen empfindet daher Livius, wie häufig schon ausgesprochen worden ist, *perfidia, insidiae, fraus, dolus.* Eindrucksvoll stellt er die Erfolge des ersten römischen und die des letzten, seinem Geiste nach völlig unrömischen Tarquinius Superbus einander gegenüber: *viribus nulla arte adiutis tantum veterani robore exercitus rex Romanus vicit* (1, 15, 4) – *cum obsidendi quoque urbem (scil. Gabios) spes pulso a moenibus adempta esset, postremo minime arte Romana, fraude ac dolo, adgressus est* (1, 53, 4). Das ist der gleiche Gegensatz, der die Römer von den Karthagern, Scipio von Hannibal trennt, und um den Livius die Welt wissen läßt. Wieder läßt er einen Fremden aussprechen, was als unausgesprochener Leitsatz seine Feder in der Behandlung des zweiten punischen Krieges geführt hat. Nabis stellt wenige Jahre nach Beendigung des zweiten punischen Krieges den vertragsbrüchigen Puniern *(apud quos nihil societatis fides sancti haberet)* die Römer gegenüber, indem er bekennt: *nunc cum vos intueor, Romanos esse video, qui rerum divinarum foedera, humanarum fidem socialem sanctissimam habeatis* (34, 31, 4).

Der römische Anspruch, als Sachwalter der Bundesgenossen die punischen Kriege begonnen zu haben, wurde im zweiten Jahrhundert abgelöst von der politischen Parole, die Kämpfe gegen

[11] Interessant ist der Vergleich mit den Worten Scipios im Jahre 203 zu karthagischen Gesandten, die um Frieden bitten: *Scipio et venisse ea spe in Africam se ait et spem suam prospero belli eventu auctam victoriam se, non pacem domum reportaturum esse; tamen cum victoriam prope in manibus habeat, pacem non abnuere, ut omnes gentes sciant populum Romanum et suscipere iuste bella et finire* (30, 16, 8).

Makedonien und im Osten für die Freiheit Griechenlands und der griechischen Städte in Kleinasien unternommen zu haben. Was aber in der Darstellung dieser Ereignisse bei Polybios als begleitender leiser Unterton schwingt, wird bei Livius zum alles übertönenden Hauptklang[12]. Ein Vergleich der beiden Berichte über die Befreiung Griechenlands durch T. Quinctius Flamininus an den isthmischen Spielen im Jahre 196 zeigt dies so eindeutig, daß sich jedes weitere Beispiel erübrigt. Polybios (18, 46) schließt seinen Bericht damit, daß es etwas Erstaunliches gewesen sei, daß die Römer für Griechenlands Freiheit jede Gefahr hätten auf sich nehmen wollen, daß es etwas Großes gewesen sei, daß sie eine ihrem Vorsatz entsprechende Streitmacht ausgerüstet hätten, daß aber das Erstaunlichste gewesen sei, daß die Tyche alles zu diesem überwältigend schönen Ende hätte kommen lassen. Livius beschränkt die Erwähnung der Schicksalsgöttin, den letzten und wichtigsten Punkt der Polybianischen Überlegung, auf ein ganz kurzes Wort, um eine Beeinträchtigung der Selbständigkeit der römischen Leistung möglichst zu vermeiden, und statt wie Polybios mit seiner persönlichen Stellungnahme zu den Ereignissen den Bericht abzuschließen, läßt er nach der ihm geläufigen Methode der indirekten Interpretation das griechische Volk selbst jubelnd bekennen: *esse aliquam in terris gentem, quae sua impensa, suo labore ac periculo bella gerat pro libertate aliorum nec hoc finitimis aut propinquae vicinitatis hominibus aut terris continentibus iunctis praestet, sed maria traiciat, ne quod toto orbe terrarum iniustum imperium sit, ubique ius fas lex potentissima sint* (33, 33, 5). Auch in den folgenden Jahren klingt in den Reden der römischen Führer als Rechtfertigung der römischen Expansion immer wieder das Wort auf: *pro libertate Graeciae*! Darüber hinaus hören wir sogar aus griechischem Munde zum Zeichen des Dankes für die römische Hilfe diese Parole, und eindrucksvoll läßt Livius die Rhodier erklären, daß die Griechen gern darauf Verzicht leisteten, mit eigenen Waffen wie in früheren Jahrhunderten ihre Freiheit zu schützen, da sie selbst es nicht ver-

[12] Livius unterbaut gewissermaßen mit seinem Werke den Satz Ciceros: *noster autem populus sociis defendendis terrarum iam omnium potitus est* (De re publ. 3, 35).

möchten, und daß sie nur den Wunsch auf ewige Dauer des *imperium Romanum* hätten (37, 54, 25; Zusatz in die nach Polybios gearbeitete Rede).

Dieses Eingeständnis vom Segen der römischen Weltherrschaft schließt in sich das Bekenntnis, daß neben den bisher genannten *virtutes* noch eine vierte das Denken und Handeln der Römer beherrscht, jene Tugend, die auch auf dem goldenen Ehrenschild, den der Senat und das römische Volk dem Augustus schenkten, neben den drei altrömischen Platz hat: *clementia*. Was Augustus stolz im Monumentum Ancyranum von sich bekennt, ist nach der Livianischen Deutung immer Grundsatz der römischen Politik gewesen: *victor omnibus veniam petentibus civibus peperci. externas gentes, quibus tuto ignosci potuit, conservare quam excidere malui* (c. 3; vgl. 26). Während Scipio bei Polybios (21, 4) sich in der Verhandlung mit aetolischen Gesandten im Jahre 190 mit einem Hinweis auf seine Taten in Spanien und Libyen begnügt, rühmt er sich bei Livius: *in omnibus gentibus se maiora clementiae benignitatisque quam virtutis bellicae monumenta reliquisse* (37, 6, 6). Die scheinbar unwichtige Differenz in beiden Fassungen ist von grundsätzlicher Bedeutung; überall läßt sich nämlich beobachten, daß dort, wo Polybios mit Tatsachenhinweisen arbeitet, bei Livius das erwähnte Faktum gleichsam etikettiert auftritt, unter einen der leitenden Oberbegriffe tragender *virtutes* subsumiert und als einprägsames *exemplum* hingestellt wird. So kommt es, daß auch die Worte *clementia*, zuweilen in fast gleichem Sinne durch *benignitas* oder *magnitudo animi* ersetzt, und *ignoscere* uns immer wieder begegnen. T. Quinctius Flamininus nennt im Kriegsrate bei Erwähnung der milden Behandlung der Karthager und Hannibals nach dem zweiten punischen Kriege die Schonung der Unterworfenen einen *vetustissimus mos* (33, 12, 7). Zahlreiche römische Führer läßt Livius erklären, daß das römische Volk mehr durch *beneficia* und *caritas* als durch Furcht oder Waffen sein Reich erobert hätte und mehren wolle, und im Verlaufe seiner Darstellung läßt er zahlreiche römische Gegner, selbst die Karthager (z. B. 30, 16, 7; 30, 42, 16 etc.), demonstrativ das Bekenntnis ablegen, daß kein Volk eher zur Milde und Verzeihung geneigt sei als das römische. Was Vergil und mit ihm in einer noch nie dagewesenen Stärke und Eindringlichkeit die anderen Augusteischen Dichter[13] als politische Maxime verkünden, dafür liefert Livius seiner Zeit die historischen Exempla:

> *tu regere imperio populos Romane memento –*
> *haec tibi erunt artes – pacique imponere morem,*
> *parcere subiectis et debellare superbos* (Aen. 6, 851 f.).

Rom als das Herz der Welt, die Römer als die unumschränkten, gerechten und milden Gebieter, der Senat als die regierende Körperschaft, von dessen Wirken das Wohl und Wehe, ja die Existenz der fremden Völker und Länder abhängt – das ist das faszinierende Bild, zu dem sich die ganze römische Geschichte verdichtet und zu dem Livius begeistert aufschaut, wenn er von der vierten Dekade an Buch für Buch schildert, wie die fremden Gesandten und Fürsten nach Rom kommen, in die Kurie gehen und den Entscheid des Senates erwarten und wie umgekehrt die römischen Gesandten hinausziehen, um ratend und regelnd in die Geschicke der Völker einzugreifen. In der bereits erwähnten Rede des Konsuls Cn. Manlius Vulso vor dem Senate läßt Livius ihn, nicht ohne Beigeschmack des Genusses der Macht, voll Stolz dieses Bild in einzelnen Zügen durchführen – ein weitgehendes Abbild der Machtfülle Roms zur Zeit des Augustus: *equidem aliquid interesse rebar inter id tempus, quo nondum in iure ac dicione vestra Graecia atque Asia erat ... et hoc, quo finem imperii Romani Taurum montem statuistis, quo libertatem, immunitatem civitatibus datis, quo aliis fines adicitis, alias agro multatis, aliis vectigal imponitis, regna augetis minuitis donatis adimitis, curae vestrae censetis esse, ut pacem terra marique habeant* (38, 48, 3). Mit einer geradezu fanatischen Hingabe und man möchte fast sagen nationaler Eifersucht wacht Livius darüber, daß die weltherrscherliche Stellung Roms in jedem Augenblick unangetastet bleibt. Er, der es für ganz selbstverständlich hält, daß sich die Monarchen des Ostens mit ihrer ganzen Politik unter Roms Kontrolle begeben, wird noch nach anderthalb Jahrhunderten von Entrüstung gepackt, wenn er berichten muß, daß auch einmal die

[13] Belegstellen bei E. Norden, Kommentar zum 6. Buche d. Aeneis.[3], Leipzig 1926 zu Vs. 847–53; vgl. auch H. Fuchs, Augustin u. d. antike Friedensgedanke (Neue philol. Unters. Heft 3). Berlin 1926, S. 194 ff.

Rhodier eine Schiedsrichterrolle haben spielen wollen. Im Jahre 169 kommen Gesandte aus Rhodos nach Rom und wollen Frieden stiften zwischen Perseus von Makedonien und den Römern und erklären im Senate: *per quos stetisset, quo minus belli finis fieret, adversus eos quid sibi faciendum esset, Rhodios consideraturos esse*; Livius aber setzt hinzu: *ne nunc quidem haec sine indignatione legi audirive posse certum habeo* (44, 14, 12). Aber auch dies gibt zu denken und läßt die Livianische Interpretation der römischen *clementia* in einem seltsamen Lichte erscheinen, wenn wir den Bericht über die Verhandlungen der Gesandten des Perseus mit dem Senate im Jahre 171 in der Livianischen (42, 48) und Polybianischen (bei App. Mak. 11) Fassung miteinander vergleichen und feststellen müssen, daß nach Polybios nicht nur die Gesandten, sondern alle in Rom ansässigen Makedonen innerhalb 24 Stunden Rom und in 30 Tagen Italien verlassen müssen – ein harter Entscheid, der zu einer turbulenten Auswanderung führt, – daß aber Livius, ohne die durch den Senatsbeschluß hervorgerufenen Unruhen zu erwähnen, nur von einer Ausweisung der Gesandten spricht. Auch die „Großmut", die die Römer in Ambrakia an den Tag legen, erregt unser Befremden; alle Standbilder aus Erz oder Marmor und alle Gemälde, an denen Ambrakia als ehemaliger Königsitz des Pyrrhus besonders reich war, werden weggeschleppt. Livius fühlt die Schwere dieses Raubes nicht, fügt im Gegenteil hinzu als Beweis römischer Milde: *nihil praeterea tactum violatumve* (38, 9, 13). So tief sitzt in ihm der Glaube an die *iustitia* und *clementia* als Wertmesser und Triebfeder römischen Handelns.

Zu diesen beiden *virtutes* tritt schließlich als letzte die *moderatio*, die ja häufig genug der *clementia* erst die Entfaltungsmöglichkeit sichert. Ihr schreibt Livius weitgehend die Kraft zu, die Rom in den schweren Jahren unausgesetzter Prüfungen im zweiten punischen Kriege zum Durchhalten stark gemacht hat[14], und auf der andern Seite sieht er in ihr die Voraussetzung für die siegreiche Eroberung

[14] So urteilt er z. B. nach einer Verwüstung Nordkampaniens durch Maharbal im Jahre 217: *nec tamen is terror . . . fide socios dimovit, videlicet quia iusto et moderato regebantur imperio nec abnuebant, quod unum vinculum fidei est, melioribus parere* (22, 13, 11).

Griechenlands und des Ostens. Denn nur weil die Römer sich von *avaritia* so lange frei gehalten (Proöm. 11) und sich beim Erfolge zu beherrschen gewußt haben, haben sie sich ihre geballte, disziplinierte Kraft erhalten, Freunde und Vertrauen gefunden und das gewaltige Tempo ihres unbeirrten Vormarsches beibehalten können: *vis consili expers mole ruit sua; vim temperatam di quoque provehunt in maius* (Hor. c. 3, 4, 65; vgl. 3, 3, 49f.). Schon Polybios (27, 8) betont in Bewunderung der standhaften Haltung des römischen Konsuls P. Licinius Crassus nach seiner Niederlage gegen Perseus im Jahre 171, daß die Römer sich im Unglück stolz und schroff, im Glücke aber höchst maßvoll zu betragen gelernt hätten, was Livius aufgreift und mit einer bezeichnenden latenten Kritik an der römischen Entwicklung des letzten Jahrhunderts verknüpft: *ita tum mos erat in adversis rebus voltum secundae fortunae gerere, moderari animo in secundis* (42, 62, 11). Aber auch ohne durch seine Quelle zu einer solchen Wertung veranlaßt zu sein, steht ihm die σωφροσύνη stets als Gradmesser menschlicher Haltung vor der Seele. Voller Stolz berichtet er, daß die Plebs nach harten, aber schließlich doch erfolgreichen Kämpfen um die *lex Canuleia,* die ihr das Recht zur Wahl von Konsulartribunen aus ihren eigenen Reihen gebracht hat, in den Wahlen für das folgende Jahr 444 nur Patrizier gewählt hat: *eventus eorum comitiorum docuit alios animos in contentione libertatis dignitatisque, alios secundum deposita certamina incorrupto iudicio esse; tribunos enim omnes patricios creavit populus contentus eo, quod ratio habita plebeiorum esset. hanc modestiam aequitatemque et altitudinem animi ubi nunc in uno inveneris, quae tum populi universi fuit!* (4, 6, 11). Umgekehrt schaut er mit unverhohlener Verachtung auf den völlig undisziplinierten Antiochus, seine Offiziere und Truppen herab. Dagegen bewundert er den sein Mannes- und Römerideal verkörpernden Scipio Africanus, den er in einer eindrucksvollen Rede zu Masinissa für die Selbstbeherrschung als Krone aller Tugenden eintreten läßt (30, 14). Ihn macht er auch zu seinem eigenen Sprecher in der bereits erwähnten Rede zu den Gesandten des Antiochus, wenn er ihn das Geheimnis der römischen Erfolge in der steten Beherrschtheit erkennen läßt: *animos, qui nostrae mentis sunt, eosdem in omni fortuna gessimus gerimusque neque eos secundae res extulerunt nec adversae minuerunt* (37, 45, 12). Was einst griechische Philosophen als eins der höchsten Ziele für die individuelle Lebensgestaltung aufgestellt hatten und Horaz der Augusteischen Zeit als philosophische Maxime vor Augen rückt, das findet Livius verwirklicht in der Geschichte und in der Haltung seiner römischen Altvorderen. Und in stolzem Selbst- und Nationalbewußtsein wagt er die kühne Behauptung, daß kein Staat der Weisen bessere Führer und ein beherrschteres Volk haben könne als der römische Staat: *non equidem, si qua sit sapientium civitas, quam docti fingunt magis quam norunt, aut principes graviores temperantioresque a cupidine imperii aut multitudinem melius moratam censeam fieri posse* (26, 22, 14)[15].

Die Zahl der *virtutes*, nach denen jene Männer ihr ganz dem Staate zugewandtes Leben formten, ist nicht groß. Es handelt sich nach der Auffassung des Livius bei der Errichtung des *imperium Romanum* um eine Lebens- und Weltgestaltung nach wenigen einfachen und großen Normen, genau wie in der Vergilischen Deutung die Grundlegung der römischen Macht durch Männer erfolgt, die wie Aeneas sich nicht durch die Differenziertheit ihres Denkens oder durch eine quellende Fülle schillernder Leidenschaften, sondern durch die wenigen Tugenden der altrömischen *virtus, fides* und *pietas* auszeichnen. E. Howald hat einmal die feinsinnige These aufgestellt, daß Vergils künstlerischer Wille die Prophetie der großen und einfachen Begriffe sei; man darf, wie mir scheint, dieses Urteil auf Livius übertragen und seine Geschichtsdeutung als das Geschichtsdenken der großen und einfachen Begriffe bezeichnen. Wie bei Vergil handelt es sich auch bei ihm darum, nach der auch im geistigen Raum unerhört turbulenten Zeit der Bürgerkriege und nach der denkerisch und gefühlsmäßig in höchstem Grade aufgelockerten und zersplissenen Caesarischen Periode durch Betonung einiger weniger großer *virtutes* die Klarheit des Deutens, die Sicherheit des Wertens und die Ruhe vertieften Fühlens für seine Zeitgenossen wieder zu erwerben und zu erhalten; denn nur so kann auch eine Zielsicherheit des Handelns erreicht werden, das niemals nach tausend irrlichternden Pünktchen, sondern nur nach

[15] Ähnlich schon Cicero, De re publica 1, 34; 70 u. a.

wenigen großen geistigen Zielpunkten ausgerichtet werden kann. Voraussetzung dafür ist freilich, daß die Leitideen nicht ausgeklügelt oder von irgendwoher künstlich herbeigeholt werden, sondern daß sie dem Volke selbst und seiner Geschichte entnommen sind. Das haben die Augusteischen Dichter genau wie Augustus selbst und auch Livius gewußt und daher die altrömischen *virtutes* als Leitsterne gewählt. Zum anderen aber muß auf literarischem Gebiete unbedingte Konsequenz im Denken und Deuten und eine formale Gestaltung der Werke aus ihrer geistigen Zielsetzung heraus gefordert werden. Daß gerade dies für Livius und Vergil zutrifft, gibt ihren Werken die ungeheuer starke Geschlossenheit und Tiefenwirkung; wo immer wir ein Stück ihrer Darstellung prüfen, werden wir des Geistes des ganzen Werkes inne, und wo immer wir uns Rechenschaft über die suggestive Kraft der Darstellung und die Stärke unseres Eindrucks geben, erkennen wir, daß es die dem Geiste ihrer Werke adäquate monumentale Form ist, die uns in ihren Bann gezogen hat.

Die Darstellungsform des Livius[16] ist wie die Vergils in seiner Aeneis weitgehend durch dramatische Kunstgesetze bestimmt. Damit schließt sich Livius darstellerischen Prinzipien an, die seit etwa hundert Jahren in die römische Geschichtsschreibung Eingang gefunden und bereits wesentlich früher umformend auf die mündliche Tradition eingewirkt hatten. So kennt z. B. die älteste Überlieferung über die Vertreibung der Gallier aus Rom noch nicht die bekannte Szene, in der Camillus gerade in dem Augenblick mit dem Entsatzheer nach Rom eindringt, als die auf der Burg

[16] Darüber liegen eine Reihe neuerer Untersuchungen vor, so daß ich mich hier auf einige kurze Andeutungen beschränken kann; überhaupt ist es – wie auch bei der mittelalterlichen Historiographie – die Formanalyse gewesen, die uns die Augen wieder für die Eigenwertigkeit des Livianischen Werkes geöffnet hat. Ich verweise auf die Arbeiten von K. Witte, Rhein. Mus. 65, 1910; W. Kroll, Studien zum Verständnis der röm. Literatur, Stuttgart 1924, S. 331 ff.; A. Reichenberger, Studien zum Erzählungsstil des Titus Livius, Diss. Heidelberg 1931; E. Burck, Die Erzählungskunst des Titus Livius, Berlin 1934; sehr nützlich auch für die Gesamtwürdigung des Livius die eingehende Monographie von H. Bornecque, Tite-Live, Paris 1933.

eingeschlossenen Römer sich loskaufen wollen und den Galliern das Geld auf die Waage zählen; Loskauf und Sieg über die Gallier, ursprünglich getrennt, sind erst durch eine dramatisierende Deutung und Gestaltung in jüngerer Zeit vereinigt worden. Auch der Schlußabschnitt aus dem Rachefeldzug der Sabiner gegen Rom zur Befreiung der auf Befehl des Romulus geraubten Sabinerinnen, wo die Jungfrauen sich ganz unvermittelt zwischen die Reihen der Kämpfenden werfen, stellt eine dramatische Auflockerung eines älteren Berichts dar, nach dem sich die Frauen im feierlichen Zuge den Heeren bittflehend nahten. Unter dem Einfluß griechischer Werke aus der Schule der bereits erwähnten sogenannten tragischen oder peripatetischen Geschichtsschreibung gewannen solche dramatisierenden Tendenzen auch in der römischen Historiographie, wohl zuerst in der Monographie des Coelius Antipater über den zweiten punischen Krieg, immer stärkere Geltung, verbreiteten sich dann aber rasch auch über die anderen Gattungen der Geschichtsschreibung, sowohl auf die Autobiographie – selbst in Caesars *Commentarii de bello Gallico* spüren wir sie – wie auch auf die Annalistik, und wir konnten bereits bei der Analyse der Verginia-Erzählung darauf aufmerksam machen, daß auch sie in der Sullanischen Annalistik dramatisch durchgeformt worden war.

Als die augenfälligsten Mittel einer solchen dramatisierenden Durchformung können wir die Gestaltung geschlossener, auf ein Endziel hin ausgerichteter Einzelerzählungen, die Straffung der Handlung im Sinne eines klar überschaubaren, zielstrebigen und stufenmäßigen Voranschreitens, die Einführung von Überraschungsmomenten („dramatischer Zufall", Peripetie) und die Einfügung affektischer Szenen bezeichnen. Jedem Leser des Livianischen Werkes wird sofort eine Fülle von Beispielen für jedes einzelne dieser „Kunstgesetze" einfallen, und wer ihrer aller in konzentriertester Form inne werden will, der lese, um nur ein Beispiel zu nennen, einmal daraufhin seine Darstellung von der ersten *secessio plebis* durch[17]. Livius sichert hier dadurch, daß er die gesamte Entwicklung vom Ausbrechen des ersten Konflikts zwischen Patres und Plebs bis zur Rückkehr der ausgewanderten Plebejer in sieben

[17] 2, 22–23; vgl. Burck a. a. O. S. 61 ff.

einzelne Partien zerlegt und jeweils einen außen- und einen innenpolitischen Abschnitt miteinander wechseln läßt, seiner Erzählung eine klare Übersichtlichkeit. In den auf dem Forum spielenden Szenen wird die Handlung ruckartig eröffnet und in einer dramatischen Steigerung der Streit der zwei Parteien in steter Verschärfung bis nahe zur Krise, d. h. zur bewaffneten Auseinandersetzung beider Parteien, geführt. Die peripetieartig hereinbrechende Meldung von drohenden kriegerischen Verwicklungen gebietet in letzter Minute dem Streite Einhalt, der aber unmittelbar nach Beendigung der Kriege aufs neue, und zwar in einer ungleich verschärften Form ausbricht, bis er nach der dritten großen Streitszene schließlich zur Auswanderung der Plebs führt. Die Verhandlungen über die Rückkehr sind aufs äußerste verkürzt, so daß kein langer Redenwechsel die starke Dynamik des Ganzen stört, sondern die Endregelung als unmittelbares Ergebnis der dramatischen Kämpfe erscheint. Wie in diesem Falle beschränkt sich auch sonst die Eigenleistung des Livius häufig darauf, gewisse bereits in der Tradition gegebene dramatische Ansätze der Erzählung durch eine unter Verzicht auf alles unwichtige Detail erzielte Straffung der Erzählung zur vollen Geltung zu bringen. Umgekehrt muß er aber auch oft eine das Augusteische Feingefühl für Maß und Ordnung beleidigende, übertrieben affektische Szene auf das rechte Maß zurückführen. Ein hochaufschäumendes, ungezügeltes Pathos und ein wildes Flutenlassen der Leidenschaften, wie wir es aus den Werken eines Duris oder Phylarch kennen, ist dem Livianischen Werke ebenso fremd wie der hierin in einem scharfen Gegensatz zu den Neoterikern stehenden Augusteischen Dichtung. Auch das ist wichtig, daß sich Livius in der Ausmalung aller grausigen und gräßlichen Szenen stärkste Zurückhaltung auferlegt und in der Darstellung eines rein äußerlichen Unglücks weise Beschränkung übt. Gegenüber einem in den Einzelheiten bisweilen unbedachten und verschwenderischen Einsatz dramatischer Darstellungsmittel in der Erzählung bei seinen Vorgängern ist das Livianische Werk durch feine Ökonomie ausgezeichnet, die sparsam und mit klarem Wissen um die Wirkung die dramatisierenden Elemente benutzt.

Dabei ist nun als wichtigste Erkenntnis der bisher geleisteten Formanalyse festzuhalten, daß Livius eine Dramatisierung einer

Einzelerzählung fast niemals aus rein ästhetischen Rücksichten vornimmt, sondern daß er die treibenden Kräfte der verschiedenen politischen und militärischen Bewegungen in einer möglichst konzentrierten und sinnfälligen Form dem Leser vor Augen stellen will. Es liegt ihm nicht daran, einen durch die Fülle der berichteten Tatsachen ermüdeten Leser aufzurütteln, sondern er will das Ergebnis eines historischen Deutungsaktes vorlegen. Die von seinen Vorgängern angestrebte äußerliche Dramatisierung der Ereignisse löst Livius also, indem er hinter jeder einzelnen Handlung die tragenden seelischen Kräfte aufdeckt, durch innere Dramatik ab. Das haben wir bereits bei den Erzählungen vom Tode der Verginia und von der Heldentat des Horatius Cocles beobachten können und finden es bei der Analyse jeder einzelnen Erzählung aufs neue bestätigt. Die dramatische Form aber dient genau wie bei Vergil dazu, den Leser so stark als nur irgend möglich in den Kreis jenes psychischen Kräftespiels einzubeziehen und damit unter den Eindruck der großen *virtutes* zu stellen, die Rom vorwärts gebracht haben und die er als lebendige Kräfte in seinem Volke wiedererwecken will. Denn er glaubt an die Wahrheit der von den Vorfahren gehegten Anschauung, die uns Sallust bezeugt: *nam saepe ego audivi Q. Maxumum, P. Scipionem, praeterea civitatis nostrae praeclaros viros solitos ita dicere: cum maiorum imagines intuerentur, vehementissume sibi animum ad virtutem accendi* (Iug. 4, 5). Daß ihm durch die Verlebendigung der großen Römergestalten in seinem Werke das gleiche gelinge und daß er als Herold ihrer Taten das leiste, was er den in Spanien gefallenen beiden Scipionen als Sinn ihres Lebens und Sterbens über das Grab nachrufen läßt "*vivunt vigentque fama rerum gestarum*", darin liegt der letzte Sinn und das höchste Ziel des aus tiefstem Verantwortungsgefühl gegenüber dem römischen Volksganzen heraus geborenen Livianischen Geschichtswerkes beschlossen.

III

LIVIUS UND AUGUSTUS

Gerhard Stübler, Die Religiosität des Livius. Tübinger Beiträge zur Altertumswissenschaft, H. 35, Stuttgart: Verlag W. Kohlhammer 1941. S. 201–204.

DAS BILD DES AUGUSTUS

Von Gerhard Stübler

Augustus und die Devotion

Woher Livius die Kraft zu seiner neuen, zuversichtlichen Deutung der Devotion schöpft, sagt er selbst. So wenig zufällig der Gebrauch des Wortes *augustus* in der Geschichte des Romulus ist, so wenig bei der Devotion, wo es nicht weniger als viermal erscheint: 5, 41, 2 und 8 von Kleidung und Antlitz der Devovierten, 8, 6, 9 von der Traumerscheinung, die zur Devotion aufforderte, und an der entscheidenden Stelle 8, 9, 10 von Decius, der als Gesandter des Himmels jenem sich im Traum offenbarenden Gott an die Seite gestellt wird. Ebenso wie mit Hercules und Romulus verbindet Augustus auch mit Decius eine innere Wesensgemeinschaft[1].

Wir haben oben bereits auf den Fluch hingewiesen, der nach weit verbreiteter Ansicht seit der Ermordung des Remus durch seinen Bruder Romulus auf Rom lastete. Horaz, bei dem wir jene Ansicht vorfinden, nennt Rom in der 16. Epode zweimal eine verfluchte Stadt (v. 18 und 36); ja in demselben Gedicht werden die Römer als devoviert bezeichnet[2]. Genauso wie bei den Samniten äußert sich die „Devotion" in Wahnsinn, in der blinden Raserei der Bürgerkriege (epod. 7, 13), und als bitteres Ende droht Rom der Untergang, der Tod, den Horaz mit der Fahrt zu den Inseln der Seligen nur dichterisch umschreibt. Etwas von dieser Untergangsstimmung ist sogar noch bei Livius, besonders in der Vorrede, zu spüren. Und doch ist er wie Horaz und die meisten seiner Landsleute von jener Sündenfurcht, die alles gefangengehalten hatte, befreit

[1] Augustus ist ja wie Decius Abkomme des Aeneas; vgl. den Titel der Tragödie des Accius „Decius sive Aeneadae".

[2] *quam (sc. Romam) . . . inpia perdemus devoti sanguinis aetas* v. 9.

worden. Augustus hat jener blinden Raserei der Bürgerkriege ein Ende bereitet, hat auch die äußeren Feinde bezwungen und Rom den wahren, dauerhaften Frieden gebracht. Er schien vom Himmel gesandt wie Decius, den Fluch zu tilgen und den Segen der Gottheit zu vermitteln; darum ist in ihm Romulus wiedergeboren, aber rein von jener Schuld des Brudermords und zum Heil seines Volkes und der ganzen Welt. „Wenn noch Spuren von unserem Verbrechen zeugen, so werden sie getilgt die Welt vom beständigen Grauen erlösen"[3]. Augustus' eigenes Wirken spiegelt ja die himmlische Gnade wider. Neben seinen anderen Tugenden ist es vor allem die *clementia,* mit der er dem Gegner, der durch seine Schuld den Tod verdient hatte, das Leben schenkte (vgl. r. g. I 3) und damit den Wahnsinn der Bürgerkriege, der sich wie eine Kette von Frevel und Schuld ins Unendliche fortzusetzen drohte, ein für allemal beseitigte. Gott selbst wollte mit der Sünde, der Rom verfallen schien, Schluß machen, und deshalb hat er Augustus wie Decius als „Sühnopfer all seines Zornes" gesandt.

Wenn die Gottheit dafür, daß sie Rom ihre Gnade schenkte, von Decius, dem Reinen, forderte, daß er sein Leben für sein Volk hingebe, um dessen Schuld zu sühnen, gilt dies nicht auch für Augustus? Freilich, Augustus war noch unter den Lebenden, aber opferte er sich nicht schon im Leben ähnlich wie Hercules, mit dem er so oft verglichen wurde, für die Menschheit auf, trug er nicht geduldig wie jener ein Leben voll Mühsal und Plage, das allein im Dienste der Menschheit stand[4]? Als ein Mann, der nichts für sich, alles für die andern tut, hat er sich in seinem Tatenbericht dargestellt[5]; so hat ihn auch Livius in seinem Ebenbild Camillus gezeichnet. Seine *moderatio* grenzt an Selbstentäußerung, die mit vollendeter *pietas,* Hingabe an die Gottheit, verbunden ist. Er schenkt buchstäblich sein Leben dem Volk, das ohne ihn dem Untergang geweiht wäre; darf es einen wundernehmen, wenn sich

[3] Virg. ecl. 4, 13 f.; vgl. Georg. I 501; die berühmte Priene-Inschrift bei W. Dittenberger OGI Nr. 458. Man denke auch an die ludi saeculares, in denen die Wieder- und Neugeburt eines besseren Zeitalters gefeiert wurde; vgl. R. Pettazzoni, Augustus, Roma 1938, 221 f.

[4] F. Pfister, Herakles und Christus, ARW 34 (1937) S. 44 ff.

[5] W. Weber, Princeps I. Berlin 1936, S. 218 und sonst.

im Jahre 27 ein Volkstribun dem Retter Augustus devovierte[6]? War es für Manlius Capitolinus Frevel und Sünde, eine solche Devotion anzunehmen, so hatte Augustus ein Recht darauf. Im Bewußtsein, daß vom Leben des Augustus sein eigenes abhing, betete einmütig das Volk in den Tempeln zu den Göttern, sie möchten ihm Augustus erhalten. Und wenn gemäß einem Gelübde für sein Leben jährlich alle Stände ein Geldstück in den kleinen See warfen, wo sich einst Curtius devoviert haben sollte[7], so hat dieser Brauch einen tiefen Sinn: man bat die Götter, sich mit jenem kleineren Opfer zufriedenzugeben und von Augustus jenes letzte und größte Opfer, die Devotion, nicht zu früh, wenn möglich überhaupt nicht zu fordern.

Drohte ihm nicht jederzeit jener Opfertod für das Vaterland? Setzte er sich nicht auf den Feldzügen unzähligen Gefahren aus? Konnte ihn nicht beinahe täglich das Schicksal seines Vaters Caesar ereilen, dessen Tod auch schon als eine Art Devotion aufgefaßt werden konnte[8]? Anschläge genug sind auf ihn verübt worden[9]. Wie

[6] Cass. Dio 53, 20, 2 f.; vgl. Wissowa, RE V 280. [7] Suet. Aug. 57.

[8] Schon das Leben Caesars diente mehr dem Nutzen des Staates als dem seinen, wie er selbst öfters äußerte (Suet. Jul. 86); und daß der Tod ihm beinahe erwünscht gekommen sei, stehe, berichtet Sueton (87), bei allen fest. Sein Tod ist also ähnlich freiwillig wie der des Decius. Auf der andren Seite haben sich die Mörder, deren Verschwörung so frevelhaft ist wie die Vereidigung der Samniten und Bacchanten, da ihr Eid den Bruch des Caesar geleisteten Treuschwurs bedeutet, selbst förmlich dem Tod geweiht. Keiner der Mörder überlebte Caesar länger als drei Jahre, und keiner stirbt eines natürlichen Todes (Suet. 89); sein Sohn Augustus vollzieht die Devotion an den Feinden, und hier kennt er bezeichnenderweise entgegen seiner sonstigen Gewohnheit kein Erbarmen: hier vollzieht er das Gericht der Gottheit. Doch ist Caesar wohl nicht der erste, dessen Tod das Volk an den Akt der Devotion erinnerte: seine Gegner haben den Ausgang ihres „heiligen" Cato mit dem Glanz des Opfertodes umgeben. Bei Lucan (Phars. II 304 ff.) spricht Cato den Wunsch aus, durch seinen freiwilligen Tod das Volk von seiner Sündenschuld zu befreien; die bedeutungsvollen Worte enthalten wohl eine ältere Anschauung, die Lucan bereits vorgefunden hat. Beide Parteien, die Anhänger des Cäsarentums wie die Republikaner, haben sich des religiösen Symbols der Devotion im Kampf gegeneinander bedient. [9] Siehe Suet. Jul. 19; 79.

wenige seiner Verwandten und Nachfolger sind eines natürlichen Todes gestorben! Leicht konnte der Fall eintreten, den das Volk mit jener Opferhandlung am See des Curtius abzuwenden suchte, und jener Brauch zeigt, wie das Volk einen solchen Tod ausgelegt hätte. Er mußte die Krönung seines Lebens sein; hatte er schon durch sein selbstloses, aufopferndes Leben und Wirken den Zorn der Götter besänftigt und ihre Gnade herbeigerufen, so mußte sein Tod den letzten Rest der Schuld der Römer tilgen, wenn er, schuldlos und rein wie Decius, sich freiwillig zu dem Opfer für sein Volk erbot. Denn daß er wie Hercules, der den Tod auf sich genommen hat, zu jenem Opfer bereit war, daß ihm ähnlich wie seinem Vater Caesar der Tod eher ersehnt als gefürchtet gekommen wäre, hat er in seinem Leben zur Genüge bewiesen, das ja ohnehin schon ganz dem Volk und den Göttern geweiht war.

Der Deutung seines Todes als einer Devotion widerspricht nicht die Apotheose, die man von ihm erwartet hat; sie ergänzt sie vielmehr. Selbstentäußerung und Erhöhung zum Gott, bis ins letzte gesteigerte *moderatio,* in der sich der Mensch vor Gott niederwirft, und *clementia,* mit der sich der Gott des Menschen erbarmt, sind in Augustus vereinigt, die Doppelnatur des Gottmenschen bezeichnend. Auch in dem Tatenbericht, den Wilhelm Weber den Mythos des neuen Gottes genannt hat, stellt er sich als „Menschensohn" hin[10] und betont mehrmals, daß er hinter Gott zurücktreten wolle[11]. Er zeigt als Mensch durch sein eigenes Beispiel seinen Mitbürgern, wie sie die Götter verehren sollen, er, der selbst vom Himmel stammt und zu ihm zurückkehren wird. Bis in den Tod hinein erstreckt sich jene Spannung zwischen Mensch und Gott im Wesen des Augustus: als Mensch erleidet er den Tod, um seinem Volk ewiges Heil zu bringen, als Gott fährt er zum Himmel und erringt die Ewigkeit. Jener scheinbare Widerspruch löst sich angesichts des Wunders, das sich einmalig und unwiederholbar in Augustus offenbart und das auch Livius die Kraft gegeben hat, die Devotion des Decius neu und

[10] W. Weber, a. a. O. S. 239.
[11] r. g. I 4; II 10; IV 24.

verheißungsvoll zu deuten: Gott selbst sandte mit Augustus das Sühnopfer, um Rom von Schuld und Sünde zu befreien, Gott selbst, Gottes Sohn, stieg zur Erde hernieder, um durch sein Opfer die Welt zu erlösen.

Ronald Syme, Livy and Augustus, Harvard Stud. in Class. Phil. Bd. 64, Cambridge: Harv. Univ. Pr. 1959. S. 74–76. Übersetzt von Marie-Louise Gülzow.

LIVIUS UND AUGUSTUS

Von Ronald Syme

Die Livianische Bearbeitung der Periode 28–9 v. Chr. war eine Rückkehr zu republikanischen Annalen. Wie der Princeps in seinen öffentlichen Äußerungen verfocht der Historiker die Kontinuität mit der republikanischen Vergangenheit. Das war damals Mode. Doch es war mehr als das. Livius folgte seiner eigenen Neigung und der Tradition seiner Heimatstadt. Die Einwohner Norditaliens zeichnete nämlich auch ein starker imperialer Patriotismus aus. Die beiden Formen der Loyalität waren durchaus vereinbar[1]. Wie andere Männer, die der gleichen Gesellschaftsschicht angehörten und ähnlich dachten, – die politisch nicht engagierten Kreise der Gesellschaft, die durch die neue Ordnung befreit und beschützt waren – hat Livius die Herrschaft des Kaisers Augustus freudig begrüßt, ohne sich unaufrichtig zu fühlen. Die Römer waren sich einer langen Entwicklung in der Geschichte ihres Staates bewußt, sie kannten die Notwendigkeit von Abwechslung und Erneuerung. Livius läßt den Volkstribunen Canuleius diesen Grundsatz für das Geschick Roms aussprechen – *quis dubitat, quin in aeternum urbe condita, in immensum crescente nova imperia, sacerdotia, iura gentium hominumque instituantur*[2]. Das Argument des Livius wurde von seinem Schüler, dem Kaiser Claudius, übernommen, um eine revolutionäre Erneuerung in der Zusammensetzung des römischen Senats zu rechtfertigen[3].

Wenn er von *nova imperia* sprach, dachte Livius an Entwicklungen in jüngster Vergangenheit oder in der Gegenwart. Der Versuch, die

[1] Cf. G. E. F. Chilver, Cisalpine Gaul (1941), 208 ff.

[2] Liv. 4, 4, 4.

[3] ILS 212 (Lugdunum); Tacitus, Anm. 11, 24. Cf. A. Momigliano, Claudius. The Emperor and his Achievement (1934), 17 f.

Rechtfertigung der neuen politischen Ordnung durch Livius zu rekonstruieren, wäre keine unnütze oder allzu ehrgeizige Spekulation. Ganz kurz drei Argumente: das Imperium ist so groß, daß es nur von einem einzigen Herrscher erhalten werden kann; die Einsetzung des Prinzipats geschah mit Gewalt – doch als solche war sie unvermeidbar; das Ergebnis ist Freiheit ohne Zügellosigkeit, Disziplin ohne Despotismus.

Bei Tacitus werden diese Verteidigungsgründe von einer Gruppe von *prudentes* bei den Obsequien des Kaisers Augustus vorgebracht[4]. Sie tauchen auch an der Parallelstelle bei Cassius Dio auf, die ganz eindeutig ebenfalls auf einen der früheren Historiker zurückgeht[5]. Nichts spricht gegen die Vorstellung, daß Formulierungen dieser Art weit in die Vergangenheit zurückreichen – sogar bis zu den Zeitgenossen hin[6].

So mögen die Annalen der *res publica restituta* bei Livius wohl in ihren Grundzügen gewesen sein. Mancher hat vielleicht angenommen, daß es seiner Darstellung jener Jahre bestimmt war, von entscheidendem Einfluß auf spätere Historiker zu sein. Diese Erwartung wird durch die Quellen nicht bestätigt. Außer Censorinus nennt niemand Livius als Quelle für irgendein Detail oder eine Meinung: das ist das einzige Zitat aus den Büchern 134 bis 142, das zufällig erhalten ist[7]. Dios Vorgehen ist bezeichnend. Für die Darstellung des Augustus greift er auf Historiker zurück, die unter seinen Nachfolgern schrieben. Man weiß kaum mehr als die Namen. Die Verfolgung und der Selbstmord des Cremutius Cordus hat damals wohl ein Aufsehen erregt, das sein Werk in keiner Weise verdiente. Doch eindrucksvolle Zeugnisse berichten von den Verdiensten des Aufidius Bassus und M. Servilius Nonianus (*cos.* 35 n. Chr.)[8]. Dies ist nicht der Ort, um die Frage nach Dios Hauptquelle

[4] Ann. 1, 9, 4 f.

[5] Dio 56, 43 f., vgl. dazu R. Syme, Tacitus (1958), 272 f.

[6] Cf. Florus 2, 14, 5 f. (möglicherweise von Livius hergeleitet): *perculsum undique ac perturbatum ordinavit imperii corpus, quod haud dubie numquam coire et consentire potuisset nisi unius praesidis nutu quasi anima et mente regeretur.*

[7] Censorinus, De die natali 17, 9 = fr. 56 Weissenborn.

[8] Quintilian 10, 1, 102; Tacitus, Dial. 23, 4.

für die Darstellung der Regierungszeit des Augustus zu erörtern. Vielleicht war es Aufidius Bassus, wie einige Gelehrte behaupten[9]. Es mag sein, daß diese Historiker Livius völlig übersahen oder ihn nur zur Orientierung über die Ereignisse und für die Feldzüge des Tiberius und Drusus oder dergleichen benutzten. Aufidius veröffentlichte auch eine besondere Monographie über die Bella Germaniae, die wohl eine Fortsetzung der Kriege nach dem Tode des Drusus war und die Zeit bis zum Triumph des Germanicus im Jahre 17 n. Chr. umfaßte. Für die annalistische Geschichte waren die Quellen des Livius auch Aufidius und Servilius zugänglich, und sie wollten vielleicht eine ganz andere Art von Geschichte schreiben.

Der Stil des Livius war veraltet, seine Gefühle waren unangenehm oder unpassend. Das vielsagende Versprechen – oder die geschickte Täuschung – des Augustus verblaßte vor dem Verdacht, daß *principatus* eigentlich *dominatus* bedeutete. Wenn sie nicht Schmeichelei ist, dann neigt die kaiserzeitliche Geschichtsschreibung dazu, ein offener oder versteckter Angriff auf das kaiserzeitliche System zu sein. Die Person des Augustus, des Begründers der Julisch-Claudischen Dynastie, war mehr oder weniger geschützt; doch die Geschichte seiner Regierungszeit gab durchaus Gelegenheit zu einer ungünstigen Darstellung. Die annalistischen Teile bei Livius boten nicht das rechte Material, denn er hatte die wahre und geheime Geschichte der Dynastie nicht schildern können.

Die Annalen des Livius über Augustus waren in freudiger Anerkennung der neuen Ordnung und in lobender Zustimmung zur Regierung und ihren Leistungen geschrieben. Ihr Ton war moralisch, ihre Färbung wohlwollend. Anders als die meisten früheren Historiker bemühte er sich, nicht nur einen Leitfaden für den Politiker, sondern Vorbilder für das Verhalten des einfachen Mannes aufzustellen[10]. Die Richtung, die der Prinzipat später

[9] Zum Beispiel F. A. Marx, Klio XXVI (1933), 323 ff.; XXIX (1936), 202 ff. Zu diesem Historiker siehe mein Buch über Tacitus (1958), 274 ff.; 697 ff. Eine besondere Untersuchung von Dios Darstellung der Regierung des Augustus wird dringend benötigt.

[10] R. Heinze, Vergils epische Technik[3] (1914), 475 f.

eingeschlagen hatte, rechtfertigte eine Rückkehr zu der düsteren und pessimistischen Vorstellung von Politik und menschlicher Natur, wie sie Sallust klassisch gemacht hatte. Weder mit seinem Denken noch mit seinem Stil paßt Livius in die Entwicklung der römischen Historiographie hinein, die Sallust mit Tacitus verbindet.

Noch ein anderer Grund schließt ihn von dieser Tradition aus. Die Geschichtsschreibung galt als geeignete Beschäftigung für den Staatsmann, der sich zurückgezogen hatte, sie war von sich aus keine Laufbahn und kein Beruf. Livius begann mit der Geschichtsschreibung, ohne gelernt zu haben, wie Geschichte gemacht wird.

Wenn Cassius Dio als Maßstab gelten kann, war Livius für republikanische Geschichte kanonisch; nicht so nachhaltig war seine Bedeutung für die Geschichte der Zeit des Triumvirats, – und er wurde kaum beachtet, wenn es um die Regierungszeit des Kaisers Augustus ging. Tatsächlich hat Dio für einen früheren Abschnitt der Geschichte, als er die Wahl zwischen Livius und Sallust als Quellen für die Darstellung der Feldzüge des Lucullus hatte, sich für Sallust entschieden[11].

Die Gründe liegen auf der Hand. Es wäre zu fragen: zeigte Livius sich in den Büchern 121–142 von seiner besten Seite? Haben jene Annalen aus seiner eigenen Zeit nicht vielleicht einige seiner charakteristischen Schwächen aufgedeckt – seine Fügsamkeit, sein nachsichtiges Wohlwollen, seine Abneigung, sich mit historischen Problemen auseinanderzusetzen, sein mangelndes politisches Urteilsvermögen?

[11] Th. Reinach, Mithridate Eupator (1890), 449 f.

Gymnasium, Bd. 68/1961, S. 278–285.

LIVIUS UND AUGUSTUS*

Von HANS JOACHIM METTE

Am Schlusse des Buches 116 des Livius geschah des jungen Caesar im Verlaufe der historischen Ereignisse erstmalig Erwähnung; er sollte von da an im Mittelpunkt der Darstellung, einer echten ‚Zeitgeschichte', bleiben.

Aber diese Darstellung selber ist verloren. Wir sind angewiesen auf die *periochae* 116–142, deren Auszüge gegen Ende immer dünner werden (136 f. fehlen ganz). Daneben treten die Exzerpte des Florus, Epit. 2, 14, 1–30, 30 Rossbach; Eutropius, *Ab urbe condita breviar.* 7, 1–10 Rühl; Paulus Orosius, *Historiae adversus paganos* 6, 18–21 Zangemeister; Iulius Obsequens, *Ab anno urbis conditae 505 prodigia* 68–72 Rossbach; Cassiodorus, *Chron.* (Angabe der Konsuln mit kurzen historischen Daten) edd. Weissenborn²-Müller (1881). Dazu kommen gelegentliche Exzerpte bei Valerius Maximus, *Fact. ac dict. memorab.* (31 n. Chr.), und Iulius

* Die folgenden Ausführungen stellen das letzte Drittel eines Aufsatzes dar, in dessen erstem Drittel der Verf. darlegt, daß Augustus zwar zunächst beabsichtigt habe, die ihm übertragenen außerordentlichen Vollmachten zurückzugeben und seine herausgehobene Stellung nur als *statio principis*, als „Posten auf Zeit" zu betrachten. Aber mindestens seit dem Jahre 17 habe er an eine erbliche Diadochie gedacht und sich für sie eingesetzt. Der Verf. fragt weiter, wie Livius diese neue Entwicklung beurteilt hätte und wie er das Bild des Augustus gezeichnet habe. Die Erwähnungen des Augustus in den erhaltenen Büchern deutet er als kühle Anerkennung in korrekten offiziellen Wendungen, denen aber jeder Ausdruck der Bewunderung der Persönlichkeit und seiner Leistungen für eine neue staatliche Ordnung und Friedenszeit fehle. Außerdem bewiesen seine „Herausstellung des Pompeius" und „Geringschätzung des älteren Caesar" eine scharfe Distanz zu Augustus. Dann folgen die hier abgedruckten Darlegungen.

Frontinus. Insbesondere aber sind wir angewiesen auf die Darstellung des Cassius Dio Cocceianus (ca. 200 n. Chr.), der diesen Lebensabschnitt des Augustus in seinen 'Ρωμαϊκά 45, 1–55, 2 (ed. Boissevain² [1955]) dargestellt hat (etwa bis zur *laudatio funebris* des Augustus für Drusus im Jahre 9 v. Chr.: 55, 2, 2). Als Hauptvorlage des Cassius ist Livius für Buch 45–51 gesichert. Das hat namentlich Eduard Schwartz gezeigt, in der R-E I 3, 1899, insbesondere – durch ausführliche Konkordanzen mit den genannten Exzerptoren – in den Spalten 1703–05 (jetzt in: Griechische Geschichtsschreiber, Leipzig 1957, 423–425): geringe Versehen sind zu unterstellen, die gelegentliche Heranziehung von Nebenquellen ist zuzugeben (vgl. Schwartz a. O. 1711 f. [= 434 f.]), von der ‚rhetorischen' Ausgestaltung muß abstrahiert werden. Aber es bleibt eine sehr profilierte Grundauffassung, die sich durch die ganzen Bücher hindurchzieht. Dieselbe Grundauffassung herrscht aber auch in Buch 52–54 vor. Während 52, 1–53, 21 wegen ihres grundsätzlichen Charakters (Näheres unten) einen Vergleich mit Einzelheiten der Exzerptoren nicht zulassen, lassen sich ab 53, 22 wieder Übereinstimmungen mit diesen, wenn auch nicht in der dichten Fülle wie bis 51 Ende, nachweisen: z. B. finden sich von den fünf *prodigia* bei Obsequens 71 f. das zweite bei Cass. 54, 19, 7 (16 v. Chr.), das vierte 54, 20, 5 (16 v. Chr.), das fünfte 54, 33, 2 (11 v. Chr.). Es bedeutet also kein unerlaubtes Wagnis, wenn wir Cassius Dio für die politische Überzeugung des Livius überhören, was bisher zu wenig geschehen ist: welcher Historiker, dessen Name noch um 200 n. Chr. seinen Klang behalten hätte, käme außer Livius für diese deutlich hörbare Grundauffassung in Frage, zumal für Cassius selber gesichert ist, daß er loyaler Anhänger der Monarchie war?

In 46, 33 befinden wir uns bei Cassius in ‚livianischem' Zusammenhang: Darstellung der *prodigia* (∼ Obseq. 69) in dem Augenblick, wo C. Pansa, A. Hirtius und der junge Caesar im Jahre 43 v. Chr. vom Senate den Auftrag erhalten haben, gegen Antonius ins Feld zu ziehen. Daran schließt Cassius in c. 34 Überlegungen darüber an, wer αἴτιος an dem Tode der zahlreichen Römer sei, den dieser Beschluß des Senates zur Folge hatte. Er sieht den Fehler im Senat selber, der sich nicht habe entschließen können, ἕνα τινὰ τὸν τὰ ἀμείνω φρονοῦντα προστήσασθαι καὶ ἐκείνωι διὰ παντὸς συνάρασθαι, „einem einzelnen, der seine politische Integrität bewiesen habe, eine Vollmacht auf Zeit zu erteilen und ihn dann in jeder Weise zu unterstützen". Das dürfte nicht gerade auf den jungen Caesar gehen. Man ist eher gehalten, an die *ciceronische* Konzeption (*De re publ.* 5 fr. 8/9 p. 119 Ziegler[4]) des *princeps civitatis* zu denken, des *moderator rei publicae*, der von Cicero mit dem guten κυβερνήτης, ἰατρός, στρατηγός verglichen wird, dem eine weitreichende Vollmacht auf Zeit durch den Senat hätte verliehen werden sollen. Der Gedanke an eine dynastische Superstition, an eine mystische Übertragung der ἀμείνων φρόνησις etwa des älteren Caesar auf den neunzehnjährigen Adoptivsohn scheidet völlig aus. Denn das Versagen des Senats in der damaligen Lage führt dann dazu, daß (34, 4) „sie alle dem Kriege dieselbe Aufgabe zuwiesen: Zerstörung der *libera res publica* und Aufrichtung einer *dominatio* (im Endeffekt doch der des jungen Caesar!), daß sie, während die einen (die Senatsgruppe) darum kämpften, wem sie als Sklaven dienen, die andern, wer von ihnen der *dominus* sein werde ...", ἡ μὲν γὰρ ὑπόθεσις τοῦ πολέμου μία πᾶσί σφισιν ἦν τόν τε δῆμον καταλυθῆναι καὶ δυναστείαν τινὰ γενέσθαι, μαχόμενοι δὲ οἱ μὲν *ὅτωι δουλεύσουσιν*, οἱ δὲ *ὅστις αὐτῶν δεσπόσει* ... Dieser Hohn gehört nicht dem Jahre 200 n. Chr. an.

Hirtius und Pansa sind gefallen; der junge Caesar hat durchgesetzt, daß ihm (zusammen mit Q. Pedius) der Konsulat übertragen wird: damals, so berichtet Cassius 46, 46, 2 f. (~ Obseq. 69 p. 179, 25–29 Rossbach, bei geringer Unstimmigkeit), erschienen dem jungen Caesar vor und nach der Wahl je sechs Geier, die ihn an Romulus und das ihm gewordene Vogelzeichen erinnerten und ihm die Erwartung erregten, er werde die ‚Monarchie' des Romulus wiederaufrichten. Natürlich liegt darin ein Rückverweis, vermutlich ein Rückverweis auf Liv. 1, 7, 1–3: aber gerade hier hat Livius sich gehütet, des jungen Caesar irgendwie zu gedenken.

Antonius, Lepidus und der junge Caesar haben den ersten *triumviratus rei publicae constituendae* (der nach den fasti Colotiani [Inscript. Ital. 13, 1 ⟨1947⟩ ed. A. Degrassi, nr. 18, mit Taf. 85] vom 27. 11. 43 bis zum 31. 12. 38 lief) geschlossen und sich durch die Komitien bestätigen lassen. Es folgten die grauenhaften Proskriptionen, die Cassius in 47, 1–15 voller Empörung schildert. Nur mit Mühe gelingt es ihm – Florus 2, 16, 6 läßt den jungen Caesar nur die *percussores patris* fordern –, in c. 7 den Anteil des späteren Augustus zu beschränken (immerhin behandelt er diesen sehr viel maßvoller, als es etwa Iulius Saturninus nach Suet. *Aug.* 27 [F 1, II 71 Peter] getan zu haben scheint). Cassius schließt diesen Abschnitt mit der Bemerkung (15, 4): „... so daß die ‚Monarchie' des jungen Caesar demgegenüber noch als ‚Gold' erschien."

Bis zu diesem Zeitpunkt hat nun Livius noch zu Lebzeiten des Augustus publiziert. Die folgenden Ereignisse wurden in seiner Darstellung der Öffentlichkeit erst nach dessen Tode bekannt.

Es kommt zur Entscheidung von Philippi. Cassius eröffnet diesen Abschnitt in 47, 39 u. a. mit den Worten: „... Um die *libertas* und die *libera res publica* kämpften sie damals wie sonst nie wieder. Sie gerieten auch später wieder aneinander, wie auch schon früher; aber jene Kämpfe führten sie darum, wem sie ‚gehorchen' sollten, damals aber handelte es sich darum, daß die einen (Antonius und der junge Caesar) sie in die *dominatio* hineinführten, die anderen sie zur Autonomie zurückzugewinnen suchten. Seit der Zeit erhob sich der *populus Romanus* auch nicht wieder zu einer ἀκριβὴς παρρησία, obgleich er ja an sich damals von keinem Staatsfeind besiegt wurde ..., sondern er selbst (der *populus Romanus*) war Sieger zugleich wie Besiegter, schlug sich und wurde geschlagen, und seit diesem Augenblick beseitigte er zugleich das demokratische Grundelement und gab dem monarchischen seine Stärke. Und ich möchte nicht behaupten, daß es für sie nicht doch von Vorteil war, damals geschlagen zu werden: denn was könnte man über sie, die doch auf beiden Seiten kämpften, anderes aussagen, als daß Römer besiegt wurden, aber ein Caesar siegte?! Denn bei der damaligen inneren Verfassung des Staates zeigten sie sich nicht mehr in der Lage, zur *concordia civilis* zurückzufinden: denn eine ‚ungemischte' Demokratie, die einmal zu einem derartigen ἀρχῆς ὄγκος vorgeschritten ist (das ist ciceronisch-platonisch gedacht), vermag nicht mehr zur φρόνησις zu finden. Sie hätten nur weitere Kämpfe um Kämpfe geführt und wären eines Tages völlig zu Sklaven geworden oder sogar vernichtet." Ein verzweifeltes Sich-Abfinden mit der tatsächlichen Entwicklung, voller Bitterkeit.

Dann vor Beginn der Einzelkämpfe, anläßlich der *adhortationes*,

47, 42, 3–5: „Die Gruppe um Brutus hielt den Ihrigen die *libertas* und die *libera res publica* und einen Zustand ohne Tyrannen und Despoten vor Augen, und die Vorteile der Isonomie sowie die Nachteile der Monarchie...; die anderen (der junge Caesar und Antonius) rieten ihrem Heere, sie sollten Rache nehmen an den ‚Mördern' (Programm des jungen Caesar) und sich der Besitztümer ihrer Gegner bemächtigen und danach streben, Herren zu werden über die Menschen gleichen Blutes, und was sie am meisten aufstachelte, sie versprachen einem jeden 5 000 Drachmen (!)". – 47, 43, 1: „Und zuerst gingen die Parolen durch ihre Reihen: die um Brutus hatten die Parole ‚Freiheit!', die andern – welche Parole denn auch immer gegeben wurde."

Einige Zeit später. Im Jahre 35 (vgl. *per.* 131) unternimmt der junge Caesar seinen Feldzug gegen die Pannonier, „ohne daß er ihnen etwas hätte vorwerfen können" – sagt Cassius 49, 36, 1 –, „denn sie hatten ihm ja auch kein Unrecht getan, sondern nur um die Soldaten zu üben und gleichzeitig aus dem fremden Lande zu ernähren, πᾶν τὸ τῶι κρείττονι τοῖς ὅπλοις ἀρέσκον δίκαιον ἐς τοὺς ἀσθενεστέρους ποιούμενος", mit dem Hohne, dessen Thukydides die Athener sich den Meliern gegenüber bedienen ließ.

Die Kämpfe gegen Antonius sind endgültig abgeschlossen (29 v. Chr.). In diesem Augenblick widmet Cassius die Kapitel 52, 1–53, 21 den staatsrechtlichen Vorgängen der Jahreswende 28/27. Naturgemäß trägt dieser Abschnitt stärker theoretischen Charakter, so daß man Einzelheiten, die die Exzerptoren des Livius hätten interessieren können, kaum erwarten kann. Und doch bleibt die profilierte Grundauffassung, die wir bisher beobachten konnten, unverändert, so daß auch für diesen Abschnitt Livius als Hauptvorlage zum mindesten durchaus wahrscheinlich bleibt. In 52, 1 heißt es, daß der junge Caesar damals den Plan hatte, die Waffen niederzulegen und die *res publica* an Senat und Volk zurückzugeben. Damals habe – so wird frei komponiert (aber ohne Anhalt etwa an Livius?) – Agrippa dem jungen Caesar in ausführlicher Rede vorgeschlagen, die *libera res publica* alsbald wieder herzustellen (c. 2–13), Maecenas im Gegensatz dazu zur ‚Monarchie' geraten (c. 14–40: die Grundsubstanz entspricht der Zeit des ersten Prinzipats; dazu tritt eine Erweiterung durch eigene Reformgedanken des Cassius Dio selbst, wie Schwartz a. O. 1719 f. [= 447] im Anschluß an die These von Paul Meyer vom Jahre 1891 näher ausführt). Bezeichnenderweise schließt Cassius die σύγκρισις der beiden Vorschläge mit der Bemerkung ab, der junge Caesar habe faktisch gewiß die Überzeugung des Maecenas geteilt, doch nur schrittweise vorgehen wollen (41, 1 f.).

Die Paragraphen 53, 2, 6 f. leiten dann die berühmte Senatssitzung vom 23. 1. 27 ein: „Der junge Caesar wünschte sich die ‚Monarchie' freiwillig von den Römern zusichern zu lassen... Dementsprechend ‚präparierte' er diejenigen Senatoren, die ihm am geeignetsten zu sein schienen, betrat dann den Senat – in seinem siebenten Konsulat – und verlas etwa folgende Proklamation": diese folgt in c. 3–10.

Bekanntlich schrieb Augustus selber kurz vor seinem Tode folgendes: (*Res gest.* 34 p. 56/58 V.)... *rem publicam ex mea potestate in senat[us populique Rom]ani [a]rbitrium transtuli* (also aoristisches oder resultatives Perfektum); *quo pro merito meo senatu[s consulto Au]gust[us appe]llatus sum... post id tem[pus a]uctoritate [omnibus praestiti, potes]ta[t]is au[tem n]ihilo ampliu[s habu]i quam cet[eri qui m]ihi quoque in ma[gis]tra[t]u conlegae f[uerunt].*

Wie aber hat Cassius dieses Ereignis gesehen, und damit höchstwahrscheinlicher Weise doch auch seine Hauptvorlage?

Er läßt den jungen Caesar sagen, er wolle nicht länger den *principatus* behalten (4, 3), wolle, da die Tyche durch ihn εἰρήνην ἄδολον καὶ ὁμόνοιαν ἀστασίαστον (*pacem et civilem concordiam:* Liv. 9, 18, 10) geschenkt habe, *libertas* und *res publica* zurückgeben (5, 4). Kurzum, die ganze Proklamation ist – allem Anscheine nach – auf den Ratschlag des Agrippa abgestellt.

Und das Ergebnis? „(11, 4) Und die einen *wagten* es nicht, diesen (vorgeblichen Verzicht) zu loben, die anderen *wollten* es nicht, sondern sie riefen schon während der Verlesung vieles dazwischen, vieles auch danach: sie *baten* ihn um die ‚Monarchie' und sagten alles dazu, was darauf zielte, bis sie ihn – natürlich (gleich dem ironischen *scilicet*) – zwangen αὐταρχῆσαι. (5) Und sogleich setzte er durch, daß sie für seine Leibwache den doppelten Lohn beschlossen, damit er eine zuverlässige Garde habe: so sehr war er in

Wahrheit bemüht, die ‚Monarchie' niederzulegen (!!). (12, 1) Den *principatus* ließ er sich auf diese Weise von Senat und Volk zusichern. Doch da er auch so als ein *popularis erscheinen* wollte, übernahm er zwar grundsätzlich die gesamte φροντὶς καὶ προστασία τῶν κοινῶν[1], da sie ja seiner Fürsorge bedürften, doch werde er nicht über alle Provinzen gebieten (2) noch stets (vielmehr zunächst auf zehn Jahre) über die, über die er von da an gebot, sondern die schwächeren ... überließ er dem Senat, die stärkeren ... behielt er in seiner Hand, (3) dem Vorwande nach, damit der Senat ohne Furcht die schönsten Früchte der Herrschaft ernte, er selber aber die Mühe und die Gefahren habe, in Wirklichkeit aber, damit unter diesem Vorwande jene ohne Waffen und Kampferfahrung seien, er selber dagegen – versteht sich (δή, *scilicet*) – allein über Waffen gebiete und Soldaten unterhalte ..." (es folgt bis c. 15 die bekannte ‚augusteische' Einteilung der Provinzen: Prokonsuln des Senates, *legati Augusti*).

„(16, 1) Das wurde damals sozusagen (!) geordnet; denn in Wirklichkeit stand Caesar im Begriff, über alles und für alle Zeit zu gebieten, da er über das Geld gebot – denn angeblich waren die öffentlichen Gelder von seinen privaten getrennt, in Wirklichkeit wurden auch diese nach seinem Gutdünken verwandt – und da er über die Soldaten befehligte. (2) Denn als die Frist von zehn Jahren (27–18 v. Chr.) abgelaufen war, waren es weitere fünf (18–13 v. Chr.) und dann fünf Jahre (13–8 v. Chr.), und daraufhin zehn (8 v.–3 n. Chr.) und weitere zehn (3–13 n. Chr.) ⟨und dann wiederum zehn (ab 13 n. Chr.)⟩, die in fünf Beschlüssen festgelegt wurden, so daß er durch die Ablösung der Zehnjahresperioden zeit seines Lebens ‚Monarch' war ... (6) ... Und als er dies praktisch durchgesetzt hatte, da nahm er auch (am 16. 1.) den Namen ‚Augustus' von Senat und Volk an (vgl. dazu Florus 2, 34, 66, wo

[1] Eher feierliche Umschreibung der neuen Hegemoniestellung als echter staatsrechtlicher Terminus im Sinne von *cura et tutela rei publicae universa,* wie dies Anton von Premerstein (Vom Werden und Wesen des Prinzipats, Abh. Akad. München N. F. 15, 1937, 117–133, namentl. 123) mit Hilfe von vermeintlichen Parallelen aus Prosaikern und Dichtern zu zeigen versucht hat: „Gesamtkuratel und -vormundschaft für den Staat"?

die Diktion eher dem offiziellen Stil entspricht; dazu Suet. *Aug.* 7, 2). (7) Denn als einige ihm eine besondere Anrede zudachten und die einen diesen, die anderen jenen Vorschlag machten und zur Auswahl stellten, hatte Caesar selbst zwar den heftigen Wunsch, *Romulus* genannt zu werden, doch bemerkte er, daß er dadurch in den Verdacht gerate, das *regnum* anzustreben, und so bestand er nicht mehr darauf, (8) sondern ließ sich das *cognomen Augustus* geben, *als sei er mehr als nach Menschenart*; verwenden die Römer doch das Epitheton *augustus* für alles besonders Geehrte und Heilige ...".

Gerade die letzten Wendungen klingen besonders livianisch. Lily Ross Taylor[2] hat in ihrem Aufsatz „Livy and the name Augustus" (Class. Rev. 32, 1918, namentl. 157–159) zu zeigen versucht, Livius habe gerade in seiner ersten Dekade durch häufigere Verwendung des Adjektivs *augustus* das neue Cognomen der Öffentlichkeit näherbringen wollen. Aber wie lauten die von ihr herangezogenen Texte? 1, 7, 9 (von Herakles) *habitum formamque viri aliquantum ampliorem augustioremque humana*; 5, 41, 8 (von den alten Römern, die auf dem Forum den Tod von seiten der Gallier erwarten) *ornatum habitumque humano augustiorem*; 8, 6, 9 (von einer Vision) ... *visa species viri maioris quam pro humano habitu augustiorisque*; 8, 9, 10 (von Decius) *aliquanto augustior humano visu sicut caelo missus* ...; Valer. Max. (wohl aus Livius) 1, 8, 8 (Erscheinung Caesars bei Cassius vor Philippi) *quem ... vidit humano habitu augustiorem* ...; Liv. praef. 7 ... *ut miscendo humana divinis primordia urbium augustiora faciat.* In allen Fällen handelt es sich um den Komparativ von *augustus*, wird dieses Epitheton eindeutig den *res humanae* entgegengestellt. Und so Cassius: Αὔγουστος ὡς καὶ πλεῖόν τι ἢ κατὰ ἀνθρώπους ὢν ἐπεκλήθη.

Soweit Cassius Dio: es ist stets derselbe profilierte Grundton.

Cassius läßt in c. 17–19 eine allgemeine Betrachtung über die ‚Monarchie' des Augustus folgen. Dabei sucht der Anfang von c. 19 der Leistung des Augustus und seiner politischen Notwendigkeit

[2] Vgl. auch ihr Buch: The divinity of the Roman Emperor, Amer. Philol. Assoc. Philol. Monogr. 1, Middletown 1931 (Besprechung u. a. von A. D. Nock, Gnom. 8, 1932, 513–518).

gerecht zu werden: „Der Staat wurde so zum Besseren und zu einem Status, der die ‚Rettung‘ besser verbürgte, umgestaltet; denn es war ja auch gar nicht möglich, daß sie in einer *libera res publica* ‚gerettet‘ wurden.“ Doch sofort folgt eine ausführliche scharfe Kritik an der undemokratischen Geheimpolitik der neuen Zeit, die es insbesondere dem Historiker verwehre, die ‚Wahrheit‘ zu ermitteln. – Die relativ positive Bemerkung von 53, 19 Anf. nimmt Cassius dann 54, 6, 1 wieder auf, anläßlich eines an sich unbedeutenden Vorganges aus dem Jahre 21 v. Chr., der um 200 n. Chr. jedes Interesse verloren hatte. Während Augustus in Sizilien (vor der syrischen Expedition) weilte, hatte man für ihn für das Jahr 21 den einen Konsulatsposten offen gelassen, den anderen M. Lollius übertragen; Augustus verzichtete; es kam zu einem unerfreulichen Wahlkampf zwischen Q. Aemilius Lepidus und L. Iunius Silanus. Cassius schreibt: „Und während er dort (in Sizilien) weilte, ließ der *populus Romanus* sich während der Wahlen der Konsuln zu Unruhen hinreißen, so daß sich auch hieraus zeigte, daß es nicht möglich war, daß sie in einer *libera res publica* ‚gerettet‘ wurden.“ Da spricht jemand, der in den Vorgängen des Jahres 21 v. Chr. einen ‚Test‘ gesehen hat und verbittert ist über die augenscheinliche Unfähigkeit des gegenwärtigen *populus Romanus*, die wenigen ihm von Augustus konzedierten Rechte, wie die Konsulwahlen in den Zenturiatkomitien, in ruhigen demokratischen Formen wahrzunehmen. Und darum ist dieser Autor bereit, der von Augustus durchgesetzten staatsrechtlichen Konstruktion einen positiven Wert zuzuerkennen: immerhin garantiere sie eine σωτηρία des *imperium Romanum.* Das aber stimmt zu dem Urteil, das sich bei Cassius z. B. auch anläßlich der Schlacht von Philippi fand (im Buch 47), und hier war Livius doch die erwiesene Hauptquelle.

Das Werk des Livius also ein ‚Schwanengesang‘ auf die *libera res publica*? Zum mindesten begonnen hat Livius unter anderem Aspekt: er war entschlossen, ein monumentales Werk von den Leistungen des *populus Romanus* und des *nomen Romanum* zu schaffen, und die relative Ruhe während des ersten Dezenniums nach Actium sowie die zurückgekehrte *concordia civilis* gaben ihm die Gewähr, sein Werk – trotz aller negativen Erscheinungen, die auch die Gegenwart noch beunruhigten – ungestört fortzuführen. In Augustus scheint er zunächst nicht den Zerstörer der *libera res publica* gesehen, ihn vielmehr als den Wiederhersteller der *civilis concordia* verehrt zu haben; aber er war nicht gewillt, ihm als dem ‚Einzigartigen', als dem ‚Gottgesandten' zu huldigen, wie dies zumal die Dichter taten. Es galt, die mythischen Anfänge des *populus Romanus princeps terrarum* durch sein Werk zu konsekrieren und die nichtrömische Umwelt zur Bewunderung seiner Leistungen zu gewinnen, diese Leistungen durch die Jahrhunderte zu verfolgen und gewiß auch die Leistungen des Augustus einzubeziehen, aber als die Leistungen eines der vielen bewährten *duces* des römischen Volkes, nicht die eines von den Göttern in exzeptionellem Grade begnadeten, eine faktische ‚Alleinherrschaft' rechtfertigenden Ausnahmemenschen. Gewiß mag Augustus ihn zur Fortführung seines Werkes gelegentlich ermuntert haben: die Grundkonzeption des livianischen Werkes war nicht auf den augusteischen Prinzipat ausgerichtet, der augusteische Prinzipat galt ihm nicht als der Gipfelpunkt der römischen Geschichte. Im Laufe der fast 45 Jahre, während deren er schrieb und sukzessive publizierte, mußte er immer mehr erkennen, wie wenig dieser ‚Eine' gewillt war, dem Senat und den Komitien ihre vollen verfassungsrechtlichen Funktionen zurückzugeben, den Römern eine Verfassung zurückzuerstatten, die eine freie Entfaltung aller politischen Begabungen ermöglicht hätte (Livius hat offensichtlich den damaligen staatsrechtlichen Versicherungen den Glauben versagt, daß sich die nunmehr ‚legalisierten' Formen der Kumulierung hoher republikanischer Ämter in einer Person und ihrer Perpetuierung noch mit der Grundtendenz der *libera res publica* vereinigen ließen); er hat sich dagegen aufgelehnt, er hat schließlich, wenn auch nicht ohne Spott, resignierend zugegeben, daß der *populus Romanus* doch wohl nicht mehr fähig sei, seine *libertas* in seine eigenen Hände zu nehmen. Aber er hat weitergeschrieben: nicht zur Verherrlichung des Augustus (obgleich wir die Kenntnis des augusteischen Prinzipats für große Strecken durch Cassius Dio fast ihm allein verdanken), sondern weil die Leistungen dieses Augustus, soweit es Leistungen waren, letzten Endes doch Leistungen des *populus Romanus* waren, die Leistungen des *nomen Romanum*, deren gültiger Darstellung sein monumentales Werk galt.

Man hat Livius in der Neuzeit häufiger etwas weich dargestellt, in der Regel unter dem Eindruck des scheinbar so ebenmäßigen Dahinfließens seines Stiles. Asinius Pollio (Quint. 1, 5, 56; 8, 1, 2) zum andern hat die *patavinitas* seiner Sprache angegriffen (und an die Sprache der *Tusci, Sabini, Praenestini* erinnert). Vielleicht verrät auch sein unbeirrbarer politischer Charakter etwas von dieser *patavinitas*. Er hat sich der spezifischen staatsrechtlichen Ideologie des neuen Prinzipates nicht gefügt, und es ist ihm gelungen, trotzdem sein Werk bis zu seinem Tode fortzuführen. Es ist die monumentale Geschichte des *populus Romanus* geworden und geblieben, ohne einen Panegyricus auf den ‚Einzigartigen'. Vielleicht sind wir heute geneigt, ihm diese *patavinitas* seines politischen Urteils zu verzeihen, zumal wenn wir an die durch Augustus angelegte Weiterentwicklung des Prinzipats denken, an die überwiegende Mehrzahl der διάδοχοι Καίσαρος Αὐγούστου.

IV

DIE PRAEFATIO

Der altsprachliche Unterricht, H. 7/1955, S. 90–98.

DIE EINLEITUNG ZUM GESCHICHTSWERK DES LIVIUS*

Von Hans Oppermann

... Das Werk[1] beginnt, wie schon Quintilian festgestellt hat, mit der ersten Hälfte eines Hexameters: *Facturusne operae pretium sim.* Diese Hexameterhälfte und der bekannte hexametrische Anfang von Tacitus' Annalen stützen sich gegenseitig. Der erste Satz nennt das Thema – *a primordio urbis res populi Romani perscripserim* – mit deutlichem Anklang und Gegensatz zu Sall. Cat. 4, 2: *res gestas populi Romani carptim ... perscribere.* Auch sonst steht bei Sallust[1a] und Tacitus[2] das Thema am Anfang. Ebenso ist die Erwähnung der Vorgänger in der Geschichtsschrei-

* Die jüngste Behandlung der Praefatio (mit reichen Literaturangaben) gibt M. Mazza, Storia e ideologia in Livio. Per un'analisi storiografico della Praefatio ai Libri ab urbe condita, Catania, 1966, 220 S. – Anm. d. Hrsg.

[1] Weitere Spezialbehandlungen des Livius-Proömiums: G. Funaioli, Livius im Plane seines Werks. Die Antike 19, 1943, 214. – K. Kerényi, Selbstbekenntnisse des Livius. In: Die Geburt der Helena samt humanistischen Schriften. 1945 (Albae Vigiliae N. F. 3) 105. Jetzt in: K. K., Humanistische Seelenforschung (Werke 1, 1966) 363. – Fr. Klingner, Zweitausend Jahre Livius. Neue Jbb. f. Antike u. dtsch. Bildung 6, 1943, 49, zuletzt in: Römische Geisteswelt, 4. Aufl. 1961. – Amundsen, Notes to the preface of Livy. Symb. Osl. 25, 1947, 31. – E. Burck in: T. Livius, Ab urbe condita libri I–X. Ausgew. von Erich Burck, Heidelberg 1949, 24. – G. Ferrero, Attualità e tradizione nella praefatio Liviana. Riv. fil. class. 77 (Nr. S. 27) 1949, 1. – O. Leggewie, Die Geisteshaltung der Geschichtsschreiber Sallust und Livius. Nachgewiesen an den Vorreden ihrer Werke. Gymn. 60, 1953, 343. – K. Vretska, Die Geisteshaltung der Geschichtsschreiber Sallust und Livius. ebda. 61, 1954, 191.

[1a] Sall. Hist. fr. 1 Maur.

[2] z. B. Tac. Hist. I 1.

bung ein feststehender überkommener Gedanke; Sallust nannte sie in den Historien wahrscheinlich mit Namen[3], Tacitus erwähnt sie in den Historien und Annalen wie Livius, ohne sie einzeln zu nennen[4]. Die persönliche Wendung, die Livius dieser überkommenen Topologie der Einleitung zu einem Geschichtswerk gibt, ist die der eigenen Bescheidenheit[5]. Livius sagt, er wage nicht zu wiederholen, was schon andere vor ihm ausgesprochen hätten.

So tritt dann im folgenden anstelle des überkommenen Topos etwas Neues. Es wird durch *utcumque erit* eingeleitet, das zusammen mit der Anfangsstellung von *iuvabit* den Gedankenfortschritt bezeichnet. Die Vorgänger gaben, so sagt Livius, als Grund ihrer Geschichtsschreibung den Nutzen für andere an[6], einen Nutzen, der entweder durch genauere Erforschung der Wahrheit oder durch vollendetere Darstellung erreicht wird[7]. Livius stellt die eigene Befriedigung in den Vordergrund, an der großen Überlieferung seines Volkes mitzuarbeiten, und wenn sein Ruhm von anderen überschattet wird, so will er sich mit dem Rang und der Größe derer trösten, die ihn überstrahlen. Kerényi hat mit Recht darauf hingewiesen, daß die rhetorische Form der Bescheidenheit seit Cicero zum guten Ton gehört und daß ein Schriftsteller, den zu übertreffen *nobilitas* und *magnitudo* nötig sind, nicht gerade klein von sich denkt. In der Tat hat Livius in einem späteren Proömium bestätigt, daß ihm – wie Sallust – an *gloria* gelegen war[8]. Aber unbeschadet dieser Einsicht bleibt die persönliche Färbung charakteristisch, die der Topos der Bescheidenheit hier in der *praefatio* annimmt.

[3] Sall. Hist. fr. 3; 5 Maur.

[4] Tac. Hist. I 1; Ann. I 1.

[5] Vielleicht war auch hierin Sallust vorangegangen, Hist. fr. 3 Maur.: *nos in tanta doctissimorum hominum copia.*

[6] z. B. Sall. Jug. 4.

[7] Hier klingt die bekannte doppelte Zielsetzung der hellenistischen Geschichtsschreibung (χρήσιμον und τερπνόν, *prodesse* und *delectare*) auf, vgl. Lucian. de hist. conscr. 9.

[8] Plin. Nat. Hist. praef. 16: *T. Livium ... sic orsum: satis iam sibi gloriae quaesitum, et potuisse se desidere, ni animus inquies pasceretur opere.*

Den nächsten Schritt bezeichnet *praeterea* (4). Ein neuer Gedanke wird angereiht. Auch er begründet noch den Zweifel, den die Frage *facturusne operae pretium sim* zum Ausdruck brachte, und den das *iuvabit* nur für die Person des Autors gelöst hatte. Und diese Begründung ist eine zweifache[9]: Grund für den Zweifel, der ein Zweifel des Autors an sich selber ist, ist einmal die ungeheure Größe der Aufgabe, dann aber auch die Befürchtung, das Interesse des Lesers sei mehr als der älteren Geschichte, die Livius zunächst erzählen wird, den eben vergangenen innerpolitischen Auseinandersetzungen der Bürgerkriege zugewandt, die er zweimal eindeutig als Verfall wertet[10]. Man wird bei diesem Interesse des Lesers für zeitgenössisches Geschehen in erster Linie an Sallusts Historien denken, deren Abfassung ja höchstens ein Jahrzehnt zurücklag. Und wieder antwortet diesem parteipolitisch bedingten Interesse des Lesers die persönliche Stellungnahme des Autors, der umgekehrt den Lohn seiner Mühe gerade in der Möglichkeit sieht, vom Elend der Gegenwart fort den Blick auf die alte Zeit zu richten. Und wenn er sich dabei von aller einseitigen Bindung freifühlt, die dem Historiker zumindest die Unbefangenheit nimmt, so ist das wieder nur eine neue Variante des Topos von der Parteilosigkeit des Historikers, zu der sich auch Sallust[11] und Tacitus immer wieder bekennen, und der in des letzteren *sine ira et studio* seine klassische Formulierung gefunden hat.

Bis hierhin reicht ein ununterbrochener Gedankenzusammenhang. Livius nennt das Thema und begründet seine Wahl. Er tut das, indem er an seiner Fähigkeit zur Lösung der Aufgabe scheinbar zweifelt und die Wahl als Ausfluß persönlicher Neigung darstellt. Er verarbeitet dabei Wendungen, die in der Einleitung von Geschichtswerken üblich sind, und spielt dabei deutlich auf Sallust an, den vornehmsten Vertreter der Geschichtsschreibung in der vorigen Generation.

Mit 6 beginnt ein neuer Gedankengang; mit dem vorangehenden

[9] *et immensi operis. . . . . et legentium plerisque.*

[10] 4: *ut iam magnitudine laboret sua* und *quibus iam pridem praevalentis populi vires se ipsae conficiunt.*

[11] Sall. Cat. 4, 2; Hist. fr. 6 Maur.

ist er formal gar nicht, inhaltlich dadurch verbunden, daß Livius jetzt von der Urgeschichte Roms spricht, die unter den *prisca illa* (5) mitbegriffen ist. Der Gedanke reicht ohne tieferen Einschnitt bis zu dem *sed,* das § 8 eröffnet. Livius erkennt die Berechtigung, die Ursprünge von Staaten durch die Sage zu überhöhen und zu verklären, gerade für Rom an[11a]. Aber – und dieses *sed,* unterstrichen durch *haec et his similia* in 8 und *illa* in 9, markiert einen starken gedanklichen Schritt –, aber nicht auf diese älteste Geschichte kommt es an, einerlei, wie man ihren Wahrheitsgehalt wertet, sondern auf die folgende Entwicklung, die in verschiedenen Stufen verläuft. Die erste Epoche ist die eines Aufstieges[12], die zweite die einer Zersetzung von Zucht und Sitte, die dann in völligen Zerfall übergeht bis zur Gegenwart. Dabei liegt das Hauptaugenmerk auf den Kräften, die den Aufstieg tragen und deren Zerstörung den Abstieg bedingt – mit *vita, mores, viri, artes* werden sie im ersten, mit *disciplina* und *mores* im zweiten Falle bezeichnet. Denn hier liegt der eigentliche Wert der Geschichtsschreibung: sie liefert die Urbilder für richtiges und falsches Verhalten, die *exempla,* nach denen der Mensch sein Verhalten einrichten soll.

Die eigentliche Sinngebung, die Livius hier seiner Tätigkeit als Historiker gibt, entspricht durchaus der Stellung, die der Römer überhaupt zur Geschichte einnimmt. Wenn ich diese Haltung an einigen Beispielen erläutere, so entnehme ich sie mit Absicht nicht der eigentlichen Geschichtsschreibung. Es kommt mir darauf an zu zeigen, in welchem Maße das gesamte Handeln, Denken und Fühlen des Römers von geschichtlichem Bewußtsein durchdrungen war.

Von den Wänden des Hauses schauen stets gegenwärtig die Wachsmasken der Ahnen auf den Römer herab. An bestimmten Tagen aber gewinnen sie erhöhtes Leben, nämlich dann, wenn ein Mitglied der *familia* zu Grabe getragen wird. Dann nimmt man sie von den Wänden, Schauspieler legen sie an und kleiden sich in Amtstracht und Insignien der Verstorbenen. Und in der Gestalt, in der sie einst den Staat lenkten und mehrten, sein Recht sprachen, für ihn kämpften und siegten und im Triumph nach Rom zurück-

[11a] Vgl. dazu auch Cic. rep. II 4.

[12] 9: *et partum et auctum imperium sit.*

kehrten, schreiten die toten Ahnen im Trauerzuge mit. Auf dem Forum nehmen sie mit den Hinterbliebenen in feierlicher Versammlung um die aufgebahrte Leiche Platz. Dann besteigt der älteste Sohn des Verstorbenen die Rednerbühne. Angesichts der *familia,* der Ahnen und des ganzen Volkes hält er die Leichenrede, legt vor den Toten Rechenschaft ab über das Leben des Verschiedenen und zeigt es den Lebenden als Beispiel für die Zukunft. Um diese Sitte, von deren grandioser Wirkung viele Zeugen künden, richtig zu verstehen, muß man sich davor hüten, in sie jene historisierend-antiquarische Anschauung hineinzutragen, der das Vergangene wertvoll erscheint, weil es vergangen ist. Ebenso muß man jede Art von Romantik fernhalten, die das Gewesene ersehnt, weil sie dem Gegenwärtigen nicht gewachsen ist. Die einfache Größe dieser Zeremonie gibt einfachen, großen Gefühlen Ausdruck. Die Familie, das Geschlecht, diese Grundlagen allen römischen Lebens umfassen nicht nur die zufällig Lebenden, auch die Toten gehören mit dazu, ihr Tun und Sein ist nicht versunken und verloschen, sondern wirkt als lebendige Macht über die Gegenwart hinaus, bindet die Lebenden und weist ihnen die Möglichkeiten der Zukunft.

Beispiele für diese Haltung ließen sich leicht häufen. Man könnte an den alten Cato erinnern, der mit eigener Hand die Großtaten der Vorzeit für die Erziehung seines Sohnes aufzeichnete, der so oft bei seinen Werturteilen sich auf die Entscheidung der Vorfahren beruft. Das ist nicht sturer Konservatismus, sondern das lebendige Bewußtsein einer verpflichtenden Kraft der Vergangenheit. Man könnte darauf hinweisen, daß bei Cicero der junge Scipio Aemilianus die letzten verpflichtenden Erkenntnisse über das menschliche Dasein aus dem Munde des Vaters und Großvaters empfängt. Dabei handelt es sich nicht um die Übermittlung noch so tiefer philosophischer Lehrmeinungen, sondern die Sprecher sind selbst Vorbildgestalten eines Lebens, in dem diese Einsichten Wirklichkeit geworden sind. „So, Scipio, wie dein Großvater hier, so wie ich, der ich dich gezeugt habe, lebe gerecht und fromm[13]!“

[13] Cic. somn. Scip. 16: *sic, Scipio, ut avus hic tuus, ut ego, qui te genui, iustitiam cole et pietatem.*

Man könnte an jene Galerie römischer Triumphatoren erinnern, die Augustus vor dem Mars-Ultor-Tempel auf beiden Seiten seines Forums errichtete, damit die Römer ihn und die künftigen Kaiser an diesen Vorbildern messen könnten[14]. Ich hebe aus der Fülle der Beispiele nur noch eines heraus, um zu zeigen, wie sehr auch die große Dichtung der Römer von geschichtlichem Bewußtsein getragen ist.

Die älteren Epiker der römischen Republik, Naevius und Ennius, schildern jeweils die gesamte Geschichte Roms von den Uranfängen bis auf ihre Zeit und deuten damit an, daß der Zeitpunkt, an dem sie leben, nur ein zufälliges Ende bedeutet, über das hinaus die Geschichte weiter wirkt. Vergils Aeneis hat ein zeitlich begrenztes Geschehen der Vergangenheit zum Gegenstand, die Schicksale des Aeneas von der Zerstörung Trojas bis zur Gewinnung einer neuen Heimat im italischen Lande. Aber Tun und Leiden des Aeneas sind der Keim, aus dem sich alles Kommende entwickelt. So ist auch in der Aeneis die ganze römische Geschichte bis auf die Zeit des Dichters und darüber hinaus gegenwärtig, nicht als vergangenes Geschehen, sondern als zukünftige Möglichkeit, auf die in immer neuen Ausblicken hingedeutet wird. Den Weg in diese Zukunft weisen die Winke der Götter, das *fatum*. Der Mensch aber, dem diese Winke gelten, ist ihnen nicht als willenloser Sklave unterworfen. In frommem Vertrauen auf die Weisungen der Götter, im Ahnen des Kommenden nimmt er in bewußter Entscheidung die Möglichkeiten der Zukunft als Aufgabe auf sich. Vom Himmel herab sendet die göttliche Mutter die Waffen, darunter den Schild, dessen Rund die Bilder der Zukunft Roms füllen. Staunend betrachtet Aeneas das Kunstwerk, er versteht seinen Sinn nicht, aber dann legt er den Schild an und schreitet zum Kampf, „tragend am starken Arm den Ruhm und das Schicksal der Enkel"[15]. In der knappen Kürze eines Verses hat der tiefe Sinn der Aeneasgestalt Ausdruck gewonnen.

[14] Suet. Aug. 31, 5: *commentum id se, ut ad illorum ‹vitam› velut ad exemplar et ipse, dum viveret, et insequentium aetatium principes exigerentur a civibus.*

[15] Verg. Aen. VIII 731: *attollens umero famamque et fata nepotum.*

Deutlicher noch spricht vielleicht eine andere Szene. An der Küste der Adria haben versprengte Reste der Troer eine neue Heimat gefunden. Sie haben sie ganz nach dem Bilde der alten Troja gestaltet. Deren Mauern sind wieder erstanden, das skäische Tor öffnet sich, der Skamander fließt dahin, am Grabe Hektors opfert die trauernde Andromache. So leben sie ganz der Vergangenheit, nur der Erinnerung hingegeben. Zu ihnen kommt Aeneas. Tiefe Wehmut erschüttert seine Brust, als er dies Abbild des Einstigen sieht und die, die es erneuerten. Es sind die Seinen, es ist seine Vergangenheit, die sie ihm entgegentragen, und doch ist er durch eine unüberbrückbare Kluft von ihnen geschieden. „Lebt wohl, ihr, deren Geschick schon abgeschlossen und vollendet ist[16]!" Sie haben nur eine Vergangenheit, und indem sie nur deren Erneuerung leben – einer Erneuerung, die deshalb trügerisch ist, weil sie von der verpflichtenden Größe der alten Troja nichts weiß –, ist ihr Dasein schon vollendet, sind sie lebendig tot. Für Aeneas ist die Vergangenheit nicht wiederholbar, aber auch nicht tot. Sie ist lebendig zeugende Macht, aus deren Schoß ihm die Aufgabe der Zukunft erwächst.

Diese Beispiele mögen genügen, um anzudeuten, was der Römer mit dem Worte *exemplum* bezeichnet. Auch hinter den Worten des Livius steht dieses typisch römisch geschichtliche Bewußtsein. Und wenn für diese Haltung charakteristisch ist, daß die Möglichkeiten der Zukunft, die aus dem Gewesenen erwachsen, nicht in äußerlicher Nachahmung verwirklicht werden, sondern indem der Mensch sich aus eigenem Entschluß zu ihnen neu entscheidet, so kennt auch Livius diese Entschlußfreiheit des aus der Geschichte lebenden Menschen: er hat die Wahl zwischen dem, was er als Vorbild wählt – *quod imitere* –, und dem, was er meidet – *quod vites.* Daß auch für Livius dieser exemplarische Charakter der Geschichte den eigentlichen Wert der Geschichtsschreibung ausmacht, ist oft dargelegt und braucht nur kurz in Erinnerung gerufen zu werden. Daneben ist aber zweierlei wichtig. Einmal entspricht der Gedankengang des zweiten Abschnittes, soweit er bisher besprochen wurde (6–10), weithin dem des ersten (1–5). Auch er beginnt mit den Uranfängen

[16] Verg. Aen. III 493: *vivite felices, quibus est fortuna peracta/ iam sua.*

Roms, auch er unterscheidet zwischen einer älteren, positiv zu wertenden Epoche der römischen Geschichte und einer jüngeren Verfallszeit. Die Kurve der Gedankenführung läuft also im zweiten Abschnitt dem ersten weitgehend parallel. Während aber im ersten die verschiedene Vorliebe des Publikums und des Autors für die beiden Abschnitte betont wurde, wird im zweiten für beide gleiche Aufmerksamkeit gefordert. Und während jene Vorliebe sich aus der parteipolitischen Anteilnahme am Gegenwartsgeschehen oder ihrer Ablehnung erklärte, verlangt Livius hier vom Leser, daß er hinter solcher Anteilnahme zu den wirklich treibenden Kräften vorstoße, weil nur diesen der exemplarische Charakter innewohnt.

Wichtig ist auch die Form, in der Livius diese Mahnung vorbringt. Während er erst von jedem – 9 *quisque* – aufmerksame Betrachtung der Geschichte verlangt, steigert sich das in 10 zur direkten Anrede an den Leser: *te* ... *tibi* ... *tuae* ... Mit feinem Merkvermögen hat Kerényi die Bedeutung dieses Du hervorgehoben: „Nicht an eine verschwommene Allgemeinheit richtet sich diese Rede, sondern an den Menschen, der nicht notwendig Römer ist. Kein ‚man' im allgemeinen, aber auch keiner, dessen *res publica,* dessen Gemeinde- oder Staatswesen mit dem römischen unbedingt identisch wäre. Eine eigene *res publica* hatten im römischen Reiche auch die Bewohner einer jeden Provinzstadt, welche Munizipium war. Der Ton fällt hier urplötzlich eben darauf, was auch ein Städter irgendwo in Italien oder sonst im Reiche von Rom *getrennt* besaß: auf eine mögliche Lage außerhalb Roms. So ist auch unsere Lage. In der Du-Form – der grammatischen Form der Unmittelbarkeit – spricht Livius plötzlich nicht mehr bloß zu den Römern, sondern auch zu uns, den Nichtrömern." Man darf hinzufügen, daß dieser Gebrauch der zweiten Person auch einen charakteristischen Unterschied zum ersten Abschnitt herstellt. Dort dominierte – nicht der Zahl, sondern dem Gewicht nach – die erste Person. Der subjektiven Neigung des Livius zu bestimmten Epochen der römischen Geschichte tritt hier das für jeden – ausgedrückt durch die Anrede – gültige Postulat nach wirklicher Durchdringung des ganzen Geschichtsverlaufes entgegen.

Wiederholt so der zweite Abschnitt weithin den Gedankengang

des ersten auf anderer Ebene, so ergeben sich doch auch große Unterschiede. Der wichtigste ist wohl der, daß innerhalb der Zweiteilung der Geschichte Roms in eine Epoche des Aufstiegs und des Verfalls diese noch einmal in zwei Perioden zerlegt ist, die der allmählichen und die der akuten Zersetzung. Wir brauchen nicht lange nach der Herkunft dieser Periodisierung zu fragen. Sie stammt von Sallust, der im Catilina[17] innerhalb der Epoche des Abstiegs, die mit der Zerstörung Karthagos 146 v. Chr. einsetzt, zunächst eine noch verhältnismäßig positiv zu wertende Periode annimmt, die von *ambitio* gesteuert wird. Sie wird erst mit Sulla durch die Periode völliger sittlicher Auflösung unter der Herrrschaft der *avaritia* abgelöst[18]. Der Satz, mit dem Livius die knappe Skizze der Epochen der römischen Geschichte schließt, ist besonders scharf geschliffen: *haec tempora, quibus nec vitia nostra nec remedia pati possumus.* In dieser Pointierung erinnert er aufs stärkste an den Stil des Sallust.

All das läßt deutlich erkennen, wer hinter diesem Geschichtsbilde steht. Aber – und der Unterschied ist wichtig – Livius nennt nicht die Daten, die bei Sallust die einzelnen Abschnitte gegeneinander absetzen, Karthagos Zerstörung und die Diktatur Sullas. Der Grund ergibt sich aus folgendem:

In seinem bekannten Aufsatz über die Einleitung der Historien Sallusts[19] hat Klingner die Entwicklung des Bildes aufgezeigt, das Sallust sich von der Geschichte Roms machte. Diese Entwicklung, die sich in Form einer fortgesetzten Auseinandersetzung mit Poseidonios vollzog, zeigt eine wachsende Verdüsterung. Im Catilina steht am Beginn der römischen Geschichte ein idealer Urzustand, der erst seit 146 durch den Verfall abgelöst wird; Grund des Verfalls ist die Laune der Fortuna. Im Iugurtha ist wieder 146 das

[17] Sall. Cat. 10–12.

[18] Knapper heißt es Sall. Hist. fr. 16 Maur. *maiorum mores non paulatim ut antea, se torrentis modo praecipitati.* Livius' Formulierung praef. 9: *irc coeperint praecipites* für die zweite Periode klingt an diese Worte an.

[19] Hermes 63, 1928, 165 = Fr. Klingner, Studien zur griech. u. röm. Literatur (1964) 571.

Epochejahr, aber der gute Zustand des Staates, der bis dahin herrscht, ist nur eine Folge der Furcht vor Karthago. Mit deren Fortfall setzt der Niedergang automatisch ein. In den Historien schließlich ist der korrupte Zustand des Staates der Normalfall, Folge eines angeborenen *vitium humani ingenii.* Nur der stärkste Druck einer von außen drohenden Gefahr vermag für kurze Zeit die Verderbtheit der *res publica* zu wenden.

Führt man sich diese Auffassung Sallusts von der römischen Geschichte vor Augen, so kann kein Zweifel bestehen, daß Livius in den Sätzen, die den besprochenen folgen – den Anschluß stellt 11 *ceterum* her – gegen sie polemisiert. Er stellt fest, daß die Geschichte keines Volkes positiver verläuft und reicher an großen Vorbildern ist, und daß der Sittenverfall erst spät einsetzt – 11 *tam sera,* 12 *nuper.* Dieses *nuper* läßt zwei Deutungen zu. Es kann besagen, daß Livius den Beginn des Verfalls später ansetzt als Sallust, es kann aber auch feststellen, daß das Jahr 146 in der Gesamtheit der römischen Geschichte ein spätes Datum ist, wenig mehr als hundert Jahre sind seitdem verflossen. Daß Livius kein festes Datum nennt, scheint mir für die erste Möglichkeit zu sprechen. Aber einerlei, wie die Polemik in dieser Einzelheit zu verstehen ist, daß sie sich gegen Sallust wendet, wird auch durch die Verwendung so beliebter Vokabeln dieses Schriftstellers wie *avaritia, luxuria, cupiditas, voluptas, luxus, libido* bestätigt. Dabei knüpft die Betonung des Reichtums der römischen Geschichte an *bona exempla* den Gedanken an das vorhergehende an. Dieser Reichtum beweist, wie sinnvoll ein eingehendes Studium gerade der älteren römischen Geschichte ist. Und damit erst ist der Charakter der Polemik bestimmt. Die Eigentümlichkeit dieser Auseinandersetzung mit Sallust besteht nämlich darin, daß Livius scheinbar das sallustische Geschichtsbild übernimmt, scheinbar nichts an ihm ändert. Er erkennt den Verfall an, läßt ihn sich in zwei Stufen vollenden und läßt ihn bis zur Gegenwart reichen – 9 *ad haec tempora.* Aber er setzt die Akzente anders. Der Verfall füllt nur einen kleinen Bruchteil der römischen Geschichte. Außerdem betont Livius weit mehr als Sallust den Vorbildcharakter der römischen Vergangenheit. Damit weckt er in dem Leser eine Hoffnung, die er nirgends ausspricht, die Hoffnung nämlich, daß die Periode des Verfalls eine Episode in der römischen

Geschichte bleibt, und daß aus der Fülle der *bona exempla* die Kräfte wachsen, die dieser Episode ein Ende machen.

In dieser Richtung wirkt schließlich auch der letzte Satz; durch das beginnende *sed* (12) tritt er in Gegensatz zu dem vorangehenden Bild des Verfalls: Klagen gehören nicht an den Anfang eines solchen Werkes; statt dessen möchte Livius wie ein Dichter mit einem Gebet beginnen. Die Feierlichkeit der Aussage beweist *deorum dearumque,* Worte, die nach Servius[20] aus dem Gebetsritual der *pontifices* stammen; und die Wiederkehr von *ominibus votisque et precationibus* bei Horaz[21] läßt auch auf eine solenne Formel schließen. Auch hier können wir erkennen, welches dichterische Gebet Livius im Auge hatte. Es ist die Götteranrufung zu Beginn von Vergils Georgica, die sich an die Götter des Landbaus und an Octavian-Augustus richtet. Daß auch hier die *di deaeque*[22] vorkommen, würde wenig beweisen. Aber die vergilische Bitte *da facilem cursum atque audacibus adnue coeptis*[23] deckt sich inhaltlich Wort für Wort mit dem Gebet des Livius praef. 13: *da – darent, facilem cursum – successus prosperos, audacibus coeptis – orsis tanti operis.*

Das Gebet der Georgica richtet sich an Octavian-Augustus. Durch die Anspielung steht er unausgesprochen – das auszusprechen war im Geschichtswerk nicht möglich – auch hinter dem Gebet des Livius. In den Georgica erscheint Octavian als der Bringer von Recht und Frieden, der dem verkehrten Zeitalter aufhilft. In zartester Anspielung deutet Livius hier an, warum er, ohne das sallustische Geschichtsbild grob abzuändern, seine Auffassung von der römischen Geschichte doch für überwunden ansieht.

Funaioli hat mit Recht darauf hingewiesen, daß vor Livius in der Geschichtsschreibung kein Proömium von so persönlichem Gehalt besteht. Es hebt mit der persönlichen Einstellung des Livius zu seiner Aufgabe und der Geschichte seines Volkes an, es weitet diese Auffassung zum Postulat an alle. Es setzt sich mit dem verzweifelten Geschichtsbilde seines Vorgängers auseinander, indem es dieses

[20] Serv. in Vergil. Georg. I 21.

[21] Hor. c. IV 5, 13: *votis ominibusque et precibus vocat.*

[22] Verg. Georg. I 21.

[23] Verg. Georg. I 40.

Bild äußerlich stehen läßt, aber innerlich überwindet. Und es bekennt schließlich wieder ganz persönlich, aber wieder ohne es auszusprechen, von wo die Kraft zu dieser Überwindung kommt. Bald nach Aktium entstanden, gehört es mit den jüngsten Teilen der Georgica und den ältesten Römeroden zu den gültigen Zeugnissen dieser geschichtlichen Stunde: das ganze Grauen des eben überwundenen Chaos der Bürgerkriege ist ihnen noch lebendig, und nur schwer ringt sich aus ihm der Glaube an die Zukunft empor. Indem die Einleitung zu dem Geschichtswerk des Livius noch so stark unter dem Eindruck des Grauens steht, daß sie diesem Glauben noch keine Worte zu leihen vermag, und indem sie doch diesen Glauben ohne Worte ganz stark bekennt, ist sie vielleicht das ergreifendste dieser Zeugnisse.

Mit Genehmigung von The Johns Hopkins Press, Baltimore. P. G. Walsh, Livy's preface and the distortion of history. American Journal of Philology Bd. 76, 1955, S. 369—383. Übersetzt von Marie-Louise Gülzow.

DIE VORREDE DES LIVIUS UND DIE VERZERRUNG DER GESCHICHTE

Von P. G. Walsh

Die großen römischen Geschichtsschreiber waren sich in ihren Ansichten über die Funktion der Geschichte völlig einig. Sie ließen die rein wissenschaftliche Betrachtungsweise des Thukydides[1] außer acht und hielten es für ihre Pflicht, die Tugend für die Augen künftiger Generationen zu bewahren und die Menschen von den Pfaden des Lasters abzuhalten[2]. Diese moralische Absicht der Geschichtsschreibung läßt sich nicht nur bis zu den römischen Annalisten[3] zurückverfolgen, sondern auch bis zu den hellenistischen Geschichtsschreibern vor ihnen, die sogar die Verzerrung der Wahrheit zugunsten von moralischen Zielen duldeten[4].

[1] C. N. Cochrane, Thucydides and the Science of History (Oxford, 1929), bes. pp. 25–6, 31.

[2] z. B. Tacitus, Ann., 3, 65: *quod praecipuum munus annalium reor, ne virtutes sileantur, utque pravis dictis factisque ex posteritate et infamia metus sit;* Sallust, Cat., 1–4; und Jug., 4: *nam saepe ego audivi Q. Maximum, P. Scipionem, praeterea civitatis nostrae praeclaros viros solitos ita dicere, quum maiorum imagines intuerentur, vehementissime sibi animum ad virtutem accendi; scilicet non ceram illam neque figuram tantam vim in sese habere; sed memoria rerum gestarum eam flammam egregiis viris in pectore crescere, neque prius sedari, quam virtus eorum famam atque gloriam adaequaverit.*

[3] z. B. die Bemerkung des Sempronius Asellio (Peter, H. R. F., 2 = Aulus Gellius, 5, 18, 9): *Nam neque alacriores ... ad rem publicam defendundam neque segniores ad rem perperam faciundam annales libri commovere quicquam possunt.* Sempronius stellt hier die Chroniken (*annales*) der eigentlichen Geschichtsschreibung (*res gestae*) gegenüber, die seiner Ansicht nach die patriotischen und moralischen Funktionen hat, die den Annalen fehlen.

[4] F. W. Walbank, C. Q. XXXIX (1945), p. 10, zitiert Polybios, der

Die Vorrede des Livius kennzeichnet also keine neuartige Darstellungsweise, sondern ist Teil einer allgemeinen Tradition, die vor allem den Einfluß philosophischer Ideen der Stoa auf die spätere hellenistische Geschichtsschreibung widerspiegelt[5]. Er fordert seine Leser auf, besonders zu beachten, *quae vita, qui mores fuerint, per quos viros quibusque artibus domi militiaeque et partum et auctum imperium sit*[6]. Wie Ferrero sagt, gehören *mores* und *artes* nicht nur eng zueinander, sondern sie sind miteinander verbunden und bilden eine Synthese zwischen der Sphäre der Moral und der politischen Aktivität, die die Verwandtschaft des Livius mit stoischem Gedankengut offenbart. Die *artes*, wenn sie *bonae* sind, gelten als Prinzipien des religiösen, politischen und privaten Wirkens – *pietas* und *fides, concordia, disciplina, clementia, prudentia, virtus, pudicitia, dignitas, frugalitas* und so weiter. Bei Livius verkörpern die großen Römer diese *artes*, und die Bösewichte sind Symbole ihres Gegenteils: beide Gruppen werden als Stimulus und Warnung dargestellt[7].

Die Gefahr solcher einseitigen Beschäftigung mit der moralischen Deutung der Geschichte in festgelegten Termini besteht darin, daß sie zu einer voreingenommenen Darstellung führen kann. Dies trifft besonders auf Livius zu, da er zu Beginn seiner Aufgabe überzeugt ist, daß *nulla umquam res publica nec maior nec sanctior nec bonis exemplis ditior fuit*[8], und da er Trost und Zuflucht in

(6, 56, 6) den moralischen Nutzen der römischen Religion anerkennt, und vergleicht treffend Diodorus, 1, 2, 2, wo gesagt wird, daß die Geschichte einen stärkeren moralischen Einfluß hat als „Mythen über den Hades". Der stoische Einfluß läßt sich bei beiden unschwer erkennen.

[5] Über die Vorrede s. bes. den wichtigen Artikel von L. Ferrero in Riv. Fil. XXVII (1949), pp. 1–47; H. Dessau, „Die Vorrede des Livius" (Festschrift z. O. Hirschfelds 60. Geburtstage [Berlin, 1903]; E. Dutoit, R. E. L. [1942], pp. 98–105; G. Curcio, Riv. I. G. I., I [1917], pp. 77–85).

[6] Praef. 9.

[7] Schon häufig ist darauf hingewiesen worden, daß in der ersten Dekade das Gentilnomen oft symbolisch für bestimmte Qualitäten oder Fehler steht, die in Krisenzeiten ihre unvermeidbare Rolle spielen.

[8] Praef. 11.

einer glücklicheren Vergangenheit suchen will[9]. Dieses Hervortreten des Patriotismus, der so unverhüllt gezeigt wird, bevor die Auswertung der Zeugnisse überhaupt begonnen hat, kommt genau in der Betonung der Leitprinzipien, der *bonae artes*, zum Ausdruck, die angeblich die großen Männer der römischen Geschichte bestimmt haben. Daher sind moralische und patriotische Erwägungen aus didaktischen Gründen verbunden. Dabei geht es nicht in erster Linie um eine sofortige moralische Neubelebung (die pessimistische Einstellung, die Livius hierzu hat, ist ganz deutlich)[10], sondern darum, der Nachwelt zu zeigen, daß nationale Größe nicht erreicht werden kann, ohne daß besonders die führenden Staatsmänner die Eigenschaften besitzen, die zu einer gesunden Moral und einem gesunden Urteil bei der Ausführung außenpolitischer und innenpolitischer Angelegenheiten notwendig sind.

I

Diese Tendenz des Livius läßt sich sehr überzeugend durch eine sorgfältige Prüfung seiner Quellen, soweit sie erhalten sind, aufzeigen, wenn man sie mit seiner eigenen Version der Ereignisse vergleicht[11]. Ein Merkmal, das uns wiederholt auffällt, ist der Nachdruck, den Livius auf *dignitas* und *gravitas* legt, und zwar nicht nur für die Römer, sondern auch für Nichtrömer von hohem Rang. Dies geht so weit, daß nirgends in *Ab Urbe Condita* von

[9] Ibid. 5.

[10] Bes. in Praef. 9:... *haec tempora quibus nec vitia nostra nec remedia pati possumus*; und andere Belege in 7, 2, 13; 25, 9; 29, 2; 8, 11, 1. Es gibt keinen echten Beweis dafür, daß, wie manchmal behauptet wird, Livius seine Begabung vergeudete, um der moralischen Erneuerung des Augustus zu dienen. Man sollte ihm eher Abscheu vor dem unmoralischen Verhalten im zeitgenössischen Rom zuschreiben und eine gewisse Skepsis gegenüber der Durchführbarkeit der augusteischen Reformen.

[11] Was Polybios anbelangt, so ist es sicherer, Beispiele aus der vierten Dekade zu zitieren, in der Livius ihm ohne Zweifel gefolgt ist. Daher wurden Beispiele *in extenso* aus der dritten Dekade, bei der die direkte Abhängigkeit des Livius von Polybios in Frage steht, vermieden.

einem vornehmen Römer gesagt wird, er habe laut gelacht. Dieses Unterdrücken aller scherzhaften Elemente kann uns leicht irreführen, was die übergroße Besonnenheit und den großen Ernst des römischen Charakters und besonders die vorherrschende Atmosphäre bei Unterredungen zwischen einzelnen Personen anbelangt. Ein interessantes Beispiel hierfür ist die Bearbeitung des Livius von der Unterredung in Nicaea im Jahre 197 v. Chr.[12].

Philipp hatte Flaminius um eine Unterhandlung gebeten, doch lehnte er es ab, sein Schiff zu verlassen, so daß Flaminius und seine griechischen und asiatischen Verbündeten ihn vom Ufer aus anreden mußten. Als letzter von ihnen sprach Alexander, der Ätoler. Philipp begann seine Antwort mit einer Kritik an der Rede Alexanders, doch wurde er von Phaeneas, einem anderen Ätoler, unterbrochen. Philipp erwiderte darauf mit einer humorvollen Anspielung auf das mangelhafte Sehvermögen des Phaeneas.

Pol., XVIII, 4, 3: ἔτι δὲ ταῦτα λέγοντος τοῦ βασιλέως ὁ Φαινέας, ἠλαττωμένος τοῖς ὄμμασιν ἐπὶ πλεῖον, ὑπέκρουε τὸν Φίλιππον φάσκων αὐτὸν ληρεῖν · δεῖν γὰρ ἢ μαχόμενον νικᾶν ἢ ποιεῖν τοῖς κρείττοσι τὸ προσταττόμενον. Ὁ δὲ Φίλιππος καίπερ ἐν κακοῖς ὢν ὅμως οὐκ ἀπέσχετο τοῦ καθ' αὑτὸν ἰδιώματος, ἀλλ' ἐπιστραφεὶς „Τοῦτο μὲν“ ἔφησεν, „ὦ Φαινέα, καὶ τυφλῷ δῆλον“. ἦν γὰρ εὔθικτος καὶ πρὸς τοῦτο τὸ μέρος εὖ πεφυκὼς πρὸς τὸ διαχλευάζειν ἀνθρώπους.

Livius, XXXIII, 34, 2: *orsum eum dicere, in Aetolos maxime, violenter Phaeneas interfatus non in verbis rem verti ait: aut bello vincendum aut melioribus parendum esse. „apparet id quidem“, inquit Philippus, „etiam caeco“, iocatus in valetudinem oculorum Phaeneae. e t e r a t d i c a c i o r q u a m r e g e m d e c e t , e t n e i n t e r s e r i a q u i d e m r i s u s a t i s t e m p e r a n s.*

Livius ist ohne Zweifel der Ansicht, daß Könige sich nicht zu Witzen herablassen sollten und daß Gelächter immer schlimm genug

[12] Diese Verhandlung wurde von M. Holleaux, R. E. G. (1923), pp. 115 ff.; L. Homo in Mélanges Cagnat (1912), pp. 31 ff.; G. Aymard, Les premiers rapports, etc. (1938), pp. 114 ff. besprochen, doch ihr Interesse gilt natürlich hauptsächlich dem Bericht des Polybios.

ist, besonders aber in Unterredungen dieser Art[13]. Daher darf von keinem Römer gesagt werden, er habe mit ähnlicher Ungezwungenheit gehandelt, wie wir aus der späteren Bearbeitung des Stoffes durch Livius ersehen. Bei Polybios geht Philipp dann wieder zu seiner Antwort auf die Bitte der Ätoler über, er solle Griechenland räumen. Der größte Teil Ätoliens, sagt er, ist nicht Griechenland: darf er dort bleiben? Flaminius lacht. Im Bericht des Livius argumentiert Philipp dagegen ernsthaft, und das Gelächter wird nicht erwähnt[14]. Wenig später wird eine ähnliche Zensur vorgenommen, als Philipp den Rhodiern und Dionysodorus, dem Gesandten des Attalus, antwortet. Sie hatten den Wiederaufbau des Tempels der Aphrodite und des Nicephoriums gefordert, die Philipp zerstört hatte. Philipp erbot sich scherzhaft, Pflanzen und Gärtner zu schicken, und wieder lacht Flaminius. Livius jedoch berichtet von Philipp, daß er den Gesandten des Attalus tadelt, weil er eine solche Lappalie zur Sprache bringt, und das Gelächter wird wiederum fortgelassen[15]. Schließlich, am Ende des Verhandlungstages, machte

[13] Aufschlußreich ist die Beobachtung der beiden Techniken bei der Erzählung dieses Witzes. Polybios achtet sorgsam darauf, die Umstände für das mangelhafte Sehvermögen des Phaeneas zu erklären (ἠλαττωμένος τοῖς ὄμμασιν ἐπὶ πλεῖον), bevor er den Dialog wiedergibt. Livius zitiert erst die Bemerkung und dann erklärt er sie. Damit macht er den Scherz zunichte. Es kommt ihm viel mehr auf die Schärfe des Dialogs an, und er streicht alle Bemerkungen aus dem Bericht des Polybios heraus, die der schroffen Erwiderung des Philipp vorangehen. Zu dieser Dialogtechnik vgl. K. Witte, Rhein. Mus., LXV (1910), pp. 283–4, und P. G. Walsh, Rhein. Mus., XCVII (1954), pp. 107–10.

[14] Pol., 18, 6, 1 (τοῦ δὲ Τίτου γελάσαντος) und Livius, 32, 34, 4, wo Philipp ärgerlich und nicht scherzhaft antwortet (*indignari inde coepit* . . .).

[15] Pol., 18, 6, 4: „. . . φυτὰ δὲ καὶ κηπούρουϱ πέμψω τοὺς φροντιοῦντας θεραπείας τοῦ τόπου καὶ τῆς αὐξήσεως τῶν ἐκκοπέντων δένδρων." Πάλιν δὲ τοῦ Τίτου γελάσαντος ἐπὶ τῷ χλευασμῷ... Livius, 32, 34, 10: *quid restitui ea postulantibus respondeam, nisi quo uno modo silvae lucique caesi restitui possint, curam impensamque sationis me praestaturum, quoniam haec inter se reges postulare et respondere placet?* Holleaux (op. cit., p. 134, Anm. 2) erwähnt, daß er beide Male das Gelächter des Flaminius verschweigt.

Flaminius aus Gefallen an der geistreichen Art des Philipp selbst einen Scherz.

Pol., XVIII, 7, 5: ὁ δὲ Τίτος οὐκ ἀηδῶς μὲν ἤκουε τοῦ Φιλίππου χλευάζοντος· μὴ βουλόμενος δὲ τοῖς ἄλλοις [μὴ] δοκεῖν, ἀντεπέσκωψε τὸν Φίλιππον εἰπὼν οὕτως· „εἰκότως“, ἔφη „Φίλιππε, μόνος εἶ νῦν· τοὺς γὰρ φίλους τοὺς τὰ κράτιστά σοι συμβουλεύσοντας ἀπώλεσας ἅπαντας“. ὁ δὲ Μακεδὼν ὑπομειδιάσας σαρδάνιον ἀπεσιώπησε.

Dieser Zwischenfall, sowohl die Bemerkung als auch das darauf folgende Lächeln, wird von Livius ganz fortgelassen. Es wird deutlich, daß Livius im Verlauf seiner Beschreibung dieser Unterredung systematisch alle Spuren des Scherzens zwischen Flaminius und Philipp beseitigt hat und dadurch ein sehr anderes und verzerrtes Bild vom Verhältnis zwischen den beiden und der Atmosphäre der ganzen Verhandlung gegeben hat. Der Grund dafür liegt auf der Hand. Könige und verantwortungsbewußte Römer sollten ihre *gravitas* nicht ablegen. Das Verhalten Philipps tut der Würde des Königtums Abbruch[16]. Noch viel weniger will Livius ein ungeziemendes Verhalten in seiner idealisierten Charakterisierung des Flaminius dulden, der für ihn eines der Symbole für die Ernsthaftigkeit und Unbestechlichkeit des römischen Volkes ist. (Wichtig ist auch, daß die offenbar scherzhafte Haltung des Flaminius Philipp gegenüber eine Unfreundlichkeit gegen seine

[16] Dies ist ein bevorzugtes Thema bei Livius. Seine Bemerkungen bei dieser Verhandlung (33, 34, 3: *et erat dicacior natura quam regem decet* . . .; 34, 10: *Quoniam haec inter se reges postulare et respondere placet* . . .) können wir mit 31, 18: *ferocior visa est oratio quam quae habenda apud regem est* (nicht bei Pol., XVI, 34, 6); 33, 32, 14: *superbo et regio animo* (nicht bei Pol., 39, 18, 1, 7) vergleichen; auch 33, 21; 35, 15, 3; 39, 35, 3, etc. Ein amüsantes Beispiel betrifft Moagetes, den König von Cibyra in Gallograecia. Als Cn. Manlius Vulso dort sein Lager hatte, kam Moagetes, um den Konsul zu bitten, sein Gebiet nicht zu verwüsten. Polybios sagt, daß er κατά τε τὴν ἐσθῆτα καὶ τὴν ἄλλην προστασίαν λιτὸς καὶ ταπεινός war (21, 34, 10). Die Version des Livius in 38, 14, 9, *vestitus comitatusque vix ad privati modice locupletis habitum* (kaum dem Niveau der Mittelklasse entsprechend!) macht es dem König leichter, den Bittsteller zu spielen.

eigenen Verbündeten bedeutet, auf deren Kosten die Scherze gemacht wurden[17].)

Ein weiteres interessantes Beispiel dafür, daß Livius ein Gelächter nicht erwähnt, finden wir in 9, 46, wo er zumindest teilweise dem Chronisten Piso folgt, dessen Bericht bei Gellius erhalten ist[18]. Diese Stelle handelt von einem gewissen Cn. Flavius, dem Sohn eines Freigelassenen, der zum *aedilis curulis* gewählt wurde. Als er einen kranken Amtsgenossen besuchte, fand er dort einige adlige Jünglinge vor, von denen keiner sich aus Achtung vor seinem kurulischen Amt erhob, da er niederer Abstammung war.

Piso: *idem Cn. Flavius, Anii filius, dicitur ad collegam venisse visere aegrotum: eo in conclave postquam introivit, adolescentes ibi complures nobiles sedebant. hi contemnentes eum, assurgere ei nemo voluit. Cn. Flavius, Anii filius, i d a r r i s i t, sellamque curulem iussit sibi afferri, eam in limine posuit, ne quis illorum exire possit, utique ii omnes inviti viderent sese in sella curuli sedentem.*

Der Bericht des Livius (9, 46, 9) enthält im wesentlichen die gleichen Einzelheiten, doch Flavius darf sich als *aedilis curulis* seiner *dignitas* nicht dadurch begeben, daß er über das unfreundliche Benehmen der Adligen lacht.

Weitere Beispiele dafür, daß Livius der *dignitas* und *gravitas* besondere Bedeutung zumißt, ließen sich anführen[19], und es besteht kein Zweifel darüber, daß seine Versuche, die Leser mit der würdevollen Haltung römischer Helden zu erbauen, zu einer Verzerrung der Tatsachen geführt haben.

[17] Unten, S. 190.

[18] H. R. F., 27 = Gell., 7, 9.

[19] Livius gibt einen ironischen Kommentar zu dem herkömmlichen Bericht über das Verhalten des Galliers vor seinem berühmten Zweikampf gegen T. Manlius (später Torquatus). Der Gallier streckte spottend seine Zunge aus, sagt Livius, *quoniam id quoque memoria dignum antiquis visum est* (7, 10, 5). Eine der hier benutzten Quellen, Claudius Quadrigarius (H. R. F., 10b = Gell., 9, 13) sagt: *deinde Gallus inridere coepit atque linguam exertare.* Bei Livius wird kein Gelächter erwähnt, obwohl der Gallier *stolide laetus* ist. –

In 24, 33, 9 fehlt jede Andeutung eines Scherzes des Marcellus während

II

Die Rolle der *pietas* den Göttern gegenüber und der *fides* den Menschen gegenüber und ihre enge gegenseitige Verbindung in der Philosophie und der Geschichtsschreibung des Livius ist für jeden deutlich, der seine Darstellung der großen Katastrophen gelesen hat, die über die römischen Truppen durch die Gallier, die Samniter und die Karthager hereinbrachen. Die Niederlage an der Allia wird als Folge mangelnder *pietas* und *fides* angesehen. Zwar werden militärische Gründe erwähnt: die Militärtribunen werden verantwortlich gemacht, weil sie unzureichende Truppen in den Kampf geführt und die Vorbereitung vernachlässigt haben und weil ihnen überhaupt jede *ratio pugnae* fehlte; doch diese Gründe, ja vielleicht sogar das Ergebnis, werden als nebensächlich angesehen gegenüber der schwerwiegenden Vernachlässigung der göttlichen Warnung[20] und der Zuwiderhandlung gegen das *ius gentium* zuerst durch die römischen Gesandten, die trotz ihrer Stellung als Gesandte

der Belagerung von Syrakus. Polybios (8, 5, 2 ff.) berichtet, wie es durch einen Einfall des Archimedes gelang, die σαμβύκαι zu zerstören, die harfenähnlichen Leitern, die bei Belagerungen von der See aus benutzt wurden, und wie andere Maschinen direkte Angriffe zunichte machten. Marcellus lachte mit Selbstironie über diesen Fehlschlag und sagte: ταῖς μὲν ναυσὶν αὐτοῦ κυαθίζειν ἐκ θαλάττης Αρχιμήδη, τὰς δὲ σαμβύκας ῥαπιζομένας ὥσπερ ἐκσπόνδους μετ' αἰσχύνης ἐκπεπτωκέναι. (8, 8, 6). –

Ernsthafter ist das Versagen des Livius, das volle Ausmaß der Verantwortlichkeit Roms für den zweiten punischen Krieg darzustellen. Polybios (3, 22 ff.) gibt einen Überblick über die verschiedenen Verträge, die Rom mit Karthago abgeschlossen hatte, bevor er seine Meinung über die Verantwortung für den Beginn der Kampfhandlungen äußert. Livius betrachtet den Ausgang als eine Frage der *dignitas*: es wäre eine Beleidigung des römischen Volkes, die Frage, in wieweit es für den Krieg verantwortlich sei, zu untersuchen. Daher betont er die dramatische Szene in Karthago, als das Ultimatum ausgesprochen und der Krieg erklärt worden war, und fügt dann hinzu: *Haec derecta percontatio ac denuntiatio belli magis ex dignitate populi Romani visa est quam de foederum iure verbis disceptare* ... (21, 19, 1).

[20] 5, 32, 6–7.

nach erfolglosen Verhandlungen mit den Galliern für Clusium kämpften, und dann durch den Senat und das Volk, die es nicht nur unterließen, die schuldigen Gesandten auszuliefern, sondern sie sogar zu Militärtribunen ernannten[21]. Nicht anders ist die Katastrophe bei Caudium das Ergebnis der hochmütigen Ablehnung der Römer, als die Samniten eine gerechte Zurückgabe anbieten. Diese *superbia* und das Versäumnis, gerecht zu handeln, ist der wesentliche Grund für die Erniedrigung, die dann folgt[22]. Die Niederlage des Flaminius am Trasimenischen See wird seinem respektlosen Verhalten den Göttern gegenüber zugeschrieben[23]. Diese tragische Sicht der Geschichte, daß nämlich auf die ὕβρις (*superbia*) unvermeidlich die ἄτη folgt, hat ihren Ursprung in der griechischen Historiographie[24] und hat deutlich Polybios[25] und auch die römischen Annalisten beeinflußt.

Diese tragische Behandlung tritt aus einleuchtenden Gründen stärker in dem weitgehend legendären Stoff der ersten Dekade hervor als in den späteren Teilen von *Ab Urbe Condita*[26]. Die Folgerichtigkeit der stoischen Lehre von der Harmonie, die von ihrem kosmologischen Zusammenklang auf religiöse und soziale Bereiche übertragen worden ist, wird besonders in diesen frühen Büchern erwiesen. Die Katastrophen sind seltene Ausnahmen: Livius bemüht sich, das harmonische Verhältnis der Alten zu den Göttern und ihren Mitmenschen zu betonen[27]. Die gleiche moralische Lektion wird allerdings in den späteren Büchern etwas indirekter

[21] Bes. 5, 35, 6; 36, 8–11.

[22] Wie Pontius der Samniter sagt: *et ego ad deos vindices intolerandae superbiae confugiam, et precabor, ut iras suas vertant in eos* (9, 1, 8).

[23] 22, 3, 4–5.

[24] B. L. Ullman, „History and Tragedy," T. A. P. A., LXXIII (1942), pp. 25–53.

[25] F. W. Walbank, „Φίλιππος τραγῳδούμενος," J. H. S., LVIII (1938), pp. 65–8.

[26] Daher vertritt Dessau (op. cit., p. 461) die Ansicht, daß die Vorrede mit ihrer Darlegung moralischer Ziele sich nur auf die frühen Bücher bezieht.

[27] 2, 40, 11; 3, 5, 14–15; 20, 3; 57, 7; 4, 6, 12; etc.

erteilt. Erfolg ist nur für diejenigen möglich, die den Verpflichtungen der *pietas* und *fides* nachkommen. Dies ist der moralistische Rahmen, in dem die Karriere Hannibals beschrieben wird; und Hanno sieht den Ausgang des ersten punischen Krieges als Sieg der Seite an, die dem Vertrag gegenüber *fides* wahrten[28].

Sein ängstliches Bemühen, die *fides* des Flaminius in der vierten Dekade zu zeigen, läßt Livius von der Wahrheit abweichen. Mit dieser indirekten Darstellungsweise bringt er die These vor, daß Roms Erfolge in Griechenland und Mazedonien in den harmonischen Beziehungen zu ihren Verbündeten und im vollen Vertrauen begründet lagen, das die Griechen den römischen Führern entgegenbrachten. Daher wird Flaminius nacheinander als der Befreier der Griechen[29], als ihr Vater[30] und als ihre Amme[31] bezeichnet. Um dieses unveränderlichen Bildes der *fides* willen läßt Livius die Anspielungen auf Intrigen gegen Flaminius fort, die sich bei Polybios finden[32]. Die offensichtliche Antipathie des Flaminius gegen seine Verbündeten bei der Verhandlung in Nicaea wurde schon erwähnt[33]. Am Ende der Verhandlung einigten sich die Verbündeten darauf, Gesandtschaften nach Rom zu schicken; Polybios sagt, daß Flaminius Amynander schickte γινώσκων αὐτὸν εὐάγωγον μὲν ὄντα καὶ ῥᾳδίως ἐξακολουθήσοντα τοῖς ἐκεῖ φίλοις, ἐφ᾽ ὁπότερ᾽ ἂν ἄγωσιν αὐτὸν, φαντασίαν δὲ ποιήσοντα καὶ προςδοκίαν διὰ τὸ τῆς βασιλείας ὄνομα[34]. Livius erwähnt mit keinem Wort Amynanders Nachgiebigkeit und sagt nur, daß er gesandt wurde, *ut speciem legationi adiceret*[35].

[28] 21, 10, 9: *vicerunt ergo di hominesque, et, id de quo verbis ambigebatur, uter populus foedus rupisset, eventus belli velut aequus iudex unde ius stabat ei victoriam dedit.*

[29] 33, 32–3.

[30] 34, 50: *Has velut parentis voces cum audirent, manare omnibus gaudio lacrimae ...*

[31] 36, 35, 4: *ego tamen sorte quadam nutriendae Graeciae datus ...*

[32] Zur ungünstigen Beurteilung der Charakterisierung des Flaminius durch Polybios s. Wood, T. A. P. A., LXX (1939), pp. 93 ff.

[33] Oben, S. 187.

[34] 18, 10, 7.

[35] 32, 36.

Am schlimmsten ist der Bericht des Livius über den Mord an dem makedonenfreundlichen Boeotarchen Brachyllas im Jahre 197 v. Chr. in Theben durch die romfreundliche Partei unter Zeuxippus und Pisistratus. Polybios[36] berichtet uns, daß die Verschwörer Flaminius um Rat fragten, bevor sie ihre Pläne weiter verfolgten. Obwohl er seine Teilnahme ablehnte, habe er gesagt, er wolle nicht drängen, und habe es ihnen nahegelegt, die Angelegenheit nochmals ausführlich mit dem Ätoler Alexamenus zu besprechen (αὐτὸς μὲν οὐκ ἔφη κοινωνεῖν τῆς πράξεως ταύτης, τοὺς δὲ βουλομένους πράττειν οὐ κωλύειν· καθόλου δὲ λαλεῖν αὐτοὺς ἐκέλευε περὶ τούτων Ἀλεξαμενῷ τῷ τῶν Αἰτωλῶν στρατηγῷ . . .).

Es war klar, daß Alexamenus für eine solche gegen die Mazedonier gerichtete Intrige sein würde, und somit befürwortete Flaminius den Mord unter dem Vorwand einer scheinbaren Neutralität. Livius übergeht den Zwischenfall völlig, und die anschließenden antirömischen Demonstrationen in Theben und Boeotien werden ganz allgemein als die Folge eines Verdachtes und nicht einer objektiven Tatsache erklärt: *efferavit ea caedes Thebanos Boeotosque omnes ad execrabile odium Romanorum, credentes non sine consilio imperatoris Romani Zeuxippum, principem gentis, id facinus conscisse*[37].

Dieses gewichtige Beispiel für das Vertuschen eines unbequemen Sachverhaltes durch Livius gibt uns Veranlassung, seine Zuverlässigkeit auch an anderen Stellen anzuzweifeln. Sein Bericht über die Belagerung von Sagunt enthält keinen *direkten* Kommentar zu Roms Versagen, als es darum ging, den Verbündeten dadurch *fides* zu beweisen, daß man sofort Hilfe sandte[38]. In der Tat, wenn wir den Bericht des Polybios[39] untersuchen, scheint Livius die Verant-

[36] 18, 43, 7 ff.

[37] 33, 29, 1.

[38] Doch Rom wird durch die Worte eines Volcianers verantwortlich gemacht (21, 19, 9–10), und vom Senat wird berichtet, er sei beschämt gewesen, daß keine Hilfe gesandt wurde (16, 2).

[39] Obwohl Livius wahrscheinlich in der Hauptsache Coelius Antipater gefolgt ist, läßt sich doch gut beweisen, daß Polybios in diesem Teil des Buches 21 zu Rate gezogen wurde; vgl. bes. Livius, 21, 1, Pol., 3, 8 über die

wortung Roms in einem wesentlichen Punkte zu gering dargestellt zu haben. Polybios schreibt, daß die Sagunter *wiederholt* Botschaften nach Rom sandten, als die Belagerung drohte (3, 15, 1: οἱ δὲ Ζακανθαῖοι συνεχῶς ἔπεμπον ...).

Die Version des Livius in 21, 6, 2 (*legati a Saguntinis Romam missi*) mildert den Eindruck der Krise, die Polybios so lebhaft darstellt, und versucht somit, die Schuld Roms zu verringern.

III

Die große Bedeutung, die Livius der *pudicitia* beimißt, der Eigenschaft der Frauen, die er der *virtus* der Männer[40] gleichsetzt, kommt in den berühmten Legenden der ersten Dekade zum Ausdruck. Der Raub der Lukretia und ihr Selbstmord[41], sowie die Geschichte von Appius Claudius und Verginia, deren Vater sie tötete, um ihre Keuschheit zu bewahren[42], sollen durch ihre Verurteilung der *libido* der beteiligten Römer veranschaulichen, daß in jedem gesunden Staat das Ideal der Keuschheit von großer Wichtigkeit ist.

Dieses ängstliche Bemühen, die Bedeutung der Moral hervorzuheben, führt manchmal zu einer Verzerrung der Tatsachen. In 38, 24 findet sich die interessante Beschreibung eines Ereignisses, über das auch die Quelle, nämlich Polybios, berichtet[43]. Als L. Manlius

Gründe des Krieges; Livius 5, Pol., 13, 5 ff. über Hannibals Unternehmungen vor der Belagerung; Livius 18, Pol., 20, 6–21, 8 und 33, 1–4 über die Gesandtschaft nach Karthago; und die Erörterungen der Verträge bei Livius 19, 1 ff., Pol., 29, 2 ff. Vgl. auch A. Klotz, Livius und seine Vorgänger (Leipzig, 1940), pp. 111–12.

[40] Die Worte der Verginia in 10, 23, 7–8 tragen deutlich den Stempel des Livius: *vosque hortor ut, quod certamen virtutis viros in hac civitate tenet, hoc pudicitiae inter matronas sit....*

[41] 1, 58.

[42] 3, 44 ff.

[43] 21, 38. Dies ist durch Plutarch erhalten (Mul. Virt., 22) und ist daher wahrscheinlich gekürzt.

bei Ancyra ein Lager aufgeschlagen hatte, nutzte einer seiner Hauptleute die Gefangennahme einer fremdländischen Prinzessin, Chiomara, aus, um ihr Gewalt anzutun. Später vereinbarte er, daß sie an ihren Mann zurückverkauft werden solle, doch als sie in die Obhut ihrer Landsleute übergeben wurde, befahl sie einem von ihnen, den Hauptmann umzubringen, und trug seinen Kopf als Zeichen der Treue vor ihren Gatten.

Sein Sinn für Romantik – ein Merkmal, das sich in allen seinen Beschreibungen von *pudicitia* findet[44] – läßt Livius seinen Bericht mit der Aussage einleiten, daß Chiomara sehr schön war *(forma eximia)*. Das Bild des wollüstigen, begierigen Hauptmanns ist in beiden Darstellungen ähnlich, doch die Geschichte der Schändung wird von Livius weiter ausgemalt.

Pol., XXI, 38, 2: ὁ δὲ λαβὼν αὐτὴν ταξίαρχος ἐχρήσατο τῇ τύχῃ στρατιωτικῶς καὶ κατῄσχυνεν . . . ἡττήθη δ᾽ ὅμως ὑπὸ τῆς φιλαργυρίας, καὶ χρυσίου συχνοῦ διομολογηθέντος ὑπὲρ τῆς γυναικὸς, ἦγεν αὐτὴν ἀπολυτρώσων . . . Livius, 38, 24, 3: *is primo animum temptavit; quem cum abhorrentem a voluntario videret stupro, corpori, quod servum fortuna erat, vim fecit. deinde ad leniendam indignitatem iniuriae spem reditus ad suos mulieri fecit, et ne eam quidem, ut amans, gratuitam.*

Livius betont die *pudicitia* der Chiomara, indem er eine Vorbemerkung einschiebt, die sich nicht bei Polybios findet und eine typisch Livianische Erweiterung seiner Quelle darstellt[45]: *is primo animum temptavit; quem cum abhorrentem a voluntario videret stupro* . . . Er betont auch die *libido* des Hauptmanns mit seiner

[44] Ich teile nicht die Ansicht von J. M. K. Martin (Greece and Rome, XI [1942], pp. 124 ff.), der das Interesse des Livius an der Sophonisba-Episode (30, 12, 11 ff.) stärker politisch als romantisch beurteilt. Seine Bearbeitung ist die eines Moralisten, doch sein Hang zum Romantischen wird aus den Zusätzen deutlich, die er in seinen Bericht einfügt.

[45] Vgl. auch 8, 28, 3: . . . *florem aetatis eius fructum adventicium crediti ratus, primo perlicere adulescentem sermone incesto est conatus; dein, postquam aspernabantur flagitium aures, minis territare.* . . . und 3, 44, 4: *hanc virginem adultam forma excellentem Appius amore amens pretio ac spe perlicere adortus, postquam omnia pudore saepta animadverterat, ad crudelem superbamque vim animum convertit.*

Bemerkung *(et ne eam quidem, ut amans, gratuitam)*, daß Liebe dabei nicht im Spiel war. Nach dem Mord[46] kehrt Chiomara mit dem Kopf des Hauptmanns zu ihrem Gatten zurück und wirft ihm diesen vor die Füße. Der Bericht des Livius rundet die Geschichte passend mit der Bemerkung ab (sie findet sich nicht in Plutarchs Version nach Polybios): *aliaque ut traditur sanctitate et gravitate vitae, huius matronalis facinoris decus ad ultimum conservavit.* Livius hat den Bericht des Polybios weiter ausgeschmückt, um die Moral deutlicher hervorzuheben.

IV

Der römische Grundsatz von der *clementia*, der in dem Vers Vergils zusammengefaßt ist, *parcere subiectis et debellare superbos*[47], besagt, daß zwar nicht allen, aber doch denen, die sich bereitwillig den Römern ergeben, milde Behandlung gewährt wird. Nach der Meinung des Livius begründete Camillus die Tradition durch seine Behandlung der Tusculaner. Camillus hatte den Befehl, Tusculum anzugreifen, da es die Volsker unterstützt hatte; doch die Politik der Widerstandslosigkeit *(patientia)*, die die Römer bisher noch nicht erlebt hatten, bewahrte die Stadt vor Schaden. Wie Camillus bemerkt, *Soli adhuc, inquit, Tusculani, vera arma verasque vires, quibus ab ira Romanorum vestra tutaremini, invenistis*[48]. Später ließ der Senat dann auch der tusculanischen Gesandtschaft gegenüber Milde walten, gewährte Frieden und später die *civitas*.

[46] Die beiden Berichte über den Mord weisen interessante Unterschiede auf, doch die Genauigkeit, mit der Plutarch die Einzelheiten der Polybios-Version wiedergibt, läßt sich anzweifeln. Bei Polybios gibt Chiomara mit einem Wink den Befehl zum Mord, als sie vom Hauptmann umarmt wird. Bei Livius wiegt der Hauptmann das Gold nach, und sie gibt den Befehl in ihrer Sprache, die der Hauptmann nicht versteht. Es ist verlockend, Livius diese Veränderungen zuzuschreiben, der eine poetische Gerechtigkeit schildert: es ist die *avaritia* des Hauptmanns, die seinen Tod verursacht, und kein Wort von Zuneigung taucht in dem Bericht auf.

[47] Aen., VI, 853.

[48] 6, 26, 1.

Der Versuch eine ähnliche Haltung zu beschreiben hat Livius auch dazu geführt, den Sachverhalt in seiner Erzählung der Schlacht von Kynoskephalai zu verfälschen. Polybios berichtet uns von Philipps Entschluß zu fliehen, als seine Lage hoffnungslos war, und von der Verfolgung der Flüchtigen durch Flaminius. Er fährt fort (18,26,9): (Τίτος) τὰς μὲν ⟨ἀρχὰς⟩ . . . ἐπέστη, τῶν πολεμίων ὀρθὰς ἀνασχόντων τὰς σαρίσας, ὅπερ ἔθος ἐστὶ ποιεῖν τοῖς Μακεδόσιν, ὅταν ἢ παραδιδῶσιν αὑτοὺς ἢ μεταβάλλωνται πρὸς τοὺς ὑπεναντίους· μετὰ ταῦτα πυθόμενος τὴν αἰτίαν τοῦ συμβαίνοντος παρακατεῖχε τοὺς μεθ' αὑτοῦ φείσασθαι κρίνων τῶν ἀποδεδειλιακότων. Ἀκμὴν δὲ τοῦ Τίτου ταῦτα διανοουμένου τῶν προηγουμένων τινὲς ἐπιπεσόντες αὐτοῖς ἐξ ὑπερδεξίου προσέφερον τὰς χεῖρας, καὶ τοὺς μὲν πλείους διέφθειρον, ὀλίγοι δέ τινες διέφυγον ῥίψαντες τὰ ὅπλα.

Der Bericht des Livius zeigt einige Abweichungen (33, 10, 3): *Quinctius cum institisset cedentibus, repente quia erigentes hastas Macedonas conspexerat, quidnam pararent incertus, paulisper novitate rei constituit signa: deinde ut accepit hunc morem esse Macedonum tradentium sese,* p a r c e r e v i c t i s *in animo habebat. ceterum ab ignaris militibus omissam ab hoste pugnam, et quid imperator vellet, impetus est in eos factus et primis caesis ceteri in fugam dissipati sunt.*

Der Nachdruck, mit dem Livius von der beabsichtigten *clementia* des Flaminius und der Unwissenheit der römischen Truppen über die Beendigung des Kampfes spricht, läßt sich damit rechtfertigen, daß er sich aus dem Bericht des Polybios ableiten läßt. Doch Livius versucht ganz deutlich, seine Leser über die Zahl der Getöteten zu täuschen: τοὺς μὲν πλείους διέφθειρον, ὀλίγοι δέ τινες διέφυγον schildert den Angriff viel grausamer als die Version des Livius: *primis caesis ceteri in fugam dissipati sunt,* die uns weiterhin den Eindruck vermittelt, daß alles ein ehrlicher Fehler war[49].

An anderer Stelle verschweigt Livius ebenfalls römische *saevitia*, nämlich in der Beschreibung des berühmten Zweikampfes zwischen

[49] Ein weiteres Beispiel läßt sich aus dem Krieg gegen Hannibal anführen. Bei Polybios (3, 102, 2) befiehlt Minucius seinen Truppen, keine Gefangenen zu machen, wenn sie den karthagischen Troß angreifen. Livius hat es vorgezogen, dies zu übergehen (22, 24, 8).

Manlius Torquatus und dem Gallier. Der Bericht des Annalisten Claudius Quadrigarius[50], dem Livius offensichtlich teilweise gefolgt ist, erzählt uns, daß Manlius, nachdem er den Gallier getötet hatte, diesem noch den Kopf abschlug, bevor er ihm den Halsschmuck abnahm *(ubi eum evertit, caput praecidit, torquem detraxit. eamque sanguinulentam sibi in collum imponit)*. Der Bericht des Livius bringt die Handlung stärker mit dem Geist des augusteischen Zeitalters in Einklang und legt Wert darauf, daß Manlius keine *saevitia* zeigte: ... *in spatium ingens ruentem porrexit hostem. iacentis inde corpus ab omni alia vexatione intactum uno torque spoliavit* ... (7, 10, 10–11).

So vermeidet Livius die Schilderung irgendwelcher Greueltaten der Römer. Die Tatsache ist, daß er in dieser wie in anderer Hinsicht trotz der Zeugnisse seiner Quellen an seinen vorgefaßten Ideen festhält. Im ersten Buch (1, 28, 11) hat er die barbarische Bestrafung des Mettius mit der mildernden Bemerkung kritisiert, daß die Vergangenheit Roms seit der Zeit rühmlich war: *primum ultimumque illud supplicium apud Romanos exempli parum memoris legum humanarum fuit: in aliis gloriari licet nulli gentium mitiores placuisse poenas*. Diese Einstellung veranlaßt ihn, gelegentlich die *saevitia* der römischen Truppen absichtlich zu untertreiben.

V

Die Notwendigkeit der *disciplina*, die Unterwerfung unter die eigene militärische oder bürgerliche Obrigkeit, ist ein Lieblingsthema in *Ab Urbe Condita*. Sie wird in der ersten Dekade durch die berühmten Erzählungen über die Hinrichtung des eigenen Sohnes durch Brutus[51] und den Ungehorsam des Q. Fabius Rullianus[52] in dramatischer Weise veranschaulicht. Wenn er auch die Notwendigkeit einer angemessenen Entscheidungsfreiheit akzeptiert, betont Livius doch, wie wichtig es ist, Gehorsam zu erzwingen. So wird

[50] H. R. F., 10b = Gell., 9, 13.
[51] 2, 5, 5 ff.
[52] 8, 30 ff.

die *severitas imperii* des Camillus, der seinen Truppen die Kriegsbeute verweigert, eine *virtus*[53] genannt, und viele andere Passagen zeigen, wie sehr Livius auf *disciplina* Wert legt[54].

Daher ist in der vierten Dekade sein Bild von den römischen Truppen in Griechenland immer das von leistungsfähigen Kampfeinheiten, deren Stärke in ihrer Disziplin liegt: es fehlt dort jede Andeutung des rebellischen Verhaltens, das die republikanischen Heere ein Jahrhundert später ständig an den Tag legten. Daß das Bild des Livius bis zu einem gewissen Grade verzerrt ist, läßt sich aus der Beschreibung des Polybios von einem Zwischenfall nach Kynoskephalai erkennen. Nach ihrem Sieg beeilten sich viele Römer, das feindliche Lager zu plündern, doch sie entdeckten, daß ihre Verbündeten, die Ätoler, bereits dort gewesen waren. Ihre Bemerkungen Flaminius gegenüber zeigen nicht den Grad von *severitas imperii*, den wir erwartet hätten.

18, 27, 4: ἔνθα δὴ καταλαβόντες τοὺς Αἰτωλοὺς προεμπεπτωκότας καὶ δόξαντες στέρεσθαι τῆς σφίσι καθηκούσης ὠφελείας, ἤρξαντο καταμέμφεσθαι τοὺς Αἰτωλοὺς καὶ λέγειν πρὸς τὸν στρατηγόν, ὅτι τοὺς μὲν κινδύνους αὐτοῖς ἐπιτάττει, τῆς δ' ὠφελείας ἄλλοις παρακεχώρηκεν.

Livius hat diese Auflehnung fortgelassen und nur bemerkt:

33, 10, 6: *Romani victores in castra hostium spe praedae irrumpunt: ea magna ex parte direpta ab Aetolis inveniunt.*

Interessant ist auch im Zusammenhang mit seiner Betonung der *disciplina* eine Stelle in 24, 44, 9–10. Hier benutzt Livius, wie oft auch an anderer Stelle, eine Anekdote zur Charakterzeichnung. Es ist die Geschichte von Fabius Maximus Cunctator, der nach Suessula ging, um sich seinem Sohne anzuschließen, der kürzlich zum Konsul gewählt worden war. Er wollte ihm als Unterfeldherr dienen. Der

[53] 5, 26, 8.

[54] 3, 29, 3, wo Livius die glückliche Art, mit der Minucius den Verweis des Cincinnatus annimmt, lobt: *sed adeo tum imperio meliori animus mansuete oboediens erat.* s. auch 4, 37, 5; 42, 7; 8, 10, 2 ff. (wo Manlius sich anbietet, gegen den Gallier *extra ordinem* zu kämpfen, aber nur wenn es sein Befehlshaber gestattet — eine Bedingung, die von Claudius Quadrigarius nicht aufgezeichnet wurde (H. R. F., 10b = Gell., 9, 13), 21, 7, 3; 22, 13, 11; etc.

Bericht des Claudius Quadrigarius von der Begegnung zwischen Vater und Sohn ist uns durch Gellius erhalten, und die Übereinstimmung dieser Version mit der des Livius geht so weit, daß wir Claudius als Quelle für Livius annehmen können.

Die Version des Claudius (H.R.F., 57 = Gell., 2, 2, 13) berichtet, daß der Vater nicht gewillt ist, vom Pferd zu steigen:

ei consuli pater proconsul obviam in equo vehens venit, neque descendere voluit quod pater erat, et quod inter eos sciebant maxima concordia convenire, lictores non ausi sunt descendere iubere. Ubi iuxta venit, tum consul ait: „Quid postea?" Lictor ille qui apparebat cito intellexit, Maximum proconsulem descendere iussit. Fabius imperio paret et filium collaudavit, cum imperium quod populi esset retineret.

Obwohl diese Darstellung an sich schon erbaulich genug ist, macht Livius das Vorbild des Vaters, Fabius Cunctator, noch eindringlicher. Die Weigerung des Vaters vom Pferd zu steigen wird gar nicht erwähnt: in seiner Darstellung stellt der Cunctator seinen Sohn absichtlich auf die Probe (24, 44, 9–10):

Pater filio legatus ad Suessulam in castra venit. cum obviam filius progrederetur lictoresque verecundia maiestatis eius taciti anteirent, praeter undecim fasces equo praevectus senex, ut consul animadvertere proximum lictorem iussit, et is ut descenderet ex equo exclamavit, tum demum desiliens, ‚experiri' inquit ‚volui, fili, satin scires consulem te esse'.

So charakterisiert er den Cunctator als einen Mann, der gewillt ist, seinen eigenen hohen Stand und seinen Ruf dem höheren Amt seines Sohnes unterzuordnen. Die Notwendigkeit, die persönliche hohe Stellung im Interesse des Staates zu vergessen, wird durch eine andere, geringfügige Veränderung bei Livius hervorgehoben: er bezeichnet den Cunctator nicht wie Claudius als *proconsul,* sondern als *legatus.*

Alle diese absichtlichen Veränderungen und Auslassungen, so achtbar ihre Absicht auch sein mag, sollten uns zögern lassen, Livius ohne weiteres die Tugenden der Unparteilichkeit und intellektuellen Integrität zuzuschreiben.[55] In seinem ängstlichen Bemühen, diejenigen

[55] M. L. W. Laistner, The Greater Roman Historians (Univ. of Califor-

seiner Zeitgenossen zu widerlegen, die über die Grundsätze der Alten spotteten[56], hat er die Charaktere der römischen Führer und des römischen Volkes idealisiert; dabei hat er die Verpflichtungen vernachlässigt, von denen Antonius behauptet, daß alle Geschichtsschreiber sie anerkennen: *nam quis nescit primam historiae legem ne quid falsi dicere audeat, ne quid veri non audeat? ne quae suspicio gratiae sit in scribendo?*[57]

nia, 1947) verteidigt Livius mit Recht gegen seine allzu spitzfindigen Kritiker, doch scheint seine Verteidigung in dieser Hinsicht zu weit zu gehen: s. p. 95.

[56] 26, 22, 14.

[57] Cicero, De Orat., 2, 62.

A. D. Leeman, Are we fair to Livy? Helikon 1, Napoli: Verlag Rondinella 1961.
S. 28—39. Übersetzt von Marie-Louise Gülzow.

WERDEN WIR LIVIUS GERECHT?

Einige Gedanken zu der Praefatio des Livius

Von Anton Daniel Leeman

Es ist bemerkenswert, wie häufig die Ausdrücke *candor, candidus* im Zusammenhang mit Livius gebraucht werden. Quintilian charakterisiert ihn mit den Worten *in narrando mirae iucunditatis clarissimique candoris*[1] und nennt ihn an anderer Stelle *candidissimum*[2]. *Candor* wird meist mit ‚Klarheit', ‚Durchsichtigkeit' wiedergegeben, eine Übersetzung, die sowohl in der wörtlichen als auch in der übertragenen Bedeutung unzulänglich erscheint hinsichtlich des offenbar synonymen Begriffs der *‚lactea' ubertas*[3]. Die Geschichte der Anwendung von *candidus* in der Literaturkritik reicht bis zu Ciceros *Orator* zurück, wo eine bestimmte Stilform als *lenitate et aequabilitate et puro et quasi quodam (!) candido genere dicendi*[4] bezeichnet wird. Ein ähnlicher Zusammenhang findet sich bei Quintilian: *candidum et lene et speciosum dicendi genus*[5]; dieser nennt auch Herodot *dulcis et candidus et fusus*[6]. Somit scheint *candidus* eher makellose Reinheit und Geschmeidigkeit der Sprache als *perspicuitas* zu bedeuten. Gleichzeitig scheint der Ausdruck einen moralischen Unterton zu haben[7] – wie so oft in der römischen Kritik mit ihrer Vorstellung *talis oratio qualis vita* – nämlich

[1] Quint. Inst. Or. 10, 1, 101.

[2] Ib. 2, 5, 19.

[3] Ib. 10, 1, 32.

[4] Cic. Or. 53; in 79 finden wir *fucati vero medicamenta candoris et ruboris omnia repellentur*, wo der figurative Gebrauch ganz anders ist.

[5] Quint. Inst. Or. 10, 1, 121.

[6] Ib. 10, 1, 73.

[7] Vgl. Sen. Epist. 114.

Offenheit, Aufrichtigkeit. Das letztere wird vor allem in der Charakterisierung des Livius durch den älteren Seneca anschaulich: *candidissimus omnium magnorum ingeniorum aestimator*[8]. Die Bezeichnung *candor* im Zusammenhang mit Livius steht im Gegensatz zu der *obscuritas* der Historiker wie Thucydides, Sallust und Tacitus mit ihrer Fülle von versteckten und hintergründigen Anspielungen.

Die Frage, die ich an dieser Stelle erörtern möchte, lautet: in wieweit bleibt diese alte Vorstellung vom *candor* des Livius gültig? War er ein unparteiischer und aufrichtiger Richter des römischen Volkes, oder hat er sich des Chauvinismus schuldig gemacht, der ihm oft vorgeworfen wird? Welche Einstellung hatte er dem römischen Staat und seiner Aufgabe als Historiker gegenüber? Seine eigene Praefatio enthält einige interessante Auskünfte über die genannten Punkte und ist ein äußerst wertvoller Ausgangspunkt für jede Untersuchung seiner Zielsetzung und seiner Persönlichkeit. Besonders aufschlußreich ist ein Vergleich dieses Zeugnisses mit den *Praefationes* Sallusts, die Livius ständig vor Augen hatte, als er seine eigene Bearbeitung der Topoi vornahm, die in der Praefation zu einem historischen Werk erwartet wurden[9].

In den ersten Sätzen seiner Praefatio bestimmt Livius seine Stellung gegenüber seinen Vorgängern. Er fühlt sich als das letzte Glied einer langen Reihe von Historikern, *novi semper scriptores*[10], die versuchen, sich gegenseitig in der *ratio rerum* und *ratio verborum* zu übertreffen, wie Cicero es in seiner Theorie der Historiographie in *De oratore*[11] ausgedrückt hatte. Bis zur Zeit Ciceros war jedoch dieser Aufschwung der römischen Historiographie recht langsam vorangegangen. Aus der Praefatio zu *De legibus* und aus anderen Abschnitten läßt sich entnehmen, daß man von Cicero

[8] Sen. Rhet. Suas. 6, 22.

[9] Vgl. L. Ferrero, Attualità e tradizione nella Praefatio liviana, R. F. C. 77 (1949), S. 1 ff.

[10] Liv. Praef. 2.

[11] Cic. De or. 2, 62–64.

erwartete, er würde die Lücke in der lateinischen Literatur ausfüllen, die durch das Fehlen einer würdigen römischen Geschichtsschreibung entstanden war[12]. Doch Cicero kam nie weiter als bis zur Darlegung unvollständiger Theorien über die Historiographie und besonders über den historischen Stil, der seiner Meinung nach ein *genus fusum atque tractum et cum lenitate quadam aequabiliter profluens*[13] zu sein hatte: der ehrliche Ausdruck wahrheitsgetreuer Darstellung. Man erwartet hier fast den Ausdruck *candidus* (vgl. die oben angeführte Stelle aus dem Orator!), und zweifellos hat Livius erfüllt, was Cicero gefordert hatte. Nur wurde Livius fast ein halbes Jahrhundert später als Cicero geboren, und das Ciceronische Ideal hätte inzwischen eigentlich schon veraltet sein müssen. Es ist ja bekannt, daß literarische und andere Ausdrucksformen gewöhnlich hinter ihrer Zeit zurückbleiben und außerhalb des lebendigen Mittelpunkts einer Zivilisation stehen; und wie wir sehen werden, lebte und arbeitete Livius nicht in Rom, sondern in Patavium, einem etwas altmodischen Vorposten Italiens[14]. In Rom selbst war die Entwicklung der Historiographie nach dem Tode Ciceros sehr rasch fortgeschritten, doch war sie in keiner Weise dem Wege gefolgt, den er vorhergesehen hatte. Sallust und Asinius Pollio sind die Namen der ersten bedeutenden römischen Historiker, und beide schrieben in der Tradition des Thukydides und nicht des Herodot[15]. An diese beiden muß Livius in erster Linie gedacht haben, als er von *tanta scriptorum turba* sprach, die seinen eigenen Namen und seine eigene Leistung in den Schatten stellen mochten[16]. Leider wissen wir nicht, wie Pollio sein Werk in der Praefatio dargestellt hat – dieses wurde nun tatsächlich von den Livianischen Darstellungen der Bürgerkriege in den Schatten gestellt –, doch ist es immer

[12] Die betreffenden Stellen und eine Erörterung des ganzen Problems finden sich in meinem Aufsatz Le genre et le style historique à Rome: théorie et pratique, Revue des Etudes Latines 33 (1955), S. 183 ff.

[13] Cic. l. c.

[14] Vgl. Plin. Epist. 1, 14, 6 ... *Patavio. Nosti loci mores; Serrana tamen Patavinis quoque severitatis exemplum est.*

[15] Vgl. meinen oben angeführten Aufsatz.

[16] Liv. Praef. 3.

noch aufschlußreich, die Praefationen zu den Monographien Sallusts mit der Praefatio des Livius zu vergleichen[17].

Gleich von Anfang an fällt uns der Gegensatz zwischen der bescheidenen Zurückhaltung des Livius und dem eifernden Streben Sallusts auf. Sallust versucht, seine Aufgabe als Historiker im Rahmen der traditionellen Werte des römischen Ideals vom tätigen Leben zu definieren. Seine Geschichtsschreibung ist eine Tat der *virtus* und strebt nach *gloria*[18]. Bei Livius finden wir nichts von einer so gezwungenen Interpretation, und er gibt sich sogar für den Fall eines Mißerfolges mit dem Trost zufrieden, der in der Anerkennung derer liegt, die vor ihm waren – das gilt natürlich besonders für Sallust, der eine neue Form der Aussage eingeführt hatte, die ein Mann wie Arruntius in übertriebenem Maße imitierte[19]. Die Bescheidenheit des Livius klingt wie ein leiser Vorwurf gegen die anmaßende Art Sallusts.

Was war nach Ansicht des Livius die Aufgabe des Historikers? Er akzeptiert die *prima lex historiae* Ciceros, nämlich die *veritas*[20], in seiner Erklärung, daß keine äußeren Umstände ihn von der Wahrheit abbringen werden *(flectere a vero)*[21]; aber dies bedeutet nicht, daß die einzige Aufgabe des Historikers darin bestanden hätte, herauszufinden, ‚wie es eigentlich gewesen sei'. Ebensowenig besteht die Aufgabe darin, sein Werk in einer wunderschönen und angemessenen *ratio rerum* darzustellen. Die erste Frage eines Römers würde lauten „welchen Nutzen hat es?" und die Antwort wäre unweigerlich streng moralisch *hoc illud est praecipue in cognitione rerum salubre ac frugiferum, omnis te exempli documenta in inlustri posita monumento intueri; inde tibi tuaeque rei publicae quod imitere capias, inde foedum inceptu, foedum exitu*

[17] Vgl. L. Amundsen, Notes to the preface of Livy, Symb. Osl. 25 (1947), S. 31 ff.; er gibt nur vereinzelte Hinweise.

[18] Sallusts Praefatio habe ich untersucht in Mnemosyne, 1954, S. 323 ff. und 1955, S. 38 ff.

[19] Sen. Epist. 114, 17–19.

[20] Cic. De or. 2, 62.

[21] Liv. Praef. 5.

quod vites[22]. Wir werden wieder daran erinnert, was Sallust über den Nutzen der Historiographie für den Staat gesagt hatte, daß sie nämlich den Geist der *aemulatio* durch die großen Vorbilder der Vergangenheit entfache, die mit den wächsernen *imagines maiorum* in den Häusern der Adligen verglichen werden[23]. Eine moralisierende Sicht der Geschichte findet sich natürlich auch in Griechenland, doch erst die römischen Historiker machten sie zum wesentlichen Kern und zur Quelle der Würde ihres Werkes. Zusammen mit der tief verwurzelten Vorstellung, daß die Vergangenheit besser als die Gegenwart gewesen war und Geschichte im wesentlichen die Darstellung eines fortgesetzten Verfalls bedeutete, stellte diese moralisierende Auffassung eine Bedrohung für die Bedingung der *veritas* dar, der die Historiographie sich auch zu unterwerfen hatte. Dies geht alles noch ganz gut, solange es sich um legendäre Geschichte wie bei der Entstehung Roms handelt, wozu Livius bemerkt: *datur haec venia antiquitati, ut miscendo humana divinis primordia urbium augustiora faciat*[24]. Aber die Sache wird ernster, wenn Livius, dem Beispiel Sallusts folgend, ein Bild der römischen Geschichte entwirft, bei dem er ganz eindringlich die Zeiten vor und nach der Einnahme von Karthago einander gegenüberstellt, und zwar in streng antithetischen Termini. Die entsprechende Stelle in der Praefatio des Livius lautet: *ad illa mihi pro se quisque acriter intendat animum* (beachte die starke Betonung dieser Worte) ... *per quos viros quibusque artibus domi militiaeque et partum et auctum imperium sit* (vergleiche Sallust Cat. 2, 4 *nam imperium facile eis artibus retinetur quibus initio partum est); labente deinde paulatim disciplina velut desciscentes*[25] *primo mores sequatur*

[22] Ib. 10.

[23] Sall. Iug. 4, 5–6.

[24] Liv. Praef. 7; es ist aufschlußreich, den ganzen Abschnitt mit Cic. De rep. 2, 4 zu vergleichen.

[25] So würde ich für das verderbte *discidentes* (oder *-tis*), *dissidentes* (oder *-tis*) lesen; die Herausgeber lesen *desidentes (-tis)*, vgl. jedoch Vell. 2, 1, 1 *Quippe remoto Carthaginis metu sublataque imperii aemula non gradu, sed praecipiti cursu a virtute descitum, ad vitia transcursum; vetus disciplina deserta*, etc.

animo, deinde ut magis magisque lapsi sint, tum ire coeperint praecipites[26]. Dieser moralische Zusammenbruch fällt wohl in die Zeit Sullas, und in seiner Wortwahl bezieht sich Livius auf einen Abschnitt in den *Historiae* Sallusts: *ex quo tempore maiorum mores non paulatim sicut antea, sed torrentis modo praecipitati*[27]. Livius preist voller Stolz die alten Zeiten des römischen Staates mit ihrer beispielhaften moralischen Reinheit; doch er fährt fort mit einem düsteren Bild der Zeit nach Sulla, in dem der Wortlaut wieder stark von Sallust beeinflußt ist: *nuper divitiae avaritiam et abundantes voluptates desiderium per luxum atque libidinem pereundi perdendique omnia invexere* (vergleiche z. B. Sallust Cat. 12, 2 *igitur ex divitiis iuventutem luxuria atque avaritia cum superbia invasere).*

Dennoch will Livius sich nicht zu jenem Abscheu hinreißen lassen, mit dem Sallust am Schluß seiner Praefatio zum Bellum Iugurthinum ausruft: *verum ego liberius altiusque processi, dum me civitatis morum piget taedetque; nunc ad inceptum redeo*[28]. Mit einer deutlichen Anspielung auf diese Stelle kehrt Livius zu seinem Thema und zu seiner normalen ruhigen Art zurück: *sed querellae, ne tum quidem gratae futurae cum forsitan necessariae erunt, ab initio certe tantae ordiendae rei absint*[29]. Mit diesen Worten entfernt er sich stillschweigend von Sallusts *seria et severa oratio*[30] und dem krankhaften Vergnügen, das er daran zu finden scheint. Livius ist glücklich über die Aussicht *ut me a conspectu malorum, quae nostra tot per annos vidit aetas, tantisper certe dum prisca illa tota mente repeto, avertam*[31]. Durch einen unglücklichen Zufall gehören alle 35 uns erhaltenen Bücher in die Zeit vor dem großen Wendepunkt im Jahre 146 v. Chr. Selbst die Darstellung von Ereignissen des Jahres 169 gibt Livius immer noch das gleiche Gefühl, mit der Vergangenheit beschäftigt zu sein: *ceterum et mihi*

[26] Liv. Praef. 9.
[27] Sall. Hist. fr.1, 16 M.
[28] Sall. Iug. 4, 9.
[29] Liv. Praef. 12.
[30] Gell. 17, 18 (Varro).
[31] Liv. Praef. 5.

vetustas res scribenti nescio quo pacto antiquus fit animus[32]. Es versteht sich von selbst, daß der Zustand, in dem sein Werk erhalten ist, uns sehr leicht ein sehr verzerrtes Bild von Livius' Einstellung zum römischen Staat und zur römischen Geschichte geben kann. Was wie eine chauvinistische Beschönigung dessen aussieht, was die Römer auch immer getan haben, ist in Wirklichkeit Teil seiner allgemeinen Tendenz, die Vergangenheit zu idealisieren; diese wiederum ist an sich ein Ergebnis seiner moralischen Sicht der Geschichte. In dem gleichen Maße muß er jedoch das Bild vom letzten Jahrhundert Roms verdunkelt haben, nur sind wir nicht in der Lage – abgesehen von dem Beleg durch die Praefatio – dies zu erkennen. Er hätte natürlich niemals den verbitterten, kritisierenden Ton Sallusts übernommen; das Ganze macht immer noch den Eindruck einer *mira iucunditas.*

Livius hegt eine große Vorliebe für die alten Zeiten, doch ist er sich dessen bewußt, daß der Durchschnittsleser anders empfinden wird. Die Mehrzahl seiner Leser wollte viel lieber wissen, wie er die Zeit der Bürgerkriege beschreiben würde, *quibus iam pridem praevalentis populi vires se ipsae conficiunt*[33]. Dies war in der Tat ein besonderes Thema, das Pollio und viele Historiker des frühen Imperiums faszinierte; und auch für uns ist es interessant, beispielsweise die verschiedenen Stellen bei Pollio, Livius und anderen zu vergleichen, die Cicero gewidmet sind, wie sie uns in der sechsten *Suasoria* des älteren Seneca erhalten sind. Livius selbst ist jedoch glücklich darüber, ein besseres Zeitalter beschreiben zu können, *omnis expers curae, quae scribentis animum, etsi non flectere a vero, sollicitum tamen efficere potest*[34]. Mit anderen Worten, er weiß im voraus, daß die Darstellung der neueren Zeit ihm *cura* und *sollicitudo* bringen wird. Es steckt mehr in diesen Worten, als sich beim ersten Hinsehen erkennen läßt. Sie bezeichnen nicht einfach ein allgemeines Gefühl des Kummers und des Unbehagens, das durch das traurige Thema hervorgerufen wird, sondern sie deuten auf eine Bedrohung für die *veritas* des Historikers hin

[32] Liv. 43, 13, 1.
[33] Liv. Praef. 4.
[34] Ib. 5.

(flectere a vero). Das erinnert uns an Cicero, der bei der Erörterung seiner Pläne zu einem historischen Werk in der Praefatio zu *De legibus* die zwei Vorbedingungen nannte, die erfüllt werden müßten, bevor er daran denken könnte, Geschichte zu schreiben, nämlich *et cura vacare et negotiis*[35]. Für Cicero sollte die Zeit des *otium* kommen, doch er mußte sie der Philosophie widmen, da er niemals die *securitas* genießen konnte, die es ihm ermöglichte, die Geschichte seiner eigenen Zeit zu schreiben. Als Pollio sich ungefähr zehn Jahre später auf dieses Gebiet wagte, wurde er von Horaz gewarnt, er ginge *per ignis suppositos cineri doloso*[36]. Und dasselbe empfand noch Livius, der wieder zehn Jahre später zu schreiben begann. Doch er weist gleich in seiner Praefatio darauf hin, daß er nicht von der Wahrheit abweichen werde, selbst unter der Bedrohung dieser *cura.*

Hier können wir wieder nicht darüber urteilen, wie er seine Aufgabe erfüllte, obwohl sein aufrichtiger Nachruf für Cicero, der erstaunlich frei von Lob ist, zu Recht wegen seines *candor* von Seneca Rhetor gerühmt wird[37]. Doch wir wissen von einer Konsequenz seiner Darstellung des Kampfes zwischen Caesar und Pompeius: er pries Pompeius so sehr, daß Augustus ihn einen Pompeianer nannte, das ist gleichbedeutend mit „Republikaner"[38]. Damals war der Prinzipat ganz gesichert, und Augustus konnte es sich erlauben, eine *securitas* zu gewährleisten, die früheren – und späteren – Geschichtsschreibern unbekannt war. Doch Livius hatte sicher nicht zur Verbreitung der Idee des Prinzipats beigetragen. Obwohl wir in den erhaltenen Büchern einige ehrerbietige an Augustus gerichtete Bemerkungen finden, ist es auffallend, daß die *gens Iulia* und die *Aeneadum genetrix* nicht erwähnt werden[39]. Und

[35] Cic. De leg. 1, 8 *Intellego equidem a me istum laborem iam diu postulari, Attice; quem non recusarem, si mihi ullum tribueretur vacuum tempus et liberum. Neque enim occupata opera neque impedito animo res tanta suscipi potest. Utrumque opus est, et cura vacare et negotiis.*

[36] Hor. Carm. 2, 1, 7–8.

[37] Sen. Rhet. Suas. 6, 22.

[38] Tac. Ann. 4, 34, 3.

[39] Vgl. J. Bayet, Édition Budé, Einleitung S. 17.

seine Anspielung auf den kürzlich eingeführten Prinzipat in der Praefatio, *haec tempora quibus nec vitia nostra nec remedia pati possumus*[40] (wie die genaue Bedeutung der Worte auch lauten mag)[41] sieht kaum nach einer sehr herzlichen Aufnahme der neuen Ordnung aus; im Kontext bezeichnet sie den Tiefpunkt der bisherigen römischen Geschichte.

Daraus können wir schließen, daß Livius seiner eigenen Meinung nach und im Hinblick auf die alten Richtlinien der Historiographie der Forderung Folge geleistet hatte, die Cicero die *prima lex historiae* nannte, nämlich der *veritas*, der Wahrheit und Unparteilichkeit nachzustreben. Seine angeblichen Abweichungen von der Wahrheit und das, was man seine ‚Verzerrung der Geschichte'[42] genannt hat, sind nicht auf eine Neigung zum Patriotismus zurückzuführen, sondern müssen im Lichte der moralisierenden Sicht der Geschichte bei den Römern gesehen werden, die einer elenden und verderbten Gegenwart das Bild einer großen Vergangenheit vorzuhalten hatte.

Was bedeutet der römische Staat für Livius? Wenn man die Praefationen des Sallust und des Livius nacheinander liest, hat man den Eindruck, daß Sallust vor allem als *civis Romanus* fühlt und denkt, dagegen scheint Livius mehr Abstand zu zeigen. Dieser Eindruck drängt sich an folgenden Stellen besonders auf . . . *iuvabit . . . rerum gestarum memoriae principis terrarum populi pro virili parte et ipsum consuluisse*[43] . . . *ea belli gloria est populo Romano, ut, cum suum conditorisque sui parentem Martem potissimum ferat, tam et hoc gentes humanae patiantur aequo animo quam imperium patiuntur*[44] . . . *inde tibi tuaeque rei publicae quod imitere capias*[45] . . . *nulla umquam res publica nec maior nec sanctior nec bonis*

[40] Liv. Praef. 9.

[41] Vgl. beispielsweise H. Dessau, Die Vorrede des Livius, Festschrift O. Hirschfeld, Berlin 1903.

[42] P. G. Walsh, Livy's preface and the distortion of history, American Journal of Philology 76 (1955), S. 269 ff. [in diesem Bande S. 181].

[43] Liv. Praef. 3.

[44] Ib. 7.

[45] Ib. 10.

exemplis ditior fuit, nec in quam civitatem tam serae avaritia luxuriaque inmigraverint[46]. Dieser Standpunkt ähnelt fast dem eines bewundernden Zuschauers. Und vielleicht ist er es wirklich, ja sogar in einem weit größeren Maße, als gewöhnlich erkannt wird.

Aus der Chronik des Hieronymus wissen wir, daß Livius in Patavium geboren wurde, der Hauptstadt der nichtitalischen Einwohner Venetiens, und daß er auch dort starb. Die Grabinschrift eines T. Livius, die in Padua gefunden wurde, ist sehr wahrscheinlich die seine. Sie lautet: *T. LIVIUS C. F. SIBI ET / SUIS / T. LIVIO T. F. PRISCO F. / T. LIVIO T. F. LONGO F. / CASSIAE SEX. F. PRIMAE / UXORI*[47]. Wenn diese Inschrift tatsächlich von unserem Livius aufgesetzt worden ist, würde ihr Charakter einer Familien-Inschrift – nicht nur seine Frau, sondern auch seine beiden Söhne werden erwähnt – deutlich machen, daß er niemals die Absicht hatte, sich mit seiner Familie in Rom oder in der Nähe dieser Stadt niederzulassen, wie so viele römische Schriftsteller aus fast allen Teilen Italiens es vor ihm getan hatten.

Es wird im allgemeinen angenommen, daß er den größten Teil seines Lebens in Rom verbrachte, um Material für sein Werk zu sammeln. Doch V. Lundström hat in einem schwedisch geschriebenen Artikel gezeigt, daß auf Grund seiner topographischen Fehler und des Fehlens von Hinweisen auf Quellen aus erster Hand keine Wahrscheinlichkeit besteht, daß er eine längere Zeit in Rom lebte[48]. Ich verweise auf diesen Artikel, da die meisten Gelehrten keine Kenntnis davon zu haben scheinen, obwohl sich Anzeichen davon in dem Bericht von Schanz-Hosius über das Leben des Livius finden: ‚doch scheint er den größten Teil seines Lebens in der Heimatstadt zugebracht zu haben‘ (4. Auflage) gegenüber ‚er verbrachte den größten Teil seines Lebens zu Rom‘ (3. Auflage). Was für einen Einfluß kann die Tatsache, daß Livius in Padua gelebt und gearbeitet hat, auf seine Einstellung zum römischen Staat gehabt haben, der sich immerhin doch ganz Italien einverleibt und es zu einer einzigen politischen Einheit gemacht hatte? Zuerst müssen wir

[46] Ib. 11.
[47] C. I. L. V. 2975; Dessau 2919.
[48] V. Lundström, Kring Livius' liv och verk, Eranos 27 (1929), S. 1 ff.

uns vor Augen halten, daß Gallia Cisalpina erst im Jahre 49 v. Chr. volles römisches Bürgerrecht bekommen hatte, als Livius schon zehn Jahre alt war. Außerdem war Patavium nie eine römische *colonia* gewesen wie die anderen Städte der Poebene. Der Name T. Livius kann nicht als Beweis dafür angeführt werden, daß er römischer Abstammung war, denn die Inschriften aus dem venetischen Gebiet zeigen, daß dort alle ortsüblichen Namen im ersten vorchristlichen Jahrhundert allmählich romanisiert wurden[49].

Zweitens werden wir uns meist nicht dessen bewußt, daß Patavium nicht einfach eine Provinzstadt war, sondern laut Strabon, einem Zeitgenossen des Livius, eine der größten Städte des römischen Imperiums[50]. Es wurde behauptet, daß die Stadt einst ungefähr 120 000 waffenfähige Männer gehabt habe, und sie fühlte sich ständig durch die kriegerischen Kelten bedroht, die den größten Teil der Poebene eingenommen hatten. Im zweiten Punischen Kriege war sie ein wichtiger Verbündeter gegen Hannibal und rettete die römischen Kolonien Placentia und Cremona. Im Jahre 147 wurden ihre engen Beziehungen zu Rom durch eine Forderung nach römischer *fides* bekräftigt. Ihre Wirtschaft blühte wie in kaum einer anderen Stadt des römischen Imperiums, dessen wichtigstes Textilzentrum Patavium war. Die beständige Loyalität dieser Stadt Rom gegenüber, bedingt durch die Bedrohung durch den gemeinsamen Feind, die Kelten, scheint der Hauptgrund dafür zu sein, daß Patavium in der römischen Geschichtsschreibung verhältnismäßig stillschweigend übergangen wird; die besten Verbündeten sind, wie die besten Frauen nach der Meinung des Perikles, diejenigen, über die am wenigsten geredet wird! Patavium hatte auch eine lange, eigene Kulturgeschichte und unterhielt enge Beziehungen zu Dionysios I. von Syrakus; die Stadt wurde auch von dem griechischen Historiker Philistos besucht. In der Nähe von Patavium lag die

[49] Vgl. M. Lejeune, Notes de linguistique italique VIII–XI, Revue des Études Latines 31 (1953), S. 117 ff.

[50] Die Daten zu diesem Abschnitt habe ich aus H. Nissen, Italische Landeskunde (1883) I, S. 488 ff. zusammengetragen. Nicht eingesehen habe ich C. Gasparotto, Padova Romana, Rom 1951. Der wichtigste Abschnitt findet sich bei Strabon 5, 212 ff.

kleine griechische Kolonie Atria. Jedes Jahr wurde ein Ruderfest zur Erinnerung an den mißlungenen Angriff des Spartaners Kleonymos auf die Stadt im Jahre 301 v. Chr.[51] auf dem Fluß gefeiert. Es ist bedeutsam, daß die Legende von der Gründung Pataviums durch den Troer Antenor sowohl von Livius als auch von Vergil im Zusammenhang mit der Gründung Roms erwähnt wird[52]. Diese Legende spiegelt den Stolz der Patavianer auf ihre eigene Geschichte wider.

Dies ist meiner Ansicht nach der Hintergrund für die mehr oder weniger objektive und gleichzeitig loyale Haltung des Livius gegenüber dem Phänomen Rom; er fühlt sich eher als Bewunderer der Geschichte Roms und nicht so sehr als ihr Teil und ihr Produkt. Dieses Ergebnis wird durch eine kleine, aber vielleicht bedeutsame, sprachliche Gegebenheit bestätigt, die der Kenntnis der Gelehrten entgangen zu sein scheint. Es ist eine bekannte Gewohnheit der römischen Historiker, die Römer in Kriegen und Schlachten als *nostri* und alles, was römisch ist, als *noster* zu bezeichnen. Wir finden dies oft bei Caesar, Cicero (De rep.), Sallust, Velleius, Tacitus und anderen[53], doch, soweit ich sehen kann, nicht bei Livius[54], zumindest nicht, wenn er selbst spricht (denn *nostri* findet sich allerdings in Reden, die von Römern gehalten werden). Letzteres bestätigt, daß das Fehlen des Wortes *nostri* in der Darstellung

[51] Liv. 10, 2. Im allgemeinen schweigt er sich über seine Heimatstadt mit der gleichen Zurückhaltung wie über seine Person aus.

[52] Liv. 1, 1, 1–3; Verg. Aen. 1, 242–249.

[53] Das älteste Beispiel ist der Annalist Cassius Hemina aus dem 2. Jahrhundert, fr. 34. P. Cicero hat es etwa 13mal in den Fragmenten von De rep. II. Im I. Buch von Caesars De B. G. habe ich allein 23 Stellen gezählt. Sallust bietet 22 Beispiele in seinem Bell. Iug.

[54] Dr. J. M. Fuchs (Den Haag), der einen Index für Livius anfertigt, hat dies auf meine Anfrage für Buch 6, 9, 10, 21–24 festgestellt. Ich selbst habe Buch 41–45 durchgesehen. Die einzige Ausnahme, die ich gefunden habe, ist 44, 8 *quaque provincia nostra, qua hostium foret ...; qui fideles nobis socii,* etc. Hier gibt Livius jedoch den Text einer Anfrage des Konsuls L. Aemilius an den römischen Senat in indirekter Rede wieder; somit handelt es sich hier um eine bezeichnende Abweichung, die durch den Zusammenhang gemildert wird.

des Livius nicht eine Frage des Stils, sondern eine Frage der Einstellung ist. Und während Sallust in seiner Praefatio zum Iugurtha den römischen Staat als *civitas nostra*[55] bezeichnet, ist unserer Ansicht nach ein solcher Ausdruck mit dem allgemeinen Tenor der Praefatio des Livius unvereinbar. Er gebraucht hier zwar *vitia nostra*[56], doch in diesem Satz bezieht er sich auf die Gegenwart – wieder eine Ausnahme, die die allgemeine Regel zu bestätigen scheint.

Nun können wir uns auch berechtigt fühlen, der Tatsache einige Bedeutung zuzumessen, daß Livius der einzige römische Schriftsteller ist, der in der Chronik des Hieronymus mit dem Epitheton seiner Heimatstadt bezeichnet wird, T. Livius Patavinus[57]. An dieser Stelle müssen auch einige Worte über die berühmte Kritik der *Patavinitas* gesagt werden, die von dem unerschütterlichen und unnachgiebigen Verteidiger der Latinität, Asinius Pollio, Livius gegenüber geäußert wurde. Diese Beschuldigung wird von Quintilian an zwei Stellen bestätigt, die beide in einer Erörterung über die *Latinitas* stehen[58]. Abweichungen von der *Latinitas* kommen in zwei verschiedenen Fällen vor: wenn der Stil oder die Aussprache eines Schriftstellers eine übertriebene und gekünstelte Reinheit zeigt und wenn er Wörter oder Konstruktionen benutzt, die nicht lateinisch sind. Bei Quintilian läßt sich aus dem Zusammenhang klar ersehen, daß für Livius der letztere Fall zutrifft – zumindest in den Augen des Pollio; denn obwohl Quintilian das Zeugnis des Pollio anerkennt, weist er selbst mehr oder weniger die Beschuldigung mit den Worten zurück *licet omnia Italica pro Romanis habeam*[59]. Offenbar konnte Quintilian die *Patavinitas* des Livius nicht mehr erkennen, was uns davor warnen sollte, nach ihr zu

[55] Sall. Iug. 4, 5; das Gleiche findet sich z. B. bei Cic., De rep. 2, 2 und 3.

[56] Liv. Praef. 9.

[57] Vgl. Sid. Apoll. c 2, 189 *volumina Patavina;* Symmachus nennt Livius *Patavinus scriptor*, und Asconius (auch ein Patavinus) *noster* (Corn., 68).

[58] Quint. Inst. Or. 1, 5, 56; 8, 1, 3.

[59] Ib. 1, 5, 56. Es sollte beachtet werden, daß Pollio in den Jahren 43–41 v. Chr. in der Poebene ansässig war. Auf die viel diskutierten Erörterungen über *Patavinitas* gehe ich nicht ein.

suchen. Doch eins ist immerhin klar: die gebräuchliche griechische Gegenüberstellung Ἑλληνισμός – Σολοικισμός (der zweite Ausdruck ist von der Stadt Soloi, einer griechischen Kolonie in Kilikien, abgeleitet und wird gebraucht, um ein Gemisch von griechischen und nichtgriechischen Worten und Konstruktionen zu bezeichnen) mußte eine ähnliche Ableitung von einer italischen Stadt nahegelegt haben, die auch an der linguistischen Grenze lag. Es war durchaus kein allzu schlechter Scherz, die idiomatischen Besonderheiten des Livius – obwohl sie außer für einen strengen zeitgenössischen Kritiker kaum erkennbar sind – *Patavinitas* zu nennen. Für uns ist dieser Punkt eine zusätzliche Bestätigung unserer These: wenn Livius tatsächlich in Padua lebte und arbeitete, mußte das in seinem Stil Spuren hinterlassen, mochte er auch als ein eifriger Schüler der Rhetorik und ein Bewunderer Ciceros[60] die *Latinitas* noch so gründlich erlernt haben.

Von Patavium aus, einem Vorposten Italiens mit eigenen historischen, kulturellen und sprachlichen Traditionen, das zur Zeit des Livius immer noch eine bedeutende Metropole war, die gerade vor kurzem volles römisches Bürgerrecht erhalten hatte, betrachtete unser Historiker die römische Geschichte als etwas, das ihm nicht ganz gehörte[61]. Da er weit entfernt von den *negotia* einer römischen Karriere lebte und sein *otium* nicht wie Sallust zu verteidigen brauchte, konnte er sich ganz auf sein umfangreiches Unternehmen konzentrieren. Er nahm den Nachteil hin, weit entfernt von den primären Quellen der römischen Geschichte zu leben, und begnügte sich damit, nur jene Quellen aus zweiter Hand zu benutzen, die er in Padua zu seiner Verfügung hatte[62]. Natürlich war er gelegentlich in Rom, und seine Aufenthalte wurden vermutlich häufiger, als sein Ruhm sich über das römische Imperium ausbreitete und selbst die

[60] Ib. 2, 5, 20.

[61] F. Klingner, Zweitausend Jahre Livius, Neue Jahrbücher für Antike und deutsche Bildung 1943, S. 49 ff. scheint das Gleiche empfunden zu haben: „halb von außen hat er das politisch-geschichtliche Wesen angeschaut". Doch ich glaube, mit den späteren Worten nimmt er wieder zu viel zurück: ‚ganz gewiß in erster Linie Römer'.

[62] Vgl. den oben Anm. 48 angeführten Aufsatz von Lundström.

Aufmerksamkeit des Augustus auf sich lenkte. Doch er fühlte sich niemals veranlaßt, sich mit seiner Familie in Rom niederzulassen und wie Vergil und Horaz Beziehungen zum Hofe aufzunehmen. Er hielt den römischen Imperialismus für gerechtfertigt, da er im Ganzen gesehen seine Untergebenen besser gemacht hatte. In dieser Hinsicht scheint die patavianische Meinung mit derjenigen der Gesandten von Falerii übereingestimmt zu haben, deren Worte von Livius berichtet werden *rati ... melius nos sub imperio vestro quam legibus nostris victuros*[63]. Dasselbe Gefühl rettete Rom im zweiten Punischen Kriege, als im großen und ganzen die *socii* Rom die Treue hielten: *nec abnuebant, quod unum vinculum fidei est, melioribus parere*[64]. Diese Worte sind mit der Äußerung des Polybios in 3, 90[65] verglichen worden. Die Ähnlichkeit scheint in der Tat eine weitgehend ähnliche Einstellung zur römischen Geschichte bei Polybios und Livius widerzuspiegeln, die viel tiefer geht, als meist angenommen wird.

Wenn wir sowohl die alten Richtlinien der Historiographie als auch seine persönliche Umgebung berücksichtigen, war Livius meiner Ansicht nach ein *iudex candidissimus* der römischen Geschichte: Und ich meine, er verdient bei den modernen Philologen eine ähnliche Bewertung.

[63] Liv. 5, 27, 12.

[64] Ib. 22, 13, 11.

[65] Vgl. E. Dutoit, Quelques généralisations de portée psychologique et morale dans l'histoire romaine de Tite-Live, Revue des Études Latines 20 (1942), S. 98 ff.

V

LIVIUS ALS HISTORIKER

Pauly/Wissowa/Kroll, Realenc. d. klass. Altertumswiss., Bd. XIII, Stuttgart: Druckenmüller 1927. Sp. 841–846.

DIE QUELLEN DES LIVIUS

Von Alfred Klotz

Die Grundlage der Quellenforschung bietet Nissen, Krit. Unters. über die Quellen der vierten und fünften Dekade des Livius 1863, wo der unanfechtbare Nachweis erbracht ist, daß Livius für die Geschichte des Ostens in den Büchern 31–45 sich den Polybius als Führer gewählt hat. Dabei hat er gelegentlich einiges aus römischen Quellen hinzugefügt, z. B. bei den Berichten über Friedensschlüsse (33, 30, 8–11), wo diese ja unverächtliches Material boten. Für die stadtrömischen Ereignisse sowie für den Westen (Italien, Gallien, Spanien) fand Livius reicheren Stoff bei den Annalisten, von denen Valerius Antias und Claudius oft zitiert werden. Während die Zuweisung der östlichen Partien an Polybius unanfechtbar ist – nur ist an einigen Stellen die Begrenzung des polybianischen Gutes vielleicht um ein paar Paragraphen zu verschieben –, ist die Aufteilung der andern Stücke strittig. Unger, Philol. Suppl. III 1878 Heft 6 und Kahrstedt[1] haben sich bemüht, die übrig bleibenden Teile der Bücher 31–45 auf Antias und Claudius zu verteilen. Beide gehen aber von unzureichenden Interpretationen aus und berücksichtigen die Einfügung der Zitate nicht genügend. Aus ihnen ergibt sich, daß Antias bis Buch 38 im Einklang mit der Hauptdarstellung genannt wird, während Claudius zu ihrer Ergänzung oder Berichtigung angeführt wird. Wo beide zitiert werden, sei es in den römischen Partien oder in den aus Polybius stammenden Stücken, folgen sie in der Reihenfolge Antias – Claudius. Von Buch 39 an ändert sich das Verhältnis: Claudius wird Führer, Antias dient zur Prüfung und Ergänzung. Auch lassen sich sachliche und stilistische Unterschiede von da an beobachten. Livius hat also die führende Quelle gewechselt: mit der Darstellung des Scipionenprozesses hat er Antias

[1] U. Kahrstedt, Die Annalistik von Livius Buch XXXI–XLV, Berlin 1913.

aufgegeben und zieht ihn nur zur Prüfung des Claudius heran, dem er nun für die westlichen Ereignisse in erster Linie folgt (Klotz, Herm. L 1915, 481 f. Weitere Untersuchung verspricht noch eine Befestigung und Vertiefung der Ergebnisse; so scheint er von Buch 42 an zu der genaueren antiatischen Berichterstattung über die Prodigien zurückgekehrt zu sein). Benutzung weiterer Quellen als der genannten ist für die 4. und 5. Dekade nicht nachgewiesen und nicht wahrscheinlich.

Für die 3. *Dekade* ist die Frage grundlegend, wo die Benutzung des Polybius beginnt. Neben den genannten Annalisten hat Livius das Sonderwerk des L. Coelius Antipater über den zweiten punischen Krieg benutzt. Auch Piso ist einmal noch bei starken Abweichungen der übrigen Quellen eingesehen (25, 39, 15). Und gelegentlich C. Clodius Licinus, ein zeitgenössischer Geschichtsschreiber, ein Ausläufer der Annalistik, herangezogen (29, 22, 10). Strittig ist die Verteilung des Stoffes. Daß Polybius für die griechischen Ereignisse (26, 24, 1–26, 4. 27, 29, 9–33, 5. 28, 5, 1–8, 14. 29, 12, 1–16) auch hier bereits die Quelle ist, ist von vornherein wahrscheinlich und darf als erwiesen gelten. Sein Bericht wird jedesmal am Schlusse des Berichtsjahres gegeben. Weiter ist die Benutzung des Polybius gesichert für die afrikanischen Ereignisse im Buch 29 und 30 (Zielinski, Die letzten Jahres des zweiten punischen Krieges 1880). Zitiert wird er 30, 45, 5 für eine Variante in der aus Antias stammenden Schilderung von Scipios Triumph. Auch die Belagerung von Syrakus, Buch 24, 4, 1–7, 9. 21, 1–39, 13. 25, 23, 1–39, 12 beschreibt Livius wohl nach Polybius. Daß er aber auch die früheren Stücke des Polybius gelesen hat, ist sicher. Aus ihnen hat er 21, 10–22, 4 das hannibalische Truppenverzeichnis nachgetragen; vgl. Hesselbarth, Historisch-kritische Untersuchungen zur dritten Dekade des Livius 1889, 2, der nur unrichtig bestreitet, daß Livius nachträgliche Einschiebungen vorgenommen habe. Als Liv. 24, 34, 5 bei der Beschreibung der Belagerung von Syrakus die *velites* (γροσφομάχοι) erwähnt, erinnert er sich der Stelle bei Polyb. 4, 22, 4, wo deren Lanzen beschrieben sind. Auch 21, 38, 1 ist *quidam auctores sunt, quinto decimo die Alpibus superatis* dem Polybius (3, 56, 3) entnommen, ebenso wie das folgende (§ 2) *qui minimum, viginti milia peditum, sex equitum,* vielleicht auch die Bemerkung 21, 15, 3 *octavo mense ... captum Saguntum quidam scripsere.*

Daß in der 3. Dekade Coelius stark benutzt ist, ist vollkommen gesichert. Schon die Einleitung 21, 1, 1 nimmt auf ihn Bezug (er hatte Thukydides' Eingang kopiert). Er wird oft zitiert, und zwar teils in Einklang, teils im Gegensatz zur Erzählung. Dies ist der Fall, wenn Livius römische Quellen heranzieht, und zwar besonders gegen das Ende der Dekade: 29, 25, 3. 4. 27, 14. 15; im Gegensatz zu Polybius erscheint er mit Antias gemeinsam 29, 35, 2. Die Benutzung des Coelius hat besonders Wölfflin, Antiochos von Syrakus und Coelius Antipater 1872 nachgewiesen (namentlich 21, 22, 6–9, vgl. Cic. div. 1 49, wo Coelius benutzt ist und Silenus zitiert wird). Sicher ist außerdem noch umfassende Benutzung des Valerius Antias, der mit Namen zitiert ist: 25, 39, 14 (im Gegensatz zu der aus Coelius stammenden Erzählung), 26, 46, 3 (ebenso), 28, 46, 14 (ebenso), 29, 35, 2 (gegen Polybius) 30, 3, 6 (ebenso), 30, 19, 11 (gegen Coelius), 30, 29, 7 (Var. zu Polybius). Aber er ist seit Anfang der Dekade benutzt: 21, 25, 4 setzt neben Coelius die Benutzung von zwei Annalisten voraus: *pro Annio Servilioque M.' Acilium et C. Herennium habent quidam annales, alii P. Cornelium Asinam et C. Papirium Masonem,* d. h. Antias und wohl Claudius, der auch 25, 39, 12 bei starker Abweichung benutzt ist. Doch wäre, wie hier § 15, auch 21, 25, 4 die Benutzung des gelegentlich noch eingesehenen Piso möglich.

Mit Polybius berührt sich Livius auch in Teilen der sonstigen Erzählungen stofflich sehr eng, weshalb man vielfach ihn als unmittelbare (so besonders Wölfflin a. a. O., Hesselbarth a. a. O., Sanders, Die Quellencontamination im 21. und 22. Buche des Livius 1898 u. a.) oder mittelbare Quelle (so Soltau, Herm. XXVI 1892, 429 f.; Philol. Suppl. VI 1891–1893, 699–726; Livius' Quellen in der 3. Dekade 1894, der an Claudius; Beloch Herm. L 1915, 357–372, der an A. Postumius Albinus denkt, während O. Hirschfeld, Ztschr. f. öst. Gymn. 1877, 801–811 = Kleine Schriften 1913, 763–775 die Benutzung einer Epitome des Polybius annimmt; auch Wachsmuth, Einleitung in das Studium der alten Geschichte 1895, 593 adn. 3 setzt hier mittelbare Benutzung des Polybius voraus) angesehen hat. Bei genauer Vergleichung ergibt sich aber mit Sicherheit, daß die Erzählung bei Livius und Polybius auf denselben Urquellen aufgebaut ist: Silen und Fabius, die bei Polybius unmittelbar, bei Livius durch Vermittlung des Coelius benutzt sind (so besonders schon Böttcher, Jahrb. f. Philol. Suppl. V 1864–1872, 353–442). Dieser hat auch die Quellenkontamination vorgenommen, die man dem Livius selbst hat zuweisen wollen (richtig hierüber Viedebantt, Herm. LIV 1919, 369).

Wird dies anerkannt, so verspricht die Analyse des Livius auch für die 3. Dekade feste Ergebnisse, die für die geschichtliche Wertung der überlieferten Tatsachen nicht ohne Bedeutung sind. Große Verwirrung ist angerichtet durch falsche Abgrenzung von Coel. frg. 20 Peter (Cic. div. 1 77). Hier stammt nur der letzte Teil = *magnum illud etiam, quod addidit Coelius* usw. aus diesem, während das Vorangehende von Cicero anderswoher entnommen ist. Da dieses mit Liv. 22, 3, 11 in Widerspruch steht, ist diese Feststellung wichtig, um so mehr, als man seit Peter, Die Quellen Plutarchs in den Biographien der Römer 1865, 51–57 Coelius deswegen als Quelle für Plut. Fab. angesehen hat (so irrig auch Soltau, De fontibus Plutarchi in secundo bello Punico enarrando 1870), was bei den engen Beziehungen der Fabiusvita zu Livius verhängnisvoll geworden ist. Unter Berücksichtigung des bisher Gesagten darf als wahrscheinliches Ergebnis der Analyse folgendes angenommen werden: Livius folgt zunächst hauptsächlich Coelius, entnimmt aber die stadtrömischen Ereignisse dem Antias. Dessen Bedeutung nimmt im Laufe der Erzählung immer mehr zu, da Livius bei Coelius manche Unzulänglichkeiten feststellen muß. Während Antias anfangs nur bescheidene Ergänzungen zu Coelius geliefert hat, beherrscht er nach der Schlacht bei Cannae die Erzählung der italienischen Ereignisse. Für Spanien hingegen behält Coelius noch lange seine Bedeutung. Hier bot er offenbar aus Silenus mehr Stoff (vgl. 26, 49, 3). Als dann Polybius für den afrikanischen Kriegsschauplatz Hauptquelle wird, tritt Coelius ganz in den Hintergrund, während Antias neben Polybius sich behauptet. Claudius und Piso werden je einmal genannt, aber nur für Varianten: 25, 39, 12 und 15, also an einer Stelle, wo Livius sich besonders umgesehen hat. Claudius dürfte auch sonst noch gelegentlich für Varianten benutzt sein (z. B. 21, 25, 3). Die genaueren Nachweise müssen der Einzeluntersuchung, die hier nicht vorgelegt werden kann, vorbehalten bleiben.

Besonders wenig läßt sich bis jetzt von den *Quellen der 1. Dekade* sagen. Obgleich die Ergebnisse des scharfsinnigen Werkes von Nitzsch, Die röm. Annalistik von ihren ersten Anfängen bis auf Valerius Antias 1873 zum großen Teil sich als unhaltbar erweisen, enthält es doch viel Anregendes. Da Dionysius in der Ἀρχαιολογία Ῥωμαϊκή ebenfalls in der Hauptsache annalistischen Quellen folgt, läßt sich einiges feststellen. Hauptsächlich verspricht eine genauere Beachtung gewisser sprachlicher Unterschiede und der politischen Haltung der Vorlage des L. noch sicherere Ergebnisse. So erscheint der Demokrat Licinius Macer als wichtige Quelle für den Ständekampf, während Q. Tubero die Darstellung des Macer vielfach in optimatischem Sinne umgebogen zu haben scheint. Jedenfalls ist die Benutzung dieser beiden Quellen in der 1. Dekade sicher, später hat Livius sie preisgegeben, weil er ihre Unzulänglichkeit erkannt hatte. Daher werden sie nur in der 1. Dekade zitiert. Neben ihnen erscheinen Antias, Fabius und Piso. Auch an ihrer unmittelbaren Benutzung ist wohl nicht zu zweifeln. Von Buch 6 an tritt Claudius hinzu. Die Verteilung im einzelnen, wie sie besonders Soltau, Livius' Geschichtswerk usw. 1897 vornimmt, scheint mir keineswegs gesichert. Nach den Zitaten und ihrer Stellung zur Erzählung darf als sicher gelten, daß Fabius 1, 53, 7 als Hauptquelle benutzt ist (vgl. 1, 77, 7). Auch 2, 40, 10 wird bei stark abweichender Überlieferung nur Fabius als *longe antiquissimus auctor* angeführt. Er scheint also der zunächst benutzte Geschichtsschreiber, d. h. der, aus dem die Erzählung stammt, zu sein. Dem Fabius gehört wohl auch 2, 18, 5, wo die Angabe der *veterrimi auctores* zur Erzählung stimmt. Im weiteren Verlauf wird Fabius nur zur Nachprüfung herangezogen: 8, 30, 19 (an zweiter Stelle benutzt). Auch 8, 30, 7 ist unter den *antiquissimi scriptores* Fabius zu verstehen. 10, 37, 13 (an dritter Stelle nach Claudius benutzt). Dasselbe gilt für Piso durchweg. Er liefert daher abweichende Nachrichten: 1, 55, 7. 2, 32, 3 *ea* (d. h. die erzählte Fassung) *frequentior fama est quam cuius Piso auctor est, in Aventinum secessionem factam* (der pisonischen Fassung folgt Liv. 3, 54, 8, wo also Piso oder, was wahrscheinlicher ist, ein diesen benutzender

Annalist vorliegt, dem auch Cic. Mur. 15 und Sen. dial. 10, 13, 8 folgen). Liv. 7, 40, 11 liegt eine kotaminierte Fassung vor (ebenso bei Sall. hist. 1, 11 Maur. Cic. rep. 2, 58). 2, 33, 3 vgl. 2, 58, 1; dann erst wieder gegen das Ende der Dekade genannt: 9, 44, 2. 46, 1 (*in quibusdam annalibus* ~ Piso HRF 27 = Gell. 7, 9. Plin. n. h. 33, 17–19). 10, 9, 12 (wo Piso als *vetustior annalium auctor* dem Macer und Tubero gegenübergestellt ist). Macer ist sicher Quelle der Erzählung 4, 7, 10. 12, 8. 13, 6. 20, 5. 23, 1 (wo ihm Varianten aus Antias und Tubero beigegeben werden). (Da in jener Gegend auch bei den Wiederholungen der Consulnamen sich öfters *tertio* und *quarto* statt des sonst üblichen *tertium quartum* findet (4, 44, 1. 48, 1. 61, 1. 4; 5, 36, 11), ist es möglich, daß hier Macers Sprache durchschimmert.) Auch 7, 9. 3 scheint die Darstellung aus Macer zu stammen, wenn auch Livius auf Grund anderer Überlieferung an ihr zweifelt. Hingegen erscheint er 9, 38, 15 als Nebenüberlieferung, 9, 46, 1 sogar an dritter Stelle. Unsicher ist das Verhältnis 10, 9, 10 wo *Macer ac Tubero* die Erzählung zu decken scheinen. 4, 23, 1 erscheint Q. Tubero mit Antias als Nebenüberlieferung. Claudius wird viermal zitiert, aber immer im Gegensatz zur Erzählung: 6, 42, 3. 8, 19, 13. 9, 5, 1. 10, 37, 13, wo er als zweite Quelle vor Fabius genannt ist. Es ist also nicht wahrscheinlich, daß er sonst in größerem Maße benutzt ist. Schließlich Antias bezeugen Varianten 3, 5, 12 f. (ein Nachtrag); 4, 23, 2 (mit Tubero neben der Hauptquelle Macer). Für ihn ist aber umfassendere Benutzung wahrscheinlich, namentlich seit Macer die Führung verloren hat. 10, 14, 14. 30, 1, 5. 42, 5 weist die Erzählung antiatische Züge auf. Livius hat also zuerst sich wohl mit der alten Annalistik behelfen wollen, konnte aber bei der weiteren Entwicklung die ‚reichere" Überlieferung des Macer (besonders für den Ständekampf) nicht abweisen, bis er dessen Willkür erkannte. Dann dürfte Antias wie später die führende Quelle gewesen sein; Piso und Claudius kommen dafür wenigstens nicht in Betracht. Nicht selten hat Livius dieselben Ereignisse doppelt berichtet, wenn die Quellen sie zu verschiedenen Jahren erzählten. Wie weit er allerdings diese Doppelungen schon vorgefunden hat, bleibt noch unsicher.

Es ergibt sich also folgendes *allgemeine Bild der Quellenbenutzung:* Livius zieht durchweg mehrere Quellen heran, entnimmt einer die Hauptdarstellung, ergänzt und prüft sie aber nach einer oder mehreren anderen nach. Dabei hält er sich für einzelne Teile der Erzählung lange Zeit an dieselbe Quelle, wie er für die Ereignisse im Osten Polybius, für die in Italien und im Westen die römischen Quellen verwendet. Er hat anscheinend zuerst seine Darstellungen auf den *ältesten Quellen* aufbauen wollen, ist aber dann der Versuchung, die das reichere Material der jüngeren Annalistik bot, erlegen. Das ist begreiflich, da er, wenigstens zunächst, an die Echtheit der *libri lintei* glaubte, auf die sich Macer berufen hatte. Aber bald erkannte er die Unzuverlässigkeit der jüngsten Schicht der Überlieferung und gelangte so zu Antias und als Aushilfe zu Claudius. Gewiß waren auch diese nicht unverfälschte Quellen, aber sie boten tatsächlich, wohl auf Grund der *annales maximi,* gutes Material. Die Art, in der sie die Überlieferung gefälscht haben, läßt sich noch genauer feststellen, als es bisher geschehen ist, und zeigt, daß sie doch etwas besser sind als ihr Ruf. So erklärt es sich auch, daß Livius an ihnen lange festgehalten hat. In der 3. Dekade trat zu den bisherigen Führern (Antias und Claudius) Coelius und im weiteren Verlaufe auch Polybius. So sehr jener durch den reicheren Stoff, den er aus Silen übernommen hatte, sich Antias überlegen zeigte – die genauere Kenntnis der spanischen Feldzüge Hannibals, des Alpenzugs und auch der weiteren Kämpfe in Spanien scheint Coelius aus Silen den Römern zuerst vermittelt zu haben –, allmählich erkannte Livius doch, daß Coelius keine unbedingt zuverlässige Quelle war, und so schwindet sein Einfluß gegen das Ende der Dekade immer mehr. Hatte schon in der 3. Dekade Polybius sich als ein sicherer Führer für die Ereignisse des Ostens gezeigt, so bot er für dieses Gebiet auch weiter sicheren Stoff. Für Rom und den Westen mußte Livius natürlich die reicheren annalistischen Quellen verwenden. Zunächst bleibt er Antias treu, ging aber zu Claudius als Hauptquelle über, nachdem ihm in der Darstellung des Scipionenprozesses die Unzuverlässigkeit des Antias bei der Ausschmückung der Erzählung aufgegangen war, während er vorher ihm nur bei den Zahlenangaben mißtraut hatte. Andere Quellen hat er gelegentlich eingesehen, wie sie sich ihm zufällig darboten, oder wenn er bei irgendwelcher Gelegenheit sich genauer zu unterrichten wünschte.

Wilhelm Wiehemeyer, Proben historischer Kritik aus Livius XXI–XLV, Diss. Münster 1938. Verlagsanstalt Lechte, Emsdetten. S. 70–80.

PROBEN HISTORISCHER KRITIK AUS LIVIUS XXI-XLV

Von Wilhelm Wiehemeyer

Allgemeine Beobachtungen

Im großen und ganzen stellt Livius immer nur zwei verschiedene Berichte nebeneinander. Seltener finden wir Stellen, an denen es drei sind. Beide Gruppen stehen in einem Verhältnis zu einander von ungefähr 5 : 1. Damit ist aber nun keineswegs gesagt, daß an den Stellen, an denen nur zwei Versionen über irgendein Ereignis angeführt werden, auch nur zwei Quellen zugrunde liegen. In solchen Fällen müssen wir oft mit der Möglichkeit rechnen, daß Livius die eine Version bei mehreren Autoren gefunden hat. Wenn wir z. B. 21, 46, 10 bei der Rettung des Consuls Scipio lesen, Coelius habe sie einem ligurischen Sklaven zugeschrieben, *plures auctores* dagegen dem Sohn des Consuls, so geht daraus hervor, daß Livius hier mindestens drei, wenn nicht noch mehr Quellen im Auge gehabt hat (vgl. 22, 31, 8 ff., 23, 6, 6 ff., 25, 11, 20 u. a.). An anderen Stellen ist es wieder schwieriger, in diesem Punkte eine einigermaßen genaue Entscheidung zu treffen. Ein Ausdruck wie *quidam auctores* bezeichnet nämlich, wie Nissen (S. 47 f.) nachgewiesen hat, noch nicht ohne weiteres mehrere Autoren, sondern es kann auch nur ein einziger damit gemeint sein.

Hinweise und Andeutungen auf mehr als drei Versionen sind bei Livius sehr selten. So ist uns auch nur eine Stelle begegnet, an der sich vier verschiedene Berichte gegenüberstehen, und zwar 29, 25, 1 ff., wo er über die Größe des römischen Heeres bei der Überfahrt Scipios nach Afrika (204 v. Chr.) spricht. Der Inhalt dieser Stelle ist insofern von Bedeutung, als wir auch sonst die Beobachtung machen können, daß gerade an Stellen mit derartigen Zahlenangaben das Quellenmaterial eine größere Vollständigkeit aufweist.

Aber noch an anderen Stellen zeigt sich bei Livius deutlich das Bestreben, seinen Lesern ein möglichst umfangreiches und geschlossenes Bild der Überlieferung zu geben. Zu diesem Zweck zieht er dann auch mehr Quellen als gewöhnlich heran. So hat er bei der Schilderung des Scipionenprozesses vier Quellen eingesehen und benutzt: Valerius Antias, Claudius, der allerdings nicht namentlich genannt wird, und die beiden Reden des P. Scipio und des Ti. Gracchus, diese mit dem Zusatz: *si modo ipsorum sunt quae feruntur* (38, 56, 5). Die Höchstzahl der zugrunde liegenden Quellen weist aber wohl seine Untersuchung über das Todesjahr des P. Scipio auf (39, 52, 1–6); denn hier finden wir Andeutungen und Hinweise auf nicht weniger als 6 verschiedene Quellen: Polybius, Rutilius, Valerius Antias, Claudius – hier ebenfalls nicht namentlich genannt – libri magistratuum und die Rede des P. Scipio, deren Echtheit hier eigentümlicherweise nicht angezweifelt wird.

Die beiden Exkurse über den Scipionenprozeß und das Todesjahr des Scipio sind die ausführlichsten bei Livius. Den ersten schließt er mit den Worten: *Haec de tanto viro, quam et opinionibus et monumentis litterarum variarent, proponenda erant* (38, 57, 8). In den Worten: *de tanto viro* haben wir auch sofort den Grund, der natürlich ebenso 39, 52, 1 ff. vorliegt. Deshalb ist Livius hier so ausführlich auf diese Frage eingegangen. Dieselbe Beobachtung haben wir bereits 37, 48, 1ff. machen können. Wir hörten dort von einem Gerücht, das nach der Angabe des Valerius Antias im Jahre 189 v. Chr. über die Gefangennahme des L. und P. Scipio in Rom im Umlauf gewesen sein sollte. Livius bringt seine Kritik in den Worten: *Rumoris huius quia neminem alium auctorem habeo neque adfirmata res mea opinione sit nec pro vana praetermissa.* Er weiß also, daß die Angabe des Antias nicht stimmt, sieht darin aber keinen Grund, auf ihre Wiedergabe zu verzichten. Der Leser soll eben sehen, welch' verschiedene Berichte über die Scipionen in der Literatur verbreitet waren.

Die größere Vollständigkeit des Quellenmaterials an diesen Stellen mag vielleicht manchem als Zufall erscheinen; das möchte ich allerdings nicht annehmen, sondern ich sehe den Grund hierfür in der Tatsache, daß es sich um die bekanntesten und bedeutendsten Männer Roms handelte, für deren Geschichte schon eine größere

Vorsicht und Vollständigkeit angestrebt werden mußte. Dieselbe Beobachtung machen wir noch 25, 16, 24 ff. und 27, 27, 12 ff. Es handelt sich hier ebenso wie 39, 52, 1 ff. um den Tod berühmter Männer, denen Livius besondere Teilnahme zuwendet. An beiden Stellen sind mehr als zwei verschiedene Berichte und Autoren von ihm herangezogen und verglichen worden. 25, 17, 3 lesen wir eine ähnliche Bemerkung, wie sie 38, 57, 8 mit den Worten *de tanto viro* zur Begründung seiner Ausführlichkeit gegeben war, *adeo nec locus nec ratio mortis in viro tam claro et insigni constat.* In diesem Zusammenhang mag dann auch noch an 29, 29, 6 ff. erinnert werden. Dort hat Livius in seine coelianische Darstellung einen Abschnitt aus Polybius über Masinissa eingelegt, da er bei Coelius anscheinend nichts Näheres über diese für die weiteren Kämpfe der Römer in Afrika so wichtige Persönlichkeit vorfand. Auch hier zeigt sich also wieder dasselbe Bestreben des Livius zu einer größeren Ausführlichkeit in seiner Berichterstattung[1].

Andere größere kritische Exkurse finden sich ferner noch hauptsächlich: 21, 15, 3–6 (Chronologie der Belagerung von Sagunt) 38, 2–5 (Zahl der Truppen Hannibals bei seiner Ankunft in Italien 218 v. Chr.) 22, 31, 8–11 (Fabius *dictator* oder *pro dictatore?*) Es sind also größere und wichtigere historische Ereignisse, die Livius bewogen haben, sich genauer mit den einzelnen Berichten auseinanderzusetzen und den Gedankengang seiner Überlegungen und Erwägungen auch seinen Lesern im Text mitzuteilen. 22, 31, 8–11 mochte ihn außerdem noch ein ähnliches Ereignis seiner eigenen Zeit zu einer genaueren Beschäftigung mit dieser ganzen Frage veranlaßt

[1] Über die Methode, die Livius ganz allgemein in der Charakterisierung bedeutender Männer und deren Taten anwendet, vgl. J. Bruns, Die Persönlichkeit in der Geschichtsschreibung der Alten, Berlin 1898. – Im Anschluß an 29, 29, 6 ff. drängt sich uns die Frage auf, wie die verschiedene Begrenzung des geschichtlichen Stoffes in der Monographie des Coelius und in umfassenderen Werken (Polybius, Annalisten) sich hinsichtlich Masinissas oder anderer bedeutender Männer überhaupt ausgewirkt hat. Durch eine Beobachtung ähnlicher Art angeregt, hat Fr. Münzer (Röm. Adelsparteien S. 190 Anm. 1) bereits auf diese Frage aufmerksam gemacht, der ich im Rahmen dieser Arbeit nicht weiter nachgehen kann.

haben. An anderen Stellen ist Livius in seinen Betrachtungen weniger ausführlich, so z. B. 7, 1 ff. 23, 12, 1 ff. 26, 49, 1 ff. Aber daraus ist keineswegs die Schlußfolgerung zu ziehen, daß er hier nun auch deshalb weniger sorgfältig und umsichtig in seiner kritischen Prüfung der Tradition vorgegangen ist. Hier teilt er sozusagen nur das Endergebnis seiner kritischen Überlegungen mit, und zwar fast immer in einer solchen Art und Weise, daß man bei einer Kenntnis seiner sonstigen kritischen Methode auch an der einzelnen Stelle noch feststellen kann, wie er zu diesem oder jenem Resultat gekommen ist.

Es ist schade, daß uns nicht mehr derartige Exkurse wie 21, 15, 3 ff.; 38, 2 ff. u. a. erhalten sind. In den letzten Büchern sind diese vielleicht noch etwas zahlreicher gewesen, weil Livius hier aus eigener Kenntnis der Dinge prüfen und urteilen konnte, also einen größeren Überblick über die Tradition besaß. Unser Urteil bleibt deshalb einseitig, da wir mit unserer Kritik nur einen geringen Teil des ganzen Werkes, etwa ein Viertel, erfassen können. Für die Beurteilung des Livius als Historiker und Forscher sind diese Exkurse natürlich ungemein wertvoll, weil wir in ihnen Proben seiner kritischen Prüfung und Arbeit an der Tradition vor uns haben.

Livius selbst hat diese Exkurse als etwas Besonderes aufgefaßt, und er bringt das auch schon rein äußerlich durch ihre Stellung zum Ausdruck. Er trennt sie nämlich meist streng von der fortlaufenden Erzählung der Ereignisse ab und betrachtet sie als ganz für sich stehend, so daß sie, wie auch Peter bemerkt, ohne jede Störung des Satzbaues und Sinnes aus dem Zusammenhang herausgenommen werden können[2]. Nun hat aber gerade Peter geglaubt, diese Stellung der Exkurse dem Livius zum Vorwurf machen zu müssen: „Des

[2] H. Peter, Wahrheit und Kunst, Geschichtsschreibung und Plagiat im klassischen Altertum, Leipzig 1911, S. 356 f. Einige Beispiele mögen das verdeutlichen. Ohne den kritischen Exkurs würden wir z. B. 22, 31, 7 ff. lesen: *Ipse (Cn. Servilius Geminus) per Siciliam pedibus profectus freto in Italiam traiecit, litteris Q. Fabi accitus et ipse et collega eius M. Atilius, ut exercitus ab se exacto iam prope semestri imperio acciperent . . . 32, 1 Consules Atilius Fabiano, Geminus Servilius Minuciano*

Livius Quellenkritik hinterläßt den Eindruck, als ob sie mehr der Sitte wegen geübt worden sei. Kritisieren entsprach weder seiner Natur, noch seiner ethischen auf das narrare gehenden Richtung und wird nicht selten allein von der Empfindung geleitet; daher beanspruchen bei ihm derartige Erörterungen beschränkten Raum, werden nur an den Schluß eines längeren Abschnittes oder Buches in der Form eines Anhangs eingeschoben und stehen an Überzeugungskraft weit hinter denen des Polybius zurück".

Diese Auffassung von Peter geht auf seine grundsätzliche Beurteilung der livianischen Quellenkritik zurück. Nach seiner Ansicht hat Livius die historische Kritik sozusagen als etwas seinem eigenen Wesen durchaus Fremdes empfunden, so daß er seine wenigen kritischen Bemerkungen, zu denen er auch nur unter dem Einfluß einer allgemeinen Zeitströmung, der Rhetorik, gekommen sei, gleichsam als Fremdkörper von seiner eigentlichen Erzählung absonderte. Aber ebensowenig wie ich Peter in seiner grundsätzlichen Beurteilung der livianischen Kritik an der Tradition zustimmen kann, so auch nicht in diesem einzelnen Punkte; denn der Grund für diese Stellung der kritischen Exkurse ist ein ganz anderer. Livius will die eigentliche Erzählung von allen kritischen Bedenken entlasten, damit der Leser die Darstellung als eine geschlossene Einheit auf sich wirken lassen kann. Deshalb bringt Livius zuerst im Zusammenhang das, was er von der Tradition als richtig und glaubwürdig erkannt hat, mit anderen Worten seinen Hauptbericht. Dann vergleicht er die einzelnen Quellen, um bedeutende Differenzen festzustellen und anzumerken. So vermeidet er es, die

exercitu accepto ... oder 23, 6, 5 ff. *Postremo vincit sententia plurium, ut idem legati, qui ad consulem Roman ierant, ad Hannibalem mitterentur* ... 7, 1 *Legati ad Hannibalem venerunt* oder 29, 27, 13 ff. *Eo classis decurrit copiaeque omnes in terram expositae sunt* ... *Expositis copiis Romani castra in proximis tumulis metantur* u. a. Wir würden heute derartige Exkurse in eine Anmerkung unter den Text setzen. Wir haben sie so an der betreffenden Stelle sofort zur Hand, ohne daß die zusammenhängende Darstellung irgendwie darunter leidet. Die kritischen Exkurse in den antiken Werken entsprechen also den Anmerkungen der modernen und erscheinen uns nur wegen der anderen Buchtechnik als „Exkurse".

zusammenhängende Darstellung im Text selbst durch derartige Erörterungen auseinanderzureißen, wodurch die Übersichtlichkeit und Einheit des Ganzen sehr leiden würde.

So finden wir denn auch die meisten kritischen Anmerkungen, soweit sie über den einfachen kurzen Hinweis auf einen anders lautenden Bericht hinausgehen, am Schluß eines inhaltlich zusammenhängenden Abschnittes: 21, 15, 3 ff. 38, 1 ff. 46, 7 ff. 22, 31, 8 ff. 25, 11, 20. 16, 24 ff. 27, 7, 5. 27, 12 ff. 29, 27, 13 ff. 35, 2. 32, 6, 5 ff. 33, 10, 7 ff. 39, 52, 1 ff. u. a.

Eine typische Stelle dieser Art ist 21, 38, 6–9. In den Kapiteln 31–37 hat Livius ausführlich den Zug Hannibals über die Alpen behandelt. 31, 9–12 hat er in den Bericht seiner bisherigen Quelle einen Passus eingeschoben, der es durch die hier angeführten Volksnamen ermöglicht, die Richtung des Hannibalzuges festzustellen. Die hier angegebene Route führt den Hannibal zuerst zu den Taurinern, dem allgemein bekannten Endpunkt des Alpenüberganges. Livius ist 31, 9 zu der Einlegung dieses Abschnittes gekommen, weil die bisher benutzte Quelle einen Paß hatte, der diesen Anforderungen nicht entsprach (vgl. Kahrstedt, G. d. K. S. 150). Livius war sich also bereits vorher über die Frage klar geworden. Es ist nun sehr bezeichnend für ihn, daß er 31, 9–12 mit keinem Wort auf diese verschiedenen Versionen hinweist, sondern stillschweigend seine Quelle korrigiert und am Schluß seiner Darstellung des Alpenüberganges sich in längeren Erörterungen über dieses Problem ergeht. So können wir erst von 38, 2 ff. aus den Grund für die Einfügung von 31, 9–12 recht verstehen[3].

Ebenso liegt der Fall wahrscheinlich 21, 46, 7 ff. (Rettung des Consuls Scipio in der Schlacht am Tessin). 46, 7 lesen wir von der Rettung durch den Sohn: *Is pavor perculit Romanos, auxitque pavorem consulis vulnus periculumque intercursu tum primum pubescentis fili propulsatum.* Aber erst am Schluß dieser Darstellung (46, 10) erfahren wir von der abweichenden Version des Coelius,

[3] Klotz (PW. XIII 1, 838, 45 ff.) setzt allerdings diese Kontamination in der Schilderung von Hannibals Alpenübergang auf das Konto der Quelle des Livius, des Coelius. Diese Ansicht ist aber bereits von Kahrstedt (S. 150) mit Recht zurückgewiesen, bevor Klotz sie vertrat.

obwohl dieser bereits im Vorhergehenden als Quelle benutzt ist (vgl. Kahrstedt S. 166). Livius hat hier also vorher stillschweigend den Bericht des Coelius in diesem Punkte korrigiert und dem Sohn des Consuls die Rettung zugeschrieben, wie *plures auctores* berichtet hatten. Und nur um die Einheit der Erzählung nicht zu zerreißen, hat er hier wie 21, 31, 9–12 eine Bemerkung seinerseits zu dieser Frage unterdrückt und diese erst am Schluß des Abschnittes hinzugefügt.

Dagegen ist 21, 28, 5 ff. sein Verfahren genau umgekehrt; denn da steht seine Kritik der abweichenden Version an der Spitze seiner Darstellung und nicht wie sonst am Schluß.

Oft werden wir allerdings auch den Grund für die Stellung der kritischen Exkurse und Anmerkungen am Schluß eines längeren Abschnittes darin zu suchen haben, daß Livius erst dann, nachdem er nach seiner Hauptquelle den Verlauf der Ereignisse erzählt hat, die betreffenden Parallelquellen eingesehen und verglichen hat. Das zeigt sich sehr deutlich z. B. 22, 31, 8 ff., wo er die Frage erörtert, ob Fabius *dictator* oder nur *pro dictatore* gewesen sei. 8, 6 berichtet er bereits von einer Wahl des Fabius zum *dictator* und erst 31, 8 ff. tauchen ihm durch den abweichenden Bericht einer anderen Quelle Bedenken auf. Trotzdem er nun hier zu dem Ergebnis kommt, daß dem Fabius rechtlich nur der Titel *pro dictatore* zusteht, läßt er seine vorhergehende Erzählung ruhig stehen, obwohl er ihn dort immer als *dictator* bezeichnet hat. Eine nachträgliche Änderung hat er also nicht vorgenommen (vgl. seine Behandlung des Scipionenprozesses).

26, 49, 1 ff. ist dagegen die Stellung seiner kritischen Anmerkungen eine etwas unglückliche; denn hier sind sie gleichsam als eine längere Parenthese mitten in den zusammenhängenden Text eingeschoben. 49, 1 will er eigentlich nur die verschiedenen Berichte über die Zahl der spanischen Geiseln anführen. Dabei muß er aber feststellen, daß sich auch über die Zahl der feindlichen Gefangenen etc. verschiedene Angaben in den einzelnen Quellen vorfinden. Diese schließt er dann an, so daß wir auf einmal über 8 verschiedene Dinge Varianten vor uns haben. Es ist klar, daß hierdurch die zusammenhängende Erzählung sehr auseinandergerissen wird, obwohl Livius das sonst immer nach Möglichkeit zu vermeiden sucht. Erst 49, 7 greift er mit den Worten: *Ceterum vocatis obsidibus* wieder auf 49, 1 zurück: *Tum obsides civitatium Hispaniae vocari iussit.*

Zu Beginn der Arbeit hatten wir zwei Gesichtspunkte herausgestellt, nach denen wir eine Zweiteilung der zu behandelnden Stellen vornahmen. Danach gehörten zu der ersten Gruppe alle die Stellen, an denen Livius Sachkritik geübt, und zur zweiten die, an denen er auf dem Wege der Quellenkritik eine Entscheidung getroffen hatte. Ihre Verteilung auf die einzelnen Bücher ergibt folgendes Bild (Tabelle 1).

Die Stellen in den einzelnen Dekaden halten sich also, rein äußerlich betrachtet, so ziemlich die Waage. Auch wenn wir die eine oder andere Stelle, die in dieser Arbeit nicht behandelt ist, hinzunähmen, würde eine wesentliche Verschiebung dieses Verhältnisses nicht eintreten[4]. Sehen wir dagegen von den Stellen ab, an denen Livius nur ein Bericht vorlag, so daß ihm zur Prüfung dieser einen Nachricht nur die Sachkritik übrig blieb, so ergibt sich ein völlig verändertes Bild (Tabelle 2).

In der 3. Dekade ist das Verhältnis der Stellen zueinander im großen und ganzen das gleiche geblieben, nur in der ersten Gruppe sind zwei Stellen ausgeschieden. Für die 4. Dekade trifft das aber keineswegs zu; denn da finden wir nicht eine Stelle, an der Livius auf dem Wege der Sachkritik eine Entscheidung getroffen hat. Die erhaltenen Bücher der 5. Dekade weisen mit einer Ausnahme (45, 40, 1–3) dasselbe Bild auf. Aber auch hier ist die Sache noch sehr zweifelhaft, da uns eine Lücke im Text die Möglichkeit der genauen Nachprüfung nimmt. Der Wendepunkt liegt also am Schluß der 3. und Beginn der 4. Dekade. Diese an sich etwas auffallende Erscheinung findet ihre natürliche Erklärung, wenn wir bedenken, daß Livius von der 4. Dekade ab in Polybius einen sicheren Führer gefunden hat, soweit es sich um die Darstellung der griechischen Ereignisse handelt, und das ist an sämtlichen Stellen der Fall mit Ausnahme von 34, 15, 9; 37, 48, 1–7; und 39, 43, 1. 32, 6, 5 ff. und

[4] Ich denke da vor allem an 38, 50 ff. (Scipionenprozeß) und 39, 52, 1 ff. (Todesjahr des Scipio). Sonst sind alle einigermaßen wichtigen Stellen in dieser Arbeit behandelt.

Sachkritik		Quellenkritik		Sachkritik		Quellenkritik		Sachkritik		Quellenkritik	
21	15,3 – 6	21	25,3 – 5	31	–	31	–	41	–	41	–
21	28,5 – 6	21	38,2 – 5		–		–		–		–
21	38,6 – 9	21	46,7 –10		–		–		–		–
21	47,4 – 6		–		–		–		–		–
22	31,8 – 9	22	7,1 – 4	32	–	32	6,5 – 8	42	–	42	11,2 – 2
22	36,1 – 4		–		–		–		–		66,9 –10
23	16,15–16	23	6,6 – 8	33	36,13–15	33	10,7 –10	43	–	43	–
23	12,1 – 2		–		–		–		–		–
24	–	24	–	34	10,1 – 3	34	15,9	44	–	44	13,12–13
	–		–		–	34	41,8 –10		–		–
25	–	25	11,20	35	2,8	35	–	45	40,1–3	45	–
	–	25	16,24–17,7		–		–	45	43,8–9		–
26	49,1 – 6	26	–	36	36,3 – 5	36	19,10–12				
	–		–	36	38,5 – 7		–				
27	–	27	7,5	37	–	37	48,1 – 7				
	–	27	27,11–14		–	37	60,1 –				
28	12,13–15	28	46,14–15	38	–	38	60,1 – 6				
29	29,4	29	27,13–15	39	41,5	39	42,5 –43,1				
	–	29	15,2		–		–				
30	–	30	3,4 – 6	40	29,8	40	–				
	–	30	19,11–12	40	50,2 – 7		–				
	11		*14*		*8*		*9*		*2*		*3*

Sachkritik		Quellenkritik		Sachkritik		Quellenkritik		Sachkritik		Quellenkritik	
21	28,5 – 6	21	25,3 – 5	31	–	31	–	41	–	41	–
21	38,6 – 9	21	38,2 – 5		–		–		–		–
21	47,4 – 6	21	40,7 –10		–		–		–		–
22	31,8 –11	22	7,1 – 4	32	–	32	6,5 – 8	42	–	42	11,1 – 2
22	36,1 – 4	22	–		–	33	–	43	–	43	66,9 –10
23	12,1 – 2	23	6,6 – 8	33	–		10,7 –10		–		–
24	–	24	–	34	–	34	15,9	44	–	44	13,12–13
	–		–		–		–		–		–
25	–	25	11,20	35	–	35	41,8 –10	45	40,1–3	45	–
25	–	25	16,25–17,3		–		–				
26	49,1 – 6	26	–	36	–	36	–				
27	–	27	7,5	37	–	37	19,10–12				
27	–	27	27,11–14		–	37	48,1 – 7				
28	12,13–15	28	46,14–15	38	–	38	69,1 –				
29	29,4	29	27,13–15	39	–	39	23,6 –10				
29	–	29	35,2		–		42,5 –43,1				
30	–	30	3,4	40	–	40	–				
30	–	30	19,11–12		–		–				
	9 (11)		*14 (14)*		*0 (8)*		*9 (9)*		*1 (2)*		*3 (3)*

42, 11, 1 ff. ist wahrscheinlich neben Polybius noch Claudius eingesehen worden, während 34, 15, 9 und 39, 43, 1 das zeitgenössische Zeugnis des Cato für seine Entscheidung ausschlaggebend gewesen ist. Bei Differenzen in der Tradition hinsichtlich griechischer Ereignisse trifft Livius also immer eine positive Entscheidung, und zwar im Sinne des polybianischen Berichtes, zu dem er an einigen Stellen noch den der Annalisten anführt, um auf ihre völlige Unglaubwürdigkeit hinzuweisen. In den annalistischen Partien beschränkt sich Livius dagegen meist darauf, ihm verdächtig vorkommende Nachrichten durch Nennung der Quelle als solche zu brandmarken und auf diese Art und Weise seine ablehnende Haltung dem betreffenden Bericht gegenüber zum Ausdruck zu bringen. Eine Ausnahme bilden da nur 34, 15, 9 und 39, 43, 1, wo eben Cato namentlich genannt wird, und 37, 48, 1 ff., wo ganz allgemein auf andere, uns weiter nicht genannte Quellen hingewiesen wird.

Unter den Stellen der zweiten Gruppe sind auch manche, an denen Livius sich nicht nur auf Quellenkritik beschränkt, sondern außerdem noch die einzelnen Berichte auf ihre Glaubwürdigkeit geprüft hat, so vor allem: 23, 6, 6 ff., 29, 27, 13 ff., 30, 3, 4; 19, 11. Ebenso ist bestimmt an einigen Stellen der 4. Dekade mit der Möglichkeit zu rechnen, daß die dort abgelehnten Berichte ihm von vornherein verdächtig und unglaubwürdig vorkamen, z. B. 33, 10, 7 ff.; 34, 15, 9; 36, 19, 10 ff.; 38, 23, 6 ff. Diese Vermutung ist sehr wahrscheinlich, zumal da es sich an diesen Stellen um die Verlustziffern der Feinde Roms handelt und Livius gerade in diesem Punkte immer sehr vorsichtig gewesen ist.

Wenn wir uns die Stellen aus der 3. Dekade in ihrer Verteilung auf die einzelnen Bücher näher ansehen, ergibt sich die auffallende Tatsache, daß von insgesamt 25 Stellen allein 7, also mehr als $^1/_4$, auf B. 21 und 13 auf B. 21–23 entfallen (vgl. die Tabelle S. 232). Dabei fragt man sich unwillkürlich, ob hieraus etwa besondere Schlüsse zu ziehen sind. Diese Frage ist unbedingt zu bejahen; denn diese große Zahl der Stellen in den drei ersten Büchern, die die Geschichte der drei ersten Jahre des II. punischen Krieges behandeln, beweist, daß Livius gerade zu Beginn dieser Dekade die Vergleichung der Quellen besonders sorgfältig vorgenommen hat.

Das zeigt sich auch sehr deutlich, wenn wir die Zahl der Stellen von 24–30 mit der von 34–40 vergleichen. In beiden Abschnitten ist sie ungefähr die gleiche; denn den 12 von 24–30 stehen 14 von 34–40 gegenüber[5]. 21–23 finden wir allein drei größere kritische Exkurse: 21, 15, 3 ff. (Chronologie der Belagerung von Sagunt), 38, 2 ff. (Stärke des hannibalischen Heeres bei seinem Eintreffen in Italien und das Problem des Alpenpasses), 22, 31, 8 ff. (Fabius dictator oder pro dictatore?). Aber auch andere Stellen verraten eine sehr eingehende Beschäftigung und Bearbeitung des vorliegenden Quellenmaterials, so z. B. 21, 28, 5 ff.; 47, 4 ff.; 22, 7, 1 ff.; 22, 6, 6 ff.

Zu dieser genauen und kritischen Prüfung der Tradition wird Livius gekommen sein durch die einzigartige Bedeutung des II. punischen Krieges, in dem es um Sein oder Nichtsein des römischen Volkes ging[6]. Und gerade in die ersten Jahre dieses gewaltigen Ringens fallen die großen Schlachten und Niederlagen, die Rom vollkommen zu vernichten drohten. Es ist daher sehr natürlich und auch sachlich durchaus begründet, wenn sich das besondere Interesse des Historikers diesen ersten Kriegsjahren zuwendet[7].

Für das Ergebnis unserer Untersuchung ist deshalb die Feststellung außerordentlich wertvoll, daß Livius bei den geschichtlich bedeutendsten Ereignissen seine Darstellung mit besonderer Sorgfalt gestaltet hat, und zwar auch in wissenschaftlich kritischer Durcharbeitung des Quellenmaterials. Nicht belanglose Kleinigkeiten,

[5] Im 24. Buch findet sich überhaupt kein Zitat, weder ein namentliches noch ein anonymes – dasselbe trifft übrigens auch auf B. 31 und 43 zu – eine Tatsache, die gerade nach den vielen Zitaten in B. 21–23 sehr auffällt.

[6] Vgl. die Worte zu Beginn der 3. Dekade: *In parte operis mei licet mihi praefari, quod in principio summae totius professi plerique sunt rerum scriptores, bellum maxime omnium memorabile, quae umquam gesta sint, me scripturum* etc.

[7] Überhaupt steht ja in der 3.–5. Dekade die Kriegsgeschichte im Vordergrund, und die kritische Arbeit des Livius erstreckt sich deshalb auch fast ausschließlich auf dieses Gebiet. Außerdem bestanden gerade in der äußeren Geschichte die größten Differenzen zwischen römischen und nichtrömischen oder gar feindlichen Berichten (Silen!).

sondern die wirklich wichtigen Fragen haben seine Kritik an den Quellen angeregt.

Man kann darum auch die Tatsache, daß bei Livius in den späteren Büchern die Zahl der Exkurse und kritischen Bemerkungen zu den einzelnen Quellen zurückgeht, nicht als ein Erlahmen seiner Kritik überhaupt deuten, wie Gutschmid (Kl. Schr. I S. 22) es getan hat: „Es ist namentlich die bei schwächeren Größen öfters wahrzunehmende Möglichkeit in Betracht zu ziehen, daß nach dem ersten Eifer, mit dem ein Geschichtswerk in Angriff genommen ist, ein Erlahmen eintritt und in den späteren Büchern ein geringeres Quellenmaterial herangezogen und selbst dies geringe weniger verarbeitet wird, als dies in den früheren Büchern der Fall gewesen ist. So scheint die Sache z. B. bei Livius zu liegen, der in der dritten Dekade, und bei Diodor, der wenigstens im ersten Buch jeder mehr Quellen benutzt und diese durcheinandergearbeitet (beziehentlich dadurch für uns mehr verdorben) hat, als in den späteren Büchern, in denen mehr und mehr an die Stelle des Bearbeiters ein wörtliches Ausziehen der Quellen tritt."

In diesem Zusammenhang ist aber auch nicht zu vergessen, daß gerade für die 3. Dekade die Monographie des Coelius eine wichtige Quelle darstellte. Es ist daher verständlich, wenn Livius diesen Autor an den Stellen, an denen es sich um viel erörterte Probleme der römischen Geschichte handelte, heranzieht und ihn besonders zu Beginn seiner Benutzung auf seine Glaubwürdigkeit und Zuverlässigkeit näher untersucht. So wird Coelius an den 13 Stellen in B. 21–23 allein 5mal als Quelle genannt (21, 38, 6; 46, 10; 47, 4; 22, 31, 8; 23, 6, 8). Dabei wird er in der 3. Dekade nur 11mal zitiert, und zwar auffälligerweise im Anfang dieser Dekade (B. 21) und am Schluß (B. 29) je 3mal und in den Büchern 22, 23, 26, 27, 28 nur je 1mal. In B. 21 wie auch in B. 29 wird Coelius an allen Stellen von Livius abgelehnt.

Entnommen mit Genehmigung des Verlages Walter de Gruyter, Berlin, aus: Fritz Hellmann, Livius-Interpretationen, Berlin 1939, S. 19–21 u. 32–35.

DAS KRITISCHE VERFAHREN DES LIVIUS

Von Fritz Hellmann

[F. Hellmann hat in seinen „Livius-Interpretationen“, Berlin 1939, S. 8 ff. eine übersichtliche Zusammenstellung der kritischen Äußerungen des Livius gegeben, die geeignet sind, seine Stellungnahme zu den ihm vorliegenden Quellen und sein methodisches Verfahren sowohl in einzelnen Fällen als auch bei generellen Überlegungen zu verdeutlichen. Ehe ich die Konsequenzen folgen lasse, die Hellmann aus dem von ihm ausgebreiteten und natürlich im Wortlaut gegebenen Material zieht, verzeichne ich die von ihm gebildeten Rubriken mit den dazu gehörigen Stellen, die ich aber mit Rücksicht auf den begrenzten Raum ohne den lateinischen Text angebe. – Anm. d. Hrsgs.]

A. Wendungen, mit denen die Entscheidung offen gelassen wird:

Aa. Bloße Feststellung der Unsicherheit oder des Fehlens der Überlieferung (überwiegend in der 1. Dekade) nach dem Muster *incertum est ... ne ... an* (9, 44, 4): 5, 35, 3. 7, 26, 15.
40, 55, 7. 4, 13, 7. 7, 42, 7. 1, 46, 1. 21, 25, 4. 1, 13, 7. 2, 17, 3.
30, 29, 6 f. 2, 40, 1. 30, 45, 6. 10, 37, 13. 2, 4, 5. 21, 7, 5.

Ab. Einfache Feststellung einer Diskrepanz in der Überlieferung nach der Art von *id ambigitur ... ne ... an* (8, 40, 2): 2, 33, 2 (vgl. 9, 16, 1). 29, 25, 1 (vgl. 38, 56, 5. 22, 61, 10). 26, 49, 2. 44, 13, 12. 37, 34, 5. 38, 57, 2. 33, 36, 15.

Ac. Dasselbe mit einem stärkeren „emotionalen“ Ton des Verdrusses, des Vorwurfes, der Resignation (überwiegend 3. Dekade) nach dem Beispiel von *auctores utroque trahunt, plures tamen ...* (1, 24, 1): 38, 58, 1. 38, 56, 1. 22, 36, 1 (vgl. 23, 16, 15). 27, 27, 12. 22, 61, 10. 9, 15, 9 ff. (vgl. 21, 58, 6). 2, 21, 4. 27, 27, 12. 30, 26, 12. 23, 6, 8. 10, 9, 12. 1,

3,2. 10,18,7. 29, 25, 4. 26, 49, 1. 27, 1, 13. 10, 26, 6. 3, 5, 12 f. 3, 23, 1 ff.

Ad. Stellen, an denen allgemeinere Gebrauchsregeln seines Vorgehens, gerade auch in der Ablehnung einer Entscheidung, faßbar sind (überwiegend in der 1. Dekade) nach der Art von *nec facile est aut rem rei aut auctorem auctori praeferre. Vitiatam memoriam funebribus laudibus reor, falsisque imaginum titulis, dum familiae ad se quaeque famam rerum gestarum honorumque fallente mendacio trahunt; inde certe et singulorum gesta et publica monumenta rerum confusa. Nec quisquam aequalis temporibus illis scriptor exstat quo satis certo auctore stetur* (8, 40, 4 ff. vgl. 29, 14. 9 unter Ae): 3, 23, 7. 8, 6, 3 f. (vgl. Bb am Ende). 8, 12, 2 f. (vgl. Parallelen unter Cc am Ende). 6, 1, 2 f. 26, 49, 6. 4, 55, 8.

Ae. Zurückhaltung in der Äußerung bloßer *opiniones* nach der Weise von *id quibus virtutibus inducti ita iudicarint, sicut traditum a proximis memoriae temporum illorum scriptoribus libens posteris traderem, ita meas opiniones coniectando rem vetustate obrutam non interponam* (29, 14, 9). 2, 8, 8. 6, 12, 3. 23, 47, 8. 4, 20, 8. 4, 20, 11. 38, 57, 2. 38,57, 8. 4, 29, 2. 8, 26, 6. 39, 23, 5. 25, 12, 15. 40, 29, 8 (vgl. 10, 9, 13) 37, 48, 6 (vgl. 45, 43, 8).

Af. Wendungen des Zitierens, Verweisens, Sichbeziehens auf die vorgefundenen Überlieferungen (nach S. G. Stacey, Die Entwicklung des livianischen Stils, Arch. f. latein. Lexikographie, 10, 1898, S. 81 und R. B. Steele, The historical attitude of Livy, Americ. Journ. of philol. 25, 1904, S. 21 ff.) (Anordnung nach Dekaden):

dicitur	39 –	5 –	7 –	6
dicuntur	7 –	7 –	4 –	1
fertur	6 –	6 –	3 –	1
ferunt	33 –	11 –	4 –	3
traditur	21 –	2 –	2 –	4
tradunt	3 –	2 –	3 –	3
traduntur	4 –	1 –	2 –	1
memorare	3 –	0 –	0 –	0

prodere	8 – 4 – 3 – 0
credere	3 – 2 – 1 – 0
andere Verben	6 – 0 – 1 – 0
ambigitur	4 – 2 – 1 – 0
certum est	1 – 0 – 0 – 0
constat	22 – 6 – 4 – 0
convenit	4 – 3 – 2 – 1
discrepat	2 – 1 – 1 – 0
zusammen:	166 – 52 – 38 – 20

alii	10 – 8 – 4 – 1
sunt, qui	13 – 3 – 1 – 0
quidam	13 – 8 – 1 – 1
plerique	0 – 3 – 1 – 0
auctor	37 – 27 – 7 – 1
annales	25 – 6 – 1 – 3

accipio	1, 38, 1. 3, 67, 1. 3, 70, 14. 4, 54, 4. 6, 39, 4.
accepi	38, 47, 1.
accepimus	1, 24, 4. 3, 39, 1. 3, 69, 8. 4, 34, 6. 5, 22, 6. 5, 34, 1.
comperio	5, 35, 3.
compertum habeo	30, 45, 6.
auctores habeo	8, 30, 7. 9, 36, 3. 22, 7, 4. 37, 48, 7.
invenio	29 – 6 – 2 – 0
novimus	4, 20, 6.
refero	9, 18, 5.
referam	9, 46, 3. 10, 31, 11.

B. Wendungen, mit denen eine Entscheidung getroffen wird, geordnet nach dem Grade der Sicherheit derselben.

Ba. Einfaches Feststellen der Sicherheit, nach der Art von *constat: constat* (22 – 6 – 4 – 0), des weiteren: 21, 27, 6. 1, 3, 2. 44, 14, 13. 5, 33, 5. 37, 34, 7. 38, 57, 2. 2, 50, 11. 10,

26, 7. 3, 47, 5.
seu – seu – certe: 14 – 8 – 4 – 1
quoscumque ... 2, 54, 3. 1, 3, 3. 10, 18, 1. 26, 6, 13. 1, 39, 5.
haud dubie oder ähnliche Wendungen: 1, 13, 7. 26, 11, 10. 38, 23, 9. 45, 40, 1. 26, 11, 10. 9, 18, 5. 1, 48, 5. 22, 36, 5. 9, 16, 1. 6, 12, 6. 1, 18, 2. 4, 16, 5 (vgl. 4, 34, 6 ff. 8, 40, 1. 22, 31, 8 ff. 25, 39, 16. 30, 45, 6 f.) – 6, 1, 3 (vgl. 5, 34, 6). 7, 3, 8. 8, 40, 1.

Bb. Äußerungen der eigenen Überzeugung *(credo)* in den verschiedenen Variationen (stark überwiegend in der 1. Dekade): Gesamtverhältnis 26 – 8 – 3 – 0; einzelne Stellen: *credo* 1, 16, 4. 1, 59, 11. 2, 8, 5. 4, 7, 10. 6, 9, 3. 10, 9, 13. (und öfter); des weiteren: 10, 3, 4. 30, 3, 4. 1, 55, 8. 7, 26, 15. 6, 38, 10. 21, 47, 6. 22, 7, 1. 8, 26, 6. 1, 39, 5. 4, 16, 3. 4, 17, 3. 4, 34, 6. 5, 46, 11. 4, 29, 5. 25, 17, 7. 8, 30, 9. 5, 34, 6. 42, 11, 1. 4, 49, 10. 2, 18, 4. 6, 42, 6.

Bc. Äußerungen der eigenen Geneigtheit zu glauben (fast nur in der 1. Dekade) nach Art von *haud ambigam:* 1, 3, 2. 5, 33, 4. 10, 3, 4. 1, 43, 13. 4, 20, 11. 1, 18, 4. 7, 9, 5. 29, 33, 10. 1, 39, 5. 1, 8, 3. 3, 70, 14. 8, 18, 2 f. 21, 46, 10. 29, 25, 2. 27, 8, 5. 39, 52, 1. 22, 31, 9. 9, 5, 2.

C. Stellen, an denen eine Entscheidung nach dem *verisimile* getroffen wird.

Ca. Feststellung der Wahrscheinlichkeit in den verschiedensten Graden nach dem Beispiel von *simile veri est aut ... aut ... aut* ... 6, 12, 3. 21, 38, 4. 34, 50, 7. 40, 50, 6. 8, 37, 5. 22, 23, 3. 9, 36, 4. 23, 12, 1 f. (vgl. 2, 41, 11). 2, 14, 4. 7, 29, 9. 27, 7, 5 f. 45, 1, 6. 10, 26, 13. 38, 55, 8. 26, 49, 6. 5, 21, 9.

Cb. Beispiele für Entscheidungen nach innerer Wahrscheinlichkeit (etwa nach der Art von *creditur quia non abhorret a cetero scelere ... carpento certe* ... 1, 48, 5): 1, 15, 6. 6, 38, 10. 3, 47, 5. 29, 33, 10. 34, 62, 17. 40, 29, 8.

Cc. Glaubwürdigkeit *(fides)* nach Art von: *invenio apud quosdam idque propius est fidem* (2, 41, 11: 4, 17, 5): 3, 5, 12. 21, 47, 4. 10, 30, 4 (vgl. 4, 34, 6. 22, 7, 4.) 7, 6, 6. 2, 10, 4. 1, 15, 6. 5, 21, 9 (vgl. praef. 6). 6, 1, 3. (vgl. 7,

3, 8. 8, 40, 1.). 8, 18, 3. (vgl. 7, 9, 4 f.). 8, 26, 6. 8, 40, 1 ff. 9, 5, 2. 22, 31, 8. 27, 7, 5 f. 30, 19, 11. 33, 10, 8 ff. 38, 55, 8. 39, 52, 1 ff. 45, 43, 8.

Cd. *Fama:* Gesamtvorkommen: 9 – 13 – 4 – 0
7, 6, 6. (vgl. 5, 21, 9.). 23, 12, 2. 21, 46, 10. 2, 23, 3. 1, 7, 2. 8, 20, 6. 23, 20, 3. 27, 27, 14. 38, 56, 1. 2, 10, 4. 1, 16, 4.

Ce. *Fabula:* Praef. 6. 1, 4, 7. 1, 11, 8. 5, 21, 8. 5, 22, 6. 5, 34, 6. 7, 6, 6. 38, 56, 8.

Aus der Fülle der Äußerungen in ihrer kaum je sich genau wiederholenden variatio der Formulierung und ihrer vielfältigen Abstufung und Nuancierung spricht ein gleichbleibend unmittelbares Verhältnis zu den Dingen, das immer aus dem jeweiligen Moment heraus den Ausdruck für die vorgefundene Situation findet. Dies ist gerade auch bei den recht prinzipiell sich gebenden Äußerungen immer in Rechnung zu stellen; man darf sie nicht allzu allgemeingültig und verbindlich und Livius selbst nicht zu streng beim Wort nehmen[1]. Dazu hat er eine zu leichte Hand, und dazu ist ihm die kritische Entscheidung als solche im allgemeinen viel zu unwesentlich.

Seine Aufgabe – das zeigt schon allein die *Form* seiner Äußerungen – ist nicht die eines kritisch abwägenden Forschers, der hinter der vielfältigen Überlieferungsmasse den eigentlichen Vorgang des Geschehens mit noch größerer Sicherheit als bisher erfassen will, sondern die eines redlichen Sachwalters der vorgefundenen schriftlichen Überlieferungen, zwischen deren Widersprüchen und mannigfachen Verschiedenheiten er nach Wahrscheinlichkeitsgraden einen Ausgleich zu suchen hat. Das geschieht nicht anhand irgendwelcher allgemeiner und äußerer methodischer Kriterien, sondern immer von Fall zu Fall *nach Graden innerer Wahrscheinlichkeit.*

[1] Man darf ihn nicht zu pedantisch interpretieren. Aus 31, 1, 5 z. B., *iam provideo animo velut qui proximis litori vadis inducti mare pedibus ingrediuntur, quidquid progredior, in vastiorem me altitudinem ac velut profundum invehi, et crescere paene opus quod prima quaeque perficiendo minui videbatur,* weitreichende Rückschlüsse zu ziehen auf das Fehlen jeder Kenntnis vom Umfang der Aufgabe, jeder Übersicht und Disposition seines Werkes im Großen, geht einfach nicht an.

Gewiß bilden und festigen sich im Laufe der Darstellung einige praktische, aber durchaus nicht allgemeinverbindliche *Gebrauchsregeln* für sein ordnendes und sichtendes Vorgehen gegenüber der Masse der Überlieferung: das Zeugnis der *proximi memoriae temporum scriptores*, der *aequales temporibus scriptores*, ganz allgemein der *vetustiores* oder *antiqui*, hat größeres Gewicht als das der späteren; fehlt ein Zeugnis der Älteren, dann ist Zurückhaltung geboten; das Zeugnis aller oder doch der Mehrzahl verleiht den gewünschten Grad an Sicherheit, doch erfolgen auch Entscheidungen gegen die *plures*[2].

Daß die Familienzugehörigkeit der einzelnen *scriptores* zu Fälschungen Anlaß gegeben hat, ist ihm nicht entgangen und führt zu mehreren heftigen Äußerungen gegen die *falsi tituli*; daß die *animi scribentium* zu Übertreibungen neigen, notiert er, wendet diese Erkenntnis aber kritisch nur in ganz groben Fällen an.

Besondere Hervorhebung verdient in diesem Zusammenhang die überall geübte Zurückhaltung in der Äußerung eigener *opiniones*, Mutmaßungen und Ausmalungen von Dingen und Vorgängen ohne einen Anhalt in der Überlieferung. Diese Haltung scheidet ihn von der allergrößten Zahl seiner Vorgänger und bricht mit der Praxis der hemmungslos mit dem Überlieferungsbestand schaltenden romanhaften Darstellungen besonders seiner nächsten Vorgänger. Das zeigen nicht nur Äußerungen wie die unter Ae. angeführten, sondern das zeigt auch seine in allen Entscheidungen spürbare Abgeneigtheit zu irgendwelchen Formen der Rechthaberei, des kritischen oder unkritischen Mutes oder Übermutes. Vor einem *schweren Eingriff in den Tatsachenbestand der Überlieferung ist man bei Livius sicher.* Daß er aber trotz dieser seiner Persönlichkeit entsprechenden und ihm auch vom künstlerischen Takt gebotenen Zurückhaltung in der Äußerung von Meinungen und Eventualüberlegungen in eigener Person, nicht doch *auf den Geist und die allgemeine Tendenz* des weitergegebenen Überlieferungsbestandes

[2] Wie diese mehr äußeren und überlieferungskritischen Entscheidungen häufig bestimmt werden durch ganz anders geartete Erwägungen und Kriterien des ‚Wahrscheinlichen‘, das wird uns im Laufe der Interpretationen noch mehrfach begegnen.

Einfluß nimmt, viel stärker vielleicht als ein dauernd sich persönlich einmengender Dionys oder ein immer wieder Raisonnements anstellender Polybios, *dafür ist damit keine Sicherheit gegeben.* Und weil die Einflußnahme ohne persönliche Signierung und mit ungleich größerem künstlerischem Feingefühl erfolgt, ist sie im Einzelfall um so schwerer faßbar.

Der Vorgang der Entscheidung ragt in der ersten Dekade an ungleich viel mehr Stellen als in den späteren Dekaden noch unmittelbar in die Darstellung hinein, sei es in der bloßen Feststellung der Unsicherheit der Überlieferung (Aa. und Ab.) oder in verstreuten Äußerungen des Unmuts über diesen Tatbestand (Ac., häufiger aber erst in der 3. Dekade) oder in der Unschärfe der Form sich zu entscheiden (Bb. und Bc.) oder in Andeutungen allgemeinerer Regeln (Ad.). Späterhin treten solche Äußerungen seltener auf, ein Zeichen der doch schon etwas größeren Sicherheit der Überlieferung, aber mehr noch der zunehmenden Sicherheit des Darstellenden, der den Vorgang der Entscheidung immer mehr den Augen der Leser entzieht; nicht, weil es nichts mehr zu entscheiden gibt, sondern weil er nicht mehr das, einer gewissen Unsicherheit entspringende, Bedürfnis hat, den Leser an dem Vorgang der Entscheidung teilnehmen zu lassen.

Was die vielen Wendungen aber mit völliger Klarheit zeigen, ist, daß die Bedeutung aller am bloßen Überlieferungsbestand gewonnenen Kriterien ganz verschwindend ist gegenüber dem großen Bereich der subjektiven *inneren Kriterien* des Wahrscheinlichen, Einleuchtenden, Glaublichen, welche Auswahl und Darstellung beeinflussen. Man vergleiche *credo* in allen Schattierungen (Bb.), die anderen Äußerungen der Geneigtheit zu glauben (Bc.), *verisimile* in allen möglichen Abstufungen (Ca. und Cb.), *fides* (Cc.); auch in den unter Ad. angeführten Stellen ist spürbar, daß dies die eigentlich entscheidenden Kriterien sind.

Diese *Kriterien der inneren Wahrscheinlichkeit* sind das feste, überall gleichbleibende, überall wirksame Element im livianischen Werke, ihr Vorhandensein schafft aus der vielfältigen und verschiedenartigen Überlieferung ein Ganzes einheitlichen Geistes und einheitlicher Haltung und verleiht ihm die Kraft, auf Denken und Empfinden der Leser einen ganz bestimmten Einfluß auszuüben.

Zur Beantwortung der Frage, welche Anschauungen und Überzeugungen, welche Ordnung der Werte und welche Denkformen bestimmend hinter diesen Kriterien des ‚Wahrscheinlichen' stehen und so Auswahl und Darstellung entscheidend beeinflussen, werden die folgenden Interpretationen Material verschiedenster Art an die Hand geben.

Wir wenden uns nun einigen Stellen zu, deren Interpretation uns bestimmte Züge der kritischen Haltung des Livius und darüber hinaus auch schon allgemeiner charakteristische Züge erkennen läßt.

6. 12. 2 ff. und *6. 20. 4 f.*

6. 12. 2: *Non dubito praeter satietatem tot iam libris adsidua bella cum Volscis gesta legentibus illud quoque succursurum, quod mihi percensenti propiores temporibus harum rerum auctores miraculo fuit, unde totiens victis Volscis et Aequis suffecerint milites.*

3. *Quod cum ab antiquis tacitum praetermissum sit, cuius tandem ego rei praeter oponionem, quae sua cuique coniectanti esse potest, auctor sim?*

4. *Simile veri est aut ... sicut nunc in dilectibus fit Romanis ... aut ...*

5. *aut innumerabilem multitudinem liberorum capitum in eis fuisse locis quae nunc vix seminario exiguo militum relicto servitia Romana ab solitudine vindicant.*

6. *Ingens certe, quod inter omnes auctores conveniat, quamquam nuper Camilli ductu atque auspicio accisae res erant, Volscorum exercitus fuit.*

Die Motivierung des kleinen Exkurses zeigt uns den Autor in bezeichnendem Umgang mit seinen Lesern: er setzt bei ihnen die gleichen Regungen und Überlegungen voraus wie er sie selber hat und schafft so geschickt eine Atmosphäre der Gemeinsamkeit. Das ist charakteristisch für seine ganze Haltung als Autor. Er nimmt für sich nie eine besondere, tiefere oder weitere Einsicht in Anspruch, dazu ist er ein zu kluger Psychagoge, und Psychagogie ist das Ziel seines Werkes, im Ganzen wie in jeder ausgearbeiteten Einzelszene. Dazu darf er sich nicht auf eine betonte Überlegenheit und Autorität des Wissens, der Erkenntnis und des Planens stützen – er muß sie haben, aber nicht zeigen –, sondern viel mehr ein Gefühl der Gemeinsamkeit, der Gleichheit, der Vertrautheit zu schaffen suchen und persönlich, zum mindesten Einfluß nehmend und Urteil bestimmend, möglichst zurücktreten. So fehlt ihm auch jede kompromittierend lehrhafte Gebärde. Er hat eine liebenswürdige Art, mit seinen eigenen Meinungen und Vermutungen zurückzuhalten[3] und ihre Unwesentlichkeit und Unverbindlichkeit hin und wieder zu betonen, sich, was Beurteilung, Anwendung und Auswertung des Dargestellten angeht, mit dem Leser auf gleiche Ebene zu stellen und ihm so scheinbar in der Aufnahme der vorgelegten Überlieferung völlig freie Hand zu lassen. Scheinbar, denn indem er es vermeidet, den Leser durch einen dauernd lehrhaft erhobenen Zeigefinger widerspenstig zu machen, übt er ja einen viel größeren Einfluß auf ihn aus und führt ihn durch seine indirekte Darstellung viel sicherer zu dem Ziel, das er im Auge hat.

Wenn man genau zusieht, ist die Motivierung des Exkurses (6, 12, 2 ff.) mit seinem Erstaunen und seinen Überlegungen, die ebenso beim Leser vorausgesetzt werden, nicht der eigentliche Grund für dieses Abschweifen. Das zweimalige *nunc* in der Aufzählung der drei Möglichkeiten, die Livius zur Diskussion stellt, führt uns auf die Spur: er will damit Fragen in den Blick rücken, die die Augusteische Zeit lebhaft beschäftigen: die Rekrutierungsfrage und die damit eng verbundene der Landflucht, der *solitudo*. Daß wir mit dieser Vermutung auf der rechten Spur sind, zeigen zwei andere Stellen, an denen sich Livius zum selben Problem mit spürbarer Intensität der Formulierung äußert.

Gleich im nächsten Buche, 7, 25, 7–9[4]: Auswärtige Kriege sind im Gange, und der Abfall der verbündeten Latiner droht. Der Senat erkennt, *metu tenendos quos fides non tenuisset*, und befiehlt den Konsuln, bei der Aushebung *extendere omnes imperii vires*, und zwar müsse es ein Bürgerheer sein. § 8 *Undique non urbana tantum, sed etiam agresti iuventute decem legiones scriptae dicuntur*

[3] Man vergleiche die unscharfe Form sich zu entscheiden oder überhaupt die Entscheidung in der Schwebe zu lassen. (Zusammenstellung unter A. a.–f.; B. a.–c.; C. a.–e.)

[4] In den Büchern 7–9 tritt überhaupt das Problem der *disciplina militaris* allgemein stärker in den Vordergrund. In gleichem Maße erst wieder im 39., 44. und 45. Buche.

quaternum milium et ducenorum peditum equitumque trecenorum, quem nunc novum exercitum si qua externa vis ingruat, hae vires populi Romani, quas vix terrarum capit orbis, contractae in unum haud facile efficiant; und, in den Gedanken der Praefatio einmündend, *adeo in quae laboramus sola crevimus, divitias luxuriamque*[5].

Noch auffallender durch die Intensität der Formulierung ist 25, 33, 6: Die Keltiberer verlassen auf Betreiben Hannibals Scipio und das römische Heer. Letzteres muß sich, dadurch geschwächt, schleunigst zurückziehen, kann auch die *auxilia* nicht mit Gewalt zurückhalten. *Id quidem cavendum semper Romanis ducibus erit exemplaque haec vere pro documentis habenda, ne ita externis credant auxiliis, ut non plus sui roboris suarumque proprie virium in castris habeant.* Hier wird mit einer über das übliche Maß weit hinausgehenden Eindringlichkeit wiederum eine mit den Rekrutierungsschwierigkeiten zusammenhängende Frage berührt. Vielleicht war sie in den Jahren 19–18, in denen das Buch ungefähr geschrieben sein wird, besonders aktuell.

Auf diese Frage hinzuweisen, war also auch 6, 12, 2 ff. sein eigentliches Anliegen. Dabei führt er die drei von ihm nebeneinander gestellten Erklärungsmöglichkeiten mit einer Bedeutung der Unverbindlichkeit seiner eigenen *opinio* ein. Es ist das eine bestrickend naiv tuende Form der captatio benevolentiae des Lesers[6], den er dadurch um so sicherer für Fälle in der Hand hat,

[5] Ein Gedanke, der 4 Kapitel später gleich noch einmal aufgenommen wird: 7. 29. 2: *quanta rerum moles! quotiens in extrema periculorum ventum ut in hanc magnitudinem quae vix sustinetur erigi imperium posset;* ausführlichere Behandlung erfährt dieser Gedanke erst in der zweiten Hälfte der 4. Dekade, im Zusammenhang der reichen motivischen Entfaltung des Entartungsproblems in den Reden des 37. und 38. Buches.

[6] Eine solche liegt schon in dem einleitenden *praeter satietatem tot iam libris adsidua bella cum Volscis gesta legentibus.* 10. 31. 10 ff. wird derselbe Tatbestand *(supersunt etiam nunc Samnitium bella, quae continua per quartum iam volumen annumque sextum et quadragesimum ... agimus)* ganz anders verwendet. Da wird nicht mit der *satietas* des Lesers gemeinsame Sache gemacht, sondern diese zurückgewiesen und Gelegenheit genommen zu einem lobenden Hinweis auf die *dura illa pectora* der Sam-

wo es ihm darauf ankommt, ihn im Sinne seiner Meinung und Überzeugung zu beeinflussen. Hier ist es ihm wirklich gleichgültig, ob der Leser die angegebenen Erklärungen annimmt oder andere, eigene, für richtiger hält. Der eigentliche Zweck der Stelle, auf ein brennendes Gegenwartsproblem hinzuweisen, ist davon unabhängig und wird in jedem Falle erreicht.

Derartige Bemerkungen sind, gerade wenn sie sich ganz bieder und naiv geben, nicht allzu streng und prinzipiell zu nehmen; das läßt schön ein deshalb besonders geeignetes Beispiel erkennen, weil es nur 8 Kapitel später eine gegenteilige Verhaltungsweise zeigt: 6, 20, 4 f.[7]: Der Tatbestand ist derselbe: für eine Frage, die sich ihm stellt, findet er keine Antwort in der Überlieferung: *quae ... pertinentia proprie ad regni crimen ab accusatoribus obiecta sint reo* (M. Manlius Capitolinus), *apud neminem auctorem invenio.* (Vgl. 6, 12, 2 *quod cum ab antiquis tacitum praetermissum ...).* Auch hier gibt er eine eigene ergänzende Vermutung: *nec dubito haud parva fuisse, cum damnandi mora plebi non in causa sed in loco fuerit.* Aber er denkt nicht daran, hier irgendeine andere mögliche Erklärung daneben zu stellen oder als berechtigt anzuerkennen (im Sinne des *cuius tandem ego rei praeter opinionem, quae sua cuique coniectanti esse potest, auctor sim?* 6, 12, 3). Denn hier ist die Vermutung wichtig für die ganze Darstellung, in die damit der in der Überlieferung tatsächlich fehlende Schlußstein eingesetzt wird[8]. Die Darstellung zielt darauf ab, die Rechtmäßigkeit des Verfahrens gegen M. Manlius herauszustellen und dem Gedanken eine wirksame Ausgestaltung zu geben, auf den im

niten, die trotz aller Niederlagen und Verluste *tamen bello non abstinebant.* § 14 *adeo ne infeliciter quidem defensae libertatis taedebat et vinci quam non temptare victoriam malebant.* § 15 *quinam sit ille, quem pigeat longinquitatis bellorum scribendo legendoque, quae gerentes non fatigaverunt?* Einem knorrigen, rustikalen Menschenschlag gilt immer seine Sympathie. Hier lobt er die *pertinacia* und Freiheitsliebe, aus einer ähnlichen Regung heraus 1. 18. 4 die *disciplina tetrica ac tristis veterum Sabinorum, quo genere nullum quondam incorruptius fuit.*

[7] Das Verhältnis von 8. 18. 3 und 8. 26. 6 ist dasselbe.

[8] Daß er in diesem Falle nur seine Überzeugung ausspricht, nicht einfach handfeste crimina erfindet, scheidet ihn von seinen Vorgängern.

folgenden eindringlich hingewiesen wird: *illud notandum videtur, ut sciant homines, quae et quanta decora foeda cupiditas regni*[9] *non ingrata solum sed invisa etiam reddiderit.*

Wie derselbe Zweck erreicht und die Wirkung noch gesteigert wird, ohne daß die vom Stile indirekter Darstellung gebotenen Schranken durch einen derartigen unverdeckten Hinweis durchbrochen werden, zeigt schön ein Beispiel aus der 3. Dekade: 28, 21, 6 ff. *Corbis et Orsua patrueles fratres de principatu civitatis . . . ambigentes, ferro se certaturos professi sunt . . .* § 9 *mortem in certamine quam ut alter alterius imperio subiceretur praeoptantes, cum dirimi ab tanta rabie nequirent, insigne spectaculum exercitui praebuere documentumque, quantum cupiditas imperii malum inter mortales esset.*

[9] Die Katastrophe des Cornelius Gallus lag höchstens 2 bis 3 Jahre zurück, als dies geschrieben wurde!

Mit Genehmigung des Verlages Routledge and Kegan Paul, London, entnommen aus: P. G. Walsh, Latin Historians, edit. by T. A. Dorey. Übersetzt von Marie-Louise Gülzow.

SACHLICHE VORZÜGE UND MÄNGEL DES LIVIANISCHEN WERKES

Von P. G. WALSH

Bei vielen, die sich an ihre Erfahrungen mit tintenbekleckten Schultexten und Macaulays Lays of Ancient Rome erinnern, ruft der Name Livius nichts als die Vorstellung von romantischen Geschichten von Mut und Keuschheit hervor, die wie Inseln aus einem Meer von Blut herausragen. Der Selbstmord der Lucretia, Brutus, der Befreier, der seinen Sohn hinrichten läßt, Horatius Cocles auf dem *Pons sublicius,* Cloelia, die über den Tiber schwimmt, Verginia und der wollüstige Appius Claudius – es ist verlockend, sie als Beweis gegen Livius zu benutzen und ihn für immer aus der Gruppe der wahren Historiker zu verbannen.

Doch fast alle diese Legenden finden sich in der ersten Pentade, die nur ein Prolog zu der ernsthaften Geschichtsschreibung des Livius ist und die nur ein Dreißigstel des gesamten Werkes umfaßt. Außerdem war sich Livius der historischen Zweifelhaftigkeit des größten Teils seines frühen Materials bewußt; er bemühte sich, es seinen Lesern als *poeticis magis decora fabulis quam incorruptis rerum gestarum monumentis*[1] darzustellen. Doch hätte er es überhaupt aufnehmen sollen? Sein Dilemma teilten noch andere Historiker, von denen einige es ablehnten, solche unklare Themen zu behandeln[2]. Livius hätte ihrem Beispiel folgen können oder eine nüchterne Zusammenfassung dessen machen können, was vermutlich geschah. Der entscheidende Faktor für seine Ablehnung dieser Möglichkeit war wohl sein patriotischer Stolz; er beschloß, der

[1] Praef. 6.

[2] Z. B. begann Claudius Quadrigarius sein Geschichtswerk erst mit dem Jahre 390.

Tradition nachzugeben *ut primordia ... augustiora faciat*[3]. Die Geschichtswissenschaftler wie Mommsen und Pais zweifelten nicht daran, daß dies die falsche Antwort war, und sie lehnten die frühen Bücher als eine Erfindung der Phantasie ab. Doch die modernen Gelehrten stehen der Entscheidung des Livius positiv gegenüber. Sie geben zu, daß die schriftlichen und mündlichen Überlieferungen verzerrt und mit Zusätzen versehen worden waren und daß die Autoren, die Livius als Quellen dienten, diese Überlieferungen in einem Geist von Chauvinismus, Parteipolitik, Glorifizierung von Geschlechtern und literarischer Ausschmückung bearbeitet haben. Doch „auf jedem Gebiet der Geschichte des Altertums deckt die moderne Forschung den wahren Kern historischer Realität auf, der in den legendenhaften Überlieferungen verborgen liegt", und Livius ist von den Archäologen mit übertriebenem Respekt untersucht worden[4].

Der Livianische Bericht von der Gründung Roms ist natürlich reiner Mythos; er ist von griechischen Versionen abgeleitet, die bis ins fünfte Jahrhundert zurückreichen[5]. Tatsächlich hatte die Besiedlung des Palatin lange vor dem achten Jahrhundert, die Errichtung der monumentalen Bauten auf dem Forum Romanum und dem Forum Boarium um 575 v. Chr. begonnen[6]. Im ersten Buch des Livius kann Romulus als Personifikation der Stadt keine Anhaltspunkte geben, während die drei folgenden Könige (Numa Pompilius, Tullus Hostilius, Ancus Marcius) doch als historische Gestalten gelten können, wenn sie auch nur schemenhaft als Führer der primitiven Dorfgemeinschaft auf dem Palatin greifbar sind[7]. Das

[3] Praef. 7.

[4] R. Bloch, The origins of Rome (englische Ausgabe 1960), S. 18. Die neue Übersicht von A. Momigliano, Journ. of Rom. Stud. 53, 1963, 95 ff. gibt sehr wesentliche Erläuterungen für die Bedeutung der literarischen Tradition.

[5] Besonders wichtig ist Hellanikos von Mytilene und vielleicht Damastes von Sigeum; vgl. im allgemeinen De Sanctis, Storia I 200.

[6] Vgl. E. Gjerstad, Early Rome III, Lund 1960, 460.

[7] Die Probleme, die sich auf die Historizität der Könige beziehen, sind gut behandelt von Ogilvie in seinem Kommentar.

herkömmliche Datum für den ersten etruskischen König ist 616 v. Chr., und dieser Wechsel der Herrschaft in Rom fällt zeitlich mit der Errichtung des ersten Gebäudes aus Stein zusammen; die literarische Datierung mag ein wenig früh sein, doch die Namen von Tarquinius und Tanaquil sind auf Grabinschriften gefunden worden und dürften stimmen. Die „Leistungen" des Tarquinius Superbus sind jedoch größtenteils eine Kopie dessen, was Tarquinius Priscus erreicht hat[8]; aus dem Bericht des Livius können wir nur die Grenzen der etruskischen Macht erkennen. Es ist möglich, daß die Regierungszeit des Servius Tullius eine vorübergehende Zeit der Autonomie innerhalb der Ära dieser Herrschaft darstellt und daß die „Servianischen" Reformen, die ursprüngliche Servianische Mauer und der Diana-Kult tatsächlich auf die späte Königszeit zurückgehen. Der moderne Historiker ist sich mit einem gewissen Unbehagen dessen bewußt, daß die Neuerungen und die allgemeinen politischen Richtlinien, die einzelnen Königen zugeschrieben werden, in der Mitte des ersten Jahrhunderts v. Chr. immer noch politisch „gefärbt" wurden[9]; und es gibt zahlreiche Beispiele dafür, daß griechische Mythen in adaptierter Form auf römische Verhältnisse übertragen wurden[10]. Doch es besteht keine Veranlassung dazu, die Grundzüge zurückzuweisen, und der erkennbare Kommentar des Livius ist an vielen Stellen nützlich[11].

Liberi iam hinc populi Romani res pace belloque gestas (2, 11). Wie glaubwürdig sind die anderen neun Bücher der ersten Dekade? Wie Livius wohl wußte, gab es nur wenig schriftliche Zeugnisse für das erste Jahrhundert der Republik vor der Plünderung Roms durch die Gallier, und sie waren zumeist beim Brand zerstört worden[12]. Doch ist es durchaus möglich, daß einfache Verzeichnisse

[8] In der literarischen Überlieferung sind sie mit denselben Aufgaben und Bauten bedacht: die Cloacae, der Circus, der kapitolinische Tempel.

[9] Zu Ciceros Manipulation der Überlieferung in De re. publ. II vgl. R. Klein, Königtum und Königszeit bei Cicero, Diss. Erlangen 1962.

[10] Vgl. Ogilvies Kommentar zu den Kapiteln 1, 5, 6, 7, 12–13 usw.

[11] Vgl. z. B. seine guten Bemerkungen zum etruskischen Ursprung der Liktoren, der *sella curulis* usw. in 1, 8, 3.

[12] 6, 1, 2.

der Magistrate und der *res gestae* aus dem fünften Jahrhundert erhalten waren, selbst wenn die Priesterannalen in systematischer Form erst ein Jahrhundert später kompiliert wurden. Dieses Material wurde im zweiten Jahrhundert in *volumina* zusammengefaßt; Annalisten des zweiten Jahrhunderts wie Piso nahmen es in ihre geschichtlichen Werke auf: es wurde von den jüngeren Annalisten Valerius Antias und Claudius Quadrigarius übernommen, die ihre Erfindungsgabe dazu benutzten, weiteres Urkundenmaterial *ad maiorem patriae gentisque gloriam* zu erdichten: und Livius bekam das Material schließlich (bestenfalls aus dritter Hand, vielleicht sogar aus vierter) in seiner erweiterten Form. Mit dieser Liste der jährlichen Magistrate und Ereignisse verglich er eine andere, die *libri lintei*; diese Aufzeichnung, auf Leinen geschrieben, die meiner Ansicht nach im vierten Jahrhundert zusammengestellt worden sein mag[13], wurde von Livius nicht im Original, sondern in dem Bericht des Licinius Macer gelesen. Wenn die Endform auch aus zahlreichen Ableitungen entstanden ist, vertritt der bekannteste Gelehrte auf diesem Gebiet doch die Meinung, daß das Verzeichnis der Magistrate bei Livius besser ist als das, was man bei anderen Historikern oder in anderen Dokumenten findet[14].

In diesem glaubwürdigen Rahmen erzählte Livius seine ineinander übergreifenden Themen: den militärischen Aufstieg Roms zur Hegemonie über Italien und die innenpolitischen Kämpfe, durch die die Plebs einen Platz in der Regierung gewinnen konnte und eine würdige Funktion erhielt. Auf militärischem Gebiet können nur die Grundzüge gelten: der Kampf mit dem Latinischen Städtebund, die langwierigen Feldzüge gegen die Gebirgsstämme im Osten und Nordosten, der Kampf gegen die etruskischen Städte im Norden, die Gallierkatastrophe und das darauffolgende Wiederaufblühen Roms, die Samnitenkriege. Bei allen diesen Unternehmungen, wie sie von Livius beschrieben werden, sind die Verzerrungen, die auf den römischen Chauvinismus zurückzuführen

[13] Skeptischer urteilen H. Stuart Jones CAH VII 320; R. M. Ogilvie JRS 48, 1958, 40.

[14] T. R. S. Broughton, The Magistrates of the Roman Republic, New York 1951, XII.

sind, sehr auffallend. In den Quellen des Livius werden die Niederlagen der Römer beschönigt, indem die Betonung auf den Zorn der Götter, das nachteilige Wetter und die Fehler einzelner eigensinniger Römer gelegt wird. Nach den Niederlagen erholt Rom sich jedesmal, und es folgen noch viel überwältigendere Siege. Einzelne Personen werden verherrlicht. Wir erkennen die Zusätze des Fabius Pictor (und vielleicht des Licinius Macer[15]) in den großartigen Taten der Fabier, die von Valerius Antias in den Leistungen der Valerier und die von Licinius Macer in der Darstellung der Bedeutung der Licinier[16]. Bei der Wiedergabe dieser ruhmreichen Legenden und dem Mut der führenden Männer Roms wandten Livius und seine Quellen oft die Motive und die Sprache des griechischen Epos an[17]. Ein ähnliches Urteil läßt sich über die Darstellung der innenpolitischen Entwicklung abgeben. Die Grundzüge der entscheidenden Phasen kann man gelten lassen; doch die Einzelheiten wurden größtenteils von Historikern und Rechtsgelehrten im späten zweiten und ersten Jahrhundert in einen bestimmten Rahmen eingefügt. Spätere verfassungsmäßige und rechtliche Praktiken erhalten alte Präzedenzfälle[18]. Und auch in den Berichten von außenpolitischen Leistungen ist die Verherrlichung von Geschlechtern ein auffallendes Merkmal. Das gleiche gilt, wenn der Ruhm oder die Schande einzelner *gentes* aus den Ereignissen des dritten und zweiten Jahrhunderts in die Vergangenheit projiziert werden[19]. Einige berühmte Karrieren sind einfach erfunden worden; Coriolan ist ein typisches Beispiel dafür[20].

[15] Vgl. dazu die Überlegungen in Ogilvie's Kommentar, passim.

[16] Livius 7, 9, 5.

[17] So ist z. B. in der Schlacht am See Regillus der Zweikampf zwischen Valerius und Tarquinius (2, 20, 1–3) nach dem Muster des Zweikampfs zwischen Paris und Menelaus (Ilias III 15 ff.) gestaltet (vgl. Ogilvie 286).

[18] Die Schuldknechtschaft wird illustriert durch die Erzählung des alten Centurio (2, 23–24), das *conubium* durch das Mädchen von Ardea, die *vindiciae in libertatem* durch Verginias tragisches Schicksal usw.

[19] Beispiele in meinem Liviusbuch, passim.

[20] Sein Name erscheint nicht in den Fasten. Seine Geschichte scheint aufgebaut zu sein auf einer schlechten Annalistennotiz über den Getreide-

II

Livius widmete die übrigen fünfundzwanzig erhaltenen Bücher (21–45) dem halben Jahrhundert zwischen dem Ausbruch des zweiten punischen Krieges und der Schlacht von Pydna. Dieser Teil ist aufs Ganze gesehen als ausführliche Geschichtsschreibung erheblich zuverlässiger, da er bessere Quellen, Polybios und Coelius Antipater, wählte und sehr viel mehr Fakten zur Verfügung hatte. Da er aber auch Valerius Antias und Claudius Quadrigarius für die meisten Einzelheiten der innenpolitischen Geschichte und einige militärische Feldzüge als Quellen benutzt, steht der Historiker wieder vor dem Problem, was an diesen „annalistischen" Teilen Tatsache und was Erfindung ist.

Diese fünfzig Jahre sind eine Zeit ununterbrochener Kriege. Livius ist kein Fachmann auf militärischem Gebiet, und es wäre einfach, viele Fehler in den Berichten über die Feldzüge in Italien, Spanien, Griechenland und Asien aufzuzählen[21]. Wenn wir jedoch die Geschichtsschreibung des Livius mit Sallusts *Bellum Jugurthinum* und mit Tacitus vergleichen (nach Mommsens bissiger Bemerkung der Historiker, der am wenigsten von militärischen Dingen verstand), wird deutlich, daß genaue topographische Angaben und taktische Manöver in der römischen Vorstellung von *historia* von untergeordneter Bedeutung waren; vielmehr galt das Hauptinteresse dem psychologischen Verhalten der Kämpfer und ihrer Führer.

Ein großer Teil dieser Zeit wird auch in den erhaltenen Büchern des Polybios beschrieben. Ein Vergleich mit dieser ausgezeichneten Quelle bestätigt uns, daß der Bericht des Livius, solange er Valerius Antias und Claudius Quadrigarius übergeht, im allgemeinen zuverlässig ist, und es gibt sogar Stellen, an denen er in den Einzelheiten genauer ist als der griechische Historiker[22]. Doch die „anna-

import und die Gründung des Tempels der *Fortuna muliebris*, welcher in Verbindung gebracht worden ist mit der Tat seiner Mutter; vgl. Ogilvie 316.

[21] Vgl. mein Liviusbuch 157 ff.

[22] Wir wollen festhalten, daß Livius nirgends sagt, daß Sagunt nördlich des Ebro liegt, vgl. dagegen Polyb. 3, 30, 3 (mit dem Komment. von Walbank z. St.).

listischen“ Teile sind durch Irrtümer in der Chronologie[23], moralisierende Verzerrungen[24], patriotische Tendenzen[25], anti-plebeische Gefühle[26] und jenes Idealisieren der führenden Männer Roms, das Livius in allen Teilen seines Werkes beibehält, verfälscht[27].

Die politischen Teile dieser Dekaden spiegeln die Stärken und Schwächen der annalistischen Quellen wider. Die Stärken liegen darin, daß sie uns den äußeren Rahmen der Kriegsführung erkennen lassen; hinzu kommt eine außergewöhnliche Menge administrativer Einzelheiten, besonders prosopographischer Art, sowohl in politischer als auch in militärischer Hinsicht. Es ist möglich, dem Bericht des Livius eine fast vollständige Aufzählung der Wahlen zu den höheren Ämtern und der Zuweisung der Aufgabenbereiche an die Magistrate und Promagistrate für dieses halbe Jahrhundert zu entnehmen. Darüber hinaus läßt sich aus den Informationen, die Livius uns liefert, ein fast vollständiger Plan über die Verteilung der Legionen auf den verschiedenen Kriegsschauplätzen zusammenstellen, und diese Art der Information über strategische Planungen ist oft wichtiger für das Verständnis des Ausgangs eines Feldzuges als Einzelheiten über militärische Taktiken. Für die Verfasser der Quellen des Livius war die Versuchung nicht so groß, diese Art der Information zu manipulieren, da ihre Angaben an Hand von verfügbaren Berichten nachgeprüft werden konnten.

Es finden sich auch reichlich Einzelheiten über das diplomatische Vorgehen der Römer mit Berichten über die Entsendung und den Empfang von Gesandtschaften; Verträge werden sehr genau wiedergegeben. Leider beeinflußten patriotische Gefühle häufig die Darstellung solcher Verträge durch die Annalisten. Wenn wir beispielsweise aus dem Bericht des Livius die Friedensbedingungen, die Karthago nach dem Krieg gegen Hannibal auferlegt wurden,

[23] Mein Liviusbuch 145, 147, 149.

[24] Am. Journ. of Phil. 76, 1955, 369 ff.

[25] Mein Liviusbuch 144 ff., 151 ff.

[26] Siehe besonders die Charakterisierung des M. Minucius Rufus, C. Flaminius und C. Terentius Varro, vgl. dazu H. H. Scullard, Roman Politics, Oxford 1951, 45 ff.

[27] Vgl. mein Liviusbuch 93 ff.

mit denen bei Polybios vergleichen[28], finden wir eine allgemeine Übereinstimmung, außer in zwei Punkten. Livius sagt, daß Karthago mit Masinissa ein *foedus* über die gemeinsame Grenze abschließen sollte; davon erwähnt Polybios nichts, und wenn die Römer dies tatsächlich zugelassen haben sollten, wäre es eine erhebliche Abweichung von ihren diplomatischen Methoden. Zweitens behauptet Livius, daß Karthago auf Grund des Vertrages nicht einmal einen Defensivkrieg führen konnte; diese angeblichen Klauseln, die vermutlich nie existierten, machten es den Verfassern der Quellen des Livius eher möglich, die Verantwortung für den dritten punischen Krieg Karthago zuzuschieben, als die Stadt sich schließlich für das ständige Eindringen der Numider rächte. Es ließen sich noch manche andere Beispiele für solche Probleme in den Darstellungen des Livius anführen, die durch ähnlich chauvinistische Verzerrungen entstanden sind[29].

Trotz dieser Mängel ist das Bild, das Livius uns von der Tätigkeit und dem Vorgehen des Senats gibt, von beträchtlichem Wert. Ein anderer wertvoller Beitrag liegt auf sozialem und wirtschaftlichem Gebiet. Ein hervorragendes Beispiel dafür, wie nützlich seine Mitteilungen sind, bieten die zahlreichen Nachrichten über die italischen Kolonien, die zwischen 200 und 170 von Rom gegründet worden sind. Livius gibt uns keine konzentrierte Analyse dieses Programms, doch die Nachrichten lassen sich aus den annalistischen Eintragungen für jedes Jahr zusammenstellen[30]. Die Fülle seiner demographischen Informationen ist eindrucksvoll; die Bevölkerungsstatistiken der Bürger, die in jedem *lustrum* aufgezeichnet wurden, werden regelmäßig wiedergegeben. Es läßt sich auch eine erstaunliche Menge von Angaben über das Staatseinkommen zusammentragen; in der Beschreibung des Krieges gegen Hannibal finden wir beispielsweise Einzelheiten über die direkte Besteuerung der Bürger, die Kaufsteuern auf Salz und Sklaven, das Einkommen, das aus der Kriegsbeute erwuchs, das Geld, das aus dem Verkauf von öffentlichen

[28] Polyb. 15, 18, Liv. 30, 37.

[29] Z. B. in den Verhandlungen von Phoenice (29, 12) oder über Griechenland (33, 30; Polyb. 18, 44).

[30] Es gibt nicht weniger als 17 Eintragungen zwischen 31, 4 und 43, 3.

Ländereien gewonnen wurde[31]. Die finanziellen Anstrengungen der Bürger werden auch erwähnt: die Liturgien, die den Reichen auferlegt wurden, um die Flotte auszurüsten; das Leihen von Treuhandgeldern der Witwen und Minderjährigen an den Staat; die Sammlungen von Gold, Silber und Schmuck von patriotisch gesinnten Bürgern[32]. Eine bedeutsame Liste gibt Aufschluß über diejenigen Städte, die vor der Invasion Afrikas durch die Römer einen Beitrag an Naturalien leisteten; außerdem werden die den Römern gelieferten Waren aufgeführt, wodurch wir wertvolle Nachrichten über die örtlichen Industriezweige erhalten[33]. Ganz allgemein vermitteln uns diese Einzelheiten ein besseres Verständnis der Opfer, die die Römer aus Patriotismus auf sich nahmen, und wir können verstehen, wie Rom die Niederlage von Cannae nach den früheren verheerenden Katastrophen überwinden konnte.

In diesem Sinne übertrifft daher der Bericht des Livius an Reichhaltigkeit die Darstellungen anderer Historiker des Altertums.

[31] Die Beispiele sind gesammelt in Frank's Economic Survey I.

[32] Diese Hinweise erschöpfen keineswegs die Beispiele von Informationen. H. Hill's The Roman Middle Class, Oxford 1952 stellt den Wert des Livius als Quelle für die Aktivität der Ritter auf dem Gebiete des Bau- und Transportwesens heraus; es gibt zahlreiche Erwähnungen von Getreide-Import, die den Wirtschaftshistoriker instand setzen, approximative Werte des Kornverbrauchs in Rom und bei den Heeren zu schätzen; vgl. T. Frank, Economic Survey I 160.

[33] 28, 45, 15 ff.

VI

DIE POLITISCHE IDEOLOGIE

Mit Genehmigung des Verlags Vittorio Klostermann, Frankfurt, entnommen aus: Huldrych Hoch, Die Darstellung der politischen Sendung Roms bei Livius, Diss. Zürich 1951. S. 61—64 und S. 66—77.

DIE DARSTELLUNG DER POLITISCHEN SENDUNG ROMS BEI LIVIUS

Von HULDRYCH HOCH

I. Der offene Ausdruck

Am deutlichsten wird die Idee der politischen Sendung Roms in der Prophezeiung nach dem Tode des Romulus (1, 16, 6 f.), die von einem Proculus Iulius berichtet wird:

„Romulus“ inquit „Quirites, parens urbis huius, prima hodierna luce caelo repente delapsus se mihi obvium dedit. Cum perfusus horrore venerabundusque adstitissem petens precibus, ut contra intueri fas esset, ‚Abi, nuntia‘ inquit ‚Romanis, caelestes ita velle, ut mea Roma caput orbis terrarum sit; proinde rem militarem colant sciantque et ita posteris tradant nullas opes humanas armis Romanis resistere posse‘. Haec, inquit, locutus sublimis abiit.“ Deutlicher könnten Ziel und Mittel nicht beschrieben werden. Wie weit nun Livius hier seine eigene Ansicht ausgedrückt haben will, geht aus dem Rahmen hervor, in welchen die Prophezeiung eingebettet ist. Romulus wird während eines Gewittersturmes zu den Göttern erhoben. Die *Romana pubes* ist erschüttert, *etsi satis credebat patribus, qui proximi steterant, sublimen raptum procella* (16, 2). Dann wird Romulus von allen als Gott begrüßt und um seinen Schutz angefleht. Nun fährt Livius fort: *fuisse credo tum quoque aliquos, qui discerptum regem patrum manibus taciti arguerent; manavit enim haec quoque sed perobscura fama; illam alteram admiratio viri et pavor praesens nobilitavit. Et consilio etiam unius hominis addita rei dicitur fides. Namque Proculus Iulius, sollicita civitate desiderio regis et infensa patribus, gravis, ut traditur, quamvis magnae rei auctor in contionem prodit. „Romulus“ inquit* etc. (16, 4 ff.).

Livius will also, daß die *fama* von der Apotheose des Romulus geglaubt wird. Die Version von der Beseitigung durch die Senatoren wird zwar genannt, aber ausdrücklich als *perobscura* bezeichnet. Daraus ist auch das Folgende richtig zu verstehen. Während bei Cicero de rep. 2, 10, 20 Proculus Iulius die ihm zuteil gewordene Erscheinung des Romulus *impulsu patrum, quo illi a se invidiam interitus Romuli pellerent* verkündet, hat Livius diese Möglichkeit ja schon verurteilt. Er deutet zwar auch die Mißstimmung zwischen Senat und Volk an. Aber bei ihm geschieht die Verkündigung *consilio unius viri.* Die Verbindung mit dem Senat wird also von Livius abgelehnt. Wenn man das etwas verdächtige *consilio* etwas abgeschwächt mit „Vorgehen“, „Handlungsweise“ übersetzen darf, so bekommt die Geschichte einen unbelasteten Zusammenhang wie bei Ovid Fast. 2, 497 ff.:

luctus erat falsaeque patres in crimine caedis:
haesissetque animis forsitan illa fides:
sed Proculus Longa veniebat Iulius Alba ...

d. h. die Vergöttlichung und damit die Prophezeiung ist nicht erfunden. Die Person des Proculus Iulius ist bei Livius unverdächtig: *gravis, ut traditur, quamvis magnae rei auctor in contionem prodit,* im Gegensatz zu Cicero: *de Proculo Iulio homini agresti crederetur, quod multis iam ante saeclis nullo alio de mortali homines credidissent* Rep. 2, 10, 20). Auch in den abschließenden Worten bei Livius: *Mirum quantum illi viro nuntianti haec fidei fuerit* (1, 16, 8), muß das *mirum* ganz schlicht und ohne Nebensinn etwa von „es ist wunderlich“ verstanden werden.

Livius steht also sicher ein für die Prophezeiung von der kommenden Weltstellung Roms. (Die Verkündigung findet sich bei Cic. an der genannten Stelle nicht, ebenso nicht bei Dionys im entsprechenden Kapitel 2, 56, hingegen bei Ov. fast. 2, 505 ff., jedoch in weit weniger prägnanter Form.) Die Ausdrucksweise bei Livius geht wohl auf Ennius zurück, kann aber dennoch typisch Livianisch genannt werden.

Der Begriff von der Weltherrschaft Roms, von dem *princeps populus orbis terrarum* dringt an entscheidenden Stellen immer wieder durch. Es sind dies die wenigen Momente, wo blitzartig gesagt wird, worum es im Grunde geht:

Nach der erfolglosen Unterredung zwischen Scipio Africanus und Hannibal sprechen beide zu ihren Soldaten ... *pronuntiant ambo arma expedirent milites animosque ad supremum certamen, non in unum diem sed in perpetuum, si felicitas adesset, victores. Roma an Carthago iura gentibus daret ante crastinam noctem scituros; neque enim Africam aut Italiam, sed orbem terrarum victoriae praemium fore* (30, 32, 1 f.).

37, 45, 8, nach der Schlacht von Magnesia, appellieren die Gesandten des Antiochus an die römische *clementia: maximo semper animo victis regibus populisque ignovistis; quanto id maiore et placatiore animo decet vos facere in hac victoria, quae vos dominos orbis terrarum fecit?*

45, 26, 8 sagt ein Bewohner der von den Römern belagerten Stadt Passaron: *quin aperimus portas et imperium accipimus, quod orbis terrarum accepit*[1]*?*[2]

II. Die Kriege

Man könnte auch hier wieder erwarten, daß Livius aus seiner unproblematischen Stellung zur römischen Machtpolitik heraus sich zur Frage der Kriege gar nicht äußern würde, sondern sie als eine selbstverständliche Begleiterscheinung der römischen Entwicklung einfach hinnähme und aufzeichnete. Nach unsern bisherigen Erfahrungen aber dürfen wir sicher sein, daß Livius auch hier das ganze Geschehen sorgfältig überwacht. Es ist sein Bestreben, jeden Verdacht, Rom führe eine unlegale aggressive Politik, zu zerstreuen. Er ist somit genötigt, alle Kriege, die Rom zu führen „gezwungen" ist, durch irgendeine mehr oder weniger deutliche Bemerkung oder

[1] Cf. auch 7, 25, 9; 34, 58, 8 f.; 37, 54, 15; 44, 1, 12 usw.

[2] [Der Verf. führt nach diesen Beispielen, die aus Livianischen Reden genommen sind, noch Beispiele außerhalb von Reden an (3, 8, 10; 5, 1, 1) und weist ferner auf 1, 24, 2 und 1, 25, 12 sowie auf die weniger prägnanten Stellen 1, 7, 3 ff., 1, 55, 3 ff., 5, 54, 7; 1, 4, 1; 5, 3, 10; 5, 4, 88 (vorwiegend aus persönlichen göttlichen Prophezeiungen) hin. Dann folgt das Kapitel II: Die Kriege. – Anm. d. Hrsg.]

auch einfach durch die Situation zu motivieren. Die Fälle, wo das nicht geschieht, sind selten und liegen zudem ausschließlich in den ersten Büchern, wo die Zersplitterung durch die annalistische Arbeitsweise, die sich hier noch stärker als später fühlbar macht, oft schwer erkennen läßt, inwiefern ein Krieg gegen die Aequer, Volsker etc. einfach als Fortsetzung des letztjährigen zu betrachten ist.

Es lassen sich in der römischen Kriegführung, wie sie von Livius dargestellt ist, drei Perioden erkennen, von denen eigentlich jede die Begründung von vornherein in sich trägt:

1. Kriege zur Verteidigung und Festigung des jungen römischen Staatswesens bis zur Gallierkatastrophe.
2. Kriege zur Wiedererlangung der vorherigen Machtstellung und des früher erreichten Ansehens.
3. Unterstützung bedrängter Bundesgenossen und Befreiung unterworfener Nachbarstaaten (Samnitenkriege bis makedonische Kriege).

Die Weiterentwicklung, insbesondere die Einstellung des Livius zu den Bürgerkriegen, entzieht sich der Beobachtung.

1. Periode[3]

Dem ersten Abschnitt setzt Livius ein generelles Motto voraus: *iam res Romana adeo erat valida, ut cuilibet finitimarum civitatum bello par esset* (1, 9, 1). Die Reihe wird sogleich eröffnet mit den Kriegen, die dem Raub der Sabinerinnen folgen, die also von Rom provoziert, aber eben notwendig sind. Wenigstens ist von Bedenken keine Spur, wenn Romulus den erzürnten Caeninensern zu verstehen gibt: *vanam sine viribus iram esse* (1, 10, 4) und wenn der Sieg durch die Erbeutung der ersten *opima spolia* gekrönt wird (10, 4–7). Die Versöhnungsgeste gegenüber den Antemnaten (11,

[3] Es geht hier nur darum, jeweils die Vorgeschichte eines Krieges und den Kriegsausbruch zu betrachten. Wie Livius Kriegsverlauf und Kriegsende – Sieg oder Niederlage – beschreibt, gehört in einen anderen Zusammenhang.

1 f.) wird bereits *für* Rom gebucht, und schließlich führt der Sieg über die Sabiner zur ersten Machtausdehnung Roms: *civitatem unam ex duabus faciunt, regnum consociant: imperium omne conferunt Romam* (1, 13, 4).

In diesem Stile geht es nun weiter: Es ist unnötig, die ganze Reihe bis zu den Gallierkämpfen zu verfolgen. Die annalistische Arbeitsweise macht es, wie gesagt, schwer, die größeren Zusammenhänge sicher zu erkennen. So darf man, wenn oft Jahr für Jahr ein Krieg mit den Volskern, den Aequern, mit Veii etc. angekündigt wird, nicht jedesmal nach einer eigenen Begründung verlangen. Livius empfindet das selber, wenn er sich gelegentlich so ausdrückt: *ecce, ut idem in singulos annos orbis volveretur, Hernici nuntiant Volscos et Aequos ... reficere exercitus* (3, 10, 8)[4]. Es wird aber bei dieser Darstellung der ersten Jahrhunderte deutlich, wie Rom eben immer noch sehr mit Anfangsschwierigkeiten zu kämpfen hat, so daß es sich auch die kleinen Nachbarn leisten können zu opponieren, was auch von Livius erkannt wird: *Fidenates nimis vicinas prope se convalescere opes rati, priusquam tantum roboris esset, quantum futurum apparebat, occupant bellum facere* (1, 14, 4, cf. 1, 15, 1), oder im gleichen Sinn: *adeo civitates hae perpetuo in Romanos odio certavere ...* (3, 4, 2). Auch die wiederholte Beziehung zwischen innern Schwierigkeiten und Kriegen nach außen (s. u.) sind ein Zeichen dafür, wie die Nachbarn auf jedes Schwächezeichen Roms lauern. Die verbissenen Machtkämpfe, die sich hier im Kleinen abspielen, werden von Livius noch gar nicht bewußt empfunden. Rom ist in der Defensive, es *muß* wachsen, hat also immer recht. So kann Livius die aggressive Politik des Tullus Hostilius offen in Schutz nehmen: *senescere igitur civitatem otio ratus undique materiam excitandi belli quaerebat* (1, 22, 2). Und selbst Tarquinius Superbus kann sich durch seine Kriegführung rehabilitieren: *Nec ut iniustus in pace rex, ita dux belli pravus fuit; quin ea arte aequasset superiores reges, ni degeneratum in aliis huic quoque decori offecisset. Is primus Volscis bellum in ducentos amplius post suam aetatem annos movit ...* (1, 53, 1 f.). Die Eröffnung der Volsker-

[4] Cf. 3, 16, 2 *tum aeterni hostes, Volsci et Aequi ...*

kriege wird ihm beinahe als Verdienst angerechnet. Selbst der Angriff, den Tarquinius gegen die Rutuler aus finanziellen Gründen unternimmt, wird von Livius nur in innenpolitischer Hinsicht kritisiert (1, 57, 1 f.).

So geht das nun weiter: Bald wird Rom provoziert *(Volsinienses superbia inflati,* 5, 31, 5)[5], bald ist es ein Abfall von Kolonien, der bestraft werden muß[6], bald wird Roms Schwäche benutzt[7]; dazu treten die nicht aufzählbaren Beispiele von Machtstreitigkeiten, wo kaum festzustellen ist, wer der Angreifer und wer das Opfer ist.

Als Rom soweit ist, daß es bereits um Hilfe angegangen wird (4, 9 f. von den Ardeaten gegen die Volsker), kommt der erste große Rückschlag im Zusammenprall mit den Galliern. Zum ersten Male wird Livius zu einer Stellungnahme gedrängt. Sie fällt nicht einheitlich aus. Zunächst scheint er wie verärgert, daß die schöne Entwicklung so unterbrochen wird. Er kritisiert darum, schon bevor die Gallier überhaupt da sind, daß ein mit ihrem Erscheinen zusammenhängendes Orakel in den Wind geschlagen wird *(id, ut fit, propter auctoris humilitatem spretum*, 5, 32, 7) und daß die Römer Camillus, *humanam opem quae una erat*, verbannen, was ihn übrigens nicht hindert, das Wiedererscheinen des Camillus als besonderen Trumpf der *virtus Romana* auszuwerten. Zugleich aber hält er fest, daß Rom die Auseinandersetzung mit den Galliern nicht gesucht hat, daß das Unglück also nicht eine Folge römischen Strebens nach Macht und Ausdehnung ist. Rom wird von den Clusinern zu Hilfe gerufen und bleibt ostentativ zurückhaltend: *sed melius visum bellum ipsum amoveri si posset, et Gallos novam gentem pace potius cognosci quam armis* (5, 35, 6). Rom schickt daher einfach eine Gesandtschaft, die an sich *mitis* wäre, *ni praeferoces legatos Gallisque magis quam Romanis similes habuisset* (5, 36, 1). Livius hat somit, nach bewährter Methode, einen Sündenbock. Diese Gesandten fahren nämlich gegen die stolze, aber nicht unmotivierte Rede der Gallier gleich mit grobem Geschütz

[5] Z. B. 2, 22; 2, 26, 4; 2, 48, 4; 3, 25, 5; 4, 45, 3 ff.
[6] Z. B. 2, 16, 8; 4, 17, 1.
[7] Z. B. 3, 66; 5, 16, 2 ff.

auf: *quodnam id ius esset agrum a possessoribus petere aut minari arma ... et quid in Etruria rei Gallis esset?* (36, 4 f.), und sie ergreifen *contra ius gentium* die Waffen in dem zwischen den Galliern und Clusinern entbrennenden Kampfe *iam urgentibus Romanam urbem fatis.* Aber durch die unerhörte *virtus*, die diese Heißsporne an den Tag legen, wird ihre Handlungsweise halbwegs gerechtfertigt, und Livius schiebt nun die Schuld teils auf das Gesamtvolk, das die mutwilligen Gesandten zu *tribuni militum consulari potestate in insequentem annum* wählt (worüber die Gallier *haud secus quam dignum erat* erzürnt sind, 36, 10 f.), teils auf die gewählten Tribunen, die keine Vorbereitungen treffen (37,3) und alle religiösen Pflichten vernachlässigen (38, 1). Daneben wird aber auch immer wieder das Schicksal vorgeschoben: *adeo occaecat animos fortuna, ubi vim suam ingruentem refringi non volt* (37, 1; cf. auch 38, 4). Hier fühlt sich Livius eben doch ganz mit Rom verbunden.

2. Periode

Die auf die Gallierkämpfe folgende Periode dient zum Wiederaufbau und zur Wiedergewinnung der römischen Macht. Die Nachbarn Roms suchen begreiflicherweise die Lage auszunützen, dies ist auch Livius klar: *circumsederi urbem Romanam ab invidia et odio finitimorum* (6, 6, 11); *non odio solum apud hostes sed contemptu etiam inter socios nomen Romanum laborare* (6, 2, 4); *hinc Volsci, veteres hostes, ad exstinguendum nomen Romanum arma ceperant* (6, 2, 2). Diese Formulierungen zeigen, daß Livius die Lage ganz vom Rom aus beurteilt; er empfindet es, daß man Rom so viel Haß entgegenbringt, ja er erwartet von den Etruskern, die natürlich auch die günstige Gelegenheit benützen, Erbarmen mit der von den Galliern überrumpelten Stadt. So versteht es sich, daß die nun folgende Kette von Kriegen bis zu dem Konflikt mit den Samniten ganz im Zeichen dieses angegriffenen, beleidigten Rom steht – selbst die ausgedehnten Befreiungskämpfe der Latiner fallen in diese Folge von Zug und Gegenzug, von Strafexpeditionen und Präventivkriegen.

3. Periode

a) Samnitenkriege

Spannender zu betrachten ist der nun folgende Abschnitt der „Hilfskriege", der mit den Samnitenkriegen eingeleitet wird. Livius betont natürlich den Übergang nicht ausdrücklich; aber die Art, wie er vor dem Beginn der Kriege Atem schöpft und eine kleine Vorrede einschiebt, die auf die kommenden Großereignisse bis zu den punischen Kriegen verweist und mit den Worten schließt: *quanta rerum moles! quotiens in extrema periculorum ventum, ut in hanc magnitudinem quae vix sustinetur erigi imperium posset!*, läßt erkennen, wie er den bedeutungsvollen Zusammenhang von Krieg und Imperium spürt (7, 29, 1 f.).

Die erste Erwähnung der *Samniten* überhaupt (für das Jahr 423 Eroberung von Capua) ist wohl von Livius noch nicht in direkten Zusammenhang mit den spätern Ereignissen gebracht. Die Worte: *peregrina res, sed memoria digna, traditur eo anno* ... (6, 37, 1) gehen mehr auf die Tatsache der Eroberung von Capua an sich. Hingegen darf die Bemerkung 7, 19, 4, nach welcher die Samniten auf die römischen Erfolge gegen Tibur und Tarquinii hin um ein Freundschaftsbündnis ersuchen, das ihnen gewährt wird, doch schon als Auftakt zu dem zehn Kapitel weiter unten beginnenden ersten Samnitenkrieg gewertet werden. Livius legt dabei zum ersten Male fest, daß die Römer den Kontakt mit den Samniten nicht von sich aus gesucht haben, und dies ist insofern wichtig, als er nun sorgfältig darauf bedacht ist, alle Motive, die schließlich für den Kriegsausbruch entscheidend werden, als von den Samniten ausgehend festzulegen. Dies wird auch sogleich deutlicher: *Belli autem causa cum Samnitibus Romanis, cum societate amicitiaque iuncti essent, extrinsecus venit, non orta inter ipsos est. Samnites Sidicinis iniusta arma, quia viribus plus poterant, cum intulissent* ... (7, 29, 3 f.). Die Campaner mischen sich hinein, und alsbald wenden sich die Samniten gegen sie ... *unde aeque facilis victoria, praedae atque gloriae plus esset* (7, 29, 6 noch deutlicher das imperialistische Motiv!).

Durch die *Campaner* wird nun Rom in den Konflikt hineingezogen. Campanische Gesandte bitten den Senat um Beistand. Sie weisen in langer Rede auf Roms Größe und Ansehen hin. Rom brauche ja nur seinen Namen zu geben, zum Kriege werde es dann gewiß nicht kommen. Dadurch, daß Livius, wie so oft, die römische Macht von Verbündeten oder Außenstehenden zum Ausdruck bringen läßt, vermeidet er auch hier den Gedanken, daß Rom selber aktiv imperialistisch vorgehe. Ja, Roms Zurückhaltung wird noch besonders eindrücklich demonstriert, indem es sich erst, als die Campaner in einem zweiten Anlauf sich vollständig, gleichsam als *deditícii,* in seine Hand geben, zum Handeln entschließt. Und so sehr Livius im Grunde genommen die Campaner verachtet (7, 32, 7 u.a.), hier sind sie als Schmeichler willkommen; Rom muß sich ihrer annehmen und verlangt nun von den Samniten, ihre schon griffbereit nach Capua ausgestreckte Hand zurückzuziehen. Die Anmaßung, die trotz all dem ostentativ korrekten Vorgehen hier liegt, wird von Livius nicht empfunden. Durch die Reaktion der Samniten in Form eines verstärkten Angriffes auf Campanien ist ihre Schuld endgültig festgelegt. Die Worte *fetialibus ad res repetendas missis, belloque, quia non redderentur, sollemni more indicto* (7, 32, 1) scheinen nicht einmal mehr notwendig und wirken formelhaft.

Und da es nun so weit ist, brauchen auch die Römer kein Blatt mehr vor den Mund zu nehmen; die etwas großsprecherischen Worte des Valerius vor dem ersten Zusammentreffen mit den Samniten (32, 6 ff. u. ähnlich 33, 6) können der Beweisführung des Livius nicht mehr gefährlich werden, um so mehr, als in der Übergangszeit zwischen dem ersten und dem ausgedehnteren zweiten Samnitenkrieg sorgfältig alles registriert wird, was den Samniten zur Last gelegt werden kann. Die Römer hatten die Samniten als ebenbürtige Gegner anerkennen müssen (7, 33, 16), um so mehr kommt es nun darauf an zu zeigen, daß die weitere Auseinandersetzung, vor allem die Niederlage bei Caudium, nicht leichtsinnig von Rom provoziert wurde. So wird gleich beim ersten Friedensschluß die Schuld der Samniten noch einmal festgelegt (8, 2, 1 f.), die zweideutige Haltung Roms in einem Streit zwischen Latinern und Samniten (8, 2, 12) nur kurz gestreift und die Nachricht, daß die Samniten den Römern im Latinerkrieg zu Hilfe gekommen seien, von Livius sehr distanziert in einer seiner klassischen Formulierungen aufgenommen: *Romanis post proelium demum factum Samnites venisse subsidio exspectato eventu pugnae apud quosdam auctores invenio* (8, 11, 2). Dagegen ist wichtig 8, 17, 3: ... *et Samnium fama erat conciri ad bellum* (cf. 17, 8); die Samniten werden vorläufig durch Alexander von Epirus von einem neuen Krieg mit Rom abgelenkt. 8, 19 sehen sich die Römer bereits wieder zu einer vorsorglichen warnenden Gesandtschaft an die Samniten veranlaßt; die Feststellung *valuitque ea legatio, non tam quia pacem volebant Samnites quam quia nondum parati erant ad bellum* (19, 3) fixiert bereits wieder die Schuld. Als schließlich auf die feindselige Haltung der Samniten in einem Krieg zwischen Rom und der Griechenstadt Palaepolis hin Rom zum Schluß kommen muß: *exiguam spem pacis cum Samnitibus esse* (8, 23, 1), und es trotzdem noch einmal mit einer Gesandtschaft versucht, geben die Samniten ihrer Meinung offenen Ausdruck, die in dem Schluß gipfelt: *et Samnis Romanusne imperio Italiam regat, decernamus* (8, 23, 9). Daß es um nichts Geringeres als um diese Entscheidung geht, weiß Rom so gut wie Samnium. Livius läßt es aber durch die Samniten sagen und glaubt dadurch den Verdacht und die Verantwortung von Rom abgewälzt zu haben. Nun ist nur noch ein kleiner Schritt bis zur Kriegserklärung an die Samniten (25, 2).

Der gleiche Vorgang wiederholt sich noch einmal vor dem dritten Samnitenkrieg (10, 11 u. 12).

b) Die punischen Kriege

Die erste Erwähnung Karthagos: *insigni magnis rebus anno additur, nihil tum ad rem Romanam pertinere visum, quod Carthaginienses, tanti hostes futuri, tum primum per seditiones Siculorum ad partis alterius auxilium in Siciliam exercitum traiecere* (4, 29, 8), steht noch nicht im Zusammenhang mit den späteren Machtkämpfen, wenn Livius auch in dem *tanti hostes futuri* eine Brücke der Erinnerung schlägt. Die Formulierung des ersten Karthagervertrages: *Et cum Carthaginiensibus legatis Romae foedus ictum, cum amicitiam ac societatem petentes venissent* (7, 27, 2) verschweigt, daß Rom bei diesem Vertrag durchaus nicht das bessere

Teil in Händen hatte. Es wird aber auch hier wieder (wie bei den Samniten) betont, daß die Karthager zu den Römern, nicht umgekehrt, kamen. In gleicher Weise wird nach dem Sieg der Römer über die Samniten bei Suessula festgehalten: *neque ita rei gestae fama Italiae se finibus tenuit, sed Carthaginienses quoque legatos gratulatum Romam misere cum coronae aureae dono, quae in Capitolio in Iovis cella poneretur* (7,38, 2). Livius, der so den Stolz des Siegers ausdrückt, verschweigt, daß das alles nur eine indirekte Folge des römischen Machtdranges ist. Er glaubt sich aber gedeckt durch die kurz vorher erfolgte Darlegung der Schuld der Samniten am Kriege (s. o.).

9, 43, 26 folgt das dritte Bündnis mit Karthago[8], ohne besondere Bemerkung. Der vierte Vertrag stand im 13. Buch.

Der erste greifbare Versuch zur Festlegung der Schuld der Karthager an den punischen Kriegen muß im 14. Buch gestanden haben, wo jetzt noch in der Perioche zu lesen ist: *Carthaginiensium classis auxilio Tarentinis venit, quo facto ab his foedus violatum est.*

Die Entwicklung zum ersten punischen Krieg läßt sich infolge des Fehlens der Bücher 11–20 nicht mehr verfolgen (wie ja auch eine Untersuchung der zeitlich zwischen Samniten- und Punierkriegen liegenden Pyrrhuskriege unmöglich ist). Livius gab zu Beginn des 16. Buches einen Exkurs über die *origo Carthaginiensium et primordia urbis eorum.* Dazu steht dann in der Perioche: *contra quos et Hieronem regem Syracusanorum auxilium Mamertinis ferendum senatus censuit.* Daraus ist nicht schwer zu erkennen, daß die ganze Darstellung darauf abgestellt war zu zeigen, wie Rom auch zu diesem Kriege *genötigt* wurde.

Auch um den zweiten punischen Krieg ganz mit den Augen des Livius zu sehen, sollte man die fehlenden Partien (Buch 20) einsehen können. Jedoch schon die vorhandenen Teile mit der Vorgeschichte dieses Krieges, von dem Livius an einer Stelle sagt: *Punici belli . . . quo nullum neque maius neque periculosius Romani gessere* (38, 53, 11), genügen, um zu beweisen, daß Livius auch hier

[8] Der zweite Vertrag fehlt, bzw. der erste bei Livius ist effektiv schon der zweite.

nichts anderes zeigt als bei den Samnitenkriegen, nämlich das jederzeit korrekte Vorgehen Roms und die eindeutige Schuld des Feindes.

Zunächst schafft er Stimmung, er spricht von der Größe des Krieges und von der Stärke des Feindes (womit, wie so oft, die kommenden Niederlagen im voraus entschuldigt werden). Dann aber legt er gleich die Ausgangslage fest: *Odiis etiam prope maioribus certarunt quam viribus, Romanis indignantibus quod victoribus victi ultro inferrent arma, Poenis quod superbe avareque crederent imperitatum victis esse* (21, 1, 3). Gegenüber der Tatsache, daß die Römer angegriffen worden sind, verblassen die Gründe der Punier, wobei das *imperitatum crederent* noch abschwächend wirkt.

Dann wird gezeigt, wie die Karthager den Krieg schon lange sorgfältig vorbereitet haben, wobei allerdings zwischen den Barkiden und der *melior pars* in Karthago (4, 1) unterschieden wird. Daß aber Livius doch die Karthager als ganzes Volk verantwortlich macht, wird sich noch zeigen. Zunächst tritt nun Hannibal als Hauptakteur hervor. Er bereitet den Angriff auf Sagunt vor, bis sich die Saguntiner genötigt sehen, Rom um Hilfe anzugehen (6, 2, *auxilium orare:* Formel!). Livius hatte den Ebrovertrag vorher kurz erwähnt, darauf baut er jetzt auf. Allerdings sind die ganzen Verhältnisse, insbesondere auch die Frage von Sagunt, von Livius keineswegs klar dargelegt. Es hätte sich dabei zeigen müssen, daß Rom gar nicht so sehr im Recht war, und viel mehr noch, daß die ganze Abmachung mit Hasdrubal ein Zeichen der Schwäche Roms (wegen der Schwierigkeiten mit den Galliern) war. Es ist auch nicht anzunehmen, daß im verlorenen Buch 20 die Lage sich „wahrheitsgetreu" fand.

Rom steht also wieder vor der Entscheidung, helfend eingreifen zu müssen; es kommt nicht einmal mehr dazu, Hannibal warnen zu können, die Nachricht von der Belagerung Sagunts trifft ein, damit ist die Schuld bereits erwiesen; trotzdem bleibt Rom noch zurückhaltend. Es verhandelt noch, als – ausdrücklich hält Livius dies fest – *iam Saguntum summa vi oppugnabatur* (7, 1). Alles weitere: die Abweisung der römischen Gesandtschaft, die Nichtanerkennung der römischen Beschwerde in Karthago, die romfreundliche Rede Hannos, dient nur noch zur Unterstreichung der Schuldfrage. Dies wird von Livius noch einmal zusammengefaßt: *dum Romani tempus terunt legationibus mittendis* (11, 3), handelt Hannibal! Die Aufregung und der Riesenschrecken in Rom (c. 16) sollen erneut zeigen, daß Rom nicht an einen Krieg gedacht hat: *nec rem Romanam tam desidem umquam fuisse atque inbellem* (16, 3). Nun dürfen allerdings Vorbereitungen getroffen werden, aber noch einmal wird betont: *his ita comparatis, ut omnia iusta ante bellum fierent, legatos ... in Africam mittunt ...* (18, 1). Gewiß ist dieses korrekte Vorgehen traditions- und religionsgebunden. Gerade deshalb aber könnte Livius es als selbstverständlich übergehen oder kurz abtun. Es liegt ihm jedoch daran zu zeigen, daß Rom den Karthagern noch einmal Gelegenheit gibt, sich von Hannibal zu distanzieren. Da nun die Antwort der Karthager recht klug aufgesetzt ist und die Römer leicht etwas in Verlegenheit hätte bringen können, ist Livius über die nun doch etwas überspitzt wirkende Kriegserklärung des Q. Fabius nicht unglücklich: *haec derecta percontatio ac denuntiatio belli magis ex dignitate populi Romani visa est quam de foederum iure verbis disceptare, cum ante, tum maxime Sagunto excisa* (19, 1). Ein treffliches Beispiel dafür, wie Livius schnell die *dignitas populi Romani* vorschiebt, wenn es irgendwo nicht ganz sauber und sicher ist. Es kann ja nicht übersehen werden, daß gerade die Römer zuerst Wert darauf gelegt hatten, *de foederum iure* zu diskutieren. Livius sucht dann seine offenbar doch vorhandene kleine Unsicherheit dadurch zu verdecken, daß er doch noch einmal, in leicht gereiztem Ton, auf die Frage zurückkommt (19, 1–5).

Die letzte Szene zeigt nun auch, daß Hannibal also von den Karthagern gedeckt wird und daß Livius diese gesamthaft verantwortlich macht. Selbst als 30, 22 die Karthager in Rom alle Schuld auf Hannibal schieben wollen, gehen die Römer nicht darauf ein[9].

c) Die makedonischen Kriege

Mit dem ersten makedonischen Krieg, der eigentlich nur ein Teil des punischen Krieges ist, kann sich Livius nicht allzu stark beschäf-

[9] Damit ist auch festgelegt, wie die Stellen 21, 21, 1; 30, 29, 5; 30, 3; 30, 30 zu verstehen sind.

tigen. 23, 33 steht der erste Zusammenhang mit dem Krieg, während die erste Erwähnung Philipps 22, 33, 3 wie auch die früheren Berührungen mit dem Osten überhaupt rein lokal bedingt und noch in keinen Zusammenhang mit dem größeren Geschehen gebracht sind.

Für Livius sind die kommenden Ereignisse nun aber doch so wichtig, daß er, wie vor den Samnitenkriegen, eine Atempause einschaltet und frisch ansetzt: *In hanc dimicationem duorum opulentissimorum in terris populorum omnes reges gentesque animos intenderant, inter quos Philippus Macedonum rex eo magis, quod propior Italiae ac mari tantum Ionio discretus erat* (23, 33, 1 f.). Damit legt Livius die Ausgangslage fest: Roms Größe und der Krieg mit Karthago – an welchem Rom ja nicht schuld ist – bringen es in Beziehung zu den andern Völkern. Im gleichen Zuge wird auch schon Philipp ins Unrecht versetzt, weil er Befürchtungen hegt für seine Machtposition; es hat sich ja bereits erwiesen, daß immer da, wo Roms Machtansprüche auf Gegendruck stoßen, die ersteren legitim – von Livius' retrospektiver Beweisführung aus gesehen – sind. Zudem wird hier die opportunistische Einstellung Philipps durch folgenden Satz unterstrichen: *is ubi primum fama accepit Hannibalem Alpes transgressum, ut bello inter Romanum Poenumque orto laetatus erat, ita utrius populi mallet victoriam esse incertis adhuc viribus fluctuatus animo fuerat* (23, 33, 3). Als sich Philipp dann für Hannibal entscheidet und – nach verschiedenen Zwischenfällen – der Vertrag mit ihm zustande kommt mit dem Inhalt: *ut Philippus rex quam maxima classe – ducentas autem naves videbatur effecturus – in Italiam traiceret et vastaret maritimam oram, bellum pro parte sua terra marique gereret*, ein Vertrag, in welchem bereits die nach dem Kriege geltenden Einflußsphären abgegrenzt sind (23, 33, 10 ff.), darf Rom mit gutem Grund an einen Offensivkrieg gegen Philipp denken (38, 5 f.). Doch kommt es gar nicht so weit. 24, 40 beginnt Philipp seine Angriffe. Gesandte von Oricum bitten den Vertreter Roms, *ut opem ferret;* damit ist Rom wieder in seine Beschützerrolle gedrängt, und zugleich setzen die Bittsteller, wie einst die Campaner vor den Samnitenkriegen, Rom auseinander, daß es in seinem allereigensten Interesse liege, hier einzugreifen (40, 4). Damit nimmt dieser Krieg seinen Lauf;

aber erst dem zweiten makedonischen Krieg wendet Livius seine ganze Aufmerksamkeit zu.

Schon 30, 42 stellt Livius einen doppelten Bruch des kurz vorher abgeschlossenen Friedensvertrages durch Philipp fest und läßt den Senat drohend sagen: *bellum quaerere regem et si pergat propediem inventurum* (30, 42, 7). Damit hat Livius vorgearbeitet. Aber von Buch 31 an wird nun Makedonien – Griechenland sein Hauptthema, und so verwendet er auch hier wieder alle Sorgfalt darauf, darzutun, wie Rom durch das provozierende Verhalten des Makedonenkönigs zum Eingreifen in Griechenland genötigt wird.

Insgeheim ist Livius sehr stolz auf diesen Krieg: Er sei zwar *virtute ducis aut militum robore* nicht zu vergleichen mit dem zweiten punischen Krieg, dafür aber *claritate regum antiquorum vetustaque fama gentis et magnitudine imperii, quo multa quondam Europae, maiorem partem Asiae obtinuerant armis, prope nobilius* (31, 1, 6 f.). Diese Erbschaft darf Rom antreten! Es folgt die Rechtfertigung, die es Rom erlaubt, an diesen Krieg denken zu dürfen: *vacuos ... pace Punica iam Romanos et infensos Philippo cum ob infidam adversus Aetolos aliosque regionis eiusdem socios pacem, tum ob auxilia cum pecunia nuper in Africam missa Hannibali Poenisque preces Atheniensium, quos agro pervastato in urbem compulerat, excitaverunt ad renovandum bellum* (31, 1, 9). Das ist deutlich. Livius darf hier auch offen zugeben, daß Rom diesen Krieg wünscht: Philipp muß bestraft werden. Dies wird noch einmal deutlich wiederholt in der Antwort, die den Gesandten Masinissas gegeben wird: ... *bellum cum rege Philippo susceptum, quod Carthaginienses auxiliis iuvisset* ... (31, 11, 9). Von diesem Standpunkt aus ist auch die Stelle 31, 5, 5 zu verstehen: *per eos dies opportune irritandis ad bellum animis litterae ... adlatae ...*, die mit der sonstigen Zurückhaltung des Livius unvereinbar wäre, wie auch der offene Tadel an der unpatriotischen Haltung des kriegsmüden Volkes, die zu einer ausführlich geschilderten Wiederholung des zuerst abgelehnten Kriegsbeschlusses führt, hierzu gehört.

Daneben kommen aber, wie schon angedeutet, die konkreten und neuesten Anlässe, die Philipp zur Last gelegt werden, nicht zu kurz. Die *preces* der Athener wurden bereits genannt; den gleichen Zweck erfüllen die Worte: *si coacti iniuriis bellum adversus Philippum suscepissent* (31, 2, 4), sowie auch die Meldungen von den Rüstungen der Makedonen (3, 4 f.) und die deutliche Kennzeichnung des Hilfskrieges: *senatus inde consultum factum est, ut sociis gratiae agerentur, quod diu sollicitati ne obsidionis quidem metu fide decessissent; de auxilio mittendo tum responderi placere* ... (5, 8).

Auf die Untersuchung des Krieges mit Antiochus und des dritten makedonischen Krieges mit Perseus können wir verzichten. Sie bringen keine neuen Ergebnisse mehr.

Unsere Erwartungen haben sich erfüllt: Livius erweist sich wiederum sehr geschickt darin, durch geeignete Formulierungen, durch Vertuschung römischer Fehler, wiederholte Verwendung eines bestimmten Motivs sowie, was hier nicht gezeigt wurde, durch Zusätze zu seinen Quellen die römische Kriegführung unverdächtig zu machen. Das will gar nicht etwa heißen, daß er da, wo er Rom vor aller Welt im Recht glaubt und wirklich keine falschen Verdächtigungen zu fürchten meint, nicht auch einmal aus seiner Reserve herausrücken kann und sich offen zum Kriege als legalem Mittel bekennt.

Gymnasium, Bd. 71/1964, S. 236–250.

ROM UND RÖMISCHE IDEOLOGIE BEI LIVIUS[1]

Von HEINZ HAFFTER

In der Zeit zwischen den beiden Weltkriegen, in den zwanziger Jahren, in jener aurea aetas der deutschen Hochschulen, deren drei ich damals besuchen durfte, zu jener Zeit bemühte sich die deutschsprachige klassische Philologie um ein neues Verständnis des Römischen und Lateinischen, um eine neubegründete Hinwendung zur römischen Antike und zur lateinischen Literatur, nicht ohne ein ideelles Hin und Her zwischen Wissenschaft und Jugendunterricht, zwischen der Universität und dem Gymnasium, das sich damals erneut auf seine Aufgaben zu besinnen hatte. Wenn ich Ihnen als die wichtigsten Namen diejenigen von Richard Heinze, Eduard Fraenkel, Richard Reitzenstein nenne, dann habe ich mit diesen Forschern zugleich schon jene besondere Richtung in der lateinischen Philologie, um die es mir geht, umschrieben. Gewiß war das, was diese Philologie in Deutschland zu erforschen und humanistisch fruchtbar zu machen suchte, mitbewegt, mitveranlaßt durch Überlegungen und Wünsche um den Staat, in dem jene Forscher lebten, um die deutsche politische Situation nach dem verlorenen Weltkrieg. In den programmatischen Schriften aller drei genannten Philologen haben wir irgendwo den Fingerzeig auf das, was von römischer

[1] Literatur: E. BURCK, Die Erzählungskunst des T. Livius (Problemata 11), 1934. F. HELLMANN, Livius-Interpretationen, 1939. G. STÜBER, Die Religiosität des Livius (Tübinger Beiträge 35), 1941. N. ERB, Kriegsursachen und Kriegsschuld in der ersten Pentade des T. Livius, Diss. Zürich 1963.

R. HEINZE, Virgils epische Technik, 3. Aufl., 1915 (S. 460). K. LATTE, Römische Religionsgeschichte (Handbuch der Altertumswissenschaft), 1960 (S. 121 Anm. 2). Fr. KLINGNER, Römische Geisteswelt, 4. Aufl., 1961 (S. 621 bis 23).

Staatlichkeit in der damaligen deutschen Gegenwart gelernt und beherzigt werden könnte. Ja, aber solch aktuelle Bezugnahme in den Äußerungen einer vorangegangenen Generation darf uns Heutigen nicht Anlaß sein, jene um das Römische bemühte Philologie zu vergessen; es war nicht nur – möchte ich sagen – kein Schaden für unsere Wissenschaft, es spricht vielmehr für ihre existentielle Lebendigkeit, daß sie einmal in der geschilderten Weise angeregt, beflügelt werden konnte. Und wenn wir in unseren Zeitläuften – es ist wiederum die Situation nach einem Weltkrieg, der freilich diesmal alle Völker stark erschüttert hat – in der Altertumswissenschaft ein neues Credo in Beziehung auf das politische Rom der Antike zu hören bekommen – Althistoriker sind es vor allem, die es vertreten –, von einem Rom bloßer Interessen- und Machtpolitik, im Innern des Staates wie in den äußeren Relationen und im Krieg, eine Auffassung, die für diesen staatlichen und imperialen Aufbau keine eigenständigen oder einmaligen, für die Wissenschaft erklärenswerten, Triebkräfte anerkennen will, vor allem keine außermateriellen, geistigen Grundlagen, eine Auffassung, von der die augusteische Poesie wieder zu einer befohlenen höfischen Dichtung deklariert wird –: wenn wir heute derartige Stimmen zu hören bekommen, werden wir neben manchem, was wir auch hier zu lernen haben, über bestimmte Bedenken nicht hinwegkommen und es der Zukunft überlassen, im Rückblick dann einmal die richtigen Akzente zu setzen und auch in solcher These gegenwartsbedingte Subjektivitäten einer allzu ernüchterten Wissenschaft aufzufinden.

Daß wir jene lateinische Philologie der zwanziger Jahre nicht vergessen sollten, sagte ich. Nicht in dem Sinne, daß ihre einzelnen Meinungen und Bewertungen alle die unseren sein könnten. Wir stimmen heute nicht mehr zu (wie es auch jener Verfasser selbst nicht mehr tut), wenn wir aus dem Jahre 1926 lesen: „Roms Literatur ist unsere Königstraße auf dem Wege zu den tiefen Gehalten des Römertums, unser Ziel ist sie nicht." Und wir sehen keine Schwierigkeit darin, daß wir aus Roms – wie man damals sagte – größter schöpferischer Zeit, aus den politisch und kulturell bedeutsamen hundert Jahren etwa von der Mitte des 4. bis zur Mitte des 3. Jahrhunderts, noch gar keine Literatur besäßen, die uns Zeugnis von dieser Größe ablegen könnte. Dürfen und wollen wir doch heute Hellas und Rom im gesamten, wie im besonderen die beiden Literaturen, eher wieder miteinander als nebeneinander auf uns wirken lassen, und die lateinische Literatur immer auch und vielleicht in erster Linie als Produkt antiker und dann erst als Produkt römischer Geistigkeit bezeichnen. Was wir aber aus dem Gedankengut jener römisch-lateinischen Philologie beibehalten und weitergeben sollten, das ist die Erkenntnis, daß die Interpretation der lateinischen Literatur in einer besonderen Weise und in starkem Maße zugleich Erklärung und Würdigung der geschichtlichen römischen Welt sein muß und daß die lateinischen Autoren gerade dann Wesentliches auszusagen und künstlerisch zu gestalten vermochten, wenn sie ihre eigene staatliche und kulturelle Umwelt gedeutet haben.

Ist uns diese Erkenntnis zu eigen, so werden wir immer auch einen sinnerfüllten und beglückenden Zugang finden zur Literatur der augusteischen Zeit, einer Literatur, die römische Ideen zu ihrem Gehalt machte und deren klassische Geltung auch auf diesem Gehalte beruht. Für Vergil hat jüngst Friedrich Klingner – auch in der Abwehr allzu negativer moderner Auffassung von römischer Staatlichkeit und römischem Imperium – in einer neu eingefügten Studie seiner „Römischen Geisteswelt" diesen politischen Kunstwillen dargestellt. „Virgil und die römische Idee des Friedens" lautet der Titel des Essays, doch zur Kennzeichnung seines ganzen Inhaltes sollte man vielleicht noch einen einzelnen Satz herausgreifen: „So ... durchformt wirklich Virgils Rom-Idee das ganze Epos im großen und kleinen", und als Andeutung im voraus für unsere Liviusbetrachtung Sätze wie die folgenden: „Roms eigentliches Wesen zeichnet sich vielfach präfiguriert in der Sage ab. Ehe noch Aeneas mit seinen Troern nach Latium kam, ist dort die Rom-Idee wieder und wieder verwirklicht worden. Was Aeneas an Stelle des späteren Rom vorfindet, im achten Buch der Aeneis, ist schon geheimnisvoll erfüllt vom Zukünftigen." Daß wir uns den Livius des ersten Buches nahe mit dem Vergil der Aeneis zusammendenken müssen, brauche ich nicht eigens zu begründen, und auch nicht, warum wir dem Livius da, wo er Sagengeschichte erzählt, ein symbolhaftes Gestalten ebenso zuschreiben möchten, wie wir ein solches im vergilischen Epos zu greifen glauben.

Nun aber blicken wir ohne weiteren Verzug gemeinsam ins erste Buch des Livius. Wir beginnen mit den Anfangsworten des Buches und – wenn wir von der Praefatio absehen – auch des Werkes. *Iam primum omnium*[2]: zwei Helden sind bei der Eroberung Troias verschont worden, Aeneas und Antenor, und es wird ein doppelter Grund angegeben: zunächst eine alte Gastfreundschaftsverpflichtung und dann, weil diese beiden Troianer stets für Frieden und Rückgabe der Helena eingetreten sind (was uns in der Ilias freilich nur für Antenor mitgeteilt wird). Aber schon liegt damit ein Schimmer von *ius* und *pax* auch auf Aeneas; dies bringt er mit, er, der den Grund legt zu allem, was später Rom heißen sollte. Ganz deutlich, daß Antenor zunächst, in diesen Eingangsworten, mit Aeneas gemeinsam und gleich gewertet sein soll, damit jener mit dem Ausdruck *pax* zusammengebracht werden kann, daß Antenor hernach aber das Gegenstück zu Aeneas zu bilden hat. Denn nach dem im Altertum beliebten Dispositionsschema a-b-b-a wird nun gleich anschließend, in den Paragraphen 2 und 3, vom zweitgenannten Antenor gesprochen, kurz und ein für allemal, aber nicht etwa, weil Livius damit frühhistorische Details mitteilen oder gar seiner von Antenor gegründeten Heimatstadt Padua ein Kompliment machen wollte; nein: Antenor gelangt ganz hinauf ins adriatische Meer, siedelt hier[3] seine von ihm hergeführten Eneter und Troianer an; die eroberten Örtlichkeiten bekommen den Namen *Troia,* und das Gesamtvolk, das eingewandert ist, Eneter und Troianer zusammen, heißt nun *Veneti,* benannt nach den *Eneti.* Es erinnert also nichts mehr an die frühere Bevölkerung; diese ist ausgelöscht *(pulsis).* Anders bei Aeneas und seiner Landung: § 5 heißt es freilich[4], daß auch diesem Landeplatz die Ortsbezeichnung *Troia* geblieben sei;

[2] *iam primum omnium satis constat Troia capta in ceteros saevitum esse Troianos, duobus, Aeneae Antenorique, et vetusti iure hospitii et quia pacis reddendaeque Helenae semper auctores fuerant, omne ius belli Achivos abstinuisse.*

[3] *Euganeis ..., qui inter mare Alpesque incolebant, pulsis Enetos Troianosque eas tenuisse terras. et in quem primo egressi sunt locum, Troia vocatur, pagoque inde Troiano nomen est: gens universa Veneti appellati.*

[4] *Troia et huic loco nomen est.*

sie wird aber von Livius, wie es scheint, mehr nur als Beleg dafür vorgebracht, daß es mit der Landung an jenem Punkte seine Richtigkeit hat. Denn im übrigen steht es bei Aeneas mit den Namen und mit der einheimischen Bevölkerung, wie wir noch sehen werden, anders als bei Antenor.

Für Aeneas nach der Landung eine *duplex fama* (§ 6)[5]. Von den beiden Varianten wird die eine, die kriegerische (Latinus schließt Frieden und Schwägerschaft mit Aeneas erst nachdem er von diesem besiegt worden ist), mit einem einzigen Satz erwähnt und gleich wieder weggeschoben, behält aber dennoch ihren Sinn für das Spätere und war hier nicht um antiquarisch-historischer Vollständigkeit willen erwähnt. Die zweite, friedliche Variante ist für Livius die gültige, war doch schon in den Eingangsworten des Buches Aeneas mit der *pax* zusammengebracht worden: Verständigung mit Latinus ohne Krieg. Und hier wird nun auch gesagt, wer Aeneas ist (§ 8)[6]. Göttlicher Herkunft – bedeutungsvoll! – ist der Begründer der künftigen italischen und römischen Größe. Und weiter: *animum vel bello vel paci paratum:* beides zusammen, *bellum* und *pax,* ist das Ideal eines römischen Mannes, das Ideal römischer Politik (wir denken an Vergils Aeneis); daß Aeneas auch zu kämpfen und zu siegen versteht, das wird hier nicht einfach postuliert; es ist schon zuvor, durch die erste Variante der *duplex fama,* gleichsam beglaubigt worden.

Kapitel 2 berichtet, daß die nun vereinigten Aboriginer und Troianer von Turnus, dem Rutulerkönig, angegriffen werden. 2, 2: Einbuße auf beiden Seiten[7]: die Rutuler besiegt, aber die Sieger verlieren ihren Führer, den Latinus. Der Sieg ist verbunden mit einem Opfer; opfervoll waren schon die Anfänge bis zu Roms Gründung, so wie opfervoll die späteren historischen Zeiten waren; Opfer und Mühsal verbunden mit allem, was geschaffen und errungen wird, – solche Erkenntnis lebt im römischen Bewußtsein.

Dem besiegten Turnus, so heißt es anschließend, helfen die

[5] *duplex inde fama est.*

[6] *filium Anchisae et Veneris ...; ... animum vel bello vel paci paratum ...*

[7] *neutra acies laeta ex eo certamine abiit: victi Rutuli; victores Aborigines Troianique ducem Latinum amisere.*

Etrusker. Mehr als die politischen und militärischen Umstände dieser Etruskergefahr interessiert den Livius das, was 2, 4 uns mitteilt[8]: angesichts des schweren Krieges sucht Aeneas die Aboriginer nun ganz für sich zu gewinnen, er schließt sie gleichberechtigt mit den Troianern zusammen und gibt den beiden Völkerschaften den gemeinsamen Namen *Latini*. In diesem Namen erinnert nichts an die troianischen Ankömmlinge, in ihm leben vielmehr diejenigen weiter, die den Ankömmlingen Platz machen mußten. Und jetzt greifen wir zurück auf den motivisch verwandten Schluß des ersten Kapitels (§ 10) mit der Stadtgründung der Troianer[9]: der Stadtname Lavinium *ab nomine uxoris,* also wiederum hergenommen nicht vom eingewanderten Volk. Gegenteilig aber war die Landnahme des Antenor, die sich auf die Namen der Einwanderer stützt. Wir spüren die Symbolik: Rom vernichtet diejenigen, die sich ihm anschließen, nicht, und es ist bereit, die Unterworfenen, die Verbündeten mit ihrer Eigenart weiterleben zu lassen.

In unserem zweiten Kapitel weiter der glückliche Ausgang des Etruskerkrieges (§ 6)[10]. Deutlich die Parallele zum Sieg über die Rutuler: wie dort ist auch jetzt mit dem Sieg verbunden ein Opfer; jetzt das Verschwinden, die Entrückung des Aeneas; nach dem Verlust des Latinus nun der des Aeneas.

Wir überspringen einige Partien und verweilen wieder bei 7, 3. Dort, unmittelbar nach der Gründung der Stadt Rom, erwartet man Angaben zur religiösen und politischen Einrichtung des neuen Staatswesens. Und Livius setzt auch dazu an[11]: *Palatium muniit.* Aber gleich das Stichwort *sacra* läßt ihn zu einer thematisch

[8] *Aeneas, adversus tanti belli terrorem ut animos Aboriginum sibi conciliaret nec sub eodem iure solum, sed etiam nomine omnes essent, Latinos utramque gentem appellavit; nec deinde Aborigines Troianis studio ac fide erga regem Aeneam cessere.*

[9] *oppidum condunt; Aeneas ab nomine uxoris Lavinium appellat.*

[10] *secundum inde proelium Latinis, Aeneae etiam ultimum operum mortalium fuit.*

[11] *Palatium primum, in quo ipse erat educatus, muniit. sacra dis aliis Albano ritu, Graeco Herculi, ut ab Euandro instituta erant, facit. Herculem in ea loca Geryone interempto boves mira specie abegisse memorant.*

zugehörigen, aber auffallend langen Einzelgeschichte übergehen. Erst mit *haec tum sacra* am Schluß des Kapitels (7, 15)[12] nimmt er den eigentlichen Zusammenhang der kultischen Einrichtungen wieder auf. Wenn wir die Worte am Kapitelschluß 7 und am Kapitelanfang 8 betrachten *(haec tum* bis *iura dedit)*, erkennen wir, wie unbekümmert Livius seine Berichterstattung vernachlässigt (mit *perpetratis* ist das Referat über die Kulte, eben erst aufgenommen, bereits wieder abgeschlossen, und mit *iura dedit* beginnt schon die Erörterung der politischen Institutionen), wie Livius als Berichterstatter versagt zugunsten eines Einzelnen, das eine bedeutungsvolle Symbolik einschließt. Was ihn hier interessiert (7, 3), das ist die Bezwingung des bösen Unholds Cacus durch Herkules. Den augusteischen Autoren ist diese Geschichte wichtig, Ovid hat sie in den Fasten, Properz innerhalb einer seiner ätiologisch-römischen Elegien des vierten Buches, Vergil im italisch-römisch getönten achten Buch seiner Aeneis. Ganz ähnlich wie Klingner in der von mir genannten Studie die Cacus-Geschichte für Vergil gedeutet hat, so sollen wir sie hier bei Livius auffassen: Rom hat begonnen nicht mit seiner Gründung und auch nicht mit der Ankunft des Aeneas in Italien; wir haben noch weiter zurückzudenken; an der Stätte der künftigen Stadt Rom hat früher schon Herkules einen gesetzlosen Frevler, einen *superbus*, vernichtet, so wie Rom später die Aufgabe hatte, die *superbi* niederzuringen (*debellare superbos*, wie Vergil sagt). Herkules-Herakles hat es getan, der Wohltäter und Kulturbringer; etwas von dieser Gestalt soll miteingehen in das, was später die Mission von Rom ausmacht.

In der Herkules-Cacus-Episode tritt in Erscheinung (7, 8)[13] ein seltsam vorrömischer Hirtenkönig am Ort des späteren Rom, und nochmals seltsam: nicht nur barbarische Wildheit, die von Herkules erst beseitigt werden muß, hat es hier früher gegeben, sondern daneben auch kluge und gesittete und – wir können es nicht anders

[12] *haec tum sacra Romulus una ex omnibus peregrina suscepit, iam tum immortalitatis virtute partae, ad quam eum sua fata ducebant, fautor.* (8, 1) *rebus divinis rite perpetratis . . . iura dedit.*

[13] *Euander tum ea, profugus ex Peloponneso, auctoritate magis quam imperio regebat loca.*

sagen – römische Regentenkunst. Euander, wie Aeneas aus der Fremde gekommen, herrscht in dieser Gegend, wie Livius sagt, *auctoritate magis quam imperio.* Wenn wir statt ‚*imperium*' einsetzen ‚*potestas*', dann haben wir die vielbesprochene Antithese aus den *Res gestae* (34) des Augustus vor uns. Aber: wie sonst für Livius, möchte ich auch hier weniger von einer Interpretatio Augustea sprechen, sondern von einer Interpretatio Romana, womit ein Zusammenhang, wie der unsrige mit Euander, dann auch weniger anachronistisch auf uns wirkt.

Euander aus der Fremde stammend –, wir nehmen diesen Gedanken mit zum 8. Kapitel, das nun *(iura dedit)* einiges über die politische Einrichtung der gegründeten Stadt bringt. Aber auch hier eine Ablenkung: bei der Frage, woher die Zwölfzahl der Liktoren zu erklären sei, schließt sich Livius (8, 3)[14] mit einem *me haud paenitet* und mit ausführlicher Begründung der Auffassung an, daß sowohl die Zahl wie die ganze Einrichtung der Liktoren etruskischer Herkunft sei. Und nochmals, wieder in anderer Weise, werden fremde Elemente in Rom aufgenommen, gleich darauf 8, 5[15]: die Errichtung des Asyls, der heiligen Zufluchtstätte. Nehmen wir noch dazu, aus den späteren Kapiteln, die Hinweise auf die außerrömische Abstammung einzelner Könige, und denken wir vor allem zurück an den Anfang mit dem Troianer Aeneas, dann kommt im ersten Buch recht viel zusammen, was uns die Unbefangenheit der Römer dem Fremden gegenüber, ihre Geringschätzung des Autochthonentums, ihren Willen zu assimilieren, widerspiegelt.

Auf Asyl und Männermangel folgt der Mangel an Frauen mit dem Raub der Sabinerinnen. Römische Außenpolitik im Kleinen haben wir hier, und ganz offensichtlich ist es, daß der livianische Romulus beim Raub mit derselben Rechtlichkeit vorgeht, wie dies die römischen Staatsmänner der historischen Zeit immer getan haben oder getan zu haben vermeinten. Das wird uns besonders

[14] *me haud paenitet eorum sententiae esse, quibus et apparitores hoc genus ab Etruscis finitimis, unde sella curulis, unde toga praetexta sumpta est, et numerum quoque ipsum ductum placet.*

[15] *asylum aperit.*

deutlich, wenn wir vergleichend neben den livianischen Text den Parallelbericht bei Dionys von Halikarnass (2, 30, 2 ff.) legen. Bei Dionys ist Romulus im vorneherein überzeugt, daß die umliegenden Völker keine Ehegemeinschaft mit den Römern haben wollen, und so plant er, mit Zustimmung seines Großvaters Numitor, schon von allem Anfang an den Mädchenraub; er gelobt das Fest und die Spiele, legt dann sein Vorhaben dem Senat vor, welcher zustimmt, und lädt nun die Nachbarn zu den Festlichkeiten ein. Anders Livius (9, 2)[16]: Romulus, der mit den Nachbarvölkern in Ehegemeinschaft treten will, schickt *ex consilio patrum* Gesandte aus, welche um *societas* und *conubium* bitten sollen; die römische Gesandtschaft wird nirgends freundlich aufgenommen[17], ja meistens höhnisch abgefertigt (9, 5; nicht schwer wäre es, die Präliminarien wichtiger Kriege aus historischer Zeit als Parallelen zu nennen). Jetzt erst, der entrüsteten Stimmung in Rom nachgebend, faßt Romulus den Plan zum Mädchenraub. Es fehlt also, wenn wir das Ganze betrachten, bei Livius auch nicht die Befragung des Senats *(ex consilio patrum)*, der in historischer Zeit für die Außenpolitik zuständig war, und diese Befragung erfolgt zu Beginn aller Aktionen und ist nicht, wie bei Dionys, abgeschwächt durch eine vorangehende Beratung mit einem verehrlichen Großpapa.

Dieses hell und rein getönte Bild ältester Diplomatie wird ergänzt durch das, was wir weiterhin im selben Kapitel lesen (§ 14)[18]: nach dem Raub tröstet Romulus die Mädchen und erklärt, schuld an dem Geschehenen seien die Sabiner, die Väter der Mädchen, die den Römern überheblich das *conubium* verweigert hätten *(patrum id superbia factum)*. Diese *superbia*, ein Hauptstück außenpolitischer Ideologie der Römer, das wir schon in der Verklärung Vergils kennengelernt haben, belegen wir aus der politischen Praxis mit der Bestrafung von Rhodos in den sechziger Jahren des zweiten Jahrhunderts, uns bekannt durch die Rede Catos, der in Opposition zur herrschenden Meinung im Senat die Rhodier gegen

[16] *ex consilio patrum Romulus legatos circa vicinas gentes misit.*

[17] *nusquam benigne legatio audita est.*

[18] *ipse Romulus circumibat docebatque patrum id superbia factum, qui conubium finitimis negassent.*

den Vorwurf der *superbia* verteidigt. Wie Livius seine Darstellung zurechtgelegt hat, können wir unmittelbar greifen, mit dem Blick diesmal über Dionys hinaus auch auf Plutarch (Romulusvita 9, 2. 14, 7) und Appian (Reg. 5, 2). Bei diesen drei Autoren werden nicht die Sabiner angeklagt, sondern es werden die Römer vom Vorwurf reingewaschen, sie hätten beim Mädchenraub aus ὕβρις gehandelt; Dionys legt die Rechtfertigung in dieser Formulierung dem Romulus in den Mund, da er, nach dem Raub, die Mädchen tröstet. Wenn sich auch hier griechisches ὕβρις und lateinisches *superbia* bedeutungsmäßig nicht ganz decken, so dürfen wir doch annehmen, daß die mit den Griechen zusammengehende römische Annalistik in der apologetischen Begründung des Raubes da *superbia* geschrieben haben muß, wo Dionys, Plutarch und Appian ὕβρις setzten. Livius aber hat die Gewichte in der Waagschale von Recht und Schuld, ohne nach einem anderen Ausdruck zu suchen, vertauscht.

Der Sabinerkrieg, der durch den Mädchenraub veranlaßt war, findet seinen Abschluß im 13. Kapitel mit dem durch die Sabinerinnen verursachten plötzlichen Frieden, und nicht nur mit diesem Frieden, sondern mit der Schaffung eines gemeinsamen Staates; es wird ein Doppelkönigtum gebildet; Sitz der neuen Herrschaft aber ist Rom, das damit ein Übergewicht bekommt. Hier nun die bezeichnenden Worte (13, 5)[19]: *ut Sabinis aliquid daretur:* ‚es soll auch den Sabinern etwas eingeräumt werden'. Wie früher die Troianer und die Aboriginer zusammengewachsen sind, um die erste volksmäßige Grundlage zu bilden, so jetzt die Römer und die Sabiner zu einer weiteren volksmäßigen Vergrößerung. Damals die Namen *Lavinium* und *Latini: ut Aboriginibus aliquid daretur,* wie wir den Livius variierend sagen möchten. Auch jetzt soll das sabinische Element, als das schwächere, in einzelnen Namen seine Geltung bewahren. Die bisherige sabinische Hauptstadt Cures lebt weiter in der Bezeichnung *Quirites.* Aber nicht genug damit: der *lacus Curtius* auf dem Forum erinnert an den sabinischen Heer-

[19] *ita geminata urbe, ut Sabinis tamen aliquid daretur, Quirites a Curibus appellati; monumentum eius pugnae, ubi primum ex profunda emersus palude equus Curtium in vado statuit, Curtium lacum appellarunt.*

führer Mettius Curtius. Und nochmals nicht genug: in den Paragraphen 6–8[20] erwähnt Livius die Einrichtung der dreißig Curien und die Aufstellung von drei Reitercenturien, Angaben, die uns in ihrem eigenen und im weiteren Zusammenhang des livianischen Werkes sachlich nicht ganz befriedigen. Wie hier mit staatsrechtlichem Detail, so geht Livius anderswo mit anderem Detail recht unbekümmert um; vor allem verkürzt er das Detail oder läßt es weg – bei Dionys sehen wir, was Livius alles hätte bringen können – und wir dürfen mit Vergil vergleichen, von dem Heinze gesagt hat: „Das Detail wird beschränkt und fast ausschließlich da herangezogen, wo es die Gefühlsmomente der Handlung vertieft". ‚Gefühlsmoment' für Livius in unserem Kapitel ist es, den Leser spüren zu lassen, was den Sabinern zum moralischen Ausgleich für ihre staatliche Einbuße gegeben wird. So heißt es denn § 6, daß die Curien nach den Namen der geraubten Sabinerinnen benannt worden seien, und § 8, daß von den drei Reitercenturien die eine ihren Namen nach dem römischen König Romulus, die zweite aber nach dem Sabinerkönig Titus Tatius bekommen habe; da Livius bei den Reitercenturien für die dritte den Namen überhaupt nicht zu erklären vermag, ergibt sich mit den beiden andern Namen eine erwünschte Egalität zwischen Römern und Sabinern.

Wir überblättern einige Kapitel und setzen wieder ein mit dem 18. und den folgenden. Dort sind wir beim zweiten König, und es beginnt die eindrückliche Variation in der Charakterisierung der vier ersten Könige, die zusammen das gute Königtum ausmachen (nur beim dritten, sehr kriegerischen König klingt eine leise, aber unüberhörbare Mahnung auf). Von diesen vier Königen symbolisiert der erste, Romulus, den Krieg als das notwendige Mittel zum äußeren Wachstum des Staates; der zweite, Numa Pompilius, ist der reine Friedensfürst; der dritte, Tullus Hostilius, von Livius auch aus kompositorischen Gründen so betont charakterisiert, ist

[20] *ex bello tam tristi laeta repente pax cariores Sabinas viris ac parentibus et ante omnes Romulo ipsi fecit. itaque, cum populum in curias triginta divideret, nomina earum curiis imposuit* ... (8) *eodem tempore et centuriae tres equitum conscriptae sunt: Ramnenses ab Romulo, ab T. Tatio Titienses appellati; Lucerum nominis et originis causa incerta est.*

noch kriegerischer als Romulus; der vierte König, Ancus Marcius, bringt wieder die Hinwendung zum Frieden, doch so, daß nun, am Ende der guten Königszeit, Krieg und Frieden in den richtigen Einklang gebracht sind. Krieg und Frieden, von den ersten Königen mannigfach dargestellt, ergeben zusammen das uns schon bekannte römische Ideal, so wie gleich im ersten Kapitel Aeneas geschildert worden war als der Held, der beides vereinigt. Durch eine ganze Reihe von Andeutungen und Hinweisen gibt Livius zu erkennen, daß das Nacheinander der vier Könige eigentlich ein sinnvolles Zu-Einander und In-Einander ist; nicht bloß Romulus, sondern auch seine Nachfolger haben die Stadt ‚gegründet', nur eben jeweils unter einem anderen Zeichen: so wird 19, 1 gesagt[21], daß Numa Pompilius sich anschicke, die Stadt *iure, legibus, moribus* zu gründen, *de integro,* von neuem, nachdem Romulus sie *vi et armis* gegründet habe; und 21, 6 nochmals diese beiden Könige in ähnlicher Antithese[22], nur ohne das prägnante *condere.* Groß werden konnte Rom nur durch die in Eins zusammenwirkende Verschiedenheit der ersten Könige.

Wir greifen zwei von den vier Königsfiguren heraus, nicht oder nicht nur um der Problematik willen, die wir soeben berührt hatten. 18, 1 wird Numa Pompilius eingeführt[23], so wie es Livius liebt, im Ton fast einer neuen, selbständigen Erzählung. Ausführlich ist von seiner Rechtlichkeit, Gewissenhaftigkeit, Weisheit die Rede, Eigenschaften, die Numa nun freilich nicht, wie Livius bemerkt, von Pythagoras gelernt haben könne. Dann aber: *Curibus Sabinis habitabat,* wozu gleich 18, 5 zu nehmen ist[24]: das Bedenken, es würde mit der Wahl des Numa zum König ein politisches Übergewicht den Sabinern zufallen; trotzdem *(tamen)* kein Versuch,

[21] *qui regno ita potitus urbem novam, conditam vi et armis, iure eam legibusque ac moribus de integro condere parat.*

[22] *ita duo deinceps reges, alius alia via, ille bello, hic pace, civitatem auxerunt.*

[23] *inclita iustitia religioque ea tempestate Numae Pompili erat. Curibus Sabinis habitabat.*

[24] *audito nomine Numae patres Romani, quamquam inclinari opes ad Sabinos rege inde sumpto videbantur, tamen . . .*

einen römischen Gegenkandidaten aufzustellen. Die Qualität des Numa ist allein ausschlaggebend: ein Exempel guter römischer Innenpolitik!

Dann der vierte König. Nicht genug kann Livius es herausstellen, daß bei Ancus Marcius als dem letzten Vertreter der guten Königsreihe Krieg und Frieden sich als gleichgewertet wieder vereinigt haben: 32, 4 *medium ingenium et Numae et Romuli memor* (auf Frieden und Krieg bezogen)[25] oder 35, 1 *cuilibet superiorum regum belli pacisque artibus par*[26].

Das ist nun die zweckdienliche Königsfigur, das ist der sinnvolle Zeitpunkt im Verlauf der Königsherrschaft, um eine altrömische Institution in die Geschichtserzählung einzuordnen, die dem Livius sehr am Herzen lag, das religiös fundierte Kriegsrecht, die Fetialordnung. Bemerkenswert aber auch, auf welche Weise Livius hier nun seine Beschreibung der Fetialpriesterschaft und ihrer völkerrechtlichen Funktionen einfügt. Wir haben den Eindruck, daß er, sowie er auf den Ancus Marcius zu sprechen kommt, gleich schon auf die Fetialordnung lossteuert. Der König, zur Herrschaft gelangt, will sich, nach dem kriegerischen Regiment seines Vorgängers, wieder mehr den *religiones* und den *sacra* widmen. Deshalb herrscht bei den umliegenden Völkern die Annahme, dieser römische König werde recht friedfertig sein, bei Tempeln und Altären unkriegerisch sein Leben verbringen. Und diese Annahme verleitet die Latiner (32, 3) zu einer Aggression[27], und auf die römische Forderung nach Genugtuung hin erlauben sie sich ein Zweites: *superbe responsum reddunt.* (Livius läßt die außenpolitische *superbia* anklingen.) Aber dem Ancus ist auch der Krieg nicht fremd, und damit nun dieser Latinerkrieg und inskünftig alle Kriege *aliquo ritu* angekündigt würden, setzt der König die Fetialordnung ein. Es folgt die eingehende Beschreibung des Fetialzeremoniells, Beschreibung des *res repetere* und *bellum indicere*, mit den altertümlich

[25] *medium erat in Anco ingenium, et Numae et Romuli memor.*

[26] *regnavit Ancus annos quattuor et viginti, cuilibet superiorum regum belli pacisque et artibus et gloria par.*

[27] *igitur Latini ... sustulerant animos et, cum incursionem in agrum Romanum fecissent, repetentibus res Romanis superbe responsum reddunt.*

getönten Formeln im Wortlaut. Dann die Rückkehr des livianischen Berichtes zum Latinerkrieg. Nehmen wir Fetialordnung und Latinerkrieg zusammen, so umfassen sie mehr als die Hälfte dessen, was Livius über Ancus Marcius zu sagen hat; von anderen Kriegen, die der König geführt haben könnte (Dionys gibt uns darüber Aufschluß), hören wir nur noch ganz wenig und nebenher.

Wie sehr den Livius die Fetialordnung als ideelles Moment interessiert und nicht als historisch-staatsrechtliches Detail, zeigt sich darin, daß wir ihn in diesem Zusammenhang einmal mehr als mangelhaften Berichterstatter, was die Sache betrifft, ertappen. Die Einsetzung der Fetialen unter dem vierten König liest sich bei Livius unmißverständlich so, als wären die Fetialen vorher in Rom unbekannt gewesen; es kümmert ihn nicht oder es ist ihm gar nicht aufgefallen, daß er schon zuvor, beim dritten König, bei Tullus Hostilius, die Fetialen in ihrer leitenden Funktion beim Vertragsabschluß von Volk zu Volk erwähnt hat, ohne dort über eine Einsetzung des Fetialkollegiums irgend etwas beizufügen (24, 4 ff.). In dieser Unausgeglichenheit spiegelt sich offensichtlich eine Diskrepanz der Überlieferung bezüglich der Einsetzung der Fetialen, die bei dem unpedantischen Livius ihre Spuren hinterlassen hat; auch wir heute finden in der uns zur Verfügung stehenden Überlieferung die Einführung der Fetialordnung verschiedenen Königen zugeschrieben, bei Cicero dem Tullus Hostilius, bei Dionys und Plutarch schon dem Numa Pompilius.

Mit großzügiger Selbständigkeit ist Livius, wenn wir uns nicht täuschen, bei der Einführung der Fetialriten, die nichts anderes bedeuten als die rechtliche Begründung der römischen Kriege, vorgegangen. Diese Beobachtung wird noch wahrscheinlicher, falls wir uns für die wirkungsvollen Formeln, die Livius den agierenden Fetialen in den Mund legt, an neueste Forschung anschließen dürfen: Kurt Latte hat die Echtheit der Formeln mehrmals angezweifelt; zuletzt in seiner ‚Römischen Religionsgeschichte', erklärt er kurzerhand: „die Formeln... sind seine (des Livius) eigene schriftstellerische Leistung."

Mit dem fünften König, dem ersten der beiden Tarquinier, beginnt, nach und nach sich verstärkend, das schlechte Königtum, und in diesem schlechten Königtum, wie es Livius beschreibt, spiegelt sich der Haß gegen alles Königliche, der im späteren, historischen Rom ein Hauptstück des politischen Denkens und Fühlens war. Gipfelpunkt, verbunden mit Krise und Katastrophe, dann beim letzten König, bei Tarquinius Superbus. Was bei dieser Figur die überkommene Sagentradition schon getan hat, indem sie dem Tarquiniernamen die Bezeichnung *Superbus* anfügte, das verstärkt Livius, indem er immer wieder auf diese *superbia* hinweist: 49, 1 die Einführung des Königs und seines Namens[28], und dann in den folgenden zehn Kapiteln noch viermal das Adjektiv oder Substantiv. Wir dürfen, wie von einer außenpolitischen, so auch von einer im historischen Rom lebendigen innenpolitischen *superbia* sprechen – ein Vorwurf, der sich auch gegen die Nobilität oder gegen einen hochfahrenden Einzelnen richten kann –: hier am Schluß des ersten livianischen Buches haben wir mit den Geschehnissen der endenden Königszeit eine potentielle Vorwegnahme dieser *superbia.*

Doch mitten drin, inmitten dieser immer weitergreifenden Schuld und tyrannischen Hybris der späteren Könige, die eigenartig tragische Figur des sechsten Königs, des Servius Tullius, der kein Tarquinier ist. Was haben wir vor uns? Einen guten König, der aber nicht oder nicht völlig gut und glücklich sein darf. Schon die Vorkommnisse und Machenschaften um die Thronbesteigung erwecken zwiespältige Empfindungen, so 41, 6 *Servius primus iniussu populi regnavit,* aber auch *praesidio firmo munitus*[29].

Und was dann der König nach der Einrichtung der Centurienordnung und nach dem Bau des Mauerringes, diesen beiden großen Errungenschaften seiner Regierung, tut, läßt uns in der Darstellung des Livius nicht froh für den König werden, so die Schaffung eines gemeinsamen Bundesheiligtums der Römer und Latiner durch den Bau des Dianatempels auf dem Aventin. 45, 1 wird dieses Unter-

[28] *inde L. Tarquinius regnare occepit, cui Superbo cognomen facta indiderunt* (50, 3 *Superbo . . . cognomen;* 53, 9 *superbissimum regem;* 57, 2 *praeter aliam superbiam;* 59, 9 *superbia . . . regis*).

[29] *Servius praesidio firmo munitus, primus iniussu populi, voluntate patrum regnavit.*

nehmen mit einigen akzentuierenden Worten eingeleitet[30]; aber das *consilio augere imperium,* nämlich der engere Zusammenschluß der beiden Völker, kann nicht in jenem Geiste großzügiger Versöhnlichkeit bewerkstelligt werden, wie wir ihn früher im Verhalten den anderen, den Schwächeren, gegenüber fanden; der Tempel wird ja in Rom errichtet, und für dieses römische Plus bekommen die Latiner keinen Ausgleich.

Im zusammenfassenden Rückblick 48, 8 f.[31] würdigt Livius den Servius Tullius als einen ausgezeichneten Herrscher, dem nachzustreben selbst einem guten Nachfolger schwer fallen mußte. Rühmlich für diesen König ist es auch, daß er als letzter ein *regnum iustum ac legitimum* geführt hat. Livius kann sich so ausdrücken, weil die einstige Usurpation des Thrones durch eine spätere staatsrechtliche Intervention, die erwähnt wurde, als wiedergutgemacht gelten kann. Aber von solchen Begründungen soll jetzt in diesen beiden Paragraphen nicht mehr die Rede sein. Livius will ein eindrückliches und bedeutungsvolles Schlußbild komponieren, das auch ungleich kürzer ist als die analysierende Schlußbetrachtung des Dionys (4, 40, 1 ff.), deren Urteile, bei verwandtem Gedankeninhalt, mehrfach in malam partem fallen. Und Livius kann sein Bild noch kräftiger zeichnen: *id ipsum tam mite ac tam moderatum imperium,* diese seine vorbildliche Herrschaft hatte Servius niederlegen wollen, sagt Livius mit Berufung auf eine ihm vorliegende Tradition *(quidam auctores)*; niederlegen die Herrschaft, *quia unius esset*: in diesem *unius* liegt so viel drin, von dieser beabsichtigten Abdikation aus sollen wir so viel Verbindungsfäden knüpfen zu Geschehnissen in der jahrhundertelangen römischen Geschichte, bis

[30] *aucta civitate magnitudine urbis, formatis omnibus domi et ad belli et ad pacis usus, ne semper armis opes adquirerentur, consilio augere imperium conatus est, simul et aliquod addere urbi decus.*

[31] *Ser. Tullius regnavit annos quattuor et quadraginta ita, ut bono etiam moderatoque succedenti regi difficilis aemulatio esset; ceterum id quoque ad gloriam accessit, quod cum illo simul iusta ac legitima regna occiderunt.* (9) *id ipsum tam mite ac tam moderatum imperium tamen, quia unius esset, deponere eum in animo habuisse quidam auctores sunt, ni scelus intestinum liberandae patriae consilia agitanti intervenisset.*

zuletzt zu Manifestationen des Octavian-Augustus jener Jahre, in denen Livius sein Geschichtswerk zu schreiben begann! Aber Servius hat nicht gut und glücklich sein dürfen, er hat das, was die Worte *liberandae patriae* enthalten, nicht ausführen können, weil seine eigene verbrecherische Familie seinem Leben vorher ein Ende setzte. Ja, im Königshaus selbst hat er, wie Livius an anderer Stelle sagt, die *necessitas fati* nicht brechen können.

In der Tragik des sechsten Königs sollen wir etwas empfinden vom Unausweichlichen, Unentrinnbaren in der Entwicklung des altrömischen Königtums. Es durfte diese Episode in Roms Geschichte nicht fehlen; die dunklen, schweren Zeiten haben – weil aus ihnen gelernt wurde – mitgeformt an der mühsam erworbenen und von Gefahren und Rückschlägen umstellten und dann erst glücklich gewordenen Existenz der großen römischen Gemeinschaft.

Aus dem Schlußteil des Buches, der die Regierung des letzten Königs, des Tarquinius Superbus, und den Sturz des Königtums beschreibt, greifen wir im Vorbeigehen nur ein paar Worte, 57, 9, heraus[32]: Lucretia, die nächtlicherweile besucht wird von den Männern, die aus dem Feldlager hergeritten kommen im Wettstreit darüber, wer die beste Frau besitze; sie finden die Lucretia *deditam lanae inter ancillas*: das Idealbild der römischen Frau, wie wir es kennen etwa aus den Schlußworten *lanam fecit* der bekannten Grabschrift einer Claudia aus gracchischer Zeit.

Bei einer Deutung des ersten livianischen Buches den Anfang des zweiten mit dazuzunehmen, hat seine Berechtigung daher, daß gerade die ersten Kapitel des zweiten Buches mit dem zuletzt Erzählten, mit der Beschreibung der Königszeit, thematisch eng zusammenhängen durch den Begriff der *libertas*. Wie die *libertas* der herrschende Grundgedanke des Buchanfanges ist und damit auch den Bogen nach rückwärts zum ersten Buch schlägt, hat uns Erich Burck gezeigt in seinem Buch über die Erzählungskunst des Livius, dem ich nicht nur für diesen Einzelpunkt verpflichtet bin.

[32] *Lucretiam . . . nocte sera deditam lanae inter lucubrantes ancillas in medio aedium sedentem inveniunt.*

So lesen wir denn gleich zu Beginn des ersten Kapitels die wichtigen Sätze, mit denen Livius das gewesene Königtum mit der nun errungenen Freiheit in eine sinnvolle Entwicklung zusammenordnet, vor allem in den Paragraphen 1, 2–3[33]: zweimal ist die *libertas* genannt, zweimal die königliche *superbia* als ihr Gegenstück. Nicht früher – das ist hier gemeint –, sondern erst nach der *superbia* des letzten Königs, durfte die Republik an die Stelle des Königtums gesetzt werden; Rom hat in seinen Anfängen nach der Gründung der Stadt ein festes königliches Regiment nötig gehabt.

Aber auf diese Gedanken des ersten folgt in den anschließenden Kapiteln die Warnung davor, diesen Neubeginn der römischen Geschichte (*liberi populi Romani* lauten programmatisch die ersten Worte des zweiten Buches) zu überschätzen, die Warnung vor der Hybris, die Mahnung zu bedenken, wie alles Große mit Opfern erkauft werden muß. Die harten Opfer als Preis für die gewonnene Freiheit der Republik haben die beiden ersten Consuln zu bringen, sie, die Befreier selbst. 2, 3[34]: Der eine der beiden Consuln, Tarquinius Collatinus, der Gatte der Lucretia, erregt Anstoß einzig wegen seines Namens; der Tarquiniername bleibt verdächtig. Und 2, 7 hören wir die Aufforderung[35], die Brutus, der andere Consul, in der Volksversammlung an seinen Amtskollegen richtet: er solle, nachdem er die Könige vertrieben habe, nun sein Verdienst krönen dadurch, daß er mit seiner Person zugleich den Namen der Königsfamilie aus Rom entferne. So legt denn Collatinus, der sich nichts hat zuschulden kommen lassen, freiwillig sein Amt nieder und

[33] *quae libertas ut laetior esset, proximi regis superbia fecerat. nam priores ita regnarunt, ut haud immerito omnes deinceps conditores partium certe urbis, quas novas ipsi sedes ab se auctae multitudinis addiderunt, numerentur.* (3) *neque ambigitur, quin Brutus idem, qui tantum gloriae superbo exacto rege meruit, pessimo publico id facturus fuerit, si libertatis immaturae cupidine priorum regum alicui regnum extorsisset.*

[34] *consulis enim alterius, cum nihil aliud offenderet, nomen invisum civitati fuit.*

[35] *meminimus, fatemur, eiecisti reges; absolve beneficium tuum, aufer hinc regium nomen.*

verläßt die Stadt, er, der schon vorher mit dem Tode der Gattin das größte Opfer für Roms Freiheit gebracht hatte.

Dann das Opfer des andern Consuls, des Brutus. In die Verschwörung der römischen Jugend, die den vertriebenen letzten König zurückholen will, sind auch die Söhne des Brutus verwickelt, und nach der Aufdeckung der Verschwörung (5, 5)[36] muß dieser als Consul vor seinen Augen die eigenen Söhne hinrichten lassen, vom Schicksal zum Vollstrecker der Todesstrafe gemacht, während er doch nicht einmal Zuschauer hätte sein sollen.

Hier ein letztes Mal der Vergleich mit Dionys (5, 5, 1 ff.). Bei Livius erfolgt zuerst der Weggang des Collatinus, dann erst die Verschwörung der Jugend. Bei Dionys umgekehrt: die Verschwörung geht vorauf, und nach deren Aufdeckung setzt sich Collatinus für milde Bestrafung oder gar Straflosigkeit derjenigen jugendlichen Verschwörer ein, die mit ihm selbst verwandt sind. Dadurch lädt sich Collatinus eine Schuld auf, die noch dadurch verstärkt gilt, daß er sich vor der Verschwörung, als man über die Rückgabe des Vermögens an Tarquinius Superbus zu beraten hatte, im Gegensatz zu Brutus für eine konziliante Haltung dem vertriebenen König gegenüber eingesetzt hatte. Bei solcher Darstellung – wir sind immer noch bei Dionys – kann sich Collatinus der Aufforderung, freiwillig sein Amt niederzulegen, verständlicherweise nicht entziehen. Livius komponiert und wertet anders. Er ordnet die Ereignisse so, daß die Opfertat des Collatinus ganz rein und groß, ohne Anflug irgendeiner Schuld, erscheinen soll, und während der angeschuldigte Consul bei Dionys in lebhafte Klagen und Beschwerden ausbricht, kommt er bei Livius überhaupt nicht mehr zum Wort. Livius will gewiß an Empfindungen rühren, die man in Rom mit einer anderen Gestalt, die ins Exil ging, verbunden hat, mit dem älteren Cornelius Scipio Africanus, so etwa wie ihn Seneca zu Beginn seines schönen 86. Briefes gezeichnet hat; auch bei Seneca

[36] *direptis bonis regum damnati proditores sumptumque supplicium, conspectius eo, quod poenae capiendae ministerium patri de liberis consulatus imposuit, et, qui spectator erat amovendus, eum ipsum fortuna exactorem supplicii dedit.*

steht der große Mann, der in eine freiwillige Verbannung geht, im Konflikt mit der *libertas* des Staates.

Die Warnung vor dem Zuviel, vor dem Zu-hoch-sich-Wähnen, die Livius mehrmals in seiner Darstellung der römischen Frühgeschichte gehört wissen will – wir erinnern an die bitteren Einbußen ganz zu Beginn mit dem Tod des Latinus und des Aeneas –, haben wir solche Warnung auch bei Vergil? Ich meine ja. Vergils lapidare Aufzeichnung der römischen Geschichte in der sogenannten Heldenschau des sechsten Buches kann symbolische Andeutungen dieser Art nicht da und dort bringen, er äußert sich an einer einzigen Stelle, dafür um so wirkungskräftiger und mit dem Blick zurück auf die ganze römische Vergangenheit. Nachdem bei ihm die Glorie der *res Romanae* bis in die Zeit des Augustus ausgestrahlt und ihren Höhepunkt in der einzigartigen Synkrisis gefunden hat *(excudent alii – tu regere imperio)*, folgt noch die Marcellusepisode, mit der Nennung erst des berühmten alten Marcellus aus dem 3. Jahrhundert und mit der Trauer dann um den Marcellus der augusteischen Gegenwart, den geliebten Neffen des Kaisers. Das römische Volk muß den herrlichen jungen Marcellus verlieren, den die Götter der Welt nur zeigen wollen, um ihn früh wegzunehmen, damit Rom, wäre ihm dies Göttergeschenk dauernd zu eigen, sich nicht zu hoch erhöbe: *ostendent terris hunc tantum fata nec ultra / esse sinent; nimium vobis Romana propago / visa potens, superi, propria haec si dona fuissent* (869 ff.).

Wir kommen zum Schluß. Wie dem Vergil, so werden wir auch unserem Livius, diesem der Dichtung nahe stehenden Prosaisten, keine Originalität, was die mythischen Berichte und was die Gedanken betrifft, zuschreiben wollen. Die römische Sage, sei es in volkstümlicher Tradition, sei es in literarischer Weiterbildung durch die Hand griechischer und lateinischer Autoren, war an sich schon so gewachsen, daß sie für Rom, seine spätere Geschichte und Bedeutung, als sinnbildlich gelten konnte. Die Komposition aber mit dem Auswählen und Zuordnen, das Bewerten mit dem Setzen der Akzente, die Schaffung eines beseelten Bildes von Roms Gründung und erster Existenz, das ist die Leistung des Klassikers augusteischer Zeit. Eine neue und groß gesehene Verpflichtung dem Stoff und den Ideen gegenüber erfüllt diesen künstlerischen

Geschichtsschreiber. Einmal im Verlauf der römischen Literaturgeschichte, am Ende der großen republikanischen Vergangenheit und am ahnungserfüllten Anfang einer neuen Epoche, haben sich für die Dichter und Schriftsteller die äußeren und inneren Möglichkeiten zusammengefügt, daß sie als Künder und Deuter vor ihr Volk treten konnten. Zu ihnen gehört Livius.

Heinz Bruckmann, Die römischen Niederlagen im Geschichtswerk des T. Livius, Diss. Münster 1936. Verlag Pöppinghaus, Bochum. S. 29–31, 65–70 und 123–125.

DIE RÖMISCHEN NIEDERLAGEN IM GESCHICHTSWERK DES LIVIUS

Von Heinz Bruckmann

Die Niederlage von Caudium i. J. 321

Zusammenfassend sind als Merkmale dieses Niederlagenberichtes von Caudium (9, 1, 1–12, 4) folgende herauszuheben:

1) Die *ignominia* der Römer ist innerhalb der Erzählung der eigentlichen Niederlage stark betont. Dies konnte Livius tun, ohne befürchten zu müssen, das Bild, das seine Zeit sich von den Vorfahren machte, zu entstellen, da sich die Rehabilitation der Römer unmittelbar anschließt. Durch die Übersteigerung der Schmach empfindet auch der Leser die Kassation als unbedingt notwendig.

2) Die Niederlage ist mit der Rehabilitation zeitlich eng verbunden; es ist kein fühlbarer Bruch in der Erzählung zwischen dem Zustand der Schmach und der Erhebung aus ihr.

3) Von einer militärischen Überlegenheit der Gegner ist nirgends die Rede. Die Samniter gewinnen weder durch ihre *virtus* noch durch bessere strategische Einsicht die Übermacht über die Römer, sondern die von den Römern beleidigten Götter bringen das Unglück über Rom (vgl. 1, 3–11; 5, 11; 8, 8). Einigen Abschnitten des Berichtes ist eine eigenartige Doppelhaltung zu eigen, da neben dieses die Schande mildernde Moment die starke Betonung der *ignominia* tritt.

4) Eine große Rolle spielt in dem Berichte – und nur in ihm – die Schilderung der Stimmung der Römer, auf deren einzelne Phasen einzugehen lohnt. Im ersten Teil der Erzählung ist die Stimmung der Römer im steten Sinken begriffen; durch einzelne Bilder wird der Leser zu einem Tiefpunkt geführt (Austritt aus der Waldschlucht 6, 3). Im zweiten Teil hebt sich dann die römische

Stimmung schnell. Um diesen Ablauf als Ganzes übersehen zu können, sei stichwortartig ein Überblick angefügt:

1. 9,2,10–3,4: von der Einschließung bis zu den Verhandlungen: *stupor – torpor.*
   4, 6–7: nach dem Bekanntwerden der Bedingungen: *maestitia.*
   5, 6–10: nach der *sponsio: luctus – ira.*
   5, 13–14: bei der Unterjochung der Konsuln: *miseratio militum.*
   6, 3: Tiefpunkt: Austritt aus der Waldschlucht: Umkehrung alles menschlichen Fühlens.
   6, 4–7, 5: Zusammentreffen mit den Campanern: *pudor.* Erweitert durch die Stimmung der Campaner: *miseratio.*
   7, 6–9: In Rom vor der Rückkehr des Heeres: *luctus – ira.*
   7, 10–12: In Rom nach der Heimkehr des Heeres: Bürgerschaft – *miseratio;* Heer – *pudor.*
2. 8, 11–12: nach der ersten Rede des Postumius: *admiratio, miseratio.*
   10, 1–6: nach der zweiten Rede des Postumius: *lux quaedam adfulsisse civitati visa est*; Mut und Freudigkeit zu neuen Taten; Einsatzbereitschaft. Entsprechendes Sinken der Stimmung der Samniter 12, 1–2: Reue – Furcht.
   12, 3–4: Ergebnis: *animi mutaverunt.*

Aus diesem Überblick ist die darstellerische Eigenleistung des Livius am eindrucksvollsten zu erkennen. Hätte er nicht stets die Stimmung der Römer in seinen Bericht einbezogen, sondern nur die nackten Tatsachen vorgeführt, so hätte ohne jeden Zweifel der Darstellung die starke suggestive Kraft gefehlt, und das Verlangen der Römer nach unbedingter und sofortiger Rehabilitation wäre weniger verständlich gewesen.

5) Schließlich sei noch betont, daß in der Darstellung dieser Niederlage dem Leser der wahre Geist eines römischen Führers und auch der römischen Soldaten entgegentritt, denen ihre eigene Ehre und die des Vaterlandes als höchstes Gut gilt und für deren Wiedergewinnung sie alles einsetzen. Darin liegt der paradeigmatische Gehalt dieses Geschehens beschlossen, den Livius besonders

dadurch herausarbeitet, daß er einerseits das Gefühl der Schmach und andererseits das Drängen nach der Befreiung von dieser Schmach so stark betont. Für den Leser sollen diese Ereignisse letzten Endes ein Beweis dafür sein, daß das römische Volk im Grunde unüberwindlich ist. Einen überaus markanten Hinweis auf dieses letzte Ziel der Erzählung fügt Livius selbst in den Reden des Herennius (3, 12–13) und des Calavius (7, 1–5) ein.

6) Dem inneren Gehalt seiner Erzählung verleiht Livius durch seine künstlerische Gestaltungskraft eine wirkungsvolle Form. Hier ist als erstes künstlerisches Mittel die Konzentration zu nennen, durch die er die Unterjochung vor allen anderen Bedingungen hervortreten läßt (vgl. 4, 3–5; 5, 11–6, 4). Daher beherrscht ein einheitlicher Zug in Stimmung und Ereignissen den ersten Teil. Im zweiten Teile konzentriert Livius die Darstellung ganz auf Postumius: seine vorbildliche Haltung rückt er immer wieder in den Vordergrund des Geschehens.

Auch den Kunstgriff des stufenweisen Aufbaus, den Witte (381 ff.)[1] zuerst an der Erzählungskunst des Livius hervorhob, können wir mehrfach feststellen (vgl. 2, 10–3, 4; 5, 12–6, 2; 7, 6–7). Diese Abschnitte zeichnen sich durch ihre Übersichtlichkeit und Anschaulichkeit vor anderen aus.

Nach der Analyse der Niederlage von Caudium könnte der Gedanke naheliegen, daß allein durch den äußeren Verlauf der Ereignisse der Aufbau und die innere Haltung des Livianischen Berichtes bedingt sei und damit ein einmaliger Fall aus dem Livianischen Geschichtswerk herausgegriffen würde. Das wäre abwegig; wir können nämlich auch in den Berichten einiger anderer Niederlagen, wie z. B. 5, 28, 5–13; 10, 3, 6–5, 13; 27, 12–15, 1 u. a., die gleichen Merkmale der Darstellung wie in der Niederlage von Caudium feststellen.

[1] K. Witte, Über die Form der Darstellung in Livius' Geschichtswerk, Rhein. Mus. 65, 1910.

Die Niederlage am Trasumennus i. J. 217
(22, 3–7; Pol. 3, 80 f.)

Der Aufbau der Erzählung ist folgender:
1) Hannibals Kriegsplan (3, 1–6).
2) Ausmarsch der Römer zur Schlacht (3, 7–14).
3) Vorbereitungen zur Schlacht und die Schlacht selbst (4, 1–6, 4).
4) Die unmittelbaren Folgen der Schlacht und die Wirkung in Rom (6, 5–7, 14).

1) 3, 1–6: Livius berichtet in den ersten Kapiteln dieses Buches die schlechten Vorzeichen in Rom, die den Leser in eine düstere Stimmung versetzen und ihn das kommende Unheil ahnen lassen, und den Übergang Hannibals über den Apennin. Das römische Heer steht unter Führung des Konsuls Flaminius bei Arretium. Die erste Handlung, die Hannibal nach dem Übergang vornimmt, ist die Aussendung von Kundschaftern, die ihn orientieren sollen über „*consulis deinde consilia atque animum et situm regionum itineraque et copias ad commeatus expediendos et cetera quae cognosse in rem erat*" (2). Durch die Meldung der *exploratores* wird der Leser in die Situation eingeführt. Uns interessiert vor allem die Angabe über den Konsul: *consul ferox . . . et non modo legum aut patrum maiestatis sed ne deorum quidem satis metuens* (4). Damit erinnert Livius den Leser an schon früher berichtete Ereignisse (vgl. 21, 63, 6 ff.; 22, 1, 4–7) und charakterisiert den Konsul direkt. Ganz Livianisch ist es, daß der frühere Erfolg des Flaminius[2] jetzt als Wirken der *fortuna* angesehen wird: *hanc insitam ingenio eius temeritatem fortuna . . . aluerat* (3, 4; vgl. 22, 41, 1 u. a.). Ein nochmaliger Hinweis auf den eigenwilligen Charakter des Konsuls – *nec deos nec homines consulentem ferociter omnia ac praepropere acturum* (3, 5) – festigt im Leser den Eindruck, daß die *temeritas* des Flaminius ein schweres Gefahrenmoment für die kommenden Ereignisse bilden wird. Viel weniger stark arbeitet Polybios den Eigensinn und Trotz des Konsuls heraus (vgl. τὸν δὲ Φλαμίνιον ὀχλοκόπον μὲν καὶ δημαγωγὸν εἶναι τέλειον, πρὸς ἀληθι-

[2] Die Fakten gibt Weißenborn (z. St.) an.

νῶν δὲ καὶ πολεμικῶν πραγμάτων χειρισμὸν οὐκ εὐφυῆ, πρὸς δὲ τούτοις καταπεπιστευκέναι τοῖς σφετέροις πράγμασιν, 80, 3).

Die religiösen Vergehen des Flaminius interessieren Polybios nicht; sie gehen aber, wie Münzer (RE VI, 2500 s. v. C. Flaminius) gezeigt hat, auf gute, alte Überlieferung zurück. Als drittes Gefahrenmoment kommt hier wie in dem vorangehenden Bericht hinzu, daß Hannibal Kenntnis von den Zuständen im römischen Lager hat und diese für seinen Kriegsplan ausnutzt: *quoque* (sc. *Flaminius*) *pronior esset in vitia sua, agitare eum atque inritare Poenus parat* (3, 5).

2) 3, 7–14: Livius charakterisiert, als er das Verhalten des Flaminius zu den Taten des Hannibal schildert, den Konsul noch einmal als *ferox* und *praeproperus,* und zwar wieder direkt – *ne quieto quidem hoste ipse quieturus* (7) –, wogegen Polybios nur seine Erregung schildert: εὐθέως μετέωρος ἦν ὁ Φλαμίνιος καὶ θυμοῦ πλήρης, δοξάζων ... καταφρονεῖσθαι (82, 2). Während dieser weiter über die Meinungsverschiedenheit, die zwischen dem Kriegsrat und Flaminius herrscht, in gleichmäßiger Erzählung hinweggeht (82, 3 ff.), hebt Livius einen Teil sowohl der Worte des Kriegsrates (3, 9) als auch der des Flaminius (10, or. rect.) heraus, so daß die *ferocitas* des Konsuls erneut stark durch den Kontrast hervortritt.

Das Handeln des Flaminius erscheint bei Livius viel übereilter als bei Polybios: *iratus se ex consilio proripuit, signumque simul itineris pugnaeque cum iussisset* ... (3, 9), – οὐχ οἷον προσεῖχε τοῖς λεγομένοις, ἀλλ' οὐδ' ἀνείχετο τῶν ἀποφαινομένων ταῦτα, παρεκάλει δ'αὐτούς ... (82, 5). Auch die Worte des Konsuls schließen beide verschieden ab: *haec simul increpans cum ocius (!) signa convelli iuberet* (3, 11) – τέλος δὲ ταῦτ' εἰπών, ἀναζεύξας προῆγε ... (82, 7). Die *impietas* – Polybios erwähnt sie auch jetzt nicht – illustriert Livius durch die lebendige Darstellung der Ereignisse, die sich beim Ausmarsch des römischen Heeres zutragen (3, 11–13). Zum vierten Male weist er danach auf die beiden gefährlichen Eigenschaften des Konsuls hin: *incedere inde agmen coepit primoribus ... territis etiam duplici prodigio, milite ... laeto ferocia ducis* (14).

3) 4, 1–6, 4: Schließlich kommt der Hinterhalt, den Hannibal den Römern legt (4, 1–3), noch als weiteres Gefahrenmoment hinzu, so daß dem Leser, der ganz unter dem Eindrucke der *ferocitas* des

Flaminius steht, die römische Niederlage nunmehr geradezu als unabwendbar erscheint, zumal Livius ihm mitteilt: *Flaminius ... inexplorato ... vixdum satis certa luce angustiis superatis ... id tantum hostium quod ex adverso erat conspexit* (4, 4).

Zu Beginn des Schlachtberichtes will Livius die Hilflosigkeit und Bedrängnis der Römer hervortreten lassen: *Poenus ... circumfusum suis copiis habuit hostem* (4, 5–6); das stärkste Behinderungsmoment bildet aber für die Römer der aufsteigende Nebel. Hier arbeitet Livius (4, 6–7) stärker als Polybios (84, 1–2) den Nachteil der Römer und im Gegensatz dazu den Vorteil der Feinde heraus.

Um die Eigenart des Livianischen Schlachtberichtes voll zu erfassen, überblicken wir zunächst die kurze Polybianische Kampfdarstellung: Durch den gleichzeitigen Angriff der Feinde an mehreren Stellen sind die römischen Führer außerstande, helfend einzugreifen (οὐχ οἷον παραβοηθεῖν ἐδύναντο 84, 2), so daß die größte Anzahl der Römer ohne Gegenwehr fällt (μὴ δυναμένους αὐτοῖς βοηθεῖν 84, 4). Die Ursache dazu ist allein: ὡς ἂν εἰ προδεδομένους ὑπὸ τῆς τοῦ προεστῶτος ἀκρισίας (84, 4). Flaminius – αὐτὸν δυσχρηστούμενον καὶ περικακοῦντα τοῖς ὅλοις (84, 6) – wird von einigen Kelten erschlagen. Von einem Kampf der Römer ist an keiner Stelle die Rede. Demgegenüber begnügt sich Livius nicht damit, die schwere Niederlage als unausbleibliche Folge der ungeeigneten Führung zu kennzeichnen, sondern zeigt, wie bereits in der Schilderung der Schlacht an der Trebia, wie die Römer durch tapfersten Kampf versuchen, eine Niederlage abzuwehren. Sein Bericht gliedert sich in zwei Phasen: 1. Ein Versuch der Römer, in regelrechter Schlacht zu kämpfen (4, 7–5, 5), 2. Die Soldaten im Einzelkampf (5, 6–6, 4).

1. 4,7–5,5: Trotz der schwierigen Lage (s. o.) nehmen die Römer den Kampf auf *(et ante in frontem lateraque pugnari coeptum est)*. Das unterscheidet Livius schon von Polybios. Weiter erhält der Leser bei beiden ein ganz anderes Bild von Flaminius: Dort ergeben in die Sachlage, hilflos – hier tapfer und hilfsbereit *(consul ... impavidus (!), turbatos ordines ... instruit ... et adhortatur ac stare ac pugnare iubet* 5, 1), seine eigenen Worte verraten den tapferen Kämpfer: *vi ac virtute evadendum esse; per medias*

acies ferro viam fieri et quo timoris minus sit, eo minus ferme periculi esse (5, 2; vgl. auch: *impigre ferebat opem* 6, 2).

Mit der Schilderung der großen Verwirrung will Livius die Unmöglichkeit eines geregelten Kampfes beweisen (5, 3–4). Um so eindrucksvoller ist es für den Leser, daß die Römer noch immer kämpfen: *alii fugientes pugnantium globo inlati haerebant; alios redeuntes in pugnam avertebat fugientium agmen* (5, 5). Stärkste Bedrängnis und „Kampf unter allen Umständen" sind bei Livius die Kennzeichen dieses Gefechtsabschnittes.

2. 5, 6–6, 4: Deutlich getrennt von der ersten Phase durch „*deinde*" und von Livius selbst als neuer Kampfabschnitt betrachtet (*nova de integro exorta pugna est* 5, 7) ist dieser Teil ganz darauf abgestimmt, die *virtus* der Soldaten in das gebührende Licht zu rücken. Direkt verweist Livius auf den Mut der Soldaten: *animus suus cuique ante aut post pugnandi ordinem dabat tantusque fuit ardor animorum, adeo intentus pugnae animus, ut eum motum terrae ... nemo pugnantium senserit* (5, 8). Aber auch der Hinweis auf die Heftigkeit des Kampfes soll die kämpferische Leistung der Römer unterstreichen: ... *pugnatum est ... atrociter* – und noch gesteigert – *circa consulem tamen acrior infestiorque pugna est* (6, 1). Erst bei dem Tode des Konsuls[3] – das ist hier der äußere Anlaß, dem an der Trebia der Angriff der Elefanten (22, 55, 7) und die Flucht der Gallier entsprechen (56, 1) – setzt die Flucht in größerem Maße ein (6, 4). Man erkennt durch den Vergleich mit Polybios deutlich, nach welchen Gesichtspunkten Livius die Darstellung der Schlacht abgefaßt hat: er rechtfertigt alle Römer, die Soldaten und auch ihren Führer, militärisch-kämpferisch voll-

[3] Die Schilderung seines Todes ist in ein lebhaft bewegtes Bild gekleidet, das Livius als Erzähler und Künstler kennzeichnet. Vgl. O. Meltzer – U. Kahrstedt, Geschichte der Karth. Berl. 1913, III, 191: „Ein solch plastisches Gemälde zu entwerfen, ist der Stilist Livius viel besser imstande als alle seine Quellen, hier spricht er selbst zu uns". Es paßt jedoch nicht recht zusammen, daß der Tod des Konsuls und der Kampf um seine Leiche solche Aufmerksamkeit erregte und dann nachher doch die Leiche nicht zu finden war. Diese letzte Tatsache stammt aus der „Überlieferung, die den Verächter der Götter seine verdiente Strafe finden läßt". (Münzer, a. a. O. 2502).

kommen und lehnt damit indirekt zugleich eine Überlegenheit des Feindes im Kampfe ab.

3. 6, 5–7, 14: Die Flucht der Römer schildern Livius und Polybios gleich ausführlich (6, 5–7; 84, 8–10). In dem Bericht über die gefangenen 6 000 Reiter (6, 8–12; 84, 11–85, 2) macht sich ein wesentlicher Unterschied bemerkbar: Maharbal sagt bei Polybios wie bei Livius den römischen Reitern freien Abzug zu. Darauf erfolgt ihre Übergabe, nach der Hannibal sie aber nicht wieder freiläßt, bei Polybios unter Angabe des Grundes: ὅτι Μαάρβας οὐκ εἴη κύριος ἄνευ τῆς αὑτοῦ γνώμης διδοὺς τὴν ἀσφάλειαν τοῖς ὑποσπόνδοις (85, 2). Davon berichtet Livius nichts; er geißelt nur Hannibals Treulosigkeit, um diesen beim Leser herabzusetzen: *quae Punica religione servata fides ab Hannibale est atque in vincula omnes coniecti* (6, 12). Die Würdigung der Niederlage, die Livius nach der Schlacht gibt, läßt die Schwere der Ereignisse voll erkennen (7, 1–5;). Die Stimmung und die Vorfälle nach der Niederlage in Rom zeichnet Livius so, daß er von der ersten Nachricht an (7, 6–10) zu einzelnen genaueren Meldungen fortschreitet (11–13) und so immer mehr die Trauer steigert; bei Polybios bringt die erste Nachricht schon volle Aufklärung (85, 7–10). Der Senat ist bei Livius in seiner unermüdlichen Tätigkeit gleichsam als Gegenpol zu der aufgeregten Menge gesetzt und verkörpert die ruhige Haltung des Staates: *senatum praetores per dies aliquot ab orto usque ad occidentem solem in curia retinent, consultantes* (7, 14); viel weniger betont Polybios die Anstrengung des Senats: οὐ μὴν ἥ γε σύγκλητος, ἀλλ' ἐπὶ τοῦ καθήκοντος ἔμενε λογισμοῦ, καὶ διενοεῖτο περὶ . . . (85, 10). Bei Livius berät der Senat: *quonam duce aut quibus copiis resisti victoribus Poenis posset* (7, 14) – ein Zeichen ungebrochenen Willens zum Kriege, kein Friedensgedanke; bei Polybios: περὶ τοῦ μέλλοντος πῶς καὶ τί πρακτέον ἑκάστοις εἴη (85, 10 – die Tendenz der Beratungen bleibt ungewiß. Livius setzt also dem großen Unglück die starke und ungebrochene Haltung des Staates entgegen.

Wir fassen zusammen: Livius arbeitet zur Entlastung der Römer folgende Momente heraus: 1. die *ferocitas* und *impietas* des Flaminius, die hier in weit stärkerem Maße als bei Polybios hervortritt (3, 4; 7; 9–10; 4, 4). Münzer (RE VI, 2496) erklärt in einigen grundsätzlichen Bemerkungen, warum Flaminius in so starkem

Maß die Schuld an der Niederlage beigeschrieben wurde: er stand Zeit seines Lebens im Kampfe gegen die Herrschaft des Senates, aus dessen Reihen aber bald nach ihm der erste römische Historiker erstand. Weiter hat der Senat lange Zeit die geschichtliche Überlieferung beherrscht und „seine Widersacher mit düsteren Farben gemalt dem Urteil der Nachwelt preisgegeben. Vielleicht war Flaminius der erste einer langen Reihe, der von diesem Schicksal betroffen wurde; die Grundzüge der Darstellung des Demagogen, der nur Unheil zu stiften vermag, gehen auf Fabius Pictor zurück; die spätere Annalistik hat die Schatten noch verstärkt". Dies, können wir hinzufügen, gilt in vollstem Maße für Livius, der freilich nicht aus parteipolitischen Gründen, sondern aus seiner national-ethischen Deutung der historischen Ereignisse dazu veranlaßt wurde.

2. Das Wirken der *fortuna* zum Nachteile Roms (3, 4). Die *virtus* der Römer betont Livius daneben nachdrücklich im Schlachtbericht, in dem er ihren tapferen Kampf und Widerstand (4, 7–5, 5; 5, 6–6, 5) gegenüber ihrer Bedrängnis und den übrigen widrigen Umständen (4, 5–6) eindringlich herausarbeitet. In der Darstellung der Folgen der Schlacht bemerken wir die Absicht des Livius, die Feinde herabzusetzen (6, 11) und das Ansehen Roms zu heben (7, 14).

Rückblick

Ein Rückblick auf die gesamte Untersuchung muß sich darauf beschränken, die Stellung der Niederlagenberichte zum Sinnganzen des Livianischen Geschichtswerkes kurz zu umreißen, das ihnen Gemeinsame zu unterstreichen und die eindrucksvollsten, häufig wiederkehrenden Erscheinungen der Darstellung herauszuheben.

Wir können feststellen, daß Livius wie die meisten Teile seines Werkes so auch die Schilderungen fast sämtlicher Niederlagen auf den national-ethischen Zweck seiner Geschichtsschreibung hin ausgerichtet hat, zu dem er sich in der Praefatio seines Werkes (§ 9–10) bekennt, oder daß er wenigstens, wenn dies unmöglich ist, die Erzählungen nicht dieser Tendenz seines Werkes zuwiderlaufen läßt. Alle Berichte, die nach der Art der Niederlage von Caudium geschildert sind, stellen dem Leser einen Typ von Führer und Heer vor Augen, die man geradezu als Idealbilder altrömischer Soldaten bezeichnen möchte. Es sind jene Kämpfer, die eine Niederlage, in der sie nicht einmal durch geringeren Mut unterlagen, als unerträglich für ihre Ehre empfinden und die darauf alles im Bewußtsein ihrer früheren Überlegenheit unternehmen, um die Schande wiedergutzumachen. Wenn Livius an den römischen Vorfahren eine solche Haltung erkennt, so entspricht diese seine Deutung der Geschichte der Altvorderen ganz dem Empfinden seiner Zeit, der Augusteischen Epoche. Ist diese doch durchpulst von dem Glauben an die Ehre und Größe der Altrömer und von dem Bestreben, nationale Ehre und Selbstbewußtsein im Bilde des gewaltigen Geschehens der römischen Vergangenheit wiederzugewinnen und zu stärken.

Einen nicht weniger beachtlichen Beitrag zu der neuen Deutung der römischen Vergangenheit, die das Augusteische Zeitalter sich ersehnte, und die Livius neben anderen mit seinem Werke leistete, bietet er mit jener Art von Darstellungen, die in der Niederlage von Cannae und vom Trasimennischen See ihr ausgeprägtestes Beispiel fanden. Hier läßt er vor dem Leser das Bild von Römern erstehen, die trotz der widrigsten Umstände in der Schlacht und trotz des widrigen Entscheids des Fatums nicht verzweifeln und deren Handeln ein leuchtender Beweis der größten römischen Tugend, der *virtus*, ist, und zwar der *virtus* im alten, ursprünglichen Sinne der Tapferkeit des Mannes im Kampf[4]. Diese Eigenschaft der Römer tritt im livianischen Geschichtswerk mehr hervor als alle anderen Vorzüge, die sich in der Wesensart des römischen Volkes vereinen[5].

[4] Vgl. K. Meister, Die Tugenden der Römer, Rektoratsrede, Heidelberg, 1930, 6 f.

[5] Eine besonders charakteristische Bemerkung des Livius findet sich vor der Erzählung der Schlacht bei Beneventum, in der die Römer ihren ersten größeren Sieg im zweiten punischen Kriege erringen. Der Konsul Ti. Gracchus hält an seine Soldaten eine Rede, in der er auf die kommende Schlacht hinweist: *postero die signis conlatis dimicaturum puro ac patenti campo, ubi sine ullo insidiarum metu vera virtute geri res posset* (21, 11, 6). Diese Bemerkung legt also Zeugnis für die persönliche Anschauung des Livius ab, daß die römische *virtus*, wenn sie sich ungehemmt entfalten kann, unbesiegbar ist.

Es ist daher nicht erstaunlich, daß Livius diese *virtus* nicht nur unbefleckt bei den Kämpfern jener Niederlagen sieht und als solche darstellt, sondern sogar mit besonderer Betonung hervorhebt, daß sie sich hier in noch stärkerem Maße als sonst ausprägt. So stehen diese römischen Kämpfer nicht als entehrte Besiegte, sondern als Helden da, und darauf beruht die ungeheuer starke Wirkung dieser Erzählungen im Gesamtrahmen des livianischen Geschichtswerkes. Dazu war es aber für Livius unbedingt notwendig, die nach seiner Meinung wahre Ursache der Niederlage, die unüberwindlichen, äußeren Hindernisse, in seinen Berichten stärkstens in den Vordergrund zu rücken.

Die Gruppe von Niederlagen, die am eindringlichsten durch den Bericht der Niederlage an der Allia verkörpert wird, verhält sich zur Tendenz des livianischen Geschichtswerkes gewissermaßen neutral, d. h. Livius kann in ihrer Behandlung im großen und ganzen keinen Vorzug römischer Wesensart preisen, läßt aber erkennen, daß nicht Mangel an *virtus,* sondern vielmehr ungünstige Momente die Niederlage gleichsam unvermeidlich machten. Die Folge ist, daß er auch in diesen wie überhaupt in *allen* seinen Berichten über römische Niederlagen niemals eine bessere kämpferische Leistung der römischen Gegner anerkennt, geschweige denn irgendwie betont herausarbeitet. Eine entscheidende Rolle spielt dabei in der Gruppe dieser Niederlagen eine Reihe von verschiedenartigen Tatsachen (z. B. *temeritas ducis; discordia ducum; fatum; insidiae*), die wir unter dem Namen „Entlastungsmomente" zusammenzufassen versuchten. Der Held des livianischen Geschichtswerkes ist der populus Romanus, weniger dessen einzelne Glieder. Infolgedessen wird die Schuld an einer Niederlage niemals der Truppe oder dem Volk als Ganzem, wohl aber gelegentlich dem einzelnen Führer und seinen Charakterfehlern zur Last gelegt. Da nun in Rom die Geschichtsschreibung wesentlich in Händen der senatorischen Klasse lag, wurden, wie wir es oft erkennen konnten, die Vertreter anderer Anschauungen und Interessen schon durch vorlivianische Historiker für Fehlschläge allein verantwortlich gemacht. Livius hat also zum Teil die durch die historische Tradition schon gegebenen Entlastungsmomente nur verstärkt, zum anderen Teil aber sie auf Grund seiner persönlichen Ausdeutung der überlieferten Tatsachen eingeführt.

In einer großen Anzahl von Darstellungen mildert Livius den Eindruck der Niederlage, indem er dem Ruhme der Feinde dadurch Eintrag tut, daß er nicht nur ihre Leistung verschweigt oder unterdrückt, sondern auch möglichst oft und betont einen Fehler oder eine Charakterschwäche derselben hervortreten läßt[6] (vgl. 6, 30, 7; 24, 20, 2; 27, 12–15, 2; 27, 26, 2; 41, 2, 12–13; 4, 4). Besonders wirksam wird diese Herabsetzung des Gegners, wenn Livius ihr einen lobenden Hinweis auf eine heldische Einzelleistung oder auf die vorbildliche Haltung des römischen Volkes entgegenzustellen vermag; am ausgeprägtesten treten beide Momente in der Erzählung der Niederlage bei Cannae auf, aber auch in dem Bericht der Niederlage an der Trebia und am Trasumennus (s. S. 301 ff.) sind sie wirksam. Stets wird hier der Leser die Partei der Römer ergreifen und mit einer Würdigung der Leistung des Siegers zurückhalten.

[6] Dieses Motiv erkannte R. Heinze (Virg. Ep. Techn., S. 5) auch in der Vergilischen Darstellung der Iliupersis und der Flucht des Aeneas aus Troja.

Erich Burck, Aktuelle Probleme der Livius-Interpretation in: Beihefte zum Gymnasium, H. 4, Heidelberg: Verlag Carl Winter 1964. S. 22–30 und 41–45.

DIE GESTALT DES CAMILLUS

Von Erich Burck

I

Die Gestalt des Camillus und die Berichte über seine innenpolitischen Kämpfe und seine militärischen Siege haben im Werke des Livius eine sehr überlegte Gruppierung und Placierung erfahren. Wir können drei große Blöcke unterscheiden, in denen diese Erzählungen zusammengefaßt sind. Der erste – mit dem Kristallisationspunkt der Eroberung der zehn Jahre lang belagerten Stadt Veji im Jahre 396 – reicht vom Eintritt des Camillus in das politische Großgeschehen und führt über seinen Triumph nach der Zerstörung Vejis bis zu seiner Verbannung. Der zweite schließt sich eng an den Einfall der Kelten, die römische Niederlage an der Allia und die Bedrohung des Capitols im Jahre 390 an: er enthält die Vertreibung der Gallier aus Rom und die große Rede des Camillus gegen die Pläne der Volkstribunen, die neue Hauptstadt nach Veji zu verlegen. Im dritten Block werden uns die wiederholten Siege des Camillus über die Volsker, Aequer und Etrusker geschildert sowie seine beispielhafte Selbstbescheidung in der Verteilung der Macht unter dem Kollegium der Konsulartribunen im Jahre 386. Diese *moderatio animi* tritt um so strahlender hervor, als sie im schneidenden Gegensatz zu den revolutionären Umtrieben des Manlius Capitolinus steht, der durch Aufwiegelung der *plebs* eine exzeptionelle Führerstellung im Staat, ja sogar das Königtum erstrebt.

Der erste Erzählungskomplex gipfelt in der militärisch wie religionsgeschichtlich gleichermaßen hervorragenden Großtat des *fatalis dux* Camillus. Der zweite Bericht findet seine Krönung in der Wiederherstellung der Tempel und Kulte Roms und in dem großartigen Aufruf des *diligentissimus cultor religionum* zum Wiederaufbau der Stadt. In der dritten Berichtsgruppe durchdringen sich militärische und politische Hochleistungen, die das Idealbild eines römischen Staatsführers und Feldherrn begründen, der wegen seiner Tapferkeit und militärischen Führungskunst, seiner Selbstbeherrschung und Überparteilichkeit durch den *consensus omnium* zum *princeps rei publicae* erhoben wird.

Die beiden ersten Erzählungsblöcke bilden den Hauptinhalt des Buches 5; die Rede des Camillus schließt dieses Buch eindrucksvoll ab. So steht Camillus als zweiter Gründer der Stadt, der ihren staatlichen und religiösen Wiederaufbau erwirkt, imposant am Ende der Pentade als Gegenbild zu Romulus und Numa Pompilius, dem staatlich-militärischen und dem religiös-kultischen Stifter Roms vom Eingang der ersten Pentade. Der dritte Erzählungskomplex leitet das sechste Buch und damit die erste Dekade des Livianischen Werks ein, die von Buch 6 bis 15 reichte. Er stellt mit der politischen und militärischen Vorbildgestalt des Camillus die erste der großen Führerpersönlichkeiten vor Augen, die Rom in den Latiner-, Samniten- und Etrusker-Kriegen und in dem gewaltigen Ringen mit Pyrrhus zur Oberherrschaft über Mittel- und Unteritalien emporgetragen haben.

Die Gestalt des Camillus wird in den drei großen Tatberichten – wie auch andere Hauptgestalten des Livianischen Geschichtswerks – vielleicht nicht mit letzter Konsequenz aus *einem* Persönlichkeitskern heraus entwickelt, sondern von drei verschiedenen Aspekten aus angestrahlt, die sich einander ergänzen sollen und natürlich gelegentlich auch überschneiden. In ihrer Gesamtheit erscheint sie aber als Modellbild, das über die erste Pentade und die erste Dekade hinausstrahlt und das wir, um nur die zwei markantesten Parallelfälle herauszugreifen, sowohl in dem Livianischen Gestaltaufriß des *fatalis dux* des zweiten punischen Kriegs, des Scipio Africanus Maior, wie sogar noch in dem Sieger von Pydna, in Aemilius Paulus, kategorienhaft nachwirken sehen. Diese gewisse Typisierung schließt genausowenig wie bei Tacitus die individuellen Züge aus[1]. Dabei hat Camillus in den Augen des Livius aber nicht

[1] Vgl. U. Knoche, Zur Beurteilung des Kaisers Tiberius durch Tacitus, Gymnasium 70, 1963, 221 f.: „Daß Tacitus dabei dem Tiberius individuelle Züge beläßt, ist selbstverständlich; er ist eben ein Historiker, der

nur für das Altrömertum eine modellhafte Position, sondern er sollte, wenn ich recht sehe, auch für die Zeit des Livius eine aktuelle Kraft entfalten. Die drei Camillus-Berichte sollen offensichtlich zusammen mit der in sie eingeschlossenen Erzählung von Manlius Capitolinus den Leser zum Nachdenken über die Wege zur Erringung und Behauptung der Macht im Staate und über politische Führungsmöglichkeiten und Führungsverpflichtungen anregen.

Um diese These zu begründen, möchte ich die drei Geschehenskomplexe, in denen wir den Camillus verantwortlich ratend und handelnd finden, etwas genauer nachzeichnen. Ich darf hierbei davon ausgehen, daß die beiden ersten Erzählungsblöcke, die ja zum Teil auch in den Gymnasien gelesen werden, bekannter sind als der dritte Komplex, der mir aber gerade besonders geeignet erscheint, aktuelle Probleme der Livius-Interpretation an ihn anzuschließen: aktuell für die Zeitgenossen des Livius, aktuell für den Philologen vom Standpunkt der gegenwärtigen Forschung aus und aktuell für den Erzieher, der auf die künstlerische Veranschaulichung sittlicher, religiöser und politischer Grundwerte in seinem Unterricht bedacht ist.

Block 1: Buch 5, Kapitel 1 bis 32[2]: Livius setzt ein mit einem nachdrücklichen Hinweis auf die Schwere des Ringens um Veji, dessen Belagerung die Römer vor zwei Jahren begonnen haben. Um zum Erfolg zu kommen, ist es nötig, die Stadt auch im Winter eingeschlossen zu halten. Für die Soldaten wird daher von den Volkstribunen eine Solderhöhung gefordert, die außerdem danach drängen, daß den Plebejern der Zugang zum Amte der Konsular-

wohl im Individuellen den Typus sieht, zugleich aber im Typus das Individuum leben läßt."

[2] Dieser und der folgende Erzählungskomplex sind ausführlicher mit dem Belegmaterial behandelt in meinem Buche „Die Erzählungskunst des T. Livius", Berlin, 2. Aufl., 1964. Ich verzichte daher im folgenden – mit wenigen Ausnahmen, auf die ich im weiteren Teil meiner Ausführungen zurückgreife – darauf, die einzelnen Kapitel und Paragraphen anzugeben oder Belegstellen zu zitieren. Vgl. auch die Analyse der religiösen Elemente der Camillus-Gestalt durch G. Stübler, gegen die ich freilich erhebliche Bedenken habe (s. u. S. 468), in seinem Buche „Die Religiosität des Livius", Tübinger Beitr. z. Altertumswiss. Bd. 35, Stuttgart 1941, S. 44–93.

tribunen eingeräumt wird. Schließlich agitieren sie mit einem Ackergesetz, und persönliche Gegensätze zu einzelnen Patriziern treiben die Spannung sehr bald zur Siedehitze. So werden alle Ereignisse der kommenden Jahre unter einen doppelten Aspekt gerückt: schwerste wechselhafte Kämpfe vor Veji *und* innenpolitische Krisenstimmung. Beide Gefahrenherde gehen oft genug ineinander über, schüren oder dämpfen einer den anderen. Eine große Rede des Appius Claudius, eine Art kompositionelles Pendant zur Camillus-Rede am Ende des Buchs, in der es dem Appius Claudius gelingt, die Zustimmung des Volks zur Durchführung des Winterfeldzugs und zur Solderhöhung zu gewinnen, aber die Ackergesetze der Volkstribunen abzulehnen, stellt mit einer römischen Schlappe vor Veji die Eintracht im Inneren und die Verstärkung des Belagerungsheeres wieder her. Aber Livius führt von der Behebung dieser gefährlichen Krise im Jahre 403 die Entwicklung keineswegs geradlinig bis zur Eroberung Vejis durch.

Schon im Jahre 402 wird die eben erreichte *concordia ordinum* durch den Kampf der Volkstribunen für einen Platz der Plebejer im Kollegium der Konsulartribunen und durch Unruhe unter der Belagerungsarmee wegen der Soldzahlungen aufs höchste gefährdet. Nur mit Mühe wird ein Ausgleich der Gegensätze durch die Wahl eines Plebejers zum Konsulartribunen und durch Auszahlung des erhöhten Soldes erreicht. Durch die Abwehr eines kombinierten Entlastungsangriffs auf das römische Belagerungskorps, durch die Gefangennahme eines etruskischen Haruspex und seine Preisgabe eines Schicksalsspruchs über Vejis Rettung oder Untergang, durch die Bestätigung dieser Weissagungen vom delphischen Apoll und schließlich durch die Erfüllung der angeordneten religiösen Gebote scheint die Eroberung Vejis greifbar nahe. Aber noch einmal läßt Livius im Jahre 397 durch die Meldung vom Anmarsch eines etruskischen Entsatzheeres und durch einen Ausfallserfolg der Vejenter schwerste Gefahren aufziehen.

Da tritt mit einem Schlage eine plötzliche Wende ein, als Camillus *iam fato quoque urgente* zum Führer der Belagerungsarmee ernannt

[3] Wir haben es hier im Anschluß an die bewußte Zusammenballung der für Rom bedrohlichen Ereignisse am Schluß des vorangehenden Kapitels

wird[3]. Mit derselben suggestiven Kraft und Kunst der Steigerung, mit der Livius die Spannung des Lesers auf einen Tiefpunkt der Erwartung hatte abgleiten lassen, führt er sie nun stufenweise wieder empor. Die römischen Truppen werden verstärkt, Siegeshoffnung macht sich breit. Fortifikatorische Sondermaßnahmen erzwingen das Eindringen in die Stadt, und die Götter werden durch Gelübde gnädig gestimmt. Die Vejenter verlieren alle Hoffnung; ihre Stadt wird zerstört, die Göttin Juno wird herausgebetet und nach Rom überführt. Die Überlebenden werden verkauft oder in Gefangenschaft geschleppt; die Beute wird der Truppe und plündernden Zivilisten aus Rom überlassen. Camillus spricht vorher ein Gebet mit der Bitte, daß die Götter, wenn ihnen das Glück und der Erfolg der Römer zu groß schienen, ihre Mißgunst gegen ihn und die Römer möglichst klein halten möchten[4]. Dann feiert Camillus in ungewöhnlichem Prunke auf einem von Schimmeln gezogenen Wagen seinen Triumph.

Dieser Erfolg über Veji erscheint in den Augen des Livius als eine Großleistung des den göttlichen Weisungen folgenden, durch seine Belagerungstechnik überlegenen und die Truppe mitreißenden Camillus, der die Schicksalsstunde Vejis und Roms in der klugen Zusammenfassung aller menschlichen und göttlichen Hilfen zu

(5, 18, 7–12) mit einer offenbar erst von Livius geschaffenen und für ihn typischen Peripetie zu tun: *Iam ludi Latinaeque instaurata erant, iam ex lacu Albano aqua emissa in agros Veiosque fata adpetebant. Igitur fatalis dux ad excidium illius urbis servandaeque patriae M. Furius Camillus dictator dictus magistrum equitum P. Cornelium Scipionem dixit. Omnia repente mutaverat imperator mutatus: alia spes, alius animus hominum, fortuna quoque alia urbis videri* (5, 19, 1–3).

[4] *Quae* (scil. *praeda*) *cum ante oculos eius aliquantum spe atque opinione maior maiorisque pretii rerum ferretur, dicitur manus ad caelum tollens precatus esse, ut, si cui deorum hominumque nimia sua fortuna populique Romani videretur, ut eam invidiam lenire quam minimo suo privato incommodo publicoque populi Romani liceret. Convertentem se inter hanc venerationem traditur memoriae prolapsum cecidisse idque omen pertinuisse postea eventu rem coniectantibus visum ad damnationem ipsius Camilli, captae deinde urbis Romanae, quod post paucos accidit annos, cladem* (5, 21, 14–16). Vgl. M. Treu, Das Camillus-Gebet bei Livius, Würzb. Jahrb., Bd. 2, 1947, 63 ff.

nützen verstand. Durch die Übersteigerung seiner Triumphfeier, durch die Forderung nach Ablieferung des Beutezehnten an den Gott von Delphi und durch die Zurückweisung des Antrags der Volkstribunen auf eine Landnahme der Plebs in Veji gerät er aber bald in einen immer schärferen Gegensatz zum römischen Volke, der schließlich im Jahre 391 zu seiner Verurteilung in einem Multprozeß und zu seiner freiwilligen Verbannung in Ardea führt.

Hier setzt Livius neu ein – Block 2 – und bereitet mit einer historisch-ethnographischen Skizze der Gallier[5] den Kelteneinfall und den zweiten Buchteil (Kapitel 33–55) vor. Wie in der ersten Hälfte des ersten Blocks verschwindet Camillus auch hier zunächst aus den Augen des Lesers. In einer unbegreiflichen Verblendung unterschätzen die Römer die gallische Gefahr, reizen durch eine schwere Verletzung des Völkerrechts durch ihre Unterhändler die Gallier zum Marsch gegen Rom und treffen fast keine Gegenmaßnahmen zum Schutze der Stadt. An der Allia werden sie vernichtend geschlagen, müssen die Stadt Rom preisgeben und auf der Burg oder in Roms weiterer Umgebung ihre Rettung suchen. Sechs Jahre nach dem Triumph über Veji ist Rom durch eigene Schuld und Fahrlässigkeit aufs tiefste gedemütigt und dem Erlöschen nahe.

Mit einer großartigen Umsicht und Ökonomie baut Livius nun den Prozeß der Erstarkung der Römer auf. Er beginnt mit der an eine Devotion erinnernden Selbstaufopferung der alten Senatoren in den Häusern der verlassenen Stadt. Daran fügt er mehrere anschauliche Beispiele römischer Ehrfurcht vor den Göttern und ihren Priestern und läßt den Kult trotz aller Not und Gefahren nicht unterbrochen werden. Die flüchtigen Römer außerhalb der Stadt finden zueinander, gewinnen neue Kraft und schlagen die Etrusker, während Camillus an der Spitze der Ardeaten eine gallische Einheit auf ihrem Plünderungszuge aufreibt. So wird Camillus wieder in die Ereignisse eingeschleust, und auf ihn richten sich mit neuer Hoffnung die Blicke der Belagerten und der in Roms

[5] Eine kritische Analyse dieser Kapitel, die im Anschluß an die Lektüre von Caesars Bellum Gallicum auch für die Klassenlektüre nicht ohne Bedeutung sind, gibt jetzt H. Homeyer, Zum Keltenexkurs in Livius' 5. Buch, Historia 9, 1960, 345 ff.

Umgebung gesammelten Römer. Aber erst, nachdem durch ein kühnes Patrouillenunternehmen des Pontius Cominus, der in der Nacht unbemerkt von den Galliern die Burg erklimmt, der Senat über die Lage unterrichtet wird und seine Zustimmung geben kann, wird Camillus zum Diktator ernannt. Schon treibt der Hunger die auf der Burg eingeschlossenen Bürger, die eben noch einen nächtlichen Angriff der Gallier auf die Burg haben abwehren können, zur Kapitulation und zur Zahlung einer hohen Geldsumme – da trifft Camillus mit seinem Entsatzheere ein, vertreibt die Gallier aus der Stadt und zwingt sie durch einen zweiten Sieg zum Rückzug nach Norden[6]. Roms Ehre ist gerettet. Wie wird sich sein äußerer Wiederaufbau vollziehen?

Das erste, was Camillus anordnet, den die Soldaten als *Romulus, parens patriae* und *conditor alter urbis* preisen, ist die Entsühnung und Wiederherstellung der Heiligtümer. Dann stemmt er sich in einer großangelegten Widerlegung gegen die Absicht der Volkstribunen, die Bevölkerung zur Auswanderung aus Rom zu bewegen, die in Veji den Neubau beginnen soll. Diese Rede ist nach mancherlei Indizien als eine ausgesprochene Eigenleistung des Livius und als eine seiner besten Reden überhaupt anzusprechen. Sie variiert in kühn ansteigendem Tempo zwei Grundgedanken: nach der Rettung Roms durch die Götter gebietet die *pietas* den Wiederaufbau am alten Orte, an den Rom staatlich-institutionell und kultisch-traditionell gebunden ist. Die Ehre des römischen Namens aber verbietet, in der Stadt der Besiegten sich anzusiedeln und heischt eine ewige Verankerung in der geliebten Heimaterde. Das Omen eines Centurionen, der zufällig unmittelbar nach der Rede neben der Curia Hostilia seinem Fahnenträger den Befehl gibt *signifer, statue signum; hic manebimus optime*! führt die Entscheidung des Volkes für Camillus und gegen den Antrag der Volkstribunen herbei. Damit endet Buch 5 und die erste Pentade.

[6] Die peripetieartige Zuspitzung wird einer älteren Tradition angehören, scheint aber erst in sullanischer Zeit in die Annalistik eingedrungen zu sein. Der älteren Tradition ging es um Wiedergewinnung des Goldes, der jüngeren – und besonders auch Livius – um die Wiederherstellung der römischen Ehre.

Beide Erzählungskomplexe zeigen alle Vorzüge der Livianischen Gestaltungskunst und seiner Kraft der seelischen Vertiefung des Geschehens. Viele Einzelheiten waren Livius von den Annalisten vorgezeichnet, aber die innere Verkettung der einzelnen Ereignisse und ihre dramatische Durchformung mit den zahlreichen Peripetien, mit den großartigen Steigerungen und Abstürzen der Erzählung und mit der Ausrichtung aller Ereignisse auf die zentralen Bezugspunkte sind in ihrer unaufdringlichen, aber zielsicheren Planmäßigkeit Prunkstücke Livianischer Erzählungstechnik.

Die beiden Blöcke sind äußerlich durch die Gestalt des Camillus, innerlich durch das bewegte Spiel von Schuld und Sühne im Handeln des römischen Volkes und des Camillus verbunden. In beiden Geschehensketten kommt die innige Durchdringung von religiösen Motivationen und menschlichen Entscheidungen, von *pietas* und *virtus* zum Ausdruck, die in den Worten des Camillus gipfelt: *Invenietis omnia prospera evenisse sequentibus deos, adversa spernentibus* (5, 51, 5). Der Glaube an die Weltherrschaft und Ewigkeit Roms, den Livius schon in Buch 1 trotz der düsteren Eindämmung des Prooemiumschlusses in bedeutsamen Voraussagen durchbrechen läßt, findet in der Stunde der Neugründung Roms eine strahlende, aber zugleich auch warnende Bekräftigung: nur im Einklang mit den Göttern und in der Eintracht des ganzen Volkes kann Rom unter der Führung eines vom Schicksal erlesenen und ihm gehorsamen Feldherrn und Staatsmanns vom Rande des Abgrunds zur inneren und äußeren Neuordnung seines Kults, seines Staatswesens und der bürgerlichen Gemeinschaft kommen. Es kann kaum einem Zweifel unterliegen, daß die Erfahrungen der Bürgerkriege und die ersten Anordnungen des Princeps Augustus in diese Schilderungen des Livius eingeflossen sind und daß eine gewisse Abspiegelung aktueller politischer und geistiger Strömungen vom Anfang der zwanziger Jahre v. Chr. hier stattgefunden hat. Aber in welchem Sinne die Einzelheiten, die Livius berichtet, auszulegen sind, ist nicht leicht zu entscheiden. Hat er etwa vorausschauend und vorbereitend für eine politische Neuordnung oder umgekehrt propagandistisch für einzelne bereits getroffene Maßnahmen das Wort ergriffen? Oder haben sich vielleicht unabhängig voneinander in der Vorstellung des Historikers und des Princeps verwandte

Entscheidungen und Konzeptionen vollzogen? Um auf diese Fragen eine Antwort zu finden, wenden wir uns zunächst dem dritten Erzählungsblocke zu, der in der Forschung und wohl auch in der Schullektüre meist übergangen wird, der aber eine besondere Aktualität besitzt und zunächst in seinen Hauptetappen nachvollzogen sei (Buch 6, 1–27, 1).

Zwei Fakten stehen dominierend am Eingang des 6. Buches: erstens das durch die Neugründung Roms eingeleitete rasche Wachstum der Stadt und zum anderen Roms Bestreben, sein durch den Gallier-Einfall gesunkenes Ansehen bei den Nachbarvölkern wieder zur Geltung zu bringen. Camillus führt schon im Jahre 389 auf drei Feldzügen gegen die Volsker, Aequer und Etrusker die Römer zum Siege. Nach seiner Rückkehr feiert er einen dreifachen Triumph und erhält als Belohnung aus dem Erlös der Beute drei Goldschalen (6, 4, 1–2). Wer fühlt sich hier nicht an den dreifachen Triumph des Augustus vom Jahre 29 und an die Verleihung des goldenen Ehrenschildes durch den Senat vom Jahre 27 erinnert[7]? Als drei Jahre später neue Kämpfe mit den gleichen Stämmen drohen, möchte der Senat Camillus erneut zum Diktator ernennen. Da er aber bereits Konsulartribun ist, scheint dies rechtlich nicht möglich[8]. Da treten die anderen fünf Kollegen im Amt die Generalentscheidung, das *regimen omnium rerum,* freiwillig an Camillus ab, ohne sich in ihrer Vollmacht, in ihrer *maiestas,* beeinträchtigt zu fühlen[9]. So wird Camillus ohne die amtliche Beglaubigung und

[7] Der dreifache Triumph (Dalmaticus, Actiacus, Alexandrinus) fand am 13., 14. und 15. August 29 statt, die Verleihung des goldenen Ehrenschildes mit der Inschrift *virtutis, clementiae, iustitiae, pietatis causa* durch den Senat und das römische Volk nach der Niederlegung seiner Ämter am 13. Januar 27.

[8] Die Frage der rechtlichen Zuständigkeiten und Möglichkeiten ist für Livius in diesem Zusammenhang – wie auch sonst nicht selten – irrelevant.

[9] Da dieser ganze Passus für das Folgende besondere Bedeutung hat, möchte ich den Wortlaut geben: *Desierant iam ulla contemni bella. Itaque senatus dis agere gratias, quod Camillus in magistratu esset: dictatorem quippe dicendum eum fuisse, si privatus esset; et collegae fateri regimen omnium rerum, ubi quid bellici terroris ingruat, in viro uno esse sibique destinatum in animo esse Camillo submittere imperium nec quicquam de*

ohne den Titel Diktator unbeschränkter Oberbefehlshaber, indem er nicht, um eine bekannte Formulierung des Monumentum Ancyranum (VI 34) zu gebrauchen, *potestate*, sondern *auctoritate* die oberste Befehlsgewalt erhält. Camillus nimmt die Last des Amtes auf sich, weil er sich vom *consensus civitatis* getragen fühlt. Aber bei der Zuteilung der einzelnen Operationsgebiete in dem bevorstehenden Krieg teilt er sofort seine Macht, indem er L. Valerius als *socius imperi consiliique* an seine Seite ruft. Dieser tritt diese Position an, betont aber, daß er sich wie ein Reiteroberst zum Diktator verhalten, d. h. also, daß er sich seinem Befehle freiwillig unterordnen wolle. Livius läßt den Senat hervorheben, daß ein Staat mit solchen idealen Auffassungen vom Amte des Konsulartribunats keinen Diktator nötig habe[10]. Wieder fühlen wir uns hier an Augustus erinnert, der, wie er im Mon. Anc. I 5 bezeugt, zweimal die ihm angebotene Diktatur abgelehnt hat, der das Konsulat nach 23 nicht für die Dauer übertragen haben wollte und der sich immer so gesehen wissen wollte, als ob sein Prinzipat vom *consensus omnium* gebilligt und getragen würde[11]. Auch in der Ansprache an

maiestate sua detractum credere, quod maiestati eius viri concessissent. Conlaudatis ab senatu tribunis et ipse Camillus confusus animo gratias egit. Ingens inde ait onus a populo Romano sibi, qui se iam quartum creasset, magnum a senatu talibus de se iudiciis eius ordinis, maximum tam honoratorum collegarum obsequio iniungi. Itaque si quid laboris vigiliarumque adici possit, certantem secum ipsum adnisurum, ut tanto de se consensu civitatis opinionem, quae maxima sit, etiam constantem efficiat (6, 6, 6–9).

[10] *Se vero bene sperare patres et de bello et de pace universaque re publica erecti gaudio fremunt nec dictatore umquam opus fore rei publicae, si talis viros in magistratu habeat, tam concordibus iunctos animis, parere atque imperare iuxta paratos laudemque conferentes potius in medium quam ex communi ad se trahentes* (6, 6, 17–18).

[11] Mon. Anc. VI 34: *In consulatu sexto et septimo, postquam bella civilia exstinxeram per consensum universorum potitus rerum omnium, rem publicam ex mea potestate in senatus populique Romani arbitrium transtuli*; vgl. auch ebda. I 6 *(senatu populoque Romano consentientibus)*; Vell. Pat. 2, 91, 1: *quod cognomen* (scil. *Augusti*) *illi viro Planci sententia consensus universi senatus populique Romani indidit* und besonders Suet.

seine Truppen betont Camillus, da nicht die Befehlsgewalt des Diktators, sondern das Wissen um ihre Tapferkeit und sein persönliches Können ihm die Siegeszuversicht verleihen. So gelingt es ihm auch, die Volsker vernichtend zu schlagen und die verbündeten Städte Sutrium und Nepete aus der Hand der Etrusker zu befreien.

Im scharfen Kontrast zu der beispielhaften politischen und militärischen Haltung des Camillus entwickelt Livius in den folgenden Kapiteln die aufrührerischen Umtriebe des Manlius Capitolinus (6, 11–20)[12]. Aus Neid darüber, daß die nächtliche Rettung des Capitols durch seinen persönlichen Einsatz gegen die am Burgfelsen emporklimmenden Gallier von der Person und den Taten des Camillus in den Schatten gedrängt würden, beginnt er, gegen ihn zu hetzen und seine Leistungen herabzusetzen. Außerdem greift er die Ackergesetze der Volkstribunen auf und nimmt sich der verschuldeten Plebejer an. Er erscheint Livius als der erste populare Politiker, der sich gegen den Senat durch die Volksgunst zu Geltung und Macht bringen will: *primus omnium ex patribus popularis factus cum plebeis magistratibus consilia communicare, criminando patres, adliciendo ad se plebem iam aura, non consilio ferri famaeque magnae malle quam bonae esse (6, 11, 7). Ein Jahr* später nimmt Manlius seine Agitationen wieder auf und verstärkt sie durch provokatorische finanzielle Hilfsmaßnahmen für einzelne Plebejer. In den Augen der ihm ergeben anhängenden Masse läßt er sich als *liberator* und *parens plebis Romanae* feiern und möchte als ihr *vindex libertatis* erscheinen. Als er gar dem Senate Unterschlagung öffentlicher Gelder vorwirft, bricht der offene Konflikt, die *seditio*, aus. Ähnlich eindrucksvoll wie in den Kämpfen zwischen Patriziern und Plebejern in Buch 2 und 3 führt Livius die

Aug. 58, 2, wo Valerius Messala im Senat als dessen Sprecher sagt: *Senatus te consentiens cum populo Romano consalutat patriae patrem,* dem Augustus erwidert: *compos factus votorum meorum, patres conscripti, quid habeo aliud deos immortales precari, quam ut hunc consensum vestrum ad ultimum finem vitae mihi perferre liceat?*

[12] Eine eingehende Analyse dieser Kapitel findet sich jetzt in meinem Aufsatz „Das Bild der Revolution bei römischen Historikern", Gymn. 73, 1966, S. 94 ff.

Auseinandersetzung zwischen dem Senat und Manlius mit einzelnen Retardierungen und erneuten Zuspitzungen des Konflikts höchst dramatisch durch, bis auch bei den Volkstribunen der Verdacht auftaucht, daß Manlius nach der Alleinherrschaft, nach dem *regnum,* strebe. Da wird ihm der Prozeß gemacht, der schließlich nach unerwarteter Stockung des Verfahrens doch zu seiner einhelligen Verurteilung und zu seinem Tode durch Sturz vom Tarpejischen Felsen führt. Die Freiheit ist gerettet, der egoistische Popular und Volksverführer ist aus dem Volke ausgestoßen. Wieder haben sich der gesunde Sinn und das staatserhaltende Bewußtsein des Volkes und sogar seiner Tribunen unter Führung des Senats behauptet. Am Gegensatz des neidischen, machtgierigen Revolutionärs wird die *moderatio animi* des Camillus indirekt, aber höchst wirksam erhöht.

Noch einmal führt Livius in einem dritten Abschnitt die Person des Camillus ein. Hochbetagt soll er in einem neuen Volsker-Kriege *extra ordinem* die Führung übernehmen (6, 22, 7–26). Er lehnt das Amt zunächst wegen seines Alters ab, gibt aber dann schließlich dem *consensus populi* nach. An seine Seite wird L. Furius, ein jüngerer, hitziger und nach Erfolg strebender Konsulartribun, gestellt. Als Camillus im Felde mit dem Angriff zögert, muß er sich von Furius gefallen lassen, Zauderer, *cunctator,* genannt zu werden. Endlich gibt er unter frommen Wünschen für einen erfolgreichen Kampf dem Drängen des Furius nach, um nicht dessen Befehlsgewalt, *collegae imperium,* durch seinen Widerspruch zu hemmen. Furius wird aber vom Gegner in eine Falle gelockt, unterliegt im Kampfe und kann erst in letzter Minute von Camillus unter ganz persönlichem Einsatz vor der Niederlage bewahrt werden. Furius bereut seine Fehlplanung und fühlt sich tief beschämt. Gerade deswegen verzeiht ihm Camillus und wählt ihn sofort danach bei seinem Aufbruch gegen Tusculum als Helfer, als *adiutor,* für den Feldzug, in dem er ihm ein neues Beispiel seiner politischen Reife und Überlegenheit geben kann. Als nämlich die Tusculaner auf Widerstand verzichten und um Frieden bitten, setzt sich Camillus für ihren Schutz ein. Sie erhalten vom römischen Senat den erbetenen Frieden und kurze Zeit danach als erste Stadt sogar das römische Bürgerrecht. So tritt zu der Nachsicht und Großherzigkeit des Camillus gegenüber Furius noch die exemplarische Einführung der *clementia Romana* durch den römischen Senat. Damit ist das Ende des dritten Erzählungskomplexes erreicht[13].

II

Daß die von uns behandelten Camillus-Geschichten nicht ohne Beziehung zur Gestalt des Princeps geschrieben worden sind, hatten wir schon mehrfach vermutet, ohne freilich die Art der Berührung dieser beiden Persönlichkeiten näher fixiert zu haben. Wir wollen diese Frage jetzt etwas genauer betrachten.

Im allgemeinen neigt man dazu, die Ansicht von C. Cichorius[14] zu übernehmen, daß Livius Buch 1–5 zwischen den Jahren 27 und 25 geschrieben habe. Denn in Buch 1, 19, 3 wird die seit der Zeit des Königs Numa zweite Schließung des Janus-Bogens nach dem Sieg von Actium als Tat des Caesar Augustus erwähnt und somit die Übertragung des Augustus-Namens auf Octavian vom Januar 27 vorausgesetzt (*terminus post quem;* ähnlich auch 4, 20, 7)[15]. Auf

[13] Das Eingreifen des Camillus in den Streit um die Leges Liciniae Sextiae, dessen historische Authentizität sehr fraglich ist, wird von Livius ohne besonderen Nachdruck berichtet. Dagegen ist das Elogium bei seinem Tode i. J. 365 sehr eindrucksvoll: *Fuit enim vere vir unicus in omni fortuna, princeps pace belloque, priusquam exsulatum iret, clarior in exsilio vel desiderio civitatis, quae capta absentis inploravit opem, vel felicitate, qua restitutus in patriam secum patriam ipsam restituit; par deinde per quinque et viginti annos – tot enim postea vixit – titulo tantae gloriae fuit dignusque habitus, quem secundum a Romulo conditorem urbis Romanae ferrent* (7, 1, 9–10).

[14] C. Cichorius, Römische Studien, Leipzig. 1922, S. 261 ff.

[15] *Bis* (scil. *Ianus) deinde post Numae regnum clausus fuit, semel T. Manlio consule post Punicum primum perfectum bellum, iterum, quod nostrae aetati dii dederunt ut videremus, post bellum Actiacum ab imperatore Caesare Augusto pace terra marique parta.* Die Korrektur der Cossus-Episode durch Augustus (4, 20, 7) kann sehr leicht ein späterer Nachtrag nach dem Januar 27 unmittelbar vor der Veröffentlichung der ersten Pentade sein; vgl. dazu R. Syme, Livy and Augustus, Harv. Stud. in Class. Phil. 64, 1959, 43 ff.

der anderen Seite kann aber noch nicht die dritte Schließung des Janus, die im Jahre 25 erfolgte, eingetreten sein *(terminus ante quem)*. Nun würde es keine unüberwindliche Schwierigkeit bedeuten, wenn man im Falle einer kurzen Vordatierung der ersten Pentade annehmen müßte, daß Livius den Namen Caesars (= Octavians) kurz nach dem Januar 27 in Caesar Augustus erweitert hätte[16]. Denn mancherlei spricht dafür, daß Livius schon unter dem Eindruck des Sieges von Aktium und der Vernichtung des Antonius und der Kleopatra in Ägypten den Plan gefaßt hat, eine römische Geschichte zu schreiben, und daß er im Jahre 29, als Oktavian aus dem Osten zurückkehrte und seinen dreifachen Triumph feierte, bereits an der Arbeit war.

Eines der am meisten diskutierten Probleme, die damals die politischen, aber auch die literarischen Kreise aufs stärkste bewegten, war die Frage nach der Regierungsform und der Titulatur des Siegers. Vergils Prooemium zu den Georgica und Horazens Ode 1, 2, die beide ins Jahr 30/29 gehören dürften, spielen ja sogar mit der Möglichkeit, daß dem Octavian wie den Herrschern des Ostens göttliche Ehren gezollt werden könnten. Wir wissen weiter, daß gewisse Kreise und vermutlich Octavian selbst eine Zeitlang den Wunsch gehabt hat, *alter Romulus* genannt zu werden[17], wie Livius nach dem Gallier-Sturm den Camillus nennt. Es hat dann

[16] An eine Edition der 1. Pentade in zweiter Auflage um das Jahr 25, mit der zugleich die Praefatio des ganzen Werks erschienen wäre, wie dies Bayet annimmt, kann ich nicht glauben. Ich halte es aber durchaus für möglich, daß die Abfassung der 1. Pentade als Beginn des großen Unternehmens längere Zeit in Anspruch genommen hat als manche der späteren Buchgruppen. Die „Veröffentlichung" der 1. Pentade kann auch bei einem Werkbeginn im Jahre 30/29 durchaus erst 27 erfolgt sein, selbst wenn Livius schon an den folgenden Büchern arbeitete. Man sollte sich hierbei nicht zu sehr an Zahlen binden, die mit einer Jahresdurchschnittsleistung rechnen.

[17] Suet, Aug. 7, 2: *Postea Caesaris et deinde Augusti cognomen assumpsit, alterum testamento maioris avunculi, alterum Munati Planci sententia, cum quibusdam censentibus Romulum appelari oportere quasi et ipsum conditorem urbis praevaluisset, ut Augustus potius vocaretur, non tantum novo, sed etiam ampliore cognomine* etc.

bis zum Januar 27 gedauert, bis Octavian nach Niederlegung aller Ämter mit dem Ehrennamen Augustus ausgezeichnet wurde und durch eine neue Verteilung der Machtkompetenzen die singuläre Institution des Prinzipats schuf. Auf diese neuartige Sonderstellung Octavians können wir hier natürlich nicht eingehen. Aber eines ist klar: die heikle Diskussion und die mehr verstohlene als offene Begründung der verschleierten Machtposition des Prinzipats waren in den ersten Jahren der schriftstellerischen Tätigkeit des Livius in hohem Maße aktuell. Niemand wußte ja auch, wie weit die Regelung des Jahres 27 Bestand haben würde, und an Opposition dagegen hat es nicht gefehlt. Vier Jahre später erfolgt dann in der Tat eine zweite Regelung, als die Verschwörung des Varro Murena und Fannius Caepio erstickt und eine offene Staatskrise eingetreten war.

Wer sich diese Zeitverhältnisse und das innenpolitisch noch immer gespannte Klima der Jahre 29 bis 23 vergegenwärtigt, der wird die ersten Bücher des Livius nicht nur unter literarischem Aspekt als ehrfurchtsvolle, künstlerische Verlebendigung von Roms Frühzeit betrachten, wie dies vor allem F. Klingner[18] und W. Hoffmann[19] in ihren Livius-Aufsätzen mit durchaus beachtlichen Gründen tun, sondern er wird auch aktuell politische Perspektiven als adaequate Beurteilungsmaßstäbe angebracht finden. H. Haffter[20] hat in seinem Augsburger Vortrag über Livius, Buch 1, seine Interpretation so angelegt, daß er den zahlreichen Begründungen römischer Gebräuche und Institutionen sowie den verschiedenen Aitia einen symbolischen Wert zugesprochen hat, und H. Hoch[21]

[18] F. Klingner, Livius, Zur Zweitausendjahrfeier, Neue Jahrb. 1943, jetzt auch in der Sammlung seiner Aufsätze „Römische Geisteswelt“, München 1961; vgl. diesen Band S. 48 ff.

[19] W. Hoffmann, Livius und die römische Geschichtsschreibung, Antike u. Abendland Bd. 4, 1954; vgl. diesen Band S. 68 ff.

[20] H. Haffter, Rom und römische Ideologie bei Livius, Gymnasium 71, 1964, 236 ff.; vgl. diesen Band S. 277 ff.

[21] H. Hoch, Die Darstellung der politischen Sendung Roms bei Livius, Frankfurt 1951 und N. Erb, Kriegsursachen und Kriegsschuld in der ersten Pentade des T. Livius, Diss. Zürich 1963.

und N. Erb haben in ihren Dissertationen über die Darstellung der politischen Sendung Roms und über Kriegsursachen und Kriegsschuld bei Livius gezeigt, wie die Argumente für die römische Expansion sich keimhaft bereits fast alle in den ersten Büchern des Livius finden. Diese Untersuchungen machen deutlich, wie sehr Livius über das Problem der Macht und ihre politische, rechtliche und ethisch-religiöse Begründung nachgedacht hat. Wir dürfen sogar sagen, daß er mit der scharfen Sonderung des Romulus und Numa Pompilius zwei grundverschiedene Herrschertypen, den Kriegerkönig und den Priester-König, herauspräparieren wollte und daß er in der Gestalt der folgenden Herrscher diese beiden Modellvorstellungen variiert und verschieden ponderiert hat. Die letzten Könige aber zeigen in immer erschreckenderem Ausmaß die Preisgabe eines für das Volksganze verantwortlichen, sittlich gefestigten Königtums und die Auswüchse der Macht bis zur Form einer reinen Willkürherrschaft und Tyrannis.

Ganz verwandte Perspektiven treffen wir auch in den drei Großberichten über Camillus an. Er wird uns in dem Kampf um Veji als der geniale, ja vom Schicksal erkorene Heerführer geschildert, der Roms Lebensgebiet und Operationsfeld durch Niederringen seiner stärksten Rivalen planmäßig erweitert. Das ist die härteste Form der Erweiterung des römischen Machtgebietes und Lebensraumes. Daneben tritt er in wiederholten Kriegen gegen die Volsker und Etrusker als vorbildlicher Schützer der römischen verbündeten Städte auf. Schließlich gelingt es seiner Weitsicht sogar, die Stadt Tusculum als lebendige Zeugin römischer *clementia* durch Übertragung des römischen Bürgerrechts in den römischen Lebensbereich einzubeziehen. Neben diesen verschiedenen Spielarten der römischen Expansion unter seiner Leitung verkörpert Camillus aber auch das Prinzip der römischen Stabilität – einer Stabilität, die sich vor allem auf religiös-kultische Gebräuche und auf die Traditionen des Senates stützt. So tritt er mit Leidenschaft und Erfolg für den Wiederaufbau Roms an dem alten, vielfach geheiligten und von ihm entsühnten Platze ein, und so läßt er die nach Anteilnahme an den höchsten Staatsstellen drängenden Volkstribunen nur langsam in die einzelnen Magistraturen einrücken. Dabei ist er fast immer, soweit er dies von seiner patrizischen Vorrangstellung überhaupt vermag, auf einen gerechten Ausgleich der Interessen bedacht. Daher fällt ihm nicht nur im Kreise der Konsulartribunen und Senatoren, sondern auch von seiten der Volkstribunen und des gesamten Volkes der *consensus civitatis* zu, der sogar, wie wir gesehen hatten, eine freiwillige Machtbeschränkung anderer Amtsträger zur Folge hat. Wie man bei dem Heerführer Camillus und dem Wiedererbauer der Stadt an den *primus conditor urbis* Romulus denkt und wie man durch seine religiösen Maßnahmen zur Erneuerung der Tempel und Kulte an Numa Pompilius, aber auch an Augustus erinnert wird, so rückt ihn seine einzigartige *moderatio animi* in der Handhabung des Imperiums und in der Anwendung der Macht gegenüber den anderen Magistraten ganz nahe an den Princeps Augustus heran.

Nach dem ganzen Bild, das wir von Camillus gewonnen haben, wäre es aber nun falsch, behaupten zu wollen, daß Livius mit der Gestalt des Camillus die des Augustus haben widerspiegeln oder gar für ihn habe propagandistisch wirken wollen. Eine solche Betrachtung ist einfach schief und inadaequat, so wenig wir leugnen wollen, daß einzelne Züge oder Handlungen des Camillus die Analogie zu Augustus' Taten und Wesen nahelegen. Daher scheint mir aber auch auf der anderen Seite der Versuch H. J. Mettes[22] in seinem Aufsatz über Livius und Augustus, dem Livius eine kritische, ja gar bewußt abwertende Stellung zu Augustus zuschreiben zu wollen, sehr fragwürdig. Seine Rekonstruktion der Augustus-Bücher von 120 bis 142 durch Cassius Dio fußt, wie ich jetzt nicht näher ausführen kann, auf der durchaus unsicheren Annahme, daß Dio die ungetrübte Livianische Auffassung vom Prinzipat ohne jede eigene Zutat und Erfahrung wiedergäbe. Wenn Mette aber weiter bemängelt, daß Livius in den erhaltenen Büchern nur ganz selten den Augustus erwähne, so ist dies gewiß nicht als Ausdruck einer anti-augusteischen Einstellung zu werten, sondern als Zeugnis seiner politischen Dezenz und seines politischen Takts zu deuten. Gewiß wird es Livius in den Augustus-Büchern auch nicht an Kritik – selbstverständlich wohl, wie meist auch sonst, nur an indirekter Kritik – haben fehlen lassen, wie er es ja auch im Prooemium des ganzen

[22] H. J. Mette, Livius und Augustus, Gymnasium 68, 1961, 269 ff.; vgl. diesen Band S. 156 ff.

Werks nicht verschweigt, daß die römische Entwicklung in eine Phase eingetreten ist, in der sie weder die allgemeine schwere Verderbnis noch die Mittel dagegen ertragen kann. Im allgemeinen aber dürfte Livius, wie auch Syme annimmt, in der Person des Augustus und in seiner Regierung die Hoffnung auf eine Regeneration Roms erblickt haben. Eine solche Vermutung legt auch die Andeutung von Augustus-Zügen in der Gestalt des Camillus nahe, auf die Mette leider überhaupt nicht eingegangen ist.

Aber dieser Camillus darf genausowenig wie Romulus oder Numa Pompilius isoliert gesehen werden. Wie dort die Tarquinier als Zerrbild des Königtums zur Ergänzung herangezogen werden müssen, so tritt im dritten Camillus-Erzählungsblock als negatives Gegenbild die Person des Manlius Capitolinus auf. Dieser Mann, von dem Livius bei seinem Lebensende selbst sagt *vir nisi in libera civitate natus esset, memorabilis* (6, 20, 14), erscheint in der Schilderung des Historikers als Prototyp des popularen Politikers, der unter dem Schein eines *patronus plebis* und unter Aufwendung großer materieller Mittel die Volksgunst erstrebt und mit ihrer Hilfe nach der Vormacht im Staate oder gar nach der Alleinherrschaft greifen will. Manche Züge in den Taten und Reden dieses Mannes wecken Erinnerungen an Catilina oder sogar an Caesar, und von seinem Bilde her wird es verständlich, daß Livius, wie uns Seneca (Nat. quaest. 5, 18, 4) berichtet, geurteilt habe, daß es unsicher sei, ob es der *res publica* mehr genützt habe, daß Caesar geboren oder nicht geboren worden sei. Aber auch bei Manlius Capitolinus ist es von sekundärer Bedeutung, ob und inwieweit Livius bei der Erzählung seiner revolutionären Pläne eine bestimmte Persönlichkeit der jüngsten Vergangenheit vor Augen gehabt hat oder nicht. Diese Frage ist absolut zweitrangig gegenüber der Tatsache, daß es Livius sowohl bei der Persönlichkeit und den Taten des Camillus wie bei denen des Manlius Capitolinus darum gegangen ist, das Problem der Machtergreifung und Machtbehauptung zur Diskussion zu stellen. Dies hat er aber nicht so getan, wie wir es von so manchem seiner annalistischen Vorgänger annehmen dürfen, daß er von der politischen Sicht einer bestimmten Partei oder Machtgruppe her geurteilt und die historischen Fakten entsprechend kommentiert oder gar zurechtgerückt hätte. Für Livius sind die *salus rei publicae*, die *concordia ordinum* und der *consensus civitatis* Leitmotive seines Urteils und seiner Darstellung gewesen, weil er davon überzeugt war, daß diese Werte trotz mancher Irrungen und Wirrungen im Leben des frühen Rom doch immer wieder die Anerkennung durch das gesamte römische Volk gefunden und die *libertas populi Romani* als höchstes staatliches Ziel garantiert hatten. Wir gehen wohl kaum fehl, wenn wir der Meinung Ausdruck geben, daß Livius mit seiner Darstellung des Camillus und des Manlius Capitolinus nicht nur der historischen Wahrheit dienen wollte, so sehr er sich auch bewußt war, daß wegen der mangelhaften Überlieferung und des hohen Alters viele Einzelheiten dunkel bleiben mußten oder im Schimmer des Mythos und der Legende verschwimmen. Vielleicht gerade deshalb gilt dazu aber das, was er im Prooemium des Gesamtwerks im Hinblick auf die gesamte römische Geschichte sagt, auch für die Erzählungen von Camillus und Manlius Capitolinus: *inde tibi tuaeque rei publicae quod imitere capias, inde foedum inceptu, foedum exitu, quod vites.* Diese Mahnung hatte bei dem Bemühen des Augustus um eine feste Konsolidierung seines Prinzipats ihre tiefe Bedeutung sowohl für den Princeps wie für seine Gegner, sowohl für den Senat wie für das ganze römische Volk.

VII

DARSTELLUNGSPRINZIPIEN UND ERZÄHLUNGSSTIL

Originalbeitrag 1966

WAHL UND ANORDNUNG DES STOFFES; FÜHRUNG DER HANDLUNG

Von Erich Burck

Wer von den Sachberichten des Livius die thematisch und kompositionell geschlossenen Abschnitte, vor allem die für ihn so typischen „Einzelerzählungen“, mit einem der erhaltenen Parallelberichte aus Polybios, Dionys von Halikarnaß, Plutarch oder auch nur mit den beiden Hauptfragmenten des Claudius Quadrigarius[1a] vergleicht, wird als bestimmende Eindrücke die Klarheit der Gliederung, die Konzentration, die Dramatisierung und die Verinnerlichung der Handlung bei Livius vermerken. Dazu kommt die starke innere Beteiligung, die sich suggestiv auch auf den Leser überträgt, ihn in die Spannung des Geschehens einbezieht und gleichsam unmittelbar an den Ereignissen teilnehmen läßt. Diese Phänomene erinnern an verwandte Erscheinungen in der Aeneis Vergils und dürften für die klassische augusteische Kunstgesinnung und Darstellungsweise in hohem Maße bezeichnend sein. Wenn man aber nach ihren Ursprüngen fragt, wird man in die Vergangenheit zurückgehen müssen und in letzter Linie auf die Prinzipien stoßen, die der sogenannten tragischen oder peripatetischen Geschichtsschreibung der Griechen ihre Gepräge gegeben haben. Mit diesem Terminus hatte (unter Wiederaufnahme von Beobachtungen Susemihls) Ed. Schwartz[1] an der Jahrhundertwende eine besondere Richtung der hellenistischen Historiographie bezeichnet, als deren Hauptvertreter er Duris und Phylarch ansah, die er aber bereits

[1a] In diesem Sammelband S. 376 ff.

[1] Ed. Schwartz, Fünf Vorträge über den griechischen Roman, Berlin 1896, 113 ff.; Berichte über die catilinarische Verschwörung, Hermes 32, 1897, 560 ff.; vgl. ferner seine Artikel über Duris, Pauly-Wissowa, R. E. V 1853 f. und Diodor, ebda. V 687.

mit Kallisthenes[2] und Kleitarch anheben und mit Poseidonios enden sah. Er war der Überzeugung, daß diese Historiker einer historiographischen Theorie folgten, die von Theophrast oder seinem Schüler Praxiphanes[3] erarbeitet worden war und die Übertragung der durch Aristoteles von der Tragödie abgelesenen Gesetze auf die Historiographie zum Ziele hatte. Diese These begründete er einerseits mit der Interpretation der Fragmente des Duris und Phylarch, vor allem aber mit der Analyse der bei Diodor und Plutarch erhaltenen, nur oberflächlich überarbeiteten Werkteile beider Historiker[4], andererseits mit der leidenschaftlichen Polemik des Polybios (besonders 2, 56, 6–13 und 15, 35 ff.)[4a] gegen die Vertreter dieser tragischen Geschichtsschreibung.

Die Hypothese von Ed. Schwartz fand nicht nur rasche Anerkennung, sondern wurde auch bald dadurch erweitert, daß der Kreis der von der peripatetischen Theorie direkt oder mittelbar beeinflußten Schriftsteller immer größer gezogen wurde[5]. Auch lateinische Autoren, insbesondere Tacitus, wurden auf die Gestaltungsprinzipien einer tragisierenden, den Gesetzen des Dramas angenäherten Darstellungsweise untersucht, wobei – unbeschadet mancher Übersteigerungen oder Veräußerlichungen – neue und wesentliche Einsichten in die Kompositions- und Darstellungsform gewonnen wurden.

[2] Vgl. zu seiner Einordnung im Sinne von Ed. Schwartz die Dissertation von E. Will, Kallisthenes' Hellenika, Königsberg 1913, 18 f. und 70 f.

[3] Vgl. Ed. Schwartz, Hermes 44, 1909, 492, 2.

[4] Es handelt sich für Duris um die Darstellung des sizilischen Tyrannen Agathokles bei Diodor in den Büchern 19–21, für Phylarch um Plutarchs Viten des Agis und Kleomenes; zu Phylarch vgl. J. Kroymann, Pauly-Wissowa, R. E. Suppl. Bd. VIII, 471 ff.

[4a] Vgl. hierzu F. W. Walbank, A historical commentary on Polybius, Oxford 1957, zur Stelle (S. 262) und S. 6 ff.; ferner K. Ziegler, Pauly-Wissowa, R. E. XXI 1503 ff., und P. Pédech, La méthode historique de Polybe, Paris 1964, S. 394 und 408 sowie F. W. Walbank, Polybius, in „Latin Historians“ ed. by T. A. Dorey, London 1966, S. 39–64.

[5] Ich verweise nur auf die wichtige Dissertation von P. Scheller, De hellenistica historiae conscribendae arte, Leipzig 1911, und die Arbeit von P. S. Everts, De Tacitea historiae conscribendae ratione, Kerkrade 1926, Kap. 1.

Seit den letzten 20 Jahren ist jedoch eine lebhafte Diskussion in Gang gekommen, die zwar nicht die Beobachtungen einer dramatisierenden Erzählungskunst aufheben will, die aber sowohl die Ursprünge als auch die Ausbreitung, insbesondere die Dichte und Geschlossenheit der Sondergattung peripatetische oder tragische Historiographie in Zweifel zieht. Es geht dabei, um die Kontroverse in aller Kürze zu umreißen, etwa um folgende Probleme.

Umstritten ist zunächst die Frage des Ausgangspunktes der ganzen Entwicklung. Gegen die Erhebung des Kallisthenes zum Archegeten der neuen Richtung hatte bereits F. Jacoby[6] Bedenken erhoben. Einen grundsätzlich neuen Ansatz aber meldeten B. L. Ullman[7] und F. Wehrli[8] an. Letzterer meinte, daß die Ursprünge eines auf die Erregung der Gefühle abgestellten „psychagogischen Programms" bereits auf Gorgias zurückgingen, „welcher auch die hohe epideiktische Prosa als Nebenbuhler der Dichtung geschaffen hat" (S. 56). Wehrli hält allerdings an einer theoretischen historiographischen Schrift Theophrasts fest, weist ihr aber vor allem eine Stillehre zu, die weniger auf Psychagogie und Dramatisierung als auf rhetorische Wirkung berechnet gewesen sei. In dieser Richtung hatte Ullmann bereits einen Schritt weiter getan und behauptet, daß die Unterscheidung des Aristoteles zwischen Tragödie und Geschichte den Historikern überhaupt nicht bekannt gewesen sei und daß die Ansätze der tragischen Geschichtsschreibung bei Isokrates zu suchen seien. Seine Schüler Ephoros und Theopomp hätten diese Anregungen aufgenommen und weiter entwickelt. In dieser Richtung hätten sich dann auch Duris und Phylarch bewegt. Diese beiden Repräsentanten der dramatisierenden Darstellungsweise, die Ed. Schwartz in einen strikten Gegensatz zu den Isokrateern gerückt hatte, werden nun also in dieselbe Entwicklungslinie mit der rhetorisierenden Historiographie eingeordnet und von der peripatetischen, aus Aristoteles entwickelten Theorie völlig abgelöst.

[6] Pauly-Wissowa, R. E. X 1690 f. und FGrHist. 124 T 30–31.

[7] B. L. Ullman, History and tragedy, Transactions of the American Philol. Association 73, 1942, 25 ff.

[8] F. Wehrli, Die Geschichtschreibung im Lichte der antiken Theorie, Eumusia, Festgabe f. E. Howald, Zürich 1947, 54 ff.

Diese Diskrepanz hat vor zehn Jahren K. von Fritz in seinem weit ausgreifenden Vortrag über die Bedeutung des Aristoteles für die Geschichtsschreibung auf einem Kolloquium der Fondation Hardt klar herausgestellt[9]. Er selbst hat mit gewissen Modifikationen den Standpunkt von Ed. Schwartz erneut vertreten, wobei er von einer eigenen Interpretation des neunten Kapitels der Poetik des Aristoteles ausging, in dem dieser sich zu dem Verhältnis von Tragödie und Geschichtsschreibung äußert. In diesen – vielleicht von den Nachfolgern des Aristoteles mißverstandenen – Darlegungen sieht er den Ausgangspunkt für eine theoretische peripatetische Schrift zur Geschichtsschreibung, die ihrerseits auf Duris und Phylarch gewirkt hätte. Diese These hat N. Zegers[10] in erwägenswerter Weise dadurch zu präzisieren gesucht, daß er die Leitbegriffe dieser Theorie, wie sie uns bei Aristoteles und in der Polemik des Polybios gegen die Vertreter der tragischen Geschichtsschreibung entgegentreten, durch die Zuordnung und Interpretation ausgewählter Abschnitte des Duris und Phylarch (aus Diodor und Plutarch) konkretisiert und veranschaulicht hat. Dabei kommt er zu dem Ergebnis, daß die theoretische Schrift, nach der Duris und Phylarch gearbeitet hätten, von Theophrast selbst stamme und daß sie in dem berühmten Briefe Ciceros an Lucceius (ad fam. 5, 12) uns in wesentlichen Hauptzügen vorliege.

Demgegenüber haben bei dem eben erwähnten Kolloquium in der höchst anregenden Diskussion mehrere Teilnehmer, vor allem K. Latte (a. a. O. S. 129), grundsätzliche Bedenken gegen die Vorstellung erhoben, daß Historiker sich in ihren Konzeptionen und Darstellungsmöglichkeiten von einer historiographischen Lehrschrift hätten beeinflussen lassen, da die Theorie zumeist der Praxis folge und nicht umgekehrt. Sie gaben der Überzeugung Ausdruck, daß die historischen Realitäten und die machtpolitischen Verhältnisse mit den häufigen Erhöhungen und Stürzen führender Politiker und die Schicksalsschläge innerhalb der einzelnen Staaten und Städte zu jenen dramatisierenden und psychagogischen Erzählungsformen

[9] Fond. Hardt, Entretiens IV 1956, 85 ff. (mit weiterer Literatur).

[10] N. Zegers, Wesen und Ursprung der tragischen Geschichtsschreibung, Diss. Köln 1959 (photomech.).

geführt hätten. Die Einführung der Peripetien, des Paradoxen, des Pathetischen, des Sentimentalen und anderer Dominanten der neuen Darstellungsweise sei zwar bei den Vertretern der tragischen Historiographie besonders intensiv und konsequent erfolgt, aber in gemäßigter Form auch bei anderen hellenistischen Historikern anzutreffen[11]. Noch weiter ging F. W. Walbank[12], der – ohne die Arbeit von Zegers zu kennen – im schärfsten Gegensatz zu ihm nicht nur die Existenz einer theoretischen Schrift über die tragische Historiographie bezweifelte, sondern diese selbst als eine besondere Richtung in Abrede stellte. Nach ihm hätte eine kontinuierliche Entfaltung von Darstellungsprinzipien des 5. und 4. Jahrhunderts in die Zeit des Hellenismus geführt, wo sie sich bald in rhetorisierender Weise, bald in dramatisierender Form verstärkt oder abgeschwächt hätten. Eine feste Terminologie gäbe es für die tragische Form nicht, und die Polemik des Polybios wende sich nicht gegen eine klar fixierte Theorie und Praxis, sondern gegen alle der rationalen Erforschung des historischen Geschehens widerstrebende Tendenzen.

So sehr also die Erforschung der Ursachen und Zusammenhänge einer dramatisierenden Darstellungskunst umstritten ist, so wenig kann eine solche in ihrer Existenz, namentlich in den Werken des Duris und Phylarch, aber auch bei verschiedenen römischen Historikern, bezweifelt werden. Außer der Kontroverse über die hellenistischen Historiker ist freilich auch darüber keine Klarheit erreicht, wann und auf welchem Wege die tragische Geschichtsschreibung in Praxis und Theorie nach Rom Eingang gefunden hat.

[11] In der Diskussion hat K. von Fritz (a. a. O. S. 135) diese allgemeinen realpolitischen und geistigen Hintergründe der peripatetischen Historiographie zu Recht anerkannt, aber es doch – wie mir scheint, plausibel – für wahrscheinlich gehalten, daß die Formulierung der neuen Darstellungsprinzipien durch Theophrast den Werken des Duris und Phylarch die Eigenprägung verliehen habe. Demgegenüber hat O. Gigon (a. a. O. S. 208) zum Ausdruck gebracht, daß er überhaupt nicht daran glaube, daß Historiker sich das Ziel gesetzt haben könnten, „Historie als Tragödie zu schreiben; desgleichen wird regelmäßig nur von der Polemik behauptet, wie man das an Polybios schön verfolgen kann".

[12] F. W. Walbank, History and tragedy, Historia 9, 1960, 216 ff.

K. Hanell hat im Anschluß an F. W. Walbank in dem genannten Kolloquium (a. a. O. S. 165) die Vermutung ausgesprochen, daß schon Fabius Pictor unter dem Einfluß des griechischen Historikers Timaios und des karthagerfreundlichen Philinos die Grundsätze der tragischen Historiographie befolgt habe. Das erscheint mir unbegründet. Dagegen halte ich es für wahrscheinlich, daß Coelius Antipater sich im Sinne einer dramatisierenden Darstellungsform von den monographischen Behandlungen des 2. punischen Kriegs durch die Hannibal-Historiker Silenos oder Sosylos hat anregen lassen. Dabei soll man aber nie übersehen, daß sowohl gewisse individuelle Anlagen des Darstellers als auch die Thematik des hannibalischen Kriegs solchen Tendenzen entgegengekommen sind. Ob die Annalisten der sullanisch-cäsarischen Epoche, die unmittelbaren Vorgänger des Livius, von Coelius Antipater gelernt haben, oder ob hier bereits griechische Theorien, wie wir sie ja in dem Lucceius-Brief Ciceros lesen, wirksam geworden sind, dürfte kaum zu entscheiden sein. Doch muß auch hier mit Nachdruck hervorgehoben werden, daß innerrömische Darstellungstendenzen die Voraussetzung für eine Adaption der griechischen Theorie und Praxis gebildet haben und daß sich die dramatisierenden Elemente der Erzählungskunst bei den einzelnen Autoren in verschiedener Breite und Intensität befunden haben werden.

Wie die Entwicklung im einzelnen auch verlaufen sein mag, es dürfte sich vom Bestand der Livianischen Erzählungskunst her rechtfertigen, diese unter gewissen Kategorien zu prüfen, die der tragischen Geschichtsschreibung das Gepräge gegeben haben, mögen diese letztlich auf Aristoteles (oder auf den mißverstandenen Aristoteles) zurückgehen oder einer allgemeinen geistigen Entwicklung des Hellenismus entsprechen, deren Leitgedanken sich mit den aristotelischen Grundvorstellungen vom Wesen der Tragödie oder der Geschichte eng berühren. Von dieser Voraussetzung aus hatte ich in meinem Buche über „Die Erzählungskunst des T. Livius" (Berlin 1934)[13] unter zwei Gesichtspunkten einen Vergleich der

[13] Die Ausführungen über die Grundlagen und Auswirkung der peripatetischen Geschichtsschreibung (S. 176–178) sind durch die hier gegebene Darstellung der Problemlage zu ersetzen.

Livianischen Darstellungsformen mit den Leitprinzipien der tragischen Geschichtsschreibung durchgeführt: 1. Was ergibt sich für das Verständnis der Stoffwahl und des Aufbaus des Werkganzen und der Werkteile? 2. Welche Gemeinsamkeiten und welche Unterschiede läßt eine Analyse der Erzählweise erkennen?

Dabei hatte ich die Berichte zunächst unter dem Stichwort der ἐνάργεια geprüft und die Darstellung der Örtlichkeiten, die Anschaulichkeit der Handlung, die Schilderung von Einzelkämpfen und die Behandlung der Belagerung und Eroberung von Städten geprüft. Außerdem hatte ich unter dem Gesichtspunkt der ἔκπληξις den Einsatz und die Durchführung von Peripetien und Gradationen, von Paradoxa und Kontrastszenen und den Charakter pathetischer Klein- und Großabschnitte untersucht. Bei all dem hatte ich mich im wesentlichen auf Beispiele aus der ersten Dekade beschränkt, weil hier die Gestaltungsfreiheit des Livius vom Stoff und der Überlieferung her sicher am größten war und weil sich für die ersten Bücher als lohnende Vergleichsobjekte die Parallelberichte des Dionys von Halikarnaß anboten. Diese sind gewiß nicht mit der Erzählungskunst der sullanisch-cäsarischen Annalistik identisch, aber sie erlauben doch gewisse Rückschlüsse auf diese und ergeben bei der gebotenen Vorsicht eine Art Rohprofil der Quellen, die Livius benutzt hat.

Von diesen Untersuchungen sei hier der erste Teil, der den Aufbaufragen der ersten Livianischen Dekade nachgeht, rekapituliert[14], während für den zweiten Teil, der wesentlich ausführlicher gehalten ist, das entsprechende Kapitel aus dem Livius-Buch von P. G. Walsh folgen soll.

Was die Stoffwahl betrifft, so geht Dionys in seinem Proömium von der Forderung aus, die er auch in seinen Schriften sonst vertritt[15], daß der Historiker einen schönen, großartigen und nützlichen Stoff wählen solle (1, 1, 2). Darin stimmt er mit Polybios, Diodor,

[14] Ein Nachdruck dieses Abschnitts ist von der Weidmannschen Verlagsbuchhandlung bedauerlicherweise nicht gestattet worden. Die hier gegebene Neufassung behält die Grundgedanken der älteren Darstellung bei.

[15] Ar. 1, 2, 1; 75, 1; ad Pomp. 3, 2; 3, 4; 3, 8–10; 4, 1 und 9.

Flavius Josephus und anderen Historikern[16] überein und dürfte somit eine im Hellenismus und in der Kaiserzeit verbreitete These vertreten. Er findet sie durch die Dauer und Ausdehnung der römischen Herrschaft und durch die großartigen Leistungen der römischen Führer und Heere bestätigt.

Für die richtige Wahl des Anfangs- und Endpunktes eines Werkes hatte Aristoteles bei der Besprechung des Dramas und Epos insofern eine Norm fixiert, als er eine einheitliche Handlung forderte (ὅλη καὶ τελεία πρᾶξις) und in ihr eine in sich abgeschlossene und ganze Handlung mit Anfang, Mitte und Ende verstand (Ar. Poet. 7 p. 1450 b 23). Diese Forderung wird von den späteren Historikern[17] wiederholt und selbst von Polybios zu verwirklichen versucht, wenn er erklärt, daß er mit seiner Darstellung ein ἓν αὐτοτελές (5, 32) gebe, und wenn er sich wiederholt Gedanken über die Wahl des richtigen Anfangs- und Endpunktes seines Werkes macht (1, 5, 3–5; 1, 12, 6–9; 3, 4, 3–6 u. ö.). Auch Dionys hat sich diese Forderung zu eigen gemacht und betont, daß seine Archäologie ihr gerecht werde und eine einheitliche und ganze Handlung wiedergebe: ὥσπερ ζῷον ἓν ὅλον (2, 4, 1–5, 4; Ar. 23 p. 1459 a 20). Wenn er die römische Geschichte von den Anfängen bis zum Beginn des ersten punischen Kriegs als Thema wählte, so war er gewiß von der Überzeugung geleitet, die wir ja auch bei Polybios lesen, daß Rom durch seinen großartigen Aufstieg von den bescheidensten Anfängen bis zur Herrin über Italien bewiesen habe, daß es die politischen, militärischen und ethisch-religiösen Kräfte besitze, die es zur Übernahme der Vorherrschaft im Mittelmeer berechtigten. So konnte er guten Glaubens sein, daß der von ihm gewählte Endpunkt nicht nur durch äußere Gründe bedingt sei, weil mit diesem Zeitpunkt die Darstellung des Polybios einsetzte, sondern daß er ein echtes Telos, ein entscheidendes Entwicklungsziel der römischen Geschichte darstelle.

Es kann kein Zweifel sein, daß Livius von der Größe, Würdigkeit und Nützlichkeit des erwählten Themas tief durchdrungen war, selbst wenn man einräumt, daß sich in die Bewunderung und ehr-

[16] Die Stellen bei Scheller a. a. O. S. 39 f. und Everts a. a. O. S. 12, 1.

[17] Vgl. Scheller a. a. O. S. 66 und Everts a. a. O. S. 13, 1.

würdige Betrachtung der römischen Frühgeschichte bisweilen eine leise Wehmut im Hinblick auf die spätere Entwicklung Roms und auf die in vieler Hinsicht verderbte oder zumindest sittlich bedrohte Gegenwart einmischt. Das Proömium bestätigt die Großartigkeit seines Themas und Stoffes, wenn Livius dort sagt: *ceterum aut me amor negotii suscepti fallit aut nulla unquam res publica nec maior nec sanctior nec bonis exemplis ditior fuit* (11). So scheint Livius in der Tradition hellenistischer Forderungen zur Wahl eines geeigneten, würdigen Stoffes zu stehen. Aber eine genauere Prüfung läßt sofort wesentliche Unterschiede deutlich werden.

Kleitarch sah in der einmaligen Persönlichkeit und Leistung Alexanders des Großen[18], Duris in dem wechselvollen Schicksal des Tyrannen Agathokles, den er in vier jähen Wendungen aus dem Glück ins Unglück stürzen und sich wieder emporarbeiten läßt[19], und Phylarch in drei Peripetien im Leben des Agis[20] die exceptionelle Stellung dieser Männer und die Berechtigung zur gesonderten Darstellung ihres Lebens und Schicksals. Polybios hatte die Bewährung Roms in den punischen und makedonischen Kriegen vor Augen und leitete daraus die inneren Gründe für den staunenerregenden Aufstieg Roms zur herrschenden Vormacht im Mittelmeer ab. Diese beispiellose Entwicklung gab seinem Stoff die exemplarische Bedeutung. Demgegenüber legt Livius das Schwergewicht auf die sittliche Haltung des römischen Volkes, auf seine so lange unverdorbenen moralischen Aufbau- und Widerstandskräfte: *nulla unquam res publica ... fuit nec in quam tam serae avaritia luxuriaque immigraverint, nec ubi tantus ac tam diu paupertati ac parsimoniae honos fuerit. Adeo quanto rerum minus, tanto minus cupiditatis erat: nuper divitiae avaritiam et abundantes voluptates desiderium per luxum atque libidinem pereundi perdendique omnia invexere* (Proöm. 11–12). Wenn auch in der Nachfolge des Isokrates die Historiker Ephoros und Theopomp an die führenden Persönlichkeiten der von ihnen dargestellten Epochen moralische Maß-

[18] Diodor 17, 1, 3–5, der hier offenbar von Theopomp beeinflußt ist; vgl. F. Jacoby, Pauly-Wissowa, R. E. XI 642.

[19] Vgl. N. Zegers a. a. O. S. 47 f.

[20] Einzelheiten bei N. Zegers a. a. O. S. 49 f.

stäbe angelegt hatten, und wenn auch Polybios dies fordert, so ist die ethische Bewertung des Livius doch eine völlig andere, da sie dem ganzen römischen Volke gilt. Hier macht sich überhaupt ein spezifisch römischer Wesenszug insofern bemerkbar, als die römischen Historiker ganz allgemein – viel stärker als dies jemals in Griechenland zu beobachten ist – ihre Geschichte mit moralischen Kategorien und Werten zu erklären bemüht waren.

Unbeschadet dieser Grundeinstellung darf aber nicht übersehen werden, daß sich auch bei Livius zur Begründung einzelner Großabschnitte seines Werks Gesichtspunkte finden, die er der machtpolitischen und kriegerischen Sphäre entnommen hat und die uns schon von Herodot und Thukydides her vertraut sind. So weist er in einer Art kurzen Binnenproömiums beim Beginn der Samnitenkriege auf die Größe dieser Kämpfe hin, die aus der Macht der Feinde, der Weite der Entfernungen und der Dauer der Kämpfe resultieren (7, 29, 1). Diese Motive treten verstärkt beim Beginn des Hannibalischen Krieges auf. Seine denkwürdige Größe ergibt sich aus der Stärke der beiden Gegner und ihrer Rüstungen, aus ihrer Kriegserfahrung, aus der Leidenschaftlichkeit der Kämpfe und aus den ungeheueren Wechselfällen des Krieges. Hier vergißt Livius auch nicht, darauf hinzuweisen, daß diese Momente von den meisten Historikern am Eingang ihrer Werke aufgeführt zu werden pflegten (21, 1, 1)[21]. Im Eingang des 31. Buchs variiert er diese Topik – von der Sache her durchaus berechtigt – und räumt ein, daß der makedonische Krieg an Gefahren, an der Leistung der feindlichen Führer und der Stärke der Soldaten mit dem vorangehenden punischen Kriege keinesfalls zu vergleichen sei. Aber durch die Berühmtheit der Könige, den alten Ruhm des makedonischen Stammes und die Größe des Reichs sei er beinahe noch bedeutsamer (31, 1, 6–7). So sehr Livius also in der Gesamtkonzeption seines Geschichtswerks aus der hellenistischen Tradition ausschert und durch die historische Konstellation am Ende der Bürgerkriege unmittelbar nach dem Sieg von Aktium die stärksten Antriebe zum

[21] Vermutlich ist Livius hier von Coelius Antipater beeinflußt, der wiederum von Silenos oder Sosylos Anregungen empfangen haben bzw. sich mit ihnen auseinandergesetzt haben dürfte.

Beginn seines großen Unterfangens bekommen hat, so sehr ist er auf der anderen Seite bei der Markierung großer Werkteile der Topik hellenistischer Proömien nahe und in der sachlichen Situation ihnen verwandt. Denn wie jene – unter Ablehnung von Darstellungen der gesamten griechischen Geschichte – sich nur einzelnen bedeutsamen Ausschnitten zuwandten und auf sie ihr ganzes Können konzentrierten, so hat auch Livius, obwohl er die gesamte römische Geschichte darzustellen unternahm, der Gestaltung der einzelnen Werkteile im Großen wie im Kleinen seine besondere Sorgfalt zugewandt. Ja er hat sie bisweilen geradezu zu selbständigen und künstlerisch herausgehobenen Monographien oder mehr oder weniger umfangreichen Sondererzählungen ausgebaut.

Wenn wir dessen innewerden wollen und uns die Merkmale dieser künstlerischen Einheiten vergegenwärtigen wollen, beginnen wir am besten mit einer Betrachtung der kleinsten Werkteile, der Livianischen „Einzelerzählungen", wie K. Witte diese kleinsten Bauglieder des Werkes genannt hat[22]. Eine solche Kurzerzählung haben wir z. B. in der Schilderung der Einnahme von Gabii durch Sextus Tarquinius (1, 53, 4–54) vor uns.

Livius gibt zu Beginn knapp an – viel ausführlicher Dionys in seinem Parallelbericht (4, 53–54) –, warum Tarquinius Gabii weder durch Gewalt noch durch Belagerung einnehmen konnte, und formuliert dann gleichsam das Thema: *Gabios ... postremo minime arte Romana, fraude ac dolo, adgressus est* (53, 4)[23]. Damit ist der Erzählung ein spannungweckendes Telos gesetzt: die hinterlistige In-Besitznahme von Gabii. Zugleich wird damit die Frage nach den näheren Umständen dieser Einnahme aufgeworfen. Dies

[22] Diese Kurzerzählungen entsprechen den kleinen Scenen der Aeneis, aus denen Vergil größere Sceneneinheiten aufbaut, von denen je zwei oder drei ein Buch ausmachen. So geschlossen diese Bücher sind, so kommt die Erzählungstechnik stärker in den einheitlichen Scenenreihen zur Geltung, die häufig in Form von Gradationen (meist seelischer Natur) gehalten sind, bei denen keine Stufe auslösbar, sondern jede integriertes Glied eines einheitlichen (äußeren oder seelischen) Bewegungsablaufes ist.

[23] Solche thematische Einleitungssätze begegnen öfter bei Livius, vgl. 1, 23, 2; 3, 44, 1; 5, 19, 2; 5, 33, 1 u. a. m.

erinnert an die Aristotelische Formulierung: ἀρχὴ δέ ἐστιν, ὃ αὐτὸ μὲν μὴ ἐξ ἀνάγκης μετ' ἄλλο ἐστίν, μετ' ἐκεῖνο δ' ἕτερον πέφυκεν εἶναι (Poet. 7 p. 1450 b 27).

Um weiter mit Aristotelischen Kategorien zu operieren, so wird in der Gestalt des Sohnes, des Sextus Tarquinius, der Träger der ὅλη καὶ τελεία πρᾶξις gewonnen, auf den die folgenden Handlungen konzentriert sind: die angebliche Flucht nach Gabii, die langsame Gewinnung des Vertrauens der Gabienser und der Aufbau seiner Machtposition, die heimliche Fühlungnahme mit dem Vater, der Mord an den Vornehmen der Stadt und schließlich die Übergabe der Stadt an den römischen König. Es ist wichtig, daß alle Nebenpersonen und Nebenhandlungen – im Unterschied zur Fassung des Dionys – zurückgedrängt oder unterdrückt werden: die Freunde, die mitziehen; die Beratung mit dem Vater; die Gesandtschaft, die in Gabii um Aufnahme für Sextus Tarquinius nachsucht u. a. m. Dagegen ist – wieder anders als bei Dionys – die Rede wiedergegeben, mit der sich Tarquinius das Vertrauen der Gabienser erschleicht (53, 6 ff.): das ist der erste aktive Einsatz und Erfolg des Handlungsträgers. Seine weitere Tätigkeit bildet das μέσον der Handlung und wird in einer spannungsvollen Klimax aufgebaut. Die letzte entscheidende Phase wird durch die heimliche Befragung des Vaters eingeleitet, wobei Livius sich viel knapper als Dionys verhält. Denn eine Ausmalung der Episode, so reizvoll sie ist, würde den straffen Fortgang der Handlung hemmen. Deswegen verzichtet Livius auch darauf, das *criminando alios ad populum (scil. interemit)* (54, 8) durch Wiedergabe seiner Verdächtigungen zu veranschaulichen. Mit dem Faktum der Übergabe der Stadt schließt Livius, ohne hier Einzelheiten des Übergabeaktes oder der politischen Eingliederung zu schildern, wie dies Dionys tut (4, 58). Das Telos der Handlung ist erreicht, die Frage der äußeren Organisation ist vom Standpunkt der Spannung der geschlossenen Handlung aus relativ unwichtig. Das erinnert an den Schluß der Aeneis.

Ein zweites Beispiel zeigt nicht *eine* Person, sondern *zwei* als Träger und Mittelpunkt der Handlung, wobei wir aber die gleiche Konzentration und Verinnerlichung des Geschehens – hier geradezu im Sinne einer Dämonisierung – feststellen: Der Sturz und Tod des

Servius Tullius durch Lucius Tarquinius und Tullia minor (1, 46–48)[24]. Dionys geht in seinem wesentlich ausführlicheren und durch zahlreiche Reden im Verlauf der Handlung gehemmten Bericht chronologisch vor. Er läßt auf die beiden Gattenmorde eine lange Auseinandersetzung des Tullius mit Tarquinius im Senate folgen und ihn erst dann, als Tullius hier Erfolg hat, zur Gewalt schreiten. Livius rückt dagegen das Geschehen des *sceleris tragici exemplum* in den Mittelpunkt und verzichtet daher auf die Verhandlungen im Senat. Er gibt deswegen auch die chronologische Abfolge preis und konzentriert die Handlung ganz auf die beiden Hauptgestalten. In der ersten Phase der Entwicklung steht Tullia im Vordergrund, deren Reden, ohne daß sie dies aber klar ausspräche, auf den Doppelmord und den Griff zur Krone nach der Vermählung mit L. Tarquinius hinzielen. Durch die andeutungshaften, hetzerischen Worte (46, 6 ff.) wird eine große Spannung erreicht und nach der Vermählung der beiden Schuldigen die Ahnung auf noch schlimmere Taten gelenkt. In einer leidenschaftlichen Rede *(oratio recta)*, die den Höhepunkt der ersten Entwicklungsphase darstellt (47, 3 ff.), enthüllt sie den Mordplan am Vater, um nun durch Tarquinius die Handlung weiter vorantreiben zu lassen. Sie bleibt als der böse Geist aber immer gegenwärtig. Die Maßnahmen des Tarquinius vom Anwerben der Freunde bis zum offenen Angriff gegen Tullius in der Kurie werden in einer raschen, spannungsgeladenen Gradatio vorgebracht; mit der Flucht und der Ermordung des Königs wird der erste Endpunkt gesetzt (48, 3). Aber erst mit der Schändung des Leichnams wird die letzte Steigerung der Freveltat und damit das Telos der Handlung erreicht. Hiermit geht die Handlungsführung – wie am Anfang des ganzen Geschehens – wieder an Tullia über. Es ist für die Intensivierung der Spannung auf die beiden Handlungsträger bezeichnend, daß bei Livius in der Scene in der Kurie Tarquinius, bei Dionys aber Servius zuerst angreift und daß bei Livius nicht die Reden der Tullia am Ende der ganzen Geschehenskette, sondern allein ihr

[24] Eingehendere Besprechung bei A. Reichenberger, Studien zum Erzählungsstil des Titus Livius, Diss. Heidelberg 1931, S. 13 ff. und E. Burck, Die Erzählungskunst des T. Livius, Berlin, S. 164 ff. (Nachdruck 1964).

Handeln wiedergegeben wird; denn nur dies führt zum Mord und der Leichenschändung: das *sceleris tragici exemplum* ist vollendet.

In beiden betrachteten Kurzerzählungen wird man, wenn es erlaubt ist, Kleines mit Großem zu vergleichen, an die oben erwähnten Gesichtspunkte bei der Stoffwahl der hellenistischen tragischen Geschichtsschreibung erinnert; denn auch hier handelt es sich um exceptionelle Taten und Persönlichkeiten, wie wir sie aus jenen Werken und aus den Tragödien kennen. Livius erinnert ja mit seiner Formulierung vom *sceleris tragici exemplum* direkt an diese gedanklichen Zusammenhänge. Selbstverständlich darf man hierbei nicht übersehen, daß er diese Kurzerzählungen bereits in seinen Vorlagen vorfand; er ist es aber vermutlich gewesen, der die im Stoff latent vorhandenen oder von den Vorgängern praeformierten dramatischen Elemente erst voll zur Geltung gebracht hat. Er hat darüber hinaus aus solchen keimhaften dramatischen Erzählungen für die Gestaltung anderer, noch nicht derart strukturierter Berichte offensichtlich gelernt.

So wundert es uns nicht, daß er z. B. in der Geschichte vom Kampf und Untergang der Fabier an der Cremera (2, 48–50) oder vom Sklavenaufstand des Appius Herdonius (3, 15–18) – wieder im Unterschied zu den Parallelberichten des Dionys – in dem Bemühen um Konzentration und Straffung der Erzählung nicht nur eine ὅλη καὶ τελεία πρᾶξις mit klarem Anfang, Mittelstück und Ende geschaffen hat, sondern daß er hier im Einbau beider Erzählungen in den größeren Kontext eigene Wege gegangen ist. Im ersten Falle hat er die Aequer- und Volskerkämpfe von 478 übergangen und den Kampf der Konsuln gegen Veji in den Kampf der Fabier einbezogen und mit ihren Erfolgen zu *einem* Siegesbericht zusammengefaßt[25]. Im zweiten Falle erscheint der Sklavenaufstand nicht wie bei Dionys als eine interessante historische Episode, sondern als unauslösbarer Ausschnitt aus dem Konflikt zwischen Patres und Plebs, der in entscheidendem Maße das dritte Buch bestimmt[26]. So ist neben der Kraft und Konsequenz der Handlungsführung, die alles, was nicht zu dem erstrebten Telos

[25] Vgl. E. Burck a. a. O. S. 81 f. und 184 f.
[26] Vgl. E. Burck a. a. O. S. 17 f. und 185 f.

hinführt, ausschließt, der Wille zur Integration der einzelnen Erzählungen ins größere Ganze der Jahresberichte unverkennbar. Dies wird bei umfassenderen Erzählungskomplexen, wie etwa bei der Behandlung der ersten und zweiten Secession der Plebs, besonders deutlich. Hier hat Livius aus den einzelnen Phasen der revolutionären Entwicklung mit ihren elementaren Ausbrüchen, überraschenden Stockungen und unvermuteten Peripetien eine in sich geschlossene Großerzählung dramatischen Charakters mit fest integrierten Unterteilen geschaffen. Als Beispiel sei eine Skizze der ersten Secession gegeben (2, 22–22, 2)[27]:

„Träger der Handlung sind zwei Parteien, Plebs und Patres, die teils gegeneinander, teils zusammen gegen den auswärtigen Feind kämpfen, und auf die während der ganzen Erzählung das Interesse des Lesers gerichtet bleibt. Die Handlung wird eröffnet durch Enthüllung der zwei Gefahren, die dem Staate drohen, des Volskerkriegs und der Bedrohung der Patres durch die schuldenbelastete, völlig rechtlose Plebs. Die Verschlingung der beiden Gefahrenmomente führt zu einer Krise, die nur durch das Eintreten des Konsuls Servilius gelöst wird, der die Plebs beruhigt und dann zusammen mit ihr den auswärtigen Feinden wehren kann. Damit ist die eine Gefahr gebannt. Die Behebung der zweiten, des Gegensatzes zwischen Plebs und Patres, wird nach dem Kriege durch Appius hintertrieben, und bald kehrt der alte Zwist wieder. Als die neuen Konsuln durch eine Aushebung ihm steuern wollen, bewirken sie das Gegenteil und führen eine neue Krise herauf, die den Bestand des Staates aufs schwerste erschüttert. Beigelegt wird diese Krise durch den Diktator M. Valerius, unter dessen Führung die äußere Gefahr abgewendet und auch ein Versuch zur Lösung der innerstaatlichen Schwierigkeiten unternommen wird. Als dieser scheitert, wandert die Plebs aus und setzt nun endlich eine Besserung ihrer Lage durch. So ist auch die zweite Gefahr behoben, der Bestand der res publica gesichert, das Telos der Erzählung erreicht" (Burck a. a. O. S. 187).

Wenn wir den Aufbau der ganzen Erzählung überblicken, so fällt zunächst auf, daß die sieben Unterteile im Umfang und

[27] Vgl. E. Burck a. a. O. S. 64 f. und 187 f.

innerem Gewicht einander angeglichen sind, während bei Dionys der erste Teil (6, 22–24) den größten Teil der Handlungen, der zweite (6, 45–90) fast nur Reden umfaßt und dadurch das Gewicht beider Teile sehr unausgeglichen wirkt. Je ein außenpolitischer Abschnitt (22; 25–26; 30, 8–31, 6) wechselt bei Livius mit einem innenpolitischen ab, von denen nur der mittlere und größte (27–30, 7) zweigeteilt ist. Dabei läßt Livius den durch die Jahreseinteilung bedingten Einschnitt seiner Gliederung zugute kommen[28]. Die Gefahr lage nahe, daß die stofflich sehr verwandten einzelnen Phasen der revolutionären Entwicklung zur Wiederholung völlig gleicher Glieder und damit zur Ermüdung des Lesers führen würden. Dionys ist dieser Gefahr nicht entgangen. Livius hat sich dagegen wohl gehütet, den zweiten Abschnitt der innenpolitischen Verwicklungen und der Kriegszüge zur Dublette des ersten werden zu lassen. „Die erste Kampfscene zwischen Plebs und Patres auf dem Forum will bei ihm als eine aus dem Augenblick geborene Abwehrhandlung der Plebs, die zweite als der Ausdruck einer langen, verhaltenen, aber stets geschürten, ja beinahe organisierten Opposition verstanden sein. Und der Eifer der Truppen und ihre Erfolge im Kampfe gegen die Feinde Roms erklären sich in den ersten Feldzügen aus der Dankbarkeit der Plebs gegen den Konsul Verginius, der ihnen seine Hilfe zugesichert hat, im zweiten aber aus dem Streben der Soldaten nach einer raschen Entscheidung, um danach möglichst bald eine Klärung der innenpolitischen Lage herbeizuführen. In beiden Fällen bedeutet somit die zweite Scene gegenüber der ersten eine Steigerung, eine Überhöhung über jene hinaus. Dadurch ist der Eindruck der Auslösbarkeit dieser Scenen aus dem Ganzen, den man bei ihrer nahen sachlichen Berührung befürchten

[28] Das tut er auch in den späteren Büchern sehr häufig, dagegen läßt er nur ausnahmsweise Jahres- und Bucheinschnitte zusammenfallen. Wenn er dies nach dem 21. und vor dem 30. Buche tut, dann mit der unverkennbaren Absicht, diesen beiden Randbüchern innerhalb der Dekade eine besondere Funktion zuzuweisen. Ein gleichartiger Einschnitt nach Buch 25 markiert die Zweiteilung der Dekade, die nicht nur eine äußerliche ist, sondern in der Entwicklung der Kriegslage begründet ist. Für die Bücher 31–45 gilt ähnliches.

muß und bei Dionys an den betreffenden Stellen auch hat, vermieden. Sie sind wirklich integrierende Bestandteile der Erzählung" (Burck a. a. O. S. 188). Damit erfüllt Livius zwei Forderungen, die in der hellenistischen Theorie für die Führung der Erzählung eine wesentliche Rolle spielen, die Forderung nach σαφήνεια und συνέχεια der Handlung. So schreibt z. B. Polybios: δέον ἂν εἴη μεγίστην ἡμᾶς ποιεῖσθαι πρόνοιαν καὶ τοῦ χειρισμοῦ καὶ τῆς οἰκονομίας, ἵνα καὶ κατὰ μέρος καὶ καθόλου σαφὲς τὸ σύνταγμα γίνηται τῆς πραγματείας (5, 31, 7)[28a] und an einer anderen Stelle: ζητεῖν δὲ τοὺς φιλομαθοῦντας τὸ συνεχὲς καὶ τὸ τέλος ἱμείρειν ἀκοῦσαι τῆς προθέσεως (scil. φασίν) (38, 5, 3 B.-W.)[29].

Die bisher betrachteten Erzählungen erstreckten sich über ein, zwei oder drei Jahre. In solchen Fällen ist es vom Stoff her verhältnismäßig leicht, eine geschlossene Handlung durchzuführen, indem man die nicht zur Haupthandlung gehörenden Teile vorwegnimmt oder nachträgt und die Jahresfugen der neuen Sachgliederung unterordnet. Es kommt hinzu, daß in den frühen Jahren der römischen Geschichte der Stoff der einzelnen Jahre noch nicht sehr umfangreich ist. Wenn die Erzählung sich aber über einen längeren Zeitraum erstreckt, ist ein Widerstreit zwischen den eben geschilderten hellenistischen Darstellungsprinzipien, die ja über größere Zeitspannen hinweg nur bei thematisch konzentrierten Monographien durchgehalten werden können, und dem römischen annalistischen Erzählungsprinzip unvermeidbar. In solchen Fällen hat Livius sich bemüht, eine Vereinigung beider Prinzipien zu erreichen, wie etwa im kleinen Rahmen die Coriolan-Erzählung lehren kann (2, 33, 5–40, 13)[30].

„Diese in sich einheitliche Geschichte war, wie die moderne historische Forschung gezeigt hat (zuletzt Schur, R.-E. Suppl. V,

[28a] Vgl. hierzu F. W. Walbank, A historical commentary on Polybius, Oxford 1957, S. 562.

[29] Vgl. Dion. v. Hal., de Thuc. 9, 336, 13; 337, 22 Us., dazu Scheller a. a. O. S. 43 f. und Everts a. a. O. S. 13, 2; ferner ad. Pomp. 3, 13; Diod. 16, 1, 1–2; 20, 1, 1.

[30] Vgl. A. Reichenberger, Studien zum Erzählungsstil des Titus Livius, Diss. Heidelberg 1931, S. 23–29 (in diesem Sammelband S. 383 ff.).

659), aller Wahrscheinlichkeit nach ursprünglich unter *einem* Jahre erzählt und ist erst allmählich in der annalistischen Überlieferung auseinandergezogen worden. Livius bemüht sich nun seinerseits wieder dadurch, daß er die Ereignisse aus den Jahren 493–91, die zu Coriolan in keiner Beziehung stehen, zurückdrängt und aus dem ersten Teil des Berichts nur einen vorbereitenden Abschnitt für den Hauptteil macht, die ὅλη καὶ τελεία πρᾶξιςwiederherzustellen. Natürlich gelingt ihm das nicht völlig; einzelne Angaben, durch die annalistische Berichterstattung veranlaßt, wie z. B. die Nachricht vom Tode des Menenius Agrippa, sind mit der Coriolan-Erzählung innerlich nicht zu verknüpfen" (Burck a. a. O. S. 191).

In etwas größerem Ausmaß bewegt sich die Darstellung der Jahre 403–396, die Livius als geschlossene Erzählung des Kampfes um Veji zusammenzufassen sucht (5, 1–23)[31]. „Hier ordnet er alle Ereignisse, die sich während der sieben Jahre bis zur Eroberung der Stadt in Rom oder auf den einzelnen Kriegsschauplätzen abspielen und zu deren Aufzählung er als Annalist gezwungen ist, der großen Hauptfrage der Belagerung von Veji zu, indem er durch den Gang der Ereignisse des Lesers Hoffnung auf die Einnahme der Stadt bald stärker, bald schwächer werden läßt und so auch die scheinbar ganz entlegenen und beziehungslosen Ereignisse zu integrierenden Bestandteilen der Erzählung zu machen sucht. Dabei hat er diese Bindungen niemals besonders betont oder umständlich hergestellt, sondern der Leser soll sie auf Grund feiner innerer Beziehungen aus der besonderen Art der Darstellung der Ereignisse oder auf Grund unauffälliger formaler Verknüpfungen von sich aus erfüllen und herstellen" (Burck a. a. O. S. 191).

Dieses Streben nach einer kontinuierlichen Verknüpfung sachlich zusammengehörender Berichte bleibt für Livius auch in den späteren Büchern bestimmend. Dabei ist es für seine dramatische Kompositionsweise bezeichnend, daß die einzelnen Berichtstücke, selbst wenn sie sich über viele Jahre erstrecken und in jedem Jahr durch stofflich fremde Themen getrennt werden, fast niemals auf der gleichen Ebene verlaufen. Wenn irgend möglich bemüht sich Livius, jeweils den folgenden Berichtsteil des nächsten Jahres mit einer

[31] Ausführliche Analyse bei E. Burck a. a. O. S. 109 ff.

neuen Spannung einzuführen, mag es sich dabei um eine Zuspitzung oder eine unerwartete Abschwächung des innenpolitischen Kräftespiels oder der militärischen Operationen handeln. So entsteht ein bewegtes Auf und Ab, das aber keineswegs wie in der tragischen Geschichtsschreibung der hellenistischen Zeit durch die Tyche herbeigeführt wird oder auf blinden Zufällen beruht (obwohl sie nicht ganz ausgeschlossen werden). Es geht vielmehr auf menschliche Pläne, Entscheidungen und Taten zurück, steht aber in der Dynamik des Geschehens und im Wechsel der seelischen Haltung der beteiligten Personen der Bewegtheit jener Werke nicht nach.

Relativ einfach liegen die Verhältnisse in den größeren Erzählkomplexen der Bücher 6–10[32], wo etwa das zehnjährige Ringen zwischen Patres und Plebs bis zum Erlaß der Leges Liciniae Sextiae (6, 34–42) oder die Kriege gegen die Samniten (7, 30–42; 8, 25–9, 36) die Leitthemen und die geschlossenen Handlungskomplexe über größere Zeiträume hin abgeben. Komplexer verlaufen die dramatischen Kurven in den Büchern 21–30, in denen uns selbstverständlich eine ganz erhebliche Zahl größerer und bescheidenerer Handlungseinheiten im Sinne einer ὅλη καὶ τελεία πρᾶξις entgegentreten. Dabei laufen nicht selten mehrere Spannungskurven nebeneinander her, deren Beachtung vom Leser eine nicht geringe Beobachtungs- und Kombinationsgabe erfordert, aber auch in ihrer Verstrickung einen hohen Reiz der Lektüre ausmacht[33]. Von entscheidender Bedeutung ist aber die Tatsache, daß Livius die Ereignisse der Jahre 218–201 total auf den Kampf der Römer mit Hannibal ausgerichtet und als Handlungseinheit gestaltet hat. Die ganze Dekade erscheint als ein ἓν σῶμα σύμφωνον – nicht viel anders als bei Coelius Antipater in seiner Monographie, der sich aber das hellenistische Auswahlprinzip (und vermutlich mit ihm viele Darstellungsmöglichkeiten) zu eigen gemacht hatte. Am kompliziertesten liegen die Verhältnisse in den Büchern 31–45, bei denen der

[32] Vgl. hierzu E. Burck, Zum Rombild des Livius (Interpretationen zur zweiten Pentade). Der altsprachl. Unterricht, 3. Reihe, Stuttgart 1957, S. 34–75.

[33] Vgl. E. Burck, Einführung in die dritte Dekade des Livius, Heidelberg 1950, S. 7–56 (Nachdruck 1965).

Stoffreichtum für jedes einzelne Jahr ganz erheblich angewachsen ist und mancherlei Entwicklungen zwischen den Jahren 200–167 zu schildern sind, die kaum oder überhaupt nicht mit dem Hauptthema des römisch-makedonischen-syrischen Kriegs in Verbindung zu bringen sind. Und dennoch lassen sich hier die gleichen Dominanten für die Stoffzuordnung und Handlungsgestaltung beobachten wie in der dritten und ersten Dekade[34].

Schließlich sei noch erwähnt, daß Livius im Rahmen dieser Darstellungsprinzipien es erreicht hat, wo immer es ihm möglich war, das einzelne Buch oder auch mehrere Bücher zur kompositionellen Einheit im Sinne der wohl zuerst von Ephoros erhobenen Forderung zu machen περιλαμβάνειν ἐν ταῖς βίβλοις ἢ πόλεων ἢ βασιλέων πράξεις αὐτοτελεῖς ἀπ᾽ ἀρχῆς μέχρι τοῦ τέλους (Diod. 16, 1, 1 nach Ephoros; vgl. R. Laqueur, Hermes 46, 1911, 198 f.). Als ein solches ἓν αὐτοτελές präsentiert sich das erste Buch, das die Königszeit behandelt. Aber auch Buch 3 und 5 sind sehr geschlossen, wobei jedes Buch in zwei Hälften zerfällt. Im Buch 3 wird in der ersten Hälfte in einer aufsteigenden Linie die Entwicklung behandelt, die von der Lex Icilia zur Errichtung des Decemvirats führt, in der zweiten Hälfte folgt in engster Bindung der Sturz der Decemvirn und die Wiederherstellung der *res publica libera.* In Buch 5 bilden im ersten Teil die Kämpfe mit Veji, im zweiten der Einfall der Gallier und ihre Vertreibung durch Camillus die Hauptthematik. Ähnlich liegen die Verhältnisse in Buch 7, wo durch das Binnenproömium (7, 29) eine starke Caesur geschaffen wird und die zweite Buchhälfte – geschlossener als die erste – den ersten Samnitenkrieg behandelt. Buch 8 und 9 sind durch die eng verbundene Thematik des ersten Latinerkriegs und des zweiten Samnitenkriegs, denen die innenpolitischen Ereignisse sichtlich untergeordnet sind, miteinander verknüpft. Eine solche Bindung von zwei Büchern zu

[34] Es würde zu weit führen, die Kompositionsaufrisse der Bücher 31–45 mit den Hauptentwicklungslinien darzustellen. Ich verweise für einige wesentliche Züge auf die Dissertationen von H. Brüggmann, Komposition und Entwicklungstendenzen der Bücher 31–35 des Titus Livius, Kiel 1954 (masch. schr.) und von F. Kern, Aufbau und Gedankengang der Bücher 36–45 des Titus Livius, Kiel 1960 (masch. schr.).

einer inneren Einheit begegnet auch in der dritten Dekade, in der die Bücher 21 und 22 durch Hannibals überwältigende Siege und durch Roms Sturz in die Tiefe – mit Buch 23 beginnen die ersten Anzeichen des langsam errungenen Gleichgewichts (bis Buch 25) – zu einer geschlossenen Handlungskette zusammengefügt sind. Ihnen entsprechen am Ende der Dekade die Bücher 29 und 30, die auf Scipios Übergang nach Afrika ausgerichtet sind und seine Erfolge in Afrika zum Thema haben. Schließlich lassen sich in den Büchern 31–45 sowohl nach Buch 35 als auch nach Buch 40 gewisse Endpunkte von Spannungskurven erkennen, die Livius über je fünf Bücher hinweg zur Gliederung und Dynamik der einzelnen Kriegsphasen geschaffen hat. Daß auch nach Buch 45 ein solcher Ruhepunkt vorhanden ist, sollte nicht bestritten werden. Livius hat unverkennbar nicht nur nach stofflichen Gegebenheiten, sondern nach eigenen kompositorischen Gesetzen und inneren Spannungsverläufen die fünfzehn Bücher 31–45 ebenso zu einem geschlossenen Ganzen gestaltet wie die dritte Dekade.

P. G. Walsh, Livy, Cambridge, Univ. Press 1961, Kap. VII: The literary methods, S. 181–190 u. Kap. VIII: The narrative: literary genres, S. 191–204. Übersetzt von Marie-Louise Gülzow.

DIE LITERARISCHEN METHODEN DES LIVIUS

Von P. G. Walsh

Der Erzählungsstil

Die dramatische Kraft des Livius kommt vor allem in der zentralen Gattung der Einzelerzählung zum Ausdruck. Hier versucht er die Anschaulichkeit (ἐνάργεια) zu erreichen, nach der diejenigen strebten, die einer dramatischen Sicht der Geschichte den Vorzug gaben; er wird „der Maler der Sinnlichkeit, des Geizes, der Grausamkeit, ja schließlich des Grauens“[1], und darüber hinaus beschreibt er die Emotionen von Gemeinschaften – ihren Kummer, ihre Freude, ihre Panik, ihre blinde Wut *(rabies)*.

Eine der seltenen grausamen Szenen bei Livius ist die Schilderung des Anblicks, der sich den siegreichen Karthagern nach Cannae bietet:

Postero die, ubi primum inluxit, ad spolia legenda foedamque etiam hostibus spectandam stragem insistunt. Iacebant tot Romanorum milia, pedites passim equitesque, ut quem cuique fors aut pugna iunxerat aut fuga. Adsurgentes quidam ex strage media cruenti, quos stricta matutino frigore excitaverant vulnera, ab hoste oppressi sunt; quosdam et iacentes vivos succisis feminibus poplitibusque invenerunt, nudantes cervicem iugulumque et reliquum sanguinem iubentes haurire; inventi quidam sunt mersis in effossam terram capitibus, quos sibi ipsos fecisse foveas obruentesque ora superiecta humo interclusisse spiritum apparebat. Praecipue convertit omnes subtractus Numida mortuo superincubanti Romano vivus naso auribusque laceratis, cum manibus ad capiendum telum inutilibus in rabiem ira versa laniando dentibus hostem expirasset[2].

[1] L. Catin, En lisant Tite-Live, Paris 1944, S. 148.

[2] 22, 51, 5–9. Ein weiteres Beispiel ist 31, 34, als die Mazedonier

Schrecklich in anderem Sinne ist die Beschreibung der Seuche, die bei der Belagerung von Syrakus durch die Römer beide Parteien ergriff. Hier hat Livius bewußt auf den berühmten Bericht des Thukydides über die Pest in Athen angespielt, doch seine Darstellung ist ganz gegensätzlich; Livius geht es nicht darum, die Symptome der Leidenden zu schildern, sondern das durch die Situation gegebene Pathos auszuwerten:

Nam tempore autumni et locis natura gravibus, multo tamen magis extra urbem quam in urbe, intoleranda vis aestus per utraque castra omnium ferme corpora movit. Ac primo temporis ac loci vitio et aegri erant et moriebantur; postea curatio ipsa et contactus aegrorum volgabat morbos, ut aut neglecti desertique, qui incidissent, morerentur aut adsidentes curantesque eadem vi morbi repletos secum traherent cotidianaque funera et mors ob oculos esset et undique dies noctesque ploratus audirentur. Postremo ita adsuetudine mali efferaverant animos, ut non modo lacrimis iustoque comploratu prosequerentur mortuos, sed ne efferrent quidem aut sepelirent iacerentque strata exanima corpora in conspectu similem mortem exspectantium mortuique aegros, aegri validos cum metu, tum tabe ac pestifero odore corporum conficerent. Et ut ferro potius morerentur, quidam invadebant soli hostium stationes[3].

Blutrünstige, unheimliche Details, wie sie diese Stellen beschreiben, sind jedoch selten, denn sie stehen nicht im Einklang mit der zivilisierten Geschmacksrichtung des augusteischen Zeitalters. So wird Polybios' Beschreibung der zahlreichen grausigen Methoden, mit denen die Abydener versuchten, sich selbst den Tod zu geben, von Livius mit dem Satz *per omnes vias leti*[4] umgangen. Auch im ersten Buch, nach einer kurzen Erläuterung des barbarischen Vorgehens bei der Hinrichtung des Mettius Fufetius, fügt Livius einfach hinzu: *avertere omnes ab tanta foeditate spectaculi oculos.*

ihre Toten erblicken, die durch das spanische Kurzschwert verstümmelt worden sind. Man könnte auch an die schaurige nächtliche Schlacht zwischen den Römern und den Aequern und Volskern erinnern (4, 27–9).

[3] 25, 26, 7 ff.

[4] 31, 18, 7; vgl. Pol. 16, 34.

Dionysios ist jedoch nicht an ein solches Taktgefühl oder solche Zurückhaltung gebunden[5].

Mit besonderem Nachdruck beschreibt Livius häufig das Entsetzen, das einzelne Personen in furchtbaren Situationen ergreift, selbst wenn er damit die Tatsachen verzerrt[6]. Das vielleicht großartigste Beispiel, mit dem Livius solche Furcht und solchen Schrecken heraufbeschwört, ist seine Beschreibung der Karthager, die sich den vor ihnen auftürmenden Alpen gegenübersehen. Der Effekt der ἐνάργεια wird hier in besonders auffälliger Weise erzielt. *Tum quamquam fama prius, qua incerta in maius vero ferri solent, praecepta res erat, tamen ex propinquo visa montium altitudo nivesque caelo prope immixtae, tecta informia imposita rupibus, pecora iumentaque torrida frigore, homines intonsi et inculti, animalia inanimaque omnia rigentia gelu, cetera visu quam dictu foediora terrorem renovarunt*[7].

Ebenso häufig ist die Schilderung freudiger Gemütsbewegungen, wie bei den korinthischen Spielen, bei denen Flaminius die Befreiung Griechenlands ankündigte. Hier hat Livius gegenüber der Version seiner Quelle die dramatische Wirkung weitaus gesteigert. Polybios berichtet, daß mit den ersten Worten seiner Ankündigung ein solcher Lärm entstand, daß „einige die Botschaft nicht gehört hatten, andere sie noch einmal zu hören wünschten, während die Mehrheit ungläubig war und meinte, sie hätte sie im Traum wie ein unerwartetes Naturereignis vernommen; daher forderten sie, der Herold solle noch einmal vortreten und die Proklamation wiederholen".

Die Version des Livius übergeht diejenigen, die die Botschaft nicht gehört hatten, und konzentriert die Aufmerksamkeit auf die psychologische Wirkung bei denen, die sie tatsächlich hörten: *audita*

[5] 1, 28, 10; Dionys. 3, 30, 5. E. Burck, Die Erzählungskunst, S. 206 f., stellt die ins Auge fallenden hellenistischen Darstellungsformen den weniger sensationellen Erzählungen des Livius über die Einnahme von Städten und Feldlagern gegenüber.

[6] s. mein Buch 162.

[7] 21, 32, 7. Ein ähnlich eindrucksvolles Bild findet sich 21, 53, bei dem Versuch, die Apenninen zu überqueren. Dies ist ein hervorragendes Beispiel für „Mitleid und Furcht", die er in solchen Passagen zu erreichen sucht.

voce praeconis maius gaudium fuit quam quod universum homines acciperent. Vix satis credere se quisque audisse, et alii alios intueri mirabundi velut ad somni vanam speciem; quod ad quemque pertinebat, suarum aurium fidei minimum credentes proximos interrogabant[8].

Diese erstaunliche Reaktion stiller Freude unterstreicht die verwunderte Dankbarkeit der Griechen den Römern gegenüber in einer wirksamen und ganz unhistorischen Weise. Später begnügt Polybios sich mit der Bemerkung, daß niemand die Wettkämpfer weiter beachtete, als sich der Tumult gelegt hatte; Livius behauptet sogar, daß *ludicrum deinde ita raptim peractum est, ut nullius nec animi nec oculi spectaculo intenti essent.* Geringfügige Ungenauigkeiten lassen sich zugunsten der dramatischen Wirkung entschuldigen.

Livius schildert diese Atmosphäre überwältigter Freude sehr häufig. Als der Ausgang der Schlacht am Metaurus in Rom bekannt gemacht wird, nahmen die Einwohner diese Nachricht mehr mit den Ohren als mit dem Geiste auf, *ut maius laetiusque quam quod mente capere aut satis credere possint*[9].

Livius beschreibt auch, wie nach der Schlacht von Pydna im Jahre 168 das Gerücht über den Sieg die Stadt erreichte, als gerade öffentliche Spiele abgehalten wurden. Ein plötzliches gemeinsames Gemurmel erhebt sich, dann nimmt der Lärm zu und geht schließlich in lautes Geschrei und Händeklatschen über. Als die Nachricht dreizehn Tage nach der Schlacht bestätigt wird, verläßt eine große Zahl der Zuschauer die Spiele und bringt den Frauen und Kindern die freudige Nachricht[10]. Ähnlich ist auch die Szene im Lager des Tiberius Gracchus nach seiner erfolgreichen Schlacht gegen Hanno, als die Freiheit der Sklaven verkündet wird: *ad quam vocem cum clamor ingenti alacritate sublatus esset ac nunc complexi inter se gratulantes, nunc manus ad caelum tollentes bona omnia populo Romano Gracchoque ipsi precarentur, tum Gracchus ... inquit ...*[11].

[8] 33, 32, 6 ff.; vgl. Pol. 18, 46, 6.

[9] 27, 50, 7.

[10] 45, 1.

[11] 24, 16, 10.

In solchen Episoden und ebenso in Szenen des Kummers und des Unwillens, wie sie im vorhergehenden Kapitel erwähnt wurden[12], versucht Livius, Gemütsbewegungen durch einen lebendigen, phantasievollen und häufig fingierten Aufbau von Massenszenen darzustellen. Wie wird die Anschaulichkeit erreicht? Besonders auffällig ist der Gebrauch von Asyndeta, kurzen Sätzen, Anhäufung von Wörtern und Ausdrücken, historischem Präsens und historischen Infinitiven. Die schnelle Aufzählung aufeinanderfolgender Ereignisse in prägnanten, abgehackten Sätzen zeichnet ein lebendiges Bild von übereilter Handlung oder überschwenglichen Gefühlen: *signum ex arce dari iubent. itaque ad portas, ad muros discurrunt*[13]. Ähnlich ist auch seine Beschreibung einer Beilegung innenpolitischer Streitigkeiten in Rom, als *equites* und *plebs* freiwillige Dienstleistung versprechen; die Senatoren begeben sich auf das Forum *voce manibusque significare publicam laetitiam, beatam urbem Romanam et invictam et aeternam illa concordia dicere, laudare equites, laudare plebem, diem ipsum laudibus ferre, victam esse fateri comitatem benignitatemque senatus. certatim patribus plebique manare gaudio lacrimae . . .*[14].

Sehr häufig wird die malerische Wirkung durch den Bericht von einer Versammlung, einer bestürmten Stadt oder einem Heer im Gefecht unterstützt; dies wird nicht ganz allgemein dargestellt, sondern durch die Beschreibung der Reaktionen von Einzelpersonen oder kleinen Gruppen. Wie Quintilian es ausdrückt, *minus est tamen totum dicere quam omnia*[15]. Diese Technik der „Aufteilung“ einer Menschenmenge kommt besonders oft in Szenen des Aufruhrs und der Verwirrung vor. Bemerkenswert ist beispielsweise, wie Livius die Hast der römischen Flotte bei Teos im Jahre 190 beschreibt, als feindliche Flottenbewegungen gemeldet werden: *haud secus quam in repentino incendio aut capta urbe trepidatur, aliis in urbem currentibus ad suos revocandos, aliis ex urbe naves cursu repetentibus, incertisque clamoribus, quibus ipsis tubae obstreperent . . .*[16].

[12] Vgl. Walsh a. a. O. 170 f.

[13] 31, 24, 6.

[14] 5, 7, 9–11.

[15] Inst. Or. 8, 3, 70. [16] 37, 29, 4.

Dieses Kunstmittel findet sich sehr häufig bei Kombinationen wie *alius* ... *alius*, *partim* ... *partim*, *alibi* ... *alibi*, *nunc* ... *nunc*[17].

Durch die Anwendung solcher Stilmittel versucht Livius dem Material, das sich in seinen Quellen findet, Lebendigkeit und größere dramatische Kraft zu verleihen. Doch ist dies nicht nur eine Frage stilistischer Anordnung; er läßt häufig seine Phantasie ein wenig spielen, wodurch das Bildhafte seines Stils noch unterstrichen wird. Beispielsweise las er bei Polybios, daß Philipp bei der Schlacht von Kynoskephalai im Vorrücken „die Gipfel der Berge von den Feinden verlassen fand"; seine eigene Version fügt anschaulich hinzu, daß „dort noch einige feindliche Leichen und Waffen lagen"[18].

Dies erinnert stark an die Beschreibung der Szene nach der Schlacht am Trasimenischen See: *inclinata denique re cum incalescente sole dispulsa nebula aperuisset diem, tum liquida iam luce montes campique perditas res stratamque ostendere foede Romanam aciem*[19].

Ebenso ist zu beachten, wie er gegenüber Polybios die Beschreibung des nebligen Schauplatzes vor der Schlacht bei Kynoskephalai ausschmückt. Polybios erzählt uns, daß „der ganze Nebel von den Wolken sich auf die Erde senkte, so daß die zunehmende Dunkelheit es unmöglich machte, die Hand vor den Augen zu sehen"; demgegenüber berichtet Livius in seiner phantasievollen Version: *sed tam densa caligo occaecaverat diem, ut neque signiferi viam nec signa milites cernerent, agmen ad incertos clamores vagum velut errore nocturno turbaretur*[20].

Geschickte Wortwahl ist für das Bemühen um eine solche bildhafte Wirkung bezeichnend. Wo Polybios erzählt, daß die Ätoler ein Friedensangebot *hohnlachend ablehnen*, veranschaulicht der Satz des Livius *clam mussantes carpebant* ganz lebendig (wenn auch ungenau) das Wesen des Volkes, das er fortwährend als

[17] Vgl. z. B. 31, 3, 5; 35, 5; 39, 8; 41, 10; 32, 22, 1; 33, 46, 8.

[18] 33, 8, 9: *iacentibus ibi paucis armis corporibusque hostium* ..., und Pol. 18, 24, 3: ... ἐρήμους κατέλαβε τοὺς ἄκρους.

[19] 22, 6, 9.

[20] 33, 7, 2; Pol. 18, 20, 7.

untauglich und nörgelnd bezeichnet[21]. An einer anderen Stelle berichtet uns Polybios, daß während der römischen Invasion von Gallograecia im Jahre 189 einige Priester des Kybelekultes zu Manlius Vulso kamen und sagten (φάσκοντες), daß die Göttin einen römischen Sieg geweissagt habe. In dem Bericht des Livius heißt es, daß sie die Botschaft sangen, *vaticinantes fanatico carmine*[22]. Am eindrucksvollsten ist vielleicht die Livianische Beschreibung des Galliers, der den Zweikampf mit Manlius Torquatus austrug. Der herkömmlichen Darstellung nach, wie sie durch Claudius Quadrigarius vertreten ist, ist er nackt *(nudus)*, doch Livius schmückt ihn mit schimmernden Gewändern und glänzenden Waffen – *versicolori veste pictisque et auro caelatis refulgens armis*[23].

Derartige Vergleiche mit dem Quellenmaterial, das von Livius ausgeschmückt worden ist, zeigen am besten, wie sehr er sich immer wieder um ἐνάργεια bemüht hat. Ein zweites Merkmal, das uns ein solcher systematischer Vergleich erkennen läßt, ist seine Technik der Straffung (συντομία). Natürlich hatte er sich selbst feste Grenzen für seine Geschichtsschreibung gesetzt, denn er erklärte es als seine Absicht, alles fortzulassen, was nicht zu den römischen Angelegenheiten gehöre; er spricht von dem Plan *(propositum), quo statui non ultra attingere externa, nisi qua Romanis cohaererent rebus*[24].

Er hält sich freilich nicht ganz konsequent an diese Regel. Wenn ein Ereignis von außergewöhnlich menschlichem Interesse eintritt oder ein anderes die Feinde Roms in ein zweifelhaftes Licht rückt, kann er nicht umhin, es aufzunehmen. So berichtet er die Verhältnisse, die zu Philopoemens Tod geführt haben, im Hinblick auf den Ruhm des Helden und die merkwürdigen Umstände; aus einem ähnlichen Grund werden die unglaubwürdigen Abenteuer des Masinissa vor der Ankunft des Scipio Africanus in Afrika wegen ihres dramatischen und abenteuerlichen Inhalts mit aufgenommen; ebenso wird das Heldentum der Theoxena, die mit Mann und Kindern versuchte, den Macedoniern zu entkommen und nach

[21] 33, 31, 1; Pol. 18, 45, 1: κατελάλουν τὸ δόγμα.

[22] 38, 18, 9; Pol. 21, 37, 5.

[23] Die Version des Claudius findet sich bei Gell. 9, 13. [vgl. hier S. 376].

[24] 39, 48, 6; vgl. 8, 24, 18; 33, 20, 13.

Euboea zu gelangen, ausführlich geschildert – eine Erzählung, die in Ausdrücken menschlichen Leidens wieder einmal die schwere Bedrohung durch die Macedonier veranschaulicht, vor die sich Rom gestellt sieht[25].

Bei seiner Beschreibung auswärtiger Angelegenheiten, die für römische Interessen von Belang waren, greift Livius die Themen aus Ereignissen oder Diskussionen heraus, die für seine Leser von größerem Interesse waren. In seiner Schilderung des Besuches der Gesandschaften aus Elea und Epirus bei Antiochus behandelt Polybios beispielsweise beide fast gleich ausführlich; Livius geht mit ein paar Worten über die Eleaten hinweg und widmet den Epiroten eine längere Darstellung, wahrscheinlich weil ihr Staat Rom geographisch näher liegt[26].

Diese Technik der Straffung steht bei Livius ganz offensichtlich im Zusammenhang mit seiner dramatischen Darstellungsform. In der Beschreibung der Unterredung zwischen den Römern und Antiochus in Lysimacheia im Jahre 196 bemüht er sich, die Aufmerksamkeit auf die gegensätzlichen Reden der beiden Parteien zu konzentrieren. Dabei erwähnt er beispielsweise mit keinem Wort die Äußerungen der Gesandten von Smyrna und Lampsacus, die den wichtigsten Reden folgten. Wenn er sie mit aufgenommen hätte, wäre die Aufmerksamkeit des Lesers von dem Zusammenstoß der Hauptgegner und von dieser Atmosphäre unerbittlicher Feindschaft abgelenkt worden, die er bei der Beschreibung solcher Unterredungen zu erreichen sucht[27].

Vor allem im Aufbau seiner „Einzelerzählungen“[28] findet sich die Straffung seiner Quellen aus künstlerischen Gründen; denn er hebt

[25] 39, 49–50; 29, 30 ff.; 40, 4.

[26] 36, 5; Pol. 20, 3; s. auch 37, 25, 9, wo Livius den Pleuratus von Illyrien überhaupt nicht erwähnt und die Erläuterung auf Masinissa ausdehnt, der seinen Lesern besser bekannt war (anders Pol. 21, 11, 1 (die Quelle), wo beide erwähnt werden). Genau die gleiche Technik findet sich 37, 53, 21 f. (Pol. 21, 22, 2–5).

[27] 33, 39 f.; Pol. 18, 50–2. (Ein ähnliches Beispiel für eine Verhandlung, die symbolisch für nationale Feindschaft steht, vgl. 31, 18, 1–4 und den Kommentar von A. H. McDonald, PCA (1938), 25.)

[28] Vgl. Walsh a. a. O. 178 f.

ein besonderes Ereignis dadurch hervor, daß er alle Begebenheiten, die unmittelbar vorher oder nachher liegen, zusammenfaßt oder fortläßt. Außer diesem allgemeinen Ziel findet sich die Technik der συντομία auch in den verschiedenen Arten von allgemeinen Erzählungen. Wir werden sehen, wie Livius beispielsweise bei Darstellungen von Truppenbewegungen den Quelleninhalt abkürzt, ohne daß er an Klarheit verliert, oder wie er wiederum in Dialogszenen alle Themen wegläßt, die den klaren Fortgang der Diskussion aufhalten[29].

Ein anderes literarisches Prinzip, das Livius immer wieder vorschwebt und das er als hellenistisches Formprinzip übernommen hat, ist das Bemühen um Verdeutlichung (Anschaulichkeit = σαφήνεια)[30]. Er versucht immer wieder, geographische oder historische Gegebenheiten, örtliches Brauchtum oder wenig bekannte Ausdrücke zu verdeutlichen, deren Kenntnis seine Quelle beim Leser voraussetzte. Besonders häufig sind Einschübe mit geographischen Details, die die Topographie von Schlachten, Städten und besonderen Naturmerkmalen verdeutlichen[31]. An anderer Stelle finden wir beiläufig historische Informationen; bei der Erörterung der Ereignisse im Gebiet von Amphilochia und der Doloper im Jahre 189 berichtet er von dortigen Geschehnissen aus jüngster Zeit – Nachrichten, für die sich keine Anhaltspunkte in seiner Quelle finden[32]. In seinem Bericht über den Kampf mit den Samniten schildert er die Lage von Palaeopolis und die Abstammung seiner Einwohner[33]. Er achtet sorgsam darauf, griechische Spezialausdrücke wie *hemerodromos* und *apocletoi* zu erklären[34]. Er zeigt ein verständiges Interesse bei der Verdeutlichung der Verfahrensweise in den Stadträten und Versammlungen wie bei seiner Beschreibung des Einzugs von Attalus in Athen. Polybios ist hier verworren; er behauptet, daß die Athener dem König unmittelbar bei seiner Ankunft außer-

[29] Vgl. Walsh, Kap. VIII.
[30] Vgl. Walsh a. a. O. 38.
[31] Vgl. Walsh a. a. O. 156 f.
[32] 38, 3, 4.
[33] 8, 22, 5.
[34] 31, 24, 4; 35, 34, 2.

gewöhnliche Ehren zukommen ließen, bevor die Versammlung zusammentrat. Livius überträgt die Zeremonie auf einen späteren Zeitpunkt der Handlung, als der Empfang des Königs in den Straßen vorbei war; die Privilegien werden in der Volksversammlung verliehen, dem richtigen Ort für die Übertragung solcher Ehren[35]. Eine ähnliche Verdeutlichung eines Verfahrens erreicht Livius in seinem Bericht von der Wahl des Boeotarchen Brachyllas im Jahre 196[36].

Das andere Hauptprinzip, das Livius bei der Bearbeitung seiner Quellen beachtet hat, ist die Glaubwürdigkeit der Erzählung (πιθανότης). Dies betrifft eher den Historiker Livius als den Schriftsteller, und wir brauchen uns daher hier nicht damit aufzuhalten.

Wie Livius als Schriftsteller an seine Themen herangeht, läßt sich also folgendermaßen zusammenfassen: Er benutzt eine Hauptquelle, gliedert sie neu und fügt neues Material hinzu, um mehr dramatische Wirkungen zu erzielen. Den weniger interessanten Stoff kürzt er oder läßt ihn fort, wobei ihm das Ziel seines Werkes und die Interessen seiner Leser als Kriterium dienen. Dann versucht er zu diesen literarischen Bemühungen um ἐνάργεια und συντομία noch die Pflichten des Historikers zur σαφήνεια und πιθανότης zu erfüllen. Die literarischen Methoden bei den verschiedenen Arten von Einzelerzählungen können nun im Lichte dieses allgemeinen Verfahrens untersucht werden.

Die Darstellungsprinzipien

I

In der antiken Kriegsführung und besonders in offensiven Unternehmungen, wie Rom sie in Übersee durchführte, gehörten Belagerungen und Blockaden zu fast jedem Kriegszug. Für einen Historiker wie Livius, dessen Ziel es nicht nur war, seine Leser zu belehren, sondern sie auch zu fesseln, stellten sie ein schwieriges

[35] 31, 15, 6; Pol. 16, 25, 8; 26, 1.

[36] 33, 27, 8; Pol. 18, 43, 3. Für andere Beispiele von σαφήνεια s. H. Nissen, Kritische Untersuchungen, 74 f.

Problem dar; denn wenn die Angriffsmethode nicht gerade ungewöhnlich oder irgendein anderes Merkmal charakteristisch war, mußte die Erzählung stereotyper Unternehmungen sehr schnell monoton werden. Livius löst das Problem durch das übliche Hilfsmittel, die Aufmerksamkeit auf die Belagerten zu konzentrieren. Somit nutzt er die Gelegenheit zu psychologischer Beobachtung, die in seinen Werken so auffallend ist, und hiermit demonstriert er ganz besonders seine Verwandtschaft mit der „tragischen" Betrachtungsweise, die in hellenistischer Geschichtsschreibung so sehr beliebt war. Dies sollte nicht als bloße Sensationslust gedeutet werden; der wachsende humanitäre Geist des augusteischen Zeitalters spiegelt sich, wie im Athen Menanders, in dieser Betrachtungsweise wider, die die Rührung des Lesers hervorrufen soll. Da Livius den Mut, die Qual, die Unsicherheit und die Verzweiflung der Belagerten stark hervorhebt, kann er größtenteils die technischen Vorrichtungen, die beide Parteien benutzen, außer acht lassen. Solches Desinteresse an der Belagerungsmaschinerie verringert den historischen Wert seiner Erzählung, wie etwa bei der Belagerung von Syrakus[37], wo er die *sambucae* mit keinem Wort erwähnt, ebensowenig wie die Maschinen, die die Verteidiger benutzten, um Steine und Blei auf die angreifenden Schiffe zu schleudern, oder das Flechtwerk, das die römischen Schiffe schützte. Statt dessen soll der Leser die Gefühle und Erlebnisse der Belagerten nachempfinden, und um diese Wirkung zu erreichen, erwähnt Livius in den meisten Fällen zunächst nur sehr kurz die angreifende Partei und gibt dann einen ausführlichen Bericht über die Verteidiger, indem er besonders ihre Stimmung schildert. Seine Erzählung der Belagerung von Ilorci in Spanien durch Scipio Africanus ist hierfür ein Beispiel:

Ab hac cohortatione ducis incitati scalas electis per manipulos viris dividunt; partitoque exercitu ita, ut parti alteri Laelius praeesset legatus, duobus simul locis ancipiti terrore urbem adgrediuntur. Non dux unus aut plures principes oppidanos, sed suus ipsorum ex conscientia culpae metus ad defendendam inpigre urbem hortatur; et meminerant et admonebant alii alios supplicium ex se, non victoriam peti; ubi quisque mortem oppeteret, id referre, utrum

[37] 24, 33 ff.; Pol. 8, 4.

in pugna et in acie, ubi Mars communis et victum saepe erigeret et adfligeret victorem, an postmodo cremata et diruta urbe ante ora captarum coniugum liberorumque, inter verbera et vincula omnia foeda atque indigna passi exspirarent. Igitur non militaris modo aetas aut viri tantum, sed feminae puerique supra animi corporisque vires adsunt, propugnantibus tela ministrant, saxa in muros munientibus gerunt. Non libertas solum agebatur, quae virorum fortium tantum pectora acuit, sed ultima omnium supplicia et foeda mors ob oculos erat. Accendebantur animi et certamine laboris ac periculi atque ipso inter se conspectu. Itaque tanto ardore certamen initum est, ut domitor ille totius Hispaniae exercitus ab unius oppidi iuventute saepe repulsus a muris haud satis decoro proelio trepidarit[38]. Zweifelsohne empfindet Livius hier lebhafte Sympathie für die Belagerten, obwohl die Römer die Angreifer sind; er scheint an diesem unerwarteten Rückschlag für „die Eroberer ganz Spaniens" Gefallen zu finden. Er identifiziert sich ständig selbst mit den Verteidigern, indem er die Römer an vielen Stellen als „den Feind" beschreibt, wie etwa bei der Belagerung von Veji und von Herakleia[39]. Und wenn er die Aufmerksamkeit auf die Verteidiger lenkt, geschieht dies häufig, um ihre Stimmung zu beschreiben und nicht die Art, mit der sie Widerstand leisten. Interessant ist die Beobachtung, wie häufig das Wort *repente* in Belagerungsbeschreibungen vorkommt, womit dann hervorgehoben wird, wie plötzlich ein Anfall von Raserei und Verzweiflung nach einer Zeit entnervender Anspannung durchbricht. *Tanta enim rabies multitudinem invasit* . . ., schreibt er über die erstaunlichen Ereignisse in der Stadt Abydus nach ihrem Fall, *ut repente omnes ad caedem coniugum liberorumque discurrerent seque ipsi per omnes vias leti interficerent*[40].

Ähnliches geschah bei der Belagerung von Sagunt, als Alorcus seine Rede hielt, in der er die Kapitulation forderte: *repente primores secessione facta, priusquam responsum daretur, argentum aurumque*

[38] 28, 19, 9–15

[39] 5, 21, 12; 36, 23, 6. Andere Beispiele: 2, 17, 3; 38, 6, 6; 29, 2, etc.

[40] 31, 18, 6; s. Pol. 16, 34, 9 als Beweis dafür, daß Livius das Moment der Plötzlichkeit hineingebracht hat.

omne ex publico privatoque in forum conlatum in ignem ad id raptim factum conicientes eodem plerique semet ipsi praecipitaverunt[41]. Die Berichte des Livius über den Fall einer Stadt ähneln sich häufig sehr stark, hauptsächlich weil er denjenigen Belagerungen die größte Aufmerksamkeit widmet, die in pathetischer und psychologischer Hinsicht interessant sind. Die bekannten Erzählungen der Belagerungen von Sagunt und Abydus haben sehr viele gemeinsame Merkmale: So sagt Livius von den Abydenern, „*ad Saguntinam rabiem versi*", und es ist bemerkenswert, daß er zur Polybios-Version der Belagerung von Abydus einiges hinzugefügt hat, was die Ähnlichkeit zu dem Bericht über Sagunt noch mehr vergrößert. Polybios berichtet, daß die Abydener fünfzig auserwählte Männer in der Stadt zurückließen, die die Frauen und Kinder ermorden und alles Gold und Silber ins Meer werfen sollten, wenn die Stadt in die Hand der Feinde fiele; zu dieser Liste von Befehlen fügt Livius noch die Anweisung hinzu, soviel wie möglich private und öffentliche Gebäude zu verbrennen, genau so wie in Sagunt die Bürger der Stadt *tectis publicis privatisque, quam plurimis locis possent, ignes subicerent* (31, 17, 8) vgl. *aut inclusi cum coniugibus ac liberis domos super se ipsos concremaverunt*[42].

Noch auffallender ist die Ähnlichkeit zwischen der Einnahme von Astapa in Spanien durch den Römer L. Marcius und die von Abydus durch Philipp. In Astapa tragen die Belagerten ihre kostbarsten Besitztümer auf dem Marktplatz zusammen, lassen ihre Frauen und Kinder sich darauf setzen, werfen Holz rundherum und lassen *fünfzig Wächter* zurück (die gleiche Zahl wie in Abydus), die alles anzünden sollen, falls die Stadt fällt; sie bitten die Wächter bei den Göttern, nichts dem grausamen Hohn des Feindes zu überlassen: *His adhortationibus execratio dira adiecta, si quem a proposito spes mollitiave animi flexisset* (28, 22, 11). Auch in Abydus sind die fünfzig Auserwählten durch Eid gebunden: *praeeuntibus execrabile carmen sacerdotibus.* Nachdem die Soldaten in selbst-

[41] 21, 14, 1. Für den ähnlichen Gebrauch von *repente* und *subito* vgl. 21, 9, 1; 57, 7; 33, 26, 8; 38, 7, 7, etc.

[42] 31, 17, 8; 21, 14, 4. Vgl. Quint. 8, 3, 68 über die Angemessenheit dieses Themas in Beschreibungen von eroberten Städten.

mörderischen Angriffen auf die Römer gefallen sind, *foedior alia in urbe trucidatio erat, cum turbam feminarum puerorumque inbellem inermemque cives sui caederent et in succensum rogum semianima pleraque inicerent corpora rivique sanguinis flammam orientem restinguerent; postremo ipsi caede miseranda suorum fatigati cum armis medio incendio se iniecerunt*[43]. Hier ist die Übereinstimmung mit dem ebenso dramatischen Bericht über den Fall von Abydus sehr groß. Dies liegt nicht allein daran, daß die Einwohner „diesem Gesetz der heldenhaften Besiegten gehorchen"[44], und daß beide sehr ähnlich beschrieben werden, vielmehr ist der obskure Feldzug des Marcius in Spanien, in dem Astapa eine Episode ist, entweder von Livius oder früher in der Quellentradition mit solchen Details gefüllt worden, die aus der Polybios-Version von der Belagerung der Stadt Abydus zusammengetragen worden waren.

Die Aufzählung derartiger Einzelheiten über den Fall einer Stadt nur um der Sensation willen ist allerdings eine Ausnahme. Häufig übergeht Livius diese Topik völlig, besonders in den frühen Büchern, wie bei der Einnahme von Caenina durch Romulus: ... *urbem primo impetu cepit. Inde exercitu victore reducto* ... An anderen Stellen, wie bei dem Sturm auf Fidenae findet sich eine nüchterne Feststellung: *urbs castraque diripiuntur*. Selbst in dem dramatischen Bericht über den Fall von Veji wird der Schmerz der Frauen und Kinder nur während des Kampfes beschrieben; nach der Einnahme der Stadt werden die Plünderung und der Verkauf der Bürger lediglich erwähnt. Ein Satz, den Livius in seinem Bericht über den Fall von Victumulae benutzt, mag seine absichtliche Zurückhaltung zeigen im Gegensatz zur Sensationslust anderer Schriftsteller: *neque ulla, quae in tali re memorabilis scribentibus videri solet, praetermissa clades est*[45]. Es lohnt sich, den Aufbau der Beschreibungen von Belagerungen bei Livius genauer anzusehen. Die kürzeren Erzählungen bilden typische Beispiele von „Einzel-

[43] 28, 23.

[44] L. Catin, En lisant Tite-Live, Paris 1944, S. 102.

[45] Caenina, 1, 10, 4; vgl. 1, 11, 2; 14, 11, etc. Fidenae, 4, 34, 3; vgl. Anxur, 4, 59, 7. Veji, 5, 21, 11 ff. Victumulae, 21, 57, 14; vgl. E. Burck, Die Erzählungskunst, 206 f.

erzählungen". Der Fall von Sutrium, zweimal an einem Tag, erst an die Etrusker und dann an Camillus, beginnt beispielsweise mit der „Plusquamperfekt"-Einführung: (... *aliam in partem terror ingens ingruerat*). Die zentrale Beschreibung – die dramatische Ankunft des Camillus und die Wiedereinnahme der Stadt – wird mit einer Fülle von kurzen Sätzen, historischen Präsentia, historischen Infinitiven und mit Hilfe der „Aufteilungs"-technik *(alii ... alii)* beschrieben; die Konklusion rundet die Einzelerzählung ordnungsgemäß ab[46]. Den länger anhaltenden Belagerungen, wie bei Sagunt und Abydus, wird eine längere Beschreibung gewidmet, als sich mit einer gewöhnlichen Einzelerzählung vereinbaren läßt. Daher unterteilt Livius kunstvoll die Erzählung und schiebt Ereignisse ein, die sich nicht direkt auf die Belagerung beziehen. Nachdem er die ersten Angriffe auf Sagunt beschrieben hat, berichtet er von Besuchen römischer Gesandter erst in Spanien und dann in Karthago, wo Hanno eine lange Rede hält über die drohende Gefahr, die von Hannibal ausgeht. Es folgt ein zweiter Abschnitt über die Belagerung, in dem die Burg teilweise eingenommen wird. Darauf folgt eine Rede, die Alorcus hält und in der er die Kapitulation fordert; erst dann wird die dritte und letzte Phase der Belagerung geschildert. Durch eine solche stückweise Beschreibung wird der Leser nicht mit einer konzentrierten Schilderung des Kriegszuges konfrontiert; er wird in Spannung gehalten, während sich die Klimax in drei verschiedenen Akten entfaltet[47]. Ähnliche Wirkungen werden unter dem Einfluß von Polybios in dem Bericht über die Belagerung von Abydus erzielt, wo die Belagerung und die Einnahme durch einen Dialog getrennt werden, der zwischen Philipp und dem jungen Marcus Aemilius stattfindet[48].

Kurz, Livius strebt in seiner Beschreibung von Belagerungen, die meistenteils in Einzelerzählungen aufgeteilt sind, nach einer mehr

[46] 6, 3. Für andere Beispiele von Belagerungen, die auf diese Art konstruiert sind, vgl. 31, 23 (Chalcis), wo die zentrale Beschreibung die brennenden Gebäude, wahlloses Gemetzel, Beutemachen, Befreiung von Gefangenen und das Zerstören der Statuen des Philipp umfaßt; 32, 17, 4 ff. (Atrax); 32, 23, 4 ff. (Korinth); 36, 22, 5 ff. (Herakleia), etc.

[47] Teil I: 21, 7–9, 2; II: 11, 3–12, 3; III: 14, 1–15, 2.

[48] 31, 18; Pol. 16, 34.

dramatischen und pathetischen Behandlung dessen, was er in seinen Quellen fand. Diese Wirkung wird dadurch erreicht, daß er die Angreifer und den technischen Apparat, der angewandt wird, nicht ausführlich erwähnt; stattdessen konzentriert er die Aufmerksamkeit auf die Situation der Belagerten, wobei er die Wirkungen des Angriffs in Form von menschlichen Emotionen und Leiden umreißt und somit bei seinen Lesern jene Art von „Furcht und Mitleid" bewirkt, nach der die „tragischen" Geschichtsschreiber der hellenistischen Zeit gestrebt hatten. Doch läßt er diese psychologische Art der Betrachtung nicht in bloße Sensationslust abgleiten; denn Livius interessiert sich mehr für die Gefühle und Motive im Verhalten der Belagerten, wenn sie angegriffen werden, als für quälende Berichte über ihr späteres Schicksal durch die siegreichen Angreifer.

II

Die Lücken, die sich in der Regel in den Schlachtberichten des Livius finden, sind schon beschrieben worden[49]. Sie lassen sich teilweise auf die Unzulänglichkeit des annalistischen Quellenmaterials zurückführen; doch sie haben ihren Grund auch darin, daß wissenschaftliche Abhandlungen über die Kriegsführung von den Römern als nicht zur *historia* gehörig angesehen wurden. Livius strebt danach, einen klaren, unkomplizierten Bericht zu geben, wobei er sich Ciceros Vorschriften über den chronologischen Ablauf, die topographischen Erläuterungen und die strategischen Erklärungen zu eigen macht. In der Abfolge der Ereignisse oder der angewandten Taktiken darf nichts unklar bleiben. Abgesehen von dieser grundsätzlichen Forderung nach Klarheit bemüht sich Livius, das Interesse des Lesers zu wecken, indem er außergewöhnliche Merkmale, wie sie einen besonderen Konflikt kennzeichnen, hervorhebt, indem er versucht, den Verlauf einer Schlacht dramatisch zu schildern, und vor allem, indem er ständig die Stimmung der Beteiligten beschreibt – das Merkmal, das auch bei Belagerungen von so großer Bedeutung ist.

[49] S. Walsh a. a. O. Kap. VI.

Um sein vornehmstes Ziel, nämlich größtmögliche Klarheit zu erreichen, entwickelt Livius regelmäßig den Verlauf der Schlachten in Phasen mit strenger chronologischer Folge; bei groß angelegten Schlachten werden die Unternehmungen der einzelnen Abteilungen des Heeres oder der Flotte getrennt erzählt. Selbst wenn diese Abteilungen im gleichen Kampf oder gleichzeitig in verschiedene Kampfhandlungen verwickelt sind, neigt Livius dazu, sie nacheinander zu schildern, als ob sie getrennt oder zu verschiedenen Zeiten kämpften.

So ist nahezu jede Erzählung durch eine Art Standardmethode für die Anordnung von Schlachten geprägt; vor allem finden wir die Aufteilung in einzelne Phasen durch den Gebrauch von Adverbien wie *primo, mox, deinde, postremo* klar bezeichnet.

Viele dieser Berichte haben folglich den gleichen Aufbau[50]. Im ersten Stadium, dem Beginn der Kampfhandlungen, finden wir regelmäßig eine Analyse der psychologischen Reaktionen der gegnerischen Parteien: *Cunctati aliquamdiu sunt, dum alius alium, ut proelium incipiant, circumspectant. Pudor deinde commovit aciem. Pavore mutuo iniecto velut torpentes quieverunt; dein ... non diutius certamine abstinuere*[51].

Sobald die Gegner ihre Furcht überwunden haben und die Schlacht beginnt, schildert Livius das Nahen des Sieges. Bemerkenswert ist, wie häufig dieses Stadium aus der Sicht der Besiegten beschrieben wird. Dies ist eine interessante Veranschaulichung der Sympathien des Livius, die seiner Art, Belagerungen zu beschreiben, entsprechen. Auch hier gilt sein Hauptinteresse den Unglücklichen: *constituit agmen et expedire tela animosque equitibus iussis primo constanter initium pugnae excepit nec cessit; dein, cum praegravaret multitudo, cedere sensim nihil confusis turmarum ordinibus coepit; postremo, cum iam plus in mora periculi quam in ordinibus conservandis praesidii esset, omnes passim in fugam effusi sunt*[52].

Macedones et maxime omnium frequentes ad signa fuerant et diu ancipitem victoriae spem fecerunt; postremo fuga ceterorum

[50] K. Witte, RhM. 1910, 392 ff.

[51] 2, 10, 9; 33, 7, 5. Andere Beispiele 9, 32, 5; 31, 36, 7; 37, 43, 4; 40, 32, 3, etc. [52] 38, 25, 12

nudati . . . ipsi re inclinata primo rettulere pedem, deinde impulsi terga vertunt[53]. Bei vielen Gefechten wird gar nicht erst Widerstand geleistet; Panik und Flucht folgen unmittelbar auf den Angriff: *turbati extemplo tumultum primo inter se fecerunt, terga deinde vertunt, postremo abiectis armis in praecipitem fugam effunduntur*[54]. Dies sind typische Beispiele für die methodischen Grundlagen bei der Beschreibung kurzer Gefechte. Livius pflegt in längeren Schlachten die aufeinander folgenden Unternehmungen des rechten Flügels, des linken Flügels und der Mitte zu diskutieren und selbst solche Schlachten in diese Form zu pressen, die gar nicht in dieser Formation ausgetragen wurden. Diese feststehende Erzählungsform für Schlachten läßt sich auch bei seiner Beschreibung von Seeschlachten beobachten, besonders bei denen der vierten Dekade[55]; sie sind alle gleich aufgebaut, und ihre Terminologie zeigt ganz deutliche Entsprechungen. Im ersten Stadium, bei der Vorbereitung für die Schlacht, wird die feindliche Flotte (von Antiochus) jedesmal zuerst erwähnt, und zwar beginnt Livius mit Einzelheiten des linken Flügels und dann des rechten Flügels. Daraufhin beschreibt er die Reaktion der römischen oder rhodischen Flotten. Immer sind Zusammenstöße zwischen einzelnen Schiffen und kleinen Gruppen das Hauptmerkmal der Schlacht, während die entscheidende Auseinandersetzung nur notdürftig beschrieben wird. Die Betonung liegt dem Schema gemäß auf dem Mut der römischen Truppen und den größeren seemännischen Fähigkeiten der Rhodier. Das dritte Stadium, die Flucht, wird jedesmal nur kurz beschrieben und mit ähnlicher Terminologie. Es ist ziemlich deutlich, daß diese Schlachten nach einem stereotypen Muster geschrieben sind, das die Unternehmungen für den Leser leicht verständlich macht[56].

[53] 33, 15, 10. Andere Beispiele: 29, 34, 12; 34, 28, 11; 36, 9, 11; 41, 26, 3, etc.

[54] 33, 18, 18. Andere Beispiele: 6, 32, 8; 7, 8, 3; 33, 36, 11; 38, 41, 7, etc.

[55] 36, 43–5 (vor Cyssus); 37, 23–4 (vor Phaselis); 37, 29–30 (vor Myonncsus).

[56] Einige Seeschlachten vor der vierten Dekade, besonders die in 21, 49, 12 ff., 22, 19, 11 ff. und 26, 39, weisen auch einzelne der hier erwähnten Merkmale au1.

Eines der Kunstmittel, die Livius anwendet, um militärische Unternehmungen vereinfacht darzustellen, ist die Technik der „zusammenfassenden Beschreibung"; es gelingt ihm, in einer einzigen Erzählung die getrennten Beschreibungen, die seine Quelle über Truppenbewegungen der Gegner bringt, zusammenzufassen. Durch die Anwendung solcher Kurzfassung (συντομία) macht der Geschichtsschreiber es seinem Leser beiläufig möglich, beide Heere zugleich aus der Vogelperspektive zu sehen. Eine solche Technik wird in der Erzählung der Manöver vor Kynoskephalai angewandt, wie aus einem Vergleich mit Polybios hervorgeht[57]. Der Bericht des Livius ist sicher einfacher und treffender, ohne daß er irgendeine wichtige Information ausläßt, und dieser Kunstgriff läßt sich auch an anderen Stellen beobachten[58].

Klarheit um jeden Preis ist also das erste Ziel des Livius; doch ebenso bemerkenswert ist sein mutiger Versuch, jeder Schlacht eine individuelle Färbung zu geben. Dies ist der Grund für das wiederholte Auftauchen zahlreicher Motive, besonders in den frühen Teilen von *Ab Urbe Condita,* wo die Schlachten kaum eine historische Grundlage haben. Dort findet sich das Motiv der „Kavallerie, die als Infanterie kämpft", oder das Auftreten von Nebel oder Regen; dort ist die Variante des „wie ich bereits erwähnte", wo eine impulsive Truppe gegen die Wünsche ihres Führers kämpft und dann von ihm gerettet werden muß. Die angeblichen Erfahrungen des Fabius Cunctator mit seinem *magister equitum Minucius* und den Truppen, die ihm folgten, werden so auf Camillus und C. Sulpicius übertragen[59].

Das beliebteste dieser Motive ist der Zweikampf, zu dem jede Partei einen Helden auswählt und der symbolisch für den Kampf zwischen Völkern steht; denn er demonstriert, „welcher Volksstamm im Krieg überlegen ist"[60]. In Passagen, wie den Zweikämpfen zwischen Manlius Torquatus und dem Gallier oder zwischen dem

[57] Pol. 18, 19, 2 und 5; 20, 2–3; Livius 33, 6, 4–9.

[58] 27, 2, 12; 28, 14, 4 (vgl. Pol. 11, 22, 2–3); 31, 33, 8–9.

[59] 22, 29, 1 ff. (Fabius); 6, 24, 1 ff. (Camillus); 7, 14–15 (Sulpicius).

[60] 7, 9, 8: *ut noster duorum eventus ostendat, utra gens bello sit melior.*

Campaner Badius und dem Römer Crispinus[61], fügt Livius wenig erdichtetes Material hinzu; doch mit der Betonung der nationalen Besonderheiten jeder Partei durch das Medium des Zweikampfs versucht er, ihnen eine größere Bedeutung zuzumessen. An anderen Stellen, wenn eine Schlacht durch keine dieser charakteristischen Merkmale gekennzeichnet ist, greift er zur Hyperbel, um einem besonderen Kampf Einzigartigkeit zu verleihen: *quantis numquam alias ante simul copiis simul animis dimicarunt. – Raro alias tantus clamor dicitur in principio pugnae exortus*[62]. Wendungen wie *raro alias* schießen wie Pilze in solchem Überfluß aus dem Boden, daß der Geschichtsschreiber fast seine eigene Absicht zunichte macht – außergewöhnliche Merkmale in einer Schlacht werden zur Regel.

Höchst interessant ist der häufige Versuch, eine Schlacht dadurch dramatischer zu gestalten, daß eine Streitmacht aus dem Hinterhalt oder eine Entlastungstruppe am entscheidenden Punkt in die Schlacht eingreift. Dies mag als die *„deus ex machina“*-Technik bezeichnet werden, eine sehr geeignete Benennung, wenn wir uns an die Metapher des Livius über das plötzliche Auftauchen von Fabius Cunctator zur Rettung des Minucius erinnern: *Fabiana se acies repente velut caelo demissa ad auxilium ostendit*[63].

Dies ist das beliebteste dramatische Kunstmittel des Livius. In seinem Bericht von der Schlacht bei den Thermopylen beschreibt er, wie zu Beginn Cato und Flaccus mit ausgewählten Truppen losgesandt werden, um zu versuchen, den Feind in der Flanke zu umgehen. Dann läßt er ihr Vorrücken außer acht und wendet sich der Erzählung der Hauptschlacht zu – dem vorläufigen Erfolg der Truppen des Antiochus, dem späteren Vorrücken der Römer und dem darauffolgenden Stillstand. Als die Römer in einer nicht gerade beneidenswerten Position sind *(et aut incepto irrito recessissent aut plures cecidissent)*, fällt unvermittelt der siegreiche Cato den königlichen Truppen in den Rücken. Appian (der wie Livius auf Polybios zurückgreift) unternimmt in seiner Darstellung nicht den Versuch, den Verlauf der Schlacht so anzuordnen[64].

[61] 7, 10; 25, 18.
[62] 9, 39, 5; 33, 9, 2. Auch 9, 32, 9; 37, 2; 27, 49, 5.
[63] 22, 29, 3.
[64] 36, 15 ff., bes. 17, 1; 18, 8; App. Syr. 17–20.

Ein anderes typisches Beispiel einer Kampfeinheit, die in ähnlicher Weise im Rücken des Feindes auftaucht, findet sich in der Beschreibung einer Schlacht in Epirus: *Et dum aviditate certaminis provecti extra munitiones pugnant, haud paulo superior est Romanus miles et virtute et scientia et genere armorum; postquam multis vulneratis interfectisque recepere se regii in loca aut munimento aut natura tuta, verterat periculum in Romanos temere in loca iniqua nec facilis ad receptum angustias progressos. Neque impunita temeritate inde recepissent sese, ni clamor primum ab tergo auditus, dein pugna etiam coepta amentis repentino terrore regios fecisset*[65]. Dreierlei ist hier bemerkenswert. In jeder Beschreibung wird zu Beginn die Truppe im Hinterhalt nur kurz erwähnt; der Überraschungsangriff wird in Form eines Konditionalsatzes berichtet, und die Plötzlichkeit des Angriffs wird betont. Diese Merkmale tauchen wieder in der Beschreibung einer Schlacht zwischen Hannibal und Claudius Nero auf. Livius erwähnt, daß Nero einige Männer nachts in einen Hinterhalt legte, doch dann werden die *insidiae* bis zum kritischen Moment nicht weiter beachtet: *Pugnantis ... inter tumultum ac terrorem instruxisset Hannibal, ni cohortium ac manipulorum decurrentium per colles clamor ab tergo auditus metum ... iniecisset*[66]. Oder ein anderes Beispiel: Über die Anfangsstadien des Angriffs der Römer auf Locri berichtet Livius, daß die lokrische Truppeneinheit von den Römern dazu angestiftet wurde, gegen die karthagische Besatzung mitzukämpfen. Dann folgt die eigentliche Beschreibung und ihre Klimax: *oppressique forent Romani nequaquam numero pares, ni clamor ab iis, qui extra arcem erant, sublatus incertum, unde accidisset, omnia vana augente nocturno tumultu fecisset*[67].

[65] *repentino terrore* (32, 12, 4). Bei Plutarch, Flam. 4, 6, wird die Gefahr, vor der die Haupttruppe steht, viel weniger betont, und die plötzliche, rechtzeitige Ankunft der Kampfeinheit wird überhaupt nicht erwähnt.

[66] 27, 41–2 (bes. 42, 4).

[67] 29, 6, 13. E. Burck, Die Erzählungskunst, 215 f., führt viele Stellen in den frühen Büchern an, bei denen diese *Peripetie* durch die Anwendung des Konditionalsatzes erreicht wird, und vergleicht ähnliche Techniken von ἔκπληξις, wie sie Clitarchus, Duris und andere angewandt haben. Die

Diese Technik der *Peripetie,* die dadurch erreicht wird, daß die Aufmerksamkeit des Lesers auf das plötzliche Erscheinen einer im Hinterhalt liegenden oder rettenden Truppe gelenkt wird, die bisher in der Darstellung sorgfältig im Hintergrund gelassen wurde, ist in ihrer Wirkung recht filmisch. Das gilt besonders für Beschreibungen, wie die des Falles von Neukarthago an Scipio Africanus, bei dem die Verteidiger den Überraschungsangriff von der Lagune her nicht eher bemerken, *quam tela in aversos inciderunt et utrimque ancipitem hostem habebant*[68].

Der Einfluß von Cäsars Commentarii ist für eine andere Methode bemerkenswert, mit der Livius seine Schlachtenberichte dramatischer zu gestalten versucht. Fast immer vermeidet Cäsar es, die Einzelheiten der Befehle mitzuteilen, die an untergeordnete Führer oder einzelne Truppenteile ergehen. Mit einem Satz wie: *Caesar iussit* ... oder *Caesar necessariis rebus imperatis ad cohortandos milites* ... *decucurrit,* geht er direkt über zum Bericht über die eigentlichen Kampfhandlungen, durch deren Verlauf ersichtlich wird, wie die Befehle gelautet haben. Offensichtlich bekommt eine solche Erzählung mehr Lebendigkeit, wenn der Plan des Feldzuges dem Leser verborgen bleibt[69]. Livius macht ab und zu Gebrauch von diesem Kunstmittel. Beispielsweise berichtet Polybios die Methode, mit der die Einwohner von Ambracia die römischen Angreifer aus ihrem Tunnel ausräuchern sollten, in Form eines sachgerechten *Vorschlags,* den jemand macht – das heißt, auf eine Art und Weise, die man didaktisch nennen könnte. Dann erklärt er, wie das Geschehen mit dem Vorschlag übereinstimmte. Livius hat die einleitende Schilderung des Vorschlags vermieden und beschreibt das Geschehen, wie es tatsächlich vor sich ging; dadurch

Stellen bei Livius: 2, 47, 3 und 8; 48, 5; 50, 10; 51, 2; 56, 14; 3, 1, 4; 5, 8 etc. R. Jumeau, Rev. Phil. (1939), 41, zitiert drei Beispiele aus 30, 18 und behauptet, daß diese Formel des Konditionalis aus einer annalistischen Quelle abgeleitet wurde. Dies ist eine unwahrscheinliche Behauptung, denn das Kunstmittel wird unabhängig von der jeweiligen Quelle angewandt.

[68] 26, 46, 5.

[69] C. E. Moberlys Anmerkung zu Bell. Civ. 3, 62, 3 (Oxford 1925) weist auf diesen Punkt hin.

wird seine Version lebendiger als die des Polybios[70]. Genau der gleiche Unterschied ist in ihren beiden Darstellungen zu beobachten, die davon erzählen, wie Scipio Africanus mit der Meuterei seiner Truppen in Spanien fertig wird. Polybios berichtet von Scipios Befehlen an die nichtmeuternden Truppen in Neukarthago. Sie sollen ihr Gepäck vor Morgengrauen aus der Stadt bringen, bei Tagesanbruch herausmarschieren und die Ausgänge versperren, um zu verhindern, daß irgendeiner der Meuterer die Stadt verlassen kann. Livius hingegen beschreibt nur das Geschehen[71].

Durch solche Methoden versucht Livius, dem überlieferten Bericht größere Dramatik zu verleihen. Vor allem in seiner Beschreibung von Kriegszügen versucht er, „tragische" Wirkungen dadurch zu erzielen, daß er das Interesse und die Sympathie des Lesers für die Gedanken und die Gefühle der Streitenden weckt, besonders wenn sie eine Niederlage und Demütigungen erleiden müssen. Typisch ist sein psychologisches Porträt der Römer, als sie gezwungen waren, sich nach der Katastrophe in der Nähe von Caudium dem samnitischen Joch zu unterwerfen: *Alii alios intueri, contemplari arma mox tradenda et inermes futuras dexteras obnoxiaque corpora hosti; proponere sibimet ipsi ante oculos iugum hostile et ludibria victoris et vultus superbos et per armatos inermium iter, inde foedi agminis miserabilem viam per sociorum urbes, reditum in patriam ad parentes, quo saepe ipsi maioresque eorum triumphantes venissent: se solos sine vulnere, sine ferro, sine acie victos; sibi non stringere licuisse gladios, non manum cum hoste conferre; sibi nequiquam animos datos*[72].

Zusammenfassend läßt sich sagen: die Erzählungen des Livius von Schlachten und Kriegszügen sind so geschrieben, daß sie den nicht sachverständigen Leser ansprechen. So werden die Feinheiten der Strategie und Taktik zugunsten einer klaren und leicht zu verfolgenden Darlegung geopfert. Darüber hinaus wird das Interesse des Lesers durch einzigartige oder auffallende Merkmale und

[70] 38, 7; Pol. 21, 28.

[71] 28, 26, 11 f. Pol. 11, 27, 1 f. Als ein weiteres Beispiel vgl. 25, 9, 10, dazu Pol. 8, 28, 1.

[72] 9, 5, 8–10.

durch dramatische Wirkungen geweckt. Vor allem befaßt Livius sich besonders stark mit psychologischen Erwägungen – die Freude, der Mut und die Entschiedenheit der Sieger, die Niedergeschlagenheit, Angst und Wut der Besiegten –, und diese spielen eine entscheidend wichtige Rolle in seiner Konzeption von der Kunst eines Geschichtsschreibers.

1. Mit Genehmigung des Verlages B. G. Teubner, Stuttgart, entnommen aus: Richard Heinze, Die augusteische Kultur, 1930, S. 97–102 (vorher als Vortrag 1918). 2. Mit Genehmigung des Verlages Kröner, Stuttgart, entnommen aus: Karl Büchner, Römische Literaturgeschichte, 1957, S. 361–365.

LIVIUS UND CLAUDIUS QUADRIGARIUS

Die Texte

[Ein Vergleich zwischen Livius und seinen unmittelbaren annalistischen Vorgängern ist bekanntlich bei dem schlechten fragmentarischen Erhaltungszustand der römischen Annalistik kaum möglich. Denn wenn wir auch durch vorsichtige Analyse des Livius selbst, des Dionys von Halikarnaß und anderer Benutzer der römischen älteren oder jüngeren Annalistik in der Lage sind, gewisse Tendenzen der einzelnen Autoren zu erkennen, so sind wörtliche Fragmente fast überhaupt nicht auf uns gekommen. Nur aus Claudius Quadrigarius hat uns Gellius in seinen Noctes Atticae zwei Abschnitte von etwas größerem Umfang erhalten: den Kampf des Manlius Torquatus mit einem Gallier (9, 13, 4 ff. = fgm. 10^b, HRR, Peter) und den Zweikampf des Maximus Valerius Corvinus gegen einen gallischen Führer (9, 11 = fgm. 12, HRR, Peter). Es ist lohnend, eines der beiden Fragmente mit der Darstellung des Livius (7, 9, 6–10, 14; 7, 25, 13–26, 13) zu vergleichen, da sich dabei entscheidende Züge der livianischen Darstellungskunst unschwer erkennen lassen.

Ich lege zwei Interpretationen vor, bei denen ich auf die von beiden Verfassern gegebene deutsche Übersetzung verzichte, dafür aber den lateinischen Wortlaut des Claudius Quadrigarius und Livius voranschicke. – Anm. d. Hrsg.]

Claud. Quadr. fgm. 10^b: *Cum interim Gallus quidam nudus praeter scutum et gladios duos torque atque armillis decoratus processit, qui et viribus et magnitudine et adulescentia simulque virtute ceteris antistabat, is maxime proelio commoto atque utrisque summo studio pugnantibus manu significare coepit utrisque, quiescerent, pugnae facta pausa est. extemplo silentio facto cum voce maxima conclamat, si quis secum depugnare vellet, uti prodiret. nemo audebat propter magnitudinem atque inmanitatem facies. deinde Gallus inridere coepit atque linguam exertare. id subito perdolitum est cuidam Tito Manlio, summo genere gnato, tantum flagitium civitati accidere, e tanto exercitu neminem prodire. is, ut dico, processit neque passus est virtutem Romanam ab Gallo turpiter spoliari. scuto pedestri et gladio Hispanico cinctus contra Gallum constitit. metu magno ea congressio in ipso ponti utroque exercitu inspectante facta est. ita, ut ante dixi, constiterunt: Gallus sua disciplina scuto proiecto cantabundus, Manlius animo magis quam arte confisus scuto scutum percussit atque statum Galli conturbavit. dum se Gallus iterum eodem pacto constituere studet, Manlius iterum scuto scutum percutit atque de loco hominem iterum deiecit: eo pacto ei sub Gallicum gladium successit atque Hispanico pectus hausit, deinde continuo humerum dextrum eodem concessu incidit neque recessit usquam, donec subvertit, ne Gallus impetum icti haberet. ubi eum evertit, caput praecidit, torquem detraxit eamque sanguinulentam sibi in collum inponit. Quo ex facto ipse posterique eius Torquati sunt cognominati.*

Liv. 7, 9, 6: *Dictator cum tumultus Gallici causa iustitium edixisset, omnes iuniores sacramento adegit ingentique exercitu ab urbe profectus in citeriore ripa Anienis castra posuit. Pons in medio erat, neutris rumpentibus ne timoris indicium esset. Proelia de occupando ponte crebra erant, nec qui poterentur incertis viribus satis discerni poterat. Tum eximia corporis magnitudine in vacuum pontem Gallus processit et quantum maxima voce potuit ‚quem nunc' inquit ‚Roma virum fortissimum habet, procedat agedum ad pugnam, ut noster duorum eventus ostendat, utra gens bello sit melior'. Diu inter primores iuvenum Romanorum silentium fuit, cum et abnuere certamen vererentur et praecipuam sortem periculi petere nollent; tum T. Manlius L. filius, qui patrem a vexatione tribunicia vindicaverat, ex statione ad dictatorem pergit; ‚iniussu tuo' inquit, ‚imperator, extra ordinem nunquam pugnaverim, non si certam victoriam videam: si tu permittis, volo ego illi beluae ostendere, quando adeo ferox praesultat hostium signis, me ex ea familia ortum, quae Gallorum agmen ex rupe Tarpeia deiecit.' Tum dictator ‚macte virtute' inquit ‚ac pietate in patrem patriamque, T. Manli, esto. Perge et nomen Romanum invictum iuvantibus dis praesta'. Armant inde iuvenem aequales; pedestre scutum capit, Hispano cingitur gladio ad propiorem habili pugnam. Armatum adornatumque adversus Gallum stolide laetum et – quoniam id quoque memoria dignum antiquis visum est – linguam etiam ab inrisu exserentem producunt. Recipiunt inde se ad stationem; et duo in medio armati spectaculi magis more quam lege belli destituuntur, nequaquam visu ac specie aestimantibus pares. Corpus alteri magnitudine eximium, versicolori veste pictisque et auro caelatis refulgens armis; media in altero militaris statura modicaque in armis habilibus magis quam decoris species; non cantus, non exsultatio armorumque agitatio vana, sed pectus animorum iraeque tacitae plenum; omnem ferociam in discrimen ipsum certaminis distulerat. Ubi constitere inter duas acies tot circa mortalium animis spe metuque pendentibus, Gallus velut moles superne imminens proiecto laeva scuto in advenientis arma hostis vanum caesim cum ingenti sonitu ensem deiecit; Romanus mucrone subrecto cum scuto scutum imum perculisset totoque corpore interior periculo volneris factus insinuasset se inter corpus armaque, uno alteroque subinde ictu ventrem atque inguina hausit et in spatium ingens ruentem porrexit hostem. Iacentis inde corpus ab omni alia vexatione intactum uno torque spoliavit, quem respersum cruore collo circumdedit suo. Defixerat pavor cum admiratione Gallos: Romani alacres ab statione obviam militi suo progressi, gratulantes laudantesque ad dictatorem perducunt. Inter carminum prope modo incondita quaedam militariter ioculantes Torquati cognomen auditum; celebratum deinde posteris etiam familiae honori fuit. Dictator coronam auream addidit donum mirisque pro contione eam pugnam laudibus tulit.*

1. *Interpretation*

Von Richard Heinze

Der Unterschied der Erzählungen springt in die Augen. Neu ist bei Livius zunächst der dramatische Aufbau der Erzählung: der erste Höhepunkt die Herausforderung des Galliers: dann Retardation der Handlung durch den Gang des Manlius zum Diktator; weiter die Spannung gesteigert durch die Schilderung der Vorbereitungen; stark herausgearbeitet der Kontrast zwischen äußerer und innerer Haltung der Gegner; der Kampf selbst keine Reihe von Einzelheiten, sondern einheitlich konzentriert; das Finale in dem triumphierenden Geleit des Siegers. Alles in Handlung umgesetzt: keine Schilderung der Bewaffnung, sondern Erzählung des Wappnens; auch der Name Torquatus nicht als trockene Notiz hinzugefügt, sondern vor unseren Augen gleichsam entstehend. Bereicherung der Handlung durch Einfügung des Diktators, der zweimal mit der vollen Autorität des Führers auftritt; durch die Hereinbeziehung der Kameraden des Manlius als handelnde Personen; auch die Gallier verlieren wir nicht aus dem Auge: eine bewegte Szenenfolge spielt sich wie auf der Bühne anschaulich vor uns ab.

Gemildert sind die Züge alter Derbheit und Roheit: Manlius schlägt dem toten Feinde nicht das Haupt ab, um zu der Halskette zu gelangen, und wenn sich Livius entschließt, die bleckende Zunge des Galliers zu erwähnen, so entschuldigt er das gleichsam, indem er die Verantwortung den „Alten" zuschiebt. Pathetische Steigerung, vor allem erzielt durch die Schilderung des Eindrucks, den die Geschehnisse auf die Zuschauer machen und der nun auf den Leser übergreift – und psychologische Bereicherung: Manlius nicht nur tapfer, sondern auch *pius;* in ihm lebt der Stolz des alten Geschlechts; er ist kein blinder Draufgänger, sondern wohldisziplinierter römischer Soldat, der nicht ohne die Erlaubnis des Führers handelt; und weil es die Gefechtsdisziplin nicht erlaubt hätte, daß eine kämpfende Truppe auf Zeichen und Rufe eines Feindes hin den Kampf abbricht, darf sich der Zweikampf nicht, wie bei Claudius, aus einem Gefecht entwickeln. Damit gewinnt aber die ganze Erzählung auch eine moralische Bedeutung: Manlius ist der Spiegel echtrömischer Größe, kühn und besonnen, tapfer, ehrliebend und gehorsam zugleich, und sein Sieg bedeutet, wie es der Gallier in seiner Herausforderung sagte, die Überlegenheit des durch solche Tugenden groß gewordenen römischen Volks über die Barbaren.

2. *Interpretation*

Von Karl Büchner

Man ermißt das unwahrscheinlich schnelle Tempo der geistigen Entwicklung dieser Jahre, wenn man diesen Text (des Claudius Quadrigarius) mit einem Stück ciceronischer Prosa oder hier mit einem Stück Livius vergleicht. Claudius Quadrigarius ist noch fast archaisch, gewöhnliche Wörter, von der Sache her bestimmt, nicht selten Flickwörter ohne besondere Prägnanz wie das unbedenklich wiederholte „machen", das Fehlen der Periodik, im Aufbau – merkwürdig, aber wohl Zufall, daß das Geschehen in fünf Akte zerfällt – eine genaue Artikuliertheit, die umständlich durch Wiederholung des erreichten Schrittes unterstrichen wird (Typ: das geschah ... als das geschehen war), in der Gedankenführung der Bezug auf ein nicht entwickeltes, sondern vor dem Geiste stehendes Ganzes, auf das man sich mit *ut dixi* berufen kann, obwohl man es noch nicht ausgesprochen hat, in der menschlichen Haltung schließlich der Sinn für das Grausige, für profilierte Realität, für das Technische, für gerade und primitive Affekte, alles ist charakteristisch für das Vorbild, aus dem Livius seine Erzählungen genommen hat.

Zunächst merkt man, daß Livius für ein anspruchsvolleres Publikum schreibt, anspruchsvoller auch in Hinsicht auf Wahrscheinlichkeit. Da ist die freie Brücke, auf der der Gallier in der Tat das Ohr beider Heere hat, da wird der Sieg nicht durch die Kampfwut und nach zweimaligem Versuch errungen, sondern durch die beherrschte Taktik und die praktische, gute römische Waffe, die auch über so ungeschlachte Riesen den Sieg geben – wie sich so oft in den Germanenkämpfen gezeigt hat. Da werden die barbarischen, grellen Züge gestrichen oder umgebogen, es wird reflektiert erzählt; das Herausstrecken der Zunge wird als eine Kuriosität, wie eben in der Vorlage gegeben, entschuldigt: es ist eben die alte Art zu erzählen. Am Schluß wird stillschweigend gegen Quadrigarius polemisiert, möglicherweise auf Grund einer anderen Quelle: es wird ausdrücklich gesagt, daß die Leiche nicht angetastet wird. Das war eines Römers nicht würdig. Mit solchen Mitteln wie Kopfabschneiden, die noch auf Kosten des Römerbildes gehen, macht Livius keine

Effekte. Da gibt es weiter keine direkten, ungebrochenen Gefühle und Leidenschaften, und vor allem keine, die der Römer als verwerflich ansehen müßte. Wenn schon eine Heldentat erzählt werden sollte, sollte man sich ohne Mißklang an ihr erfreuen können.

Als der Gallier vortritt, herrscht nicht die blasse Furcht. Das Schweigen ist anders zu erklären: man schwankt, man hat so viel Anstand, daß man nicht ablehnt, aber jeder scheut sich, in frevlem Übermute die Gefahr herauszufordern. Das *odium* der freiwilligen Meldung läßt sie zögern, auf Befehl wäre natürlich jeder gegangen. Und daß Manlius sich entscheidet, geschieht nicht aus plötzlichem Zorn, aus Schmerz und Wut über die Schmach, wohl gar über das Herausstrecken der Zunge. Es ist gewiß die Verantwortung für die Ehre des römischen Volkes und Familienstolz mit im Spiele, vor allem aber ist es beherrschtes, selbständiges Pflichtbewußtsein, das ihn die notwendige Initiative ergreifen läßt. Entsprechend erbittet er beherrscht vom Feldherrn unter Hinweis auf die verpflichtenden Taten seiner Familie erst die Erlaubnis zu kämpfen. Die zuschauenden Heere, vor allem die Römer, haben gleichfalls nicht einfache Angst. Sie schwanken zwischen Hoffnung und Furcht. Das darf und muß man als Römer: denn im Kriege ist jeder Ausgang ungewiß. – Auch zum Schluß wird wieder – für Claudius ist das uninteressant – die innere Reaktion der Zuschauer berichtet: Die Gallier sind erstarrt vor Bewunderung und Schrecken, die Römer sind beschwingt, scherzen, loben, beglückwünschen, der Beiname wird in diesen Scherzgesängen geboren. Das Ganze ist also in einem abgeschlossenen und abgerundeten, sehr differenzierten Gefühlsablauf in den Seelen der Menge widergespiegelt.

Demgegenüber tritt das Faktische zurück. Es wird mit einem Satze abgemacht, allerdings einer langen livianischen Periode, die den Unterschied zwischen dem kernigen Römer in seiner soliden Kraft und dem ungeschlachten, schwerfälligen Riesen herausarbeitet.

Der größte Unterschied aber besteht darin, daß bei Claudius der Kampf eine persönliche Heldentat ist, edlem Zorne entsprungen, ohne weitere Folgen als einen Beinamen. Bei Livius steht alles im größeren Zusammenhange. Die Kräfte sind noch ungewiß, man bekommt die Brücke, die symbolische Bedeutung erhält, nicht in die Hand. Da zieht der Gallier, der herausfordernd auftritt, die Folgerung aus der Lage: der Tapferste aus jedem Heer soll hervortreten, damit man sieht, welches Volk kriegstüchtiger ist. Es geht um viel mehr als bei Claudius, Manlius ist Träger der Ehre und Verteidiger der *virtus* des römischen Heeres. Darum wird bei Livius in der Hauptsache und differenziert entfaltet, was bei Claudius nur implizite in der Geschichte verborgen lag. Gewiß war es auch dort ein Kampf gegen den prunkenden und eitlen Hünen. Aber erst bei Livius wird es ein Kampf zwischen Barbar und diszipliniertem Römer. Da der Gallier, ein Riese – hier steigert Livius und man kann sehen, weshalb –, prahlend, dumm, üppig, geschmückt mit eitlem Tand, unbeweglich und auf die bloße Kraft vertrauend, hier der Römer, dem Feldherrn gehorsam, ohne Wert auf das Aussehen zu legen, unscheinbar, aber kernig, den Göttern vertrauend, die der Feldherr für ihn gnädig stimmt, für die Ehre des römischen Namens nur herausgefordert kämpfend, mit seiner schlichten, aber handlichen Waffe, die sich dann im Kampfe bewährt, edel und maßvoll im Siege, nur eine Erinnerung an die Tat mitnehmend. So ist bei Livius aus dem schreienden Bravourstück des Claudius ein Gemälde in gedämpften Farben geworden, ein Bild römischer Größe und Tapferkeit, erhebend, ohne einen Zug, der verletzen könnte.

Arnold Reichenberger, Studien zum Erzählungsstil des Titus Livius,
Diss. Heidelberg 1931, Karlsruhe: Buchdr. Malsch & Vogel. S. 23–29.

DIE CORIOLAN-ERZÄHLUNG

Von Arnold Reichenberger

Großer Mangel an Getreide ist in der Stadt eingetreten (2, 34, 2); endlich ist es den Konsuln gelungen, eine genügende Menge aus Sizilien herbeizuschaffen, und man berät im Senat über die Verteilung. Viele halten die Zeit für gekommen, die plebs zu drücken und die alten Vorrechte wiederzugewinnen, besonders Marcius Coriolanus, *hostis tribuniciae potestatis. „Si annonam veterem volunt, ius pristinum reddant patribus"*, erklärt er (or. r. 34, 9). Diese Behauptung begründet er in leidenschaftlicher Rede, drei rhetorische Fragen folgen hintereinander: *„cur ego plebeios magistratus, cur Sicinium potentem video sub iugum missus, tamquam ab latronibus redemptus"?* Und so noch zwei weitere rhetorische Fragen. Er glaubt, daß dadurch allein die plebs, die durch ihre Revolution selber an der Not schuld ist, zur Arbeit auf den Feldern veranlaßt wird. *„Audeo dicere hoc malo domitos ipsos potius cultores agrorum fore quam ut armati per secessionem coli prohibeant* (34, 11)". Diese Ansicht empört natürlich die plebs (35, 1), deren Stimmung in kurzer or.obl. ausgemalt wird. Die Tribunen klagen ihn an, es gibt einen Prozeß *(diem dicere),* den Livius in nur wenigen Worten erledigt (35, 2–3). Alle Versuche, die plebs zu versöhnen, mißlingen, Coriolan erscheint nicht zur Verhandlung, und so *damnatus absens in Volscos exsulatum abiit, minitans patriae hostilesque iam tum spiritus gerens* (35, 6). Bei Attius Tullius findet er Gastfreundschaft. *Vetus odium* des einen, *ira recens* des andern lassen einen Kriegsplan gegen Rom reifen (35, 7).

Gelegentlich prunkvoller Spiele sind Volsker in großer Anzahl in der Stadt. Attius Tullius macht die Konsuln auf die Gefahr aufmerksam, die für Rom in der Anwesenheit so vieler Volsker liegt (or. r. 37, 3–7). Das Ganze stellt nichts weiter dar als eine Provokation, wie es vorher mit Coriolan ausgemacht war (37, 2). Die Folge ist, wie erwartet, daß die Volsker ausgewiesen werden und damit von der Teilnahme an dem religiösen Fest ausgeschlossen sind. Noch unterwegs sammelt Attius Tullius die Menge und spricht zu ihr, sich beklagend über die Schande, die ihnen widerfahren ist. Er spricht in erregten Worten (or. rect. 38, 2–5), abgesehen vom letzten Satz sind es lauter rhetorische Fragen. Er hetzt das Volk zum Kriege: *„bellum vobis indictum est"*, – so schließt er – *„magno eorum malo qui indixere, si viri estis"*.

Jetzt ist es dahin gekommen, wohin die Absichten und Unternehmungen des Coriolan und des Tullius gezielt haben. Der Krieg beginnt (39, 1), die Volsker unter der Führung des Coriolan stehen nach schnellen Siegen vor Rom. Aber die Masse in der Stadt ist durchaus nicht kriegslustig, und so werden drei Friedensgesandtschaften an Coriolan geschickt. Erst gewöhnliche Unterhändler *(oratores)*; sie bringen nur ein sehr kurzes *atrox responsum* mit nach Hause (39, 11 or. obl.). Auch die Priester bitten vergebens. Das wird in einem kurzen Satz erzählt. Schließlich ziehen die *matronae* mit Coriolans Mutter und Gattin, die auch die Kinder mitnimmt, zu ihm hinaus. In kluger Steigerung wird die Handlung auf ihren Höhepunkt geführt. Als Coriolan von dem *ingens mulierum agmen* hört, wird er *ut qui nec publica maiestate in legatis nec in sacerdotibus tanta offusa oculis animoque religione motus esset* (40, 3), nur noch härter (*multo obstinatior adversus lacrimas muliebres erat* 40, 4). Dann aber erkennt ein Freund Veturia, Coriolans Mutter, seine Gattin und Kinder. Er meldet es Coriolan: *„nisi me frustrantur oculi, inquit, mater tibi coniunxque et liberi adsunt"* (40, 4). Der, *prope ut amens*, stürzt der Mutter entgegen, sie zu umarmen. Und nun bricht mitten im Satz die Rede der Mutter hervor (40, 5): *Coriolanus ..... cum ferret matri obviae complexum, mulier in iram ex precibus versa, „sine, priusquam complexum accipio, sciam", inquit, „ad hostem an ad filium venerim, captiva materne in castris tuis sim"*. Aus der indirekten Frage geht sie zur direkten über. In vier Fragen macht sie ihm Vorwürfe über seine Gesinnung (6): *„In hoc me longa vita et infelix senecta traxit, ut exulem te, deinde hostem viderem? Potuisti populari hanc terram, quae te genuit atque aluit?* (7) *Non tibi, quamvis infesto* *animo et minaci perveneras, ingredienti fines ira cecidit? Non, cum in conspectu Roma fuit, succurrit: ‚intra illa moenia domus ac penates mei sunt, mater coniunx liberique‘?*“ Dann (8) kehrt sie sich gegen sich selber: *nisi filium haberem, libera in libera patria mortua essem*“. Und zum Schluß (9) erinnert sie ihn an seine Kinder, die lange Knechtschaft erwartet.

Die Handlung bricht danach rasch ab: *Uxor deinde ac liberi amplexi, fletusque ab omni turba mulierum ortus et comploratio sui patriaeque fregere tandem virum. Complexus inde suos dimittit; ipse retro ab urbe castra movit.* Dann folgt noch eine Notiz über die verschiedenen Versionen, die über das Ende des Coriolan existieren, und über ein Monument, das man den Frauen errichtet habe.

Dreimal also hatten wir direkte Rede, bevor die Handlung zum Höhepunkt geführt war. 1. Die Rede des Coriolan gegen die plebs (34, 9); sie bringt die Voraussetzungen der Entwicklung, soweit sie in Coriolan liegen, seinen Haß gegen die plebs. 2. Die Rede des Attius Tullius (37, 3–7), in der er die Senatoren vor – fiktiven – Gefahren warnt, leitet den zweiten Teil der Handlung, die Rache des Coriolan, ein und führt so die Handlung wesentlich fort. 3. Die dritte Rede endlich, die Hetzrede des Attius Tullius an die Volsker (38, 2–5), führt zu offenem Kampf. So gliedern die Reden in planvoller Verwertung die stetig ansteigende Handlung. Wir können feststellen, daß nur die eine Gruppe der an der Handlung Teilhabenden mit direkter Rede bedacht wird, während die Gegenseite, die plebs, bloß einmal spricht, ziemlich zu Anfang der Erzählung (35, 1), und da in or. obl. Dank dieser Zurückhaltung wirkt dann der spontane Ausdruck der Mutter um so mehr. Vorher haben wir ja nur einmal von der Stimmung der römischen Seite Coriolan gegenüber kurz gehört – an der eben zitierten Stelle (35, 1)[1] – und seit seiner Verbannung überhaupt nichts. Wir bewundern auch in dieser Erzählung die planvolle Komposition, die die Handlung sicher zum Höhepunkt hinzuführen weiß und von allem Unwesent-

[1] *peregrinum frumentum . . . ab ore rapi, nisi Cn. Marcio vincti dedantur tribuni, nisi de tergo plebis Romanae satisfiat; eum sibi carnificem novum exortum, qui aut mori aut servire iubeat.*

lichen absieht, auf diesem Höhepunkt verweilt und dann rasch abschließt.

Vergleichen wir nun Dionys. Bei ihm ist die Erzählung der Coriolansage mächtig ausgedehnt (7, 12–67; 8, 2–67), hauptsächlich durch Reden, aber auch durch größere Ausführlichkeit im Tatsächlichen. Doch ist auch hier die Überlieferung bei beiden Autoren in der Hauptsache die gleiche[2]. Die bestehenden Differenzen zwischen Livius und Dionys lassen sich gut erklären.

Bis zur Verbannung des Coriolan (Liv. 2, 34) stimmt Dionys zu Livius ganz genau, Dion. 7, 12–67. Auch die Anordnung ist dieselbe, nur ist bei Dionys alles so sehr ausgeschmückt, daß einem Paragraphen bei Livius ein Kapitel bei Dionys entspricht. Dion. 7, 14–19 wird der Kampf um die lex Icilia erzählt, wonach, wer eine Volksversammlung unterbricht, sich dem Volksgericht unterwerfen, oder, wenn er sich weigert, hierfür Bürgen zu stellen, am Leben gestraft werden solle. Die Geschichte ist an dieser Stelle gänzlich unmotiviert. Sie entbehrt des Zusammenhangs mit der übrigen Erzählung und steckt auch in sich voller Widersprüche[3]. Sicher hat eine Rogation dieses Inhalts stattgefunden[4], und sie war Dionys aus der Überlieferung bekannt. Ob aber Dionys selber die Rogation an dieser Stelle der Gesamterzählung eingerückt hat, oder ob ihm die Überlieferung schon so gestaltet vorlag, wage ich nicht zu entscheiden. Daß aber Dionys eine ganze Rogation erfunden haben soll, wie Peter a. a. O. S. 552 will, glaube ich nicht, Livius jedenfalls hat die Erzählung nicht berücksichtigt. Die Erzählung des Dionys 12, 21, daß Coriolan von der plebs nicht zum Konsul gewählt worden sei und daher seine Feindschaft gegen sie rühre, mag pragmatisierende Erfindung des Dionys sein. Die Rede gegen die Gewährung der annona hält Coriolan auch bei Dionys; er verbreitet sich bei Dionys in drei Kapiteln 7, 22–24, während Livius mit drei

[2] Vgl. C. Peter l. c. S. 558. Mommsen, Röm. Forschungen II, 133 kommt zu dem Ergebnis, „daß beide (s. c. Erzählungen) bei Dionys und Livius entweder aus demselben annalistischen Werk geflossen sind oder doch aus zwei Annalisten, die materiell wesentlich miteinander übereinstimmten".

[3] Vgl. Schwegler, Römische Geschichte II, 398 f., Mommsen, Röm. Forschungen II, 125. Münzer, RE. IX, 1, 854, 47 s. v. Icilius.

[4] Vgl. Schwegler, l. c.

Paragraphen 34, 9–11 auskommt. Doch besteht eine inhaltliche Berührung: Coriolan sieht die Einrichtung der plebeischen Magistrate als Knechtung seiner Person an: „*Cur ego plebeios magistratus, cur Sicinium potentem video, sub iugum missus, ... Tarquinium regem qui non tulerim, Sicinium feram?*“ Derselbe Gedanke findet sich auch bei Dion. 7, 22, 1: ὁ δῆμος ... *τυραννικὴν* ἐξουσίαν περιβαλλόμενος. Dies führt er aus und bezeichnet (§ 2) die Herrschaft der plebs als τυραννίς. εἰ δ' οὐχ ὑφ' ἑνὸς ἀνδρός, ἀλλ' ὑφ' ὅλου τυραννούμεθα δήμου, τί τοῦτο διαφέρει; Liv. 34, 12–35, 2 erzählt von den Bedenken über den Vorschlag des Coriolan, von der Empörung der plebs, von der persönlichen Bedrohung des Coriolan, ebenso Dion. 7., 25–26. Dann berichtet Livius vom Prozeß gegen Coriolan, von den *minae tribuniciae* und dem Verhalten des Coriolan, den Bemühungen des Senats, Coriolan zu halten, und von seiner Verbannung, 35, 2–5. Dieses Stück ist bei Dionys durch Reden ins Ungemessene gedehnt, 7, 27–63. Doch liegt dieselbe Tradition zugrunde. Der Satz des Coriolan bei Liv. 35, 3: *auxilii, non poenae ius datum illi potestati, plebisque, non patrum tribunos esse,* ist das Resümee des bei Dionys 7., 24 in einem ganzen Kapitel Ausgeführten. Dionys steht der Tradition näher, denn er gibt 7, 26, 3 die Namen der Aedilen, die nach Aufforderung der Volkstribunen den Coriolan greifen sollen. Dann spielt der Volkstribun Sicinius Bellutus bei Dion. 33, 1 eine Rolle, der bei Livius nicht erwähnt ist, wie überhaupt bei Dionys Coriolan nicht gleich angeklagt wird wie bei Livius, sondern erst noch c. 28–35 Volksversammlungen mit Reden des Konsuls Minucius 28–32, des oben genannten Tribunen 33,3–34,1 und Unruhen c. 35 berichtet werden.

Im folgenden Abschnitt gehen Dionys und Livius beträchtlich auseinander. Bei Dionys schieben sich Verhandlungen über das προβούλευμα des Senats ein, 38, 2–58, 2. Sie scheinen zum großen Teil Erfindungen des Dionys zu sein[5].

[5] Über die staatsrechtlichen Phantasien, die Dionys aus dem attischen Begriff des προβούλευμα herausgesponnen hat, vgl. Schwartz RE. V, 1, 940, 4 ff. Mommsen, Röm. Forschungen I, 235. Daß Dionys die Beratungen über das Recht des προβούλευμα zum Inhalt der Reden gemacht hat, ist sehr wohl möglich, vgl. Schwartz, l. c. 941, 47.

Bei der Verurteilung zur Verbannung besteht die Differenz, daß bei Livius Coriolan *absens* verurteilt wird, während er bei Dionys dabei gewesen ist (7, 64, 5; 67), was gegen den Brauch des altrömischen Kriminalrechts verstößt. Möglich, aber keineswegs sicher ist, daß Dionys hier geändert hat, um sich die Möglichkeit zu schaffen, Coriolan als Gegenredner auftreten zu lassen[6] (c. 62. 64, 3 ff.) und den Abschied des Coriolan von seiner Familie zu schildern (c. 67).

Die Ausführlichkeit seiner Darstellung, besonders die Fülle der Reden, glaubt Dionys selber vor dem Leser rechtfertigen zu müssen. Er will die αἰτία (66, 1, 2) dafür geben, wie es möglich gewesen sei, daß die Patrizier, ohne in einer Zwangslage sich zu befinden, dem Volk so große Gewalt gegeben haben, daß ein Patrizier sich vor dem Volk verantworten müsse. Καὶ ἐπειδὴ – fährt Dionys 66, 3 fort – οὐχ ὅπλοις ἀλλήλους βιασάμενοι καὶ προσαναγκάσαντες, ἀλλὰ λόγοις πείσαντες μεθήρμοσαν, παντὸς μάλιστ' ἀναγκαῖον ἡγησάμην εἶναι τοὺς λόγους αὐτῶν διεξελθεῖν, οἷς τότ' οἱ δυναστεύσαντες ἐν ἑκατέροις ἐχρήσαντο. Wir dürfen wohl damit rechnen, daß Dionys, um die αἰτίαι zu geben, viel aus Eigenem konstruiert und erfunden hat.

Hat Dionys offenbar erweitert und pragmatisiert, so läßt der Wortlaut der entsprechenden Stelle bei Livius 35, 4 noch erkennen, daß die Erzählung zusammengezogen ist: *Restiterunt tamen adversa invidia, usique sunt qua suis quisque, qua totius ordinis viribus. Ac primo temptata res est, si dispositis clientibus absterrendo singulos a coitionibus conciliisque disicere rem possent. Universi deinde processere . . . precibus plebem exposcentes, unum sibi civem, unum senatoren, si innocentem absolvere nollent, pro nocente donarent.* Denn es ist anzunehmen, daß hinter den Worten *adversa invidia, usi viribus, plebem exposcentes* reiche Einzelinhalte verborgen sind, die Livius aus seinen Quellen gewonnen hatte, aber in seiner Erzählung im Interesse straffer Handlungsführung unterdrückt. In diesem Teil der Erzählung hat also Livius

[6] So auch Mommsen, Röm. Forschungen II, 125. Ed. Schwartz, RE. V, 1, 938. Schwartz bringt als Beleg aus Dion. 8, 5 ff. Coriolans Rede über den „gerechten" Krieg.

stark gekürzt, Dionys weit ausgedehnt. Die annalistische Überlieferung hätte man sich dann, was die Ausdehnung anbetrifft, in der Mitte zwischen beiden vorzustellen.

Im folgenden Abschnitt der Erzählung, Coriolans Rache, sind ebenfalls einige wesentliche formale Unterschiede zu notieren.

In den Unterhaltungen zwischen Attius Tullius und Coriolan wird bei Dionys 8, 2 schon der Plan, die Volsker durch die Römer provozieren zu lassen, genau besprochen. Coriolan trägt ihn dem Tullius vor in or. r. (Dion. 8, 2, 3–5). Bei Liv. 35, 8, der wieder nur ganz kurz sich äußert, heißt es bloß andeutend: *arte agendum in exoleto iam vetustate odio, ut recenti aliqua ira exacerbarentur animi.* So fehlt natürlich bei Dionys 8, 3, 2 die Rede des Attius Tullius, in der dieser bei Livius 37, 3 die römischen Konsuln auf die Gefahr aufmerksam macht, die den Römern aus der Anwesenheit einer so großen Zahl von Volskern erwächst. Einen Hinweis verdient auch die Tatsache, daß es bei Dionys ein μηνυτής ist, bei Livius Attius Tullius selber, der den Römern die Gefahr weist. Livius hat vielleicht die unwesentliche Zwischenfigur ausgeschaltet. Die Hetzrede des Attius Tullius (Liv. 38, 2–6) nach der Hinausweisung der Volsker ist bei Dionys 8, 4, 2 nur referiert, nicht ausgeführt wie bei Livius. Sonst stimmen aber auch in dieser Partie die Details aufs genaueste zusammen. Die Konsuln, denen die Sache wahr scheint, berufen den Senat, bei Liv. 37, 8 = Dion. 8, 3, 3, der dann die Entfernung der Volsker beschließt. Herolde verkünden, daß die Volsker die Stadt zu verlassen haben (Liv. 37, 8 = Dion. 8, 4, 1).

Zu Feldherrn werden *de omnium populorum sententia* Attius Tullius und Cn. Marcius bestimmt (Liv. 39, 1). Dionys gibt eine weitausholende Rede Coriolans vor den Volskern, in der er seinen Entschluß Rom zu verlassen motiviert und dann Ratschläge für die Politik gegenüber den Römern erteilt (8, 5, 2–8). Gesandte werden geschickt, die die Auslieferung des von den Römern eroberten volskischen Gebiets verlangen sollen, sie erhalten aber eine abschlägige Antwort von den Römern (Dion. 8, 10, 1–3 or. r.). Livius hat nichts Entsprechendes, auch nicht in Spuren. Die Rede des Coriolan mag Eigentum des Dionys sein; ebenso auch der Bericht über die Gesandtschaft. Denn der Vorschlag des Coriolan, die Auslieferung des eroberten volskischen Gebietes zu verlangen, um dann auf den sicher abschlägigen Bescheid der Römer hin mit formalem Recht den Krieg beginnen zu können, sieht nach einer Dublette von Liv. 1, 22 f. = Dion. 3, 1 ff. aus, wo die Römer gegenüber den Albanern dieselbe List anwenden. Auch findet sich in diesen Kapiteln bei Dionys kein Argument, das irgendwie besonders römisches Gepräge trüge.

Die Anordnung des Berichts über den Krieg bis zum Höhepunkt bei Livius 39, 2 ff. ist die folgende:

1. Eroberungszüge des Coriolan bis vor die Tore der Stadt, 2–4.
2. Verwüstungen der Äcker unter Verschonung des patrizischen Besitzes, 5–6.
3. Erregung und Furcht in Rom, Kriegsunlust der plebs, 7–9.
4. Gesandtschaften, 10–12
   a) der oratores mit Antwort des Coriolan, 10–11,
   b) der Priester, 12.

Dionys 8, 19 ff. erzählt in folgender Anordnung:

1. Kriegszüge gegen die römischen Bundesstädte, wovon Lavinium, Labici, Pedum auch bei Livius 39, 3–4 genannt werden. Das Lager bei den fossae Cluiliae 8, 19–22, 1.
2. Vergebliche Gesandtschaft der Römer (mit Reden) 22, 2–35.
3. Neuer Kriegszug; Longula und Polusca bei Dionys 36, 1 und bei Livius 39, 3 erwähnt.
4. Zweite vergebliche Gesandtschaft c. 37.
5. Gesandtschaft der Priester c. 38.

Man sieht also, wie Livius viel übersichtlicher gruppiert. Erst berichtet er von den kriegerischen Unternehmungen des Coriolan, dann führt er nach Rom, schildert dort die Stimmung und bringt dann die Gesandtschaften alle hintereinander, während Dionys den Leser bald hierhin, bald dorthin reißt. Daß die bessere Gruppierung bei Livius livianische Verbesserung der annalistischen Tradition ist, kann diesmal keine Frage sein. Denn warum sollte Dionys sie umgeändert haben?

Im dritten Teil finden sich weniger Vergleichsmöglichkeiten, da die Hauptsache, der Stimmungswechsel der Mutter *in iram ex precibus* (Liv. 40, 5), von Dionys nicht dargestellt ist. Dionys bietet Reden und Gegenreden, die zwischen Mutter und Sohn gewechselt werden, in lästigster, gefühlsleerster Rhetorik. Es hat viel Wahrscheinlichkeit für sich, anzunehmen, daß erst Livius es war, der der Geschichte diese Wendung *in iram ex precibus* gegeben hat. Sie ist es ja, die der Erzählung das spezifisch *römische Ethos* verleiht, durch die Gestalt der Mutter Veturia, in der das Gefühl für Rom und die res publica das natürliche Gefühl der Mutter bezwungen hat. Die Vermutung wird durch unsere Beobachtungen über das Verhältnis von Dionys und Livius gestützt. Alle scheinbaren Abweichungen des Dionys von der Form der Erzählung bei dem Römer konnten als Verbesserungen des Livius verstanden werden.

Die feine Abstufung bis zur Entdeckung, daß Mutter, Gattin und Kinder im Zuge sind, auf die wir oben hingewiesen haben, kennt Dionys 8, 44, 2 nicht. Bei ihm erfährt Coriolan *sofort*, daß seine Angehörigen den Zug führen. Wenn es (40, 1) heißt: *matronae ad Veturiam, matrem Coriolani, Volumniamque uxorem frequentes coeunt ... pervicere certe, ut et Veturia ... et Volumnia ... secum in castra hostium irent,* so schimmern auch hier wieder im livianischen Wortlaut Reden durch, die wir bei Dion. 8, 39–43, 1 ausgeführt finden. Dort wird auch eine Valeria, Schwester des Poplicola, genannt, die auf den Gedanken kommt, zu den Frauen zu gehen, und ihn (c. 39) in einer Rede vorbringt.

Plutarch hat im Coriolan sich an Dionys angeschlossen, wie Hermann Peter, Die Quellen Plutarchs in den Biographien der Römer, Halle 1865, S. 7 ff., unbestreitbar erwiesen hat[7]. Er stellt keine selbständige Überlieferung neben Dionys dar, scheidet also für unsern Zweck aus[8].

[7] Vgl. Mommsen, Röm. Forsch. II, 117; Ed. Schwartz, RE. V, 1; 943, 25.

[8] Ich möchte nur darauf hinweisen, daß bei Plutarch ebenso wie bei Dionys Coriolan bei der Abstimmung über seine Verbannung zugegen ist und infolgedessen auch der Abschied von seiner Familie geschildert wird (c. 20 f.).

VIII

DIE KUNST DER REDEN

Henri Bornecque, Tite-Live, Paris: Librairie A. Hatier, 1933, S. 157–174. Übersetzt von Richard Carstensen.

DIE REDEN BEI LIVIUS

Von HENRI BORNECQUE

Livius folgt der Tradition, jedoch ohne Übersteigerung[1]. Betrachtet man sieben Bücher der dritten Dekade, die etwa denselben Umfang haben wie „Der Peloponnesische Krieg“, so nehmen, wie man errechnet hat, die Reden – gegenüber 24 % bei Thukydides – hier nur 12 % ein. Bei Sallust machen sie ein Viertel des „Catilina“ und fast ein Sechstel (15 %) des „Jugurtha“ aus. Bei Caesar dagegen stellen sie nur 3 % von „De bello civili“ und 1,3 % von „De bello Gallico“ dar.

Besagt das, daß Livius in diesem Stoffbereich eine Neuerung eingeführt hat?

Erstens: Von den 407 Ansprachen in direkter Rede, die sich in den erhaltenen Büchern finden, sind 182 nicht länger als fünf Zeilen der Teubner-Ausgabe, 75 halten sich zwischen sechs und zehn Zeilen, 67 zwischen elf und fünfundzwanzig, 35 zwischen fünfundzwanzig und fünfzig, 32 zwischen einundfünfzig und hundert; nur 15 umfassen mehr als hundert Zeilen und nur eine mehr als zweihundert. Livius vermeidet also zu lange Reden, die den Ablauf der Ereignisse unterbrechen.

Zweitens: Bei Thukydides und bei seinem Nachahmer Sallust

[1] Es ist unmöglich, über Livius' Reden eine etwas genauere Abhandlung vorzulegen, ohne zwei Werken verpflichtet zu sein: Kohl, Über Zweck und Bedeutung der livianischen Reden, 1872, Barmen, Jahresbericht über die Realschule und das Gymnasium; Ullmann, La technique des discours dans Salluste, Tite-Live et Tacite, 1927, Oslo, Diss. – [Vgl. jetzt auch R. Treptow, Die Kunst der Reden in der 1. und 3. Dekade des Livianischen Geschichtswerks, Diss. Kiel 1964 (masch.schr.), und I. Paschkowski, Die Kunst der Reden in der 4. und 5. Dekade des Livius, Diss. Kiel 1966 (photok.). – Anm. d. Hrsg.]

stehen die Ansprachen in direkter Rede. Polybios wendet dagegen fast ausschließlich die *oratio obliqua* an, ebenso wie Pompeius Trogus nur diese gelten läßt, da sie der Forderung nach Genauigkeit mehr entspricht. Ebenso Caesar, dem die Zeit fehlte, Ansprachen in direkter Rede zu „konstruieren", und der zu fähig war, als daß er – wie beispielsweise Cato – seinen Ruf auf Reden begründen wollte; *res, non verba* ist hier wie in allen Dingen seine Devise. Daher finden sich bei ihm nur drei lange Ansprachen in direkter Rede: in „De bello Gallico" die von Critognatus, die er „auf Grund der ungewöhnlichen Grausamkeit", die jener zeigt, – *propter eius singularem crudelitatem* – berichtet, und in „De bello civili" die beiden Stücke, in denen Curio seine Pläne und seine Zielsetzungen darlegt.

Livius selbst hat ein angemessenes Mittelmaß befolgt. Er vermeidet nicht die indirekte Rede, doch zieht er sie nicht der direkten Rede vor[2]. Mitunter verwendet er beide ohne einen ersichtlichen anderen Grund, als um Eintönigkeit zu vermeiden; er berichtet in der *oratio recta* die Sätze, die bei Polybios in indirekter Rede stehen – und umgekehrt. Aber oft scheint er sich auch bestimmte Regeln auferlegt zu haben.

Indirekte Rede behält er sich vor für den Stimmungsausdruck einer ganzen Gruppe unter verschiedenen Umständen und zur Ankündigung verschiedener Ereignisse. Das Verfahren ist weniger störend: die indirekte Rede bedeutet keinen Einschnitt in den Ablauf des Berichts, der Übergang ist leicht und unmerklich, das Rhetorische tritt nicht in den Vordergrund. Dafür finden sich Beispiele auf jeder Seite der Dekaden. Wir wollen uns damit begnügen, als Zeugnis eine sehr charakteristische Stelle zu bringen, an der er die Stimmung in Rom vor der Schlacht bei Zama darlegt. *Locum nimirum, non periculum mutatum; cuius tantae dimicationis vatem qui nuper decessisset, Q. Fabium haud frustra canere solitum graviorem in sua terra futurum hostem Hannibalem quam in aliena fuisset. Nec Scipioni aut cum Syphace inconditae barbariae rege,*

[2] Ich erinnere an die Ansprachen, die in indirekter Rede beginnen und bald – aus Gründen größerer Lebendigkeit – in direkter Rede fortgesetzt werden.

cui Statorius semilixa docere exercitus solitus sit, aut cum socero eius Hasdrubale, fugacissimo duce, rem futuram, aut tumultuariis exercitibus ex agrestium semermi turba subito conlectis, sed cum Hannibale, prope nato in praetorio patris, fortissimi ducis, alito atque educato inter arma, puero quondam milite, vixdum iuvene imperatore, qui senex vincendo factus Hispanias, Gallias, Italiam ab Alpibus ad fretum monumentis ingentium rerum complesset. Ducere exercitum aequalem stipendiis suis, duratum omnium rerum patientia, quas uix fides fiat homines passos, perfusum miliens cruore Romano, exuvias non militum tantum, sed etiam imperatorum portantem. Multos occursuros Scipioni in acie, qui praetores, qui imperatores, qui consules Romanos sua manu occidissent, muralibus vallaribusque insignes coronis, pervagatos capta castra, captas urbes Romanas. Non esse hodie tot fasces magistratibus populi Romani, quot captos ex caede imperatorum prae se ferre posset Hannibal (30, 28, 2–7).

Wenn den Worten, die in indirekter Rede gebracht sind, eine direkte Rede gegenübersteht, so gibt diese, wie Kohl vermerkt hat, Livius' eigene Gedanken oder zumindest die von ihm gebilligten wieder. Das geht aus drei Stellen der ersten Dekade (3, 19; 5, 3; 6, 40) hervor. Die aufwiegelnden Worte, die die Tribunen an die Plebs richten, stehen in indirekter Rede, in direkter dagegen die Entgegnungen der Patrizier, die die Umtriebe der Tribunen aufdecken.

Nun äußert sich Livius jedoch an der ersten Stelle selber über die Tribunen: „Durch leere Ausflüchte wollten die Tribunen das Volk von seinen religiösen Bedenken entbinden ... *Sed nondum haec, quae nunc tenet saeculum, neglegentia deum venerat*"; ähnlich an der zweiten Stelle: „Sobald diese Nachricht den Tribunen überbracht wurde, die seit langem keinen Vorwand mehr fanden, Änderungen im Staatswesen einzuführen ...", latent an der dritten Stelle: „Die Widersetzlichkeit, die in der Rede der Tribunen Ausdruck fand, hatte infolge der Unwürdigkeit ihrer Einstellung ..."

Diese Beobachtung Kohls liefert – unter anderen Momenten – einen neuen Beweis für Livius' unparteiische Haltung den Fragen der Innenpolitik gegenüber. Ein Mann wie Claudius, der seine Censur über die gesetzliche Dauer hinaus behalten hatte, wurde von einem Tribunen angegriffen. Die Worte des Aristokraten stehen in indirekter Rede, während die direkte Rede dem Volkstribunen vorbehalten ist; denn er vertrat – nach Livius – „eine ebenso volkstümliche wie gerechte Sache, die den besten Bürgern ebenso willkommen war wie der Menge“. Andererseits erklärt eine solche Betrachtung, warum Livius die eine oder andere Rede, die in den Quellen direkt ausgedrückt war, in die *oratio obliqua* umgesetzt hat. So verhält es sich zum Beispiel mit Magos Rede bei Coelius Antipater (Peter, HRR fgm. 26) und Livius 23, 11, 7–12, 5; als jener vor dem Senat von Carthago sprach, bat er – es war nach Cannae – um eine Unterstützung für Hannibal. Gegen ihn tritt Hanno auf und greift den siegreichen Feldherrn heftig an. Man versteht, daß bei Livius nur ihm die Form der direkten Rede überlassen wird.

Ein weiteres Novum: Bei den Historikern, die Livius vorausgehen, gehören die Reden alle dem *genus deliberativum* an; nur drei Ausnahmen: bei Thukydides die zum *genus demonstrativum* gehörende Leichenrede auf die Krieger, die während des ersten Jahres des Peloponnesischen Krieges gefallen sind, sowie in der „Verschwörung des Catilina“ die Reden Caesars und Catos über die Strafe, die Catilinas Helfershelfer verdienen; diese Reden lassen sich allenfalls in das *genus iudiciale* eingliedern. Bei Livius sind die deliberativen Reden bei weitem die zahlreichsten, doch treten die beiden anderen Arten auch auf. Im *genus demonstrativum* ist die Rede der saguntinischen Gesandten gehalten, in der Roms Verdienste gepriesen werden (28, 39), und die des Aemilius Paulus wenige Tage nach seinem Triumph über Perseus (45, 41), die er vor der Volksversammlung hält: Er gibt den Bürgern Rechenschaft über seine Führung und Maßnahmen und muß dabei auch über seine beiden Söhne sprechen, von denen der eine fünf Tage vor seinem Triumph, der andere drei Tage später gestorben ist; es ist, als hörte man ihre Leichenrede, abgeklärt und herzergreifend. Da auch Plutarch uns die von Aemilius Paulus bei diesem Anlaß gehaltene Rede überliefert hat und dieselben Gedanken wie Livius und die gleiche bewegte, patriotische Sprechweise bietet, ist es wahrscheinlich, daß der lateinische Historiker sich von der Originalrede des Aemilius Paulus hat inspirieren lassen und aus ihr, wenn nicht die Ausdrücke, so doch wohl wenigstens die Gedanken und den Tonfall übernommen hat.

Zu dem *genus iudiciale* muß man die beiden Reden des Perseus und des Demetrius vor König Philipp, ihrem Vater, rechnen, in denen der erste seinen Bruder anklagt, er habe ihn ermorden wollen, und der zweite ein Plädoyer zu seiner Verteidigung hält (40, 8–15), ferner die Angriffe der Lokrer vor dem Senat gegen den Legaten Pleminius sowie die Entgegnung des Fabius (29, 17–19). Man wird aber festhalten, daß Camillus und Scipio, die von den Volkstribunen angeklagt waren, keine Verteidigungsrede halten. Vielleicht sah Livius diese Rolle als erniedrigend für so große Männer an; vielleicht war er aber nach den vorhergegangenen Feststellungen der Auffassung, diese Reden seien in einem Geschichtswerk weniger angebracht als solche des *genus deliberativum.*

Letzte Neuerung: Sie betrifft die deliberativen Reden. Caesar mag beiseite bleiben, der im allgemeinen „den Eindruck eines Protokolls gibt, in dem das Eingreifen des Schriftstellers soweit wie möglich eingeschränkt wird" (Constans). Die Reden Herodots sind religiöse, philosophische und politische Ausführungen, die – weniger echte Reden oder „Demegorien" – in Form von Unterhaltungen gebracht werden. Thukydides dagegen führt Reden ein, um seinen Bericht zu beleben und ihn zu vervollständigen: Er analysiert die Gründe der historischen Ereignisse, er zeigt ihre innere Verkettung auf, er legt die politischen Verwicklungen und die verschiedenen Blickpunkte einer Einzelfrage dar, und er skizziert das Erscheinungsbild der Völker und ihrer führenden Persönlichkeiten. Polybios beleuchtet gern die Lehren, die die Geschichte erteilt. Für Sallust bieten die Reden eine Möglichkeit, ausgiebiger zu philosophieren, wie er es in seinen Vorreden tut, und das Bild der einzelnen Persönlichkeiten zu vervollständigen. Bei Livius ist ihre Rolle sehr andersartig und bietet ebenso viele Gesichtspunkte wie bei allen Historikern zugleich, die ihm vorausgegangen sind.

Die eine Gruppe, wirkliche *suasoriae,* wie Senecas Zeitgenossen sagten (*suasiones,* um mit Cicero zu reden), haben die offenkundige, reale Aufgabe, die Hörer in diesem oder jenem Sinne zu bestimmen.

Unter diesen Reden lassen sich drei Kategorien unterscheiden: zuerst, was Cicero *hortationes* nennt, d. h. Worte eines Feldherrn an seine Soldaten nach einer blutigen Niederlage oder vor einem furchterregenden Kampf. So im Buch 25, 28 die Rede des T. Marcius zu dem Rest des Heeres von Publius und Cn. Scipio, das die Karthager aufgesplittert hatten; beide Feldherren waren gefallen. So auch vor der Schlacht am Ticinus die Worte Scipios an seine Truppen, die den Karthagern noch nicht gegenübergestanden hatten, und Hannibals an seine Soldaten, die ebenfalls noch nicht gegen römische Heere gekämpft hatten (21, 40–44). So endlich – um bei diesen Beispielen zu bleiben – Marcellus' und Hannibals Ansprachen vor der Schlacht bei Nola, als der karthagische Feldherr im Jahre 216 von dieser Stadt zurückgeschlagen worden war und sie nun im folgenden Jahr erneut angreifen wollte (23, 45).

Zweite Gruppe: Die Reden in der Volksversammlung, Ciceros *contiones*. Beispiele: Die Rede des T. Quinctius Capitolinus (3, 67–68), um das Volk anzutreiben, die bürgerlichen Zwistigkeiten zu vergessen, unter deren Gunst die Aequer und die Volsker bis vor Roms Tore hatten vordringen können; die Rede des Camillus (5, 51–54), als nach dem Sieg über die Gallier und nach ihrer Vertreibung die Volkstribunen vorschlagen, die Stadt nicht an derselben Stelle wieder aufzubauen, sondern sie nach Veji zu verlegen; schließlich die Rede des Volkstribunen P. Decius Mus zugunsten der *lex Ogulnia* (10, 7–8), die den Plebejern den Zugang zum Amt der Auguren und zum Pontifikat eröffnen sollte und nach der das Volk verlangte, man solle sofort zur Abstimmung schreiten.

Dritte und letzte Gruppe: Die Reden, in denen Gesandte Bitten oder Forderungen vorbrachten. Als Musterbeispiel läßt sich dafür die Rede der Gesandten aus Campanien anführen, die Roms Hilfe gegen die Samniten, welche sie geschlagen und in Capua eingeschlossen hatten, anriefen (7, 30), oder die des Latinerführers Annius Setinus, der vom Senat die Teilung des Konsulates und der Senatorensitze verlangte (8, 4). Da sie das Denken eines ganzen Volkes ausdrücken, nennt Livius oft nicht den Namen des Sprechers; er sagt einfach der Doyen oder Führer der Gesandten (*maximus natu ex iis* oder *princeps*).

Aber die meisten Reden sind nur scheinbar *suasoriae*. In Wirklichkeit sind sie für den Historiker willkommene Darstellungsmittel.

Mitunter erlauben sie ihm, einen Tatbestand zu berichten, ohne daß er dafür die Verantwortung zu übernehmen hat. „Polybios", so schreibt Lafaye, „äußert sich unwillig über die Historiker, die den Alpenübergang als ein Wunder darstellen; vergißt man denn, sagt er, daß die Gallier bereits so manches Mal diese Gebirgskette überquert hatten? Diese kritische Stellungnahme, die er persönlich vertritt, legt Livius einem der Handelnden in den Mund, und zwar dem Scipio, der sich an seine Truppen wendet, um ihnen Mut zuzusprechen, und der diese Wundererzählung widerlegt (21, 41)". Im übrigen ist die Begründung, die bei Polybios (3, 48, 6) kalt erscheint, bei Livius lebendig geworden.

Oft läßt er mit Hilfe einer Rede das wirkliche Denken und die wahren Beweggründe des Sprechenden erkennen. Mitunter nennt er sie selber. Der Konsul T. Sempronius Gracchus versucht, seinem Kollegen die Notwendigkeit aufzuzeigen, mit Hannibal unverzüglich den Kampf aufzunehmen. Livius fügt hinzu: „Weil die Komitien unmittelbar bevorstanden, trieb ihn die Besorgnis, man werde den Oberbefehl neuen Konsuln übertragen und ihnen die Gelegenheit geben, den ganzen Ruhm zu erwerben, während sein Mitkonsul krank war."

Bei anderen Reden schließen sich gelegentlich Kommentierungen an, die mitunter länger sind als ein Kapitel. Öfter und mit Vorliebe überläßt Livius dieses Anliegen einem Widersacher des vorangehenden Redners. Die wahren Beweggründe der Tribunen Sextius und Licinius werden von Appius Claudius (6, 40–41) ins rechte Licht gerückt, die des Hannibal von Hanno (21, 10), die des Perseus gegen seinen Bruder Demetrius eben von diesem (40, 12–15). Nach dem Beispiel des Thukydides sieht man ihn im allgemeinen von allen Rednern, die über dasselbe Thema gesprochen haben, nur jeweils zwei auswählen, die absolut gegensätzliche Thesen aufstellen, so daß der Leser, der alle Gründe und Gegengründe kennenlernt, in der Lage ist, sich selber eine Meinung zu bilden.

Canuleius, der Volkstribun, legt zwei Gesetzentwürfe vor: der eine erlaubt die Heiraten zwischen Plebejern und Patrizierinnen oder umgekehrt, der andere gibt den Plebejern Zugang zum Konsulat (4, 1). Im Senat bekämpfen die Konsuln diese Pläne, die Canuleius vor der Volksversammlung verteidigt. Gelegentlich der

Friedensvorverhandlungen, die in Caudium ratifiziert werden, betont der samnitische Führer C. Pontius die These wirklicher Gleichheit, der Konsul Postumius die des strikten Rechtes und der gesetzlichen Form (9, 8–9). Cato spricht für die Beibehaltung der *lex Oppia,* L. Valerius für ihre Abschaffung (34, 2–7). Als Scipio, der – übrigens ohne Erlaubnis – aus Spanien zurückgekehrt ist, sich zum Konsul ernennen läßt und seine Absicht ankündigt, Africa als Amtsbereich zu übernehmen, obwohl sich der Senat widersetzte, bekämpft Fabius den Plan, den er für abenteuerlich hält; Scipio weist Punkt für Punkt die Rede des Widersachers zurück. Dieses Rededuell (28, 40–44) stellt nicht nur zwei Männer in Gegensatz, sondern zwei Methoden der Taktik und der Politik, „zwei Erscheinungsbilder des römischen Geistes: die eine der Vergangenheit, die andere der Zukunft zugewandt" (Pichon).

Schließlich haben die Reden mitunter die Aufgabe, dem Leser gewisse Ereignisse zu erklären oder seine Aufmerksamkeit auf gewisse Momente der Geschichte zu lenken.

Wenn Livius den Senator M. Hortatius Barbatus, der sonst übrigens nicht bekannt ist, reden läßt, so geschieht es, um den ungewöhnlichen und tyrannischen Charakter der Macht der Dezemvirn klar hervortreten zu lassen (3, 39). Wenn Fabius den Aemilius Paulus auffordert, sich vor den Unbesonnenheiten seines Amtskollegen Varro in acht zu nehmen, dann will Livius die wirklichen Gründe der Niederlage bei Cannae aufzeigen, die seiner Auffassung nach einzig Varro zuzuschreiben ist, und die von Fabius befolgte Kriegstaktik rechtfertigen (22, 39). Ferner erscheint die Schlacht bei Zama dem Livius als ein Ereignis von höchster Bedeutung: er fingiert darüber eine Unterredung zwischen Scipio und Hannibal (30, 30–31), während Appian, der denselben Stoff erzählt, fast unmittelbar mit dem Bericht über den Kampf beginnt. Umgekehrt ist das Ende der Spanienfeldzüge, des Krieges gegen Antiochus und des Kampfes gegen Perseus durch eine oder mehrere Reden markiert: seitens der saguntinischen Gesandten, die den römischen Senat beglückwünschen (28, 39), seitens des Eumenes und der Rhodier (37, 54) und schließlich des Aemilius Paulus, dessen Rede wir bereits erwähnt haben (45, 41).

Im übrigen haben alle diese Reden, zu welcher Gattung sie auch gehören, zwei gemeinsame Wesenszüge: sie tragen mehr oder weniger dazu bei, den Charakter einer Persönlichkeit oder einer ganzen Gruppe zu zeichnen, und sie geben dem Bericht einen lebendigeren, dramatischeren Ausdruck, wie es Betrachtungen, die der Autor selber bietet, nicht tun würden. Gewisse Reden – sagen wir besser: gewisse Folgen von Reden – scheinen keine andere Aufgabe zu haben. Das klassische Beispiel ist der Fall des Papirius Cursor, den Taine kommentiert hat (8, 30 ff.). Man kann ebenso die Darlegung des Familiendramas anführen, die das Buch 40 eröffnet:

Der Makedonenkönig Philipp hat zwei Söhne, Demetrius und Perseus; jener wird von den Römern unterstützt, während Perseus Feind der Römer ist. Die beiden jungen Menschen verabscheuen und denunzieren einander unaufhörlich bei ihrem Vater. Perseus sinnt auf ein Verbrechen gegen Demetrius, der in Makedonien sehr populär ist. Bei einer festlichen militärischen Veranstaltung befehligen die beiden Brüder zwei Parteien, die einander übungsmäßig gegenüberstehen und dabei zu Kampfhandlungen übergehen. Am Abend veranstalten beide Prinzen – jeder für seine Offiziere – ein großes Festmahl. Im Verlaufe dieses Festes schlägt Demetrius seinen Gästen vor, man solle den Rest der Veranstaltung fröhlich bei Perseus verbringen. Dieser wird von seinen Freunden gewarnt, und er verbarrikadiert sich, als wolle er sich gegen einen Überfall verteidigen. Am Tage darauf beschuldigt er Demetrius, dieser habe ihn umbringen wollen, und vor dem alten König erfolgt eine pompöse Auseinandersetzung. In einer pathetischen Grundsatzrede weist Philipp mit Nachdruck auf die Vorteile der Einigkeit und auf die Gefahren der Zwietracht hin. In Ausdrücken vorgetäuschter, sehr geschickter Mäßigung beschuldigt Perseus seinen Bruder, er habe ihn töten und den Vater verraten wollen, indem er sich die Unterstützung der Römer und der Großen Makedoniens, die in römischem Solde ständen, gesichert hätte; vielleicht denke er auch an Vatermord. Demetrius erklärt, der Angriff komme ihm überraschend, er werde aber trotzdem versuchen, seinem Bruder zu antworten, und seine Improvisation ist ein Muster – nicht an innerer Wahrscheinlichkeit (denn man erlebt darin nicht einen erregten und erschütterten Mann), sondern in der Kunstfertigkeit. Der Plan, den man ihm unterschiebe, sei absurd. Die Ausführung sollte in absurder Weise (Beweis durch die Umstände) vorbereitet sein; er habe nicht nach dem Throne gestrebt und auch nicht nach der Freundschaft mit den Römern; nie würde er sich ihrer gegen Philipp, seine einzige Hoffnung, bedienen. Philipp läßt seine Söhne hinausgehen, bespricht sich eine Weile mit seinen Freunden und erklärt, er werde sich weder auf Grund von Worten noch auf Grund einer einstündigen Aussprache, sondern erst nach einer gründlichen Untersuchung der Lebensführung seiner beiden Söhne und nach sorgfältiger Überwachung ihres Tuns und ihrer Reden entscheiden. Und Livius fügt hinzu: „So wurden zu Philipps Lebzeiten sozusagen die Keime für den makedonischen Krieg gelegt, in dem wir besonders gegen Perseus zu kämpfen hatten" (40, 16, 3).

Schließlich sind alle Reden, für sich betrachtet, nach einem sehr einfachen Plan aufgebaut. So verhält es sich mit der Rede des Kriegstribunen Appius Claudius über die Festsetzung des Soldes (5, 3–6): zwischen eine Einleitung und einen Schluß, die beide gegen den Ehrgeiz der Volkstribunen gerichtet sind, gruppiert er alle Argumente für seine These unter zwei Hauptgedanken: die Einrichtung des Soldes sei eine billige Maßnahme, da er die Entschädigung für einen der Stadt geleisteten Dienst sei, und zugleich eine nützliche Maßnahme; sie werde nämlich erlauben, die Operationen der Belagerung von Veji fortzusetzen und generell den Nachbarvölkern zu zeigen, daß Rom ein militärisches Unternehmen, in das es verwickelt sei, bis zum siegreichen Ende durchhalten könne. Ebenso ist die kurze Rede[3] des Pacuvius Calavius an seinen Sohn gebaut, um ihm den Mord an Hannibal auszureden, der ihm seine Intrigen zugunsten der Römer verziehen hatte und an dessen Tafel er Platz nehmen sollte (23, 9, 1–8): eine kurze Einleitung, die den Zweck der Rede ankündigt; dann zwei Teile: der Plan des jungen Menschen ist frevelhaft und nutzlos; frevelhaft als Verrat 1. gegenüber den ausgetauschten Schwüren; 2. gegenüber den Pflichten der Gastfreundschaft; nutzlos, denn Hannibal wird geschützt sein: 1. durch seine Leibwache; 2. durch seine eigene Majestät; 3. letzten

[3] Vgl. Rollin, Traité des études, Buch III, Kap. 8, Art. 2, § 1.

Endes durch ihn, den Vater selbst (der Hannibal mit seinem Leibe decken will); kurzer Abschluß.

Mitunter kann sogar, wie Pichon in seiner Anthologie „*Contiones*" bemerkt, die Rede in einem Syllogismus verlaufen, wie etwa die des Fabius, der die Komitien für die Wahl der Konsuln von 214 leitet und die Abstimmung wiederholen läßt, durch die T. Otacilius und M. Aemilius Regillus designiert worden waren (24, 8): Erste Prämisse: Man muß sorgsam die Männer wählen, die am fähigsten sind, gegen den Feind zu kämpfen (Beispiele aus der Geschichte). Zweite Prämisse: Die vorgeschlagenen Konsuln können nicht gegen Hannibal kämpfen: Aemilius Regillus nicht wegen seiner religiösen Funktionen, Otacilius nicht wegen seiner Unfähigkeit (Beispiele aus seinem früheren Verhalten). *Conclusio:* Man muß die Abstimmung noch einmal vornehmen.

Diese Kompositionspläne, geschickt aufgebaut, werden mit Genauigkeit oder Wendigkeit mittels aller anwendbaren Argumente entwickelt, oft mit historischen Erinnerungen oder aktuellen Tatbeständen, Gemeinplätzen oder persönlichen Anspielungen. Schon auf Grund der oben gegebenen Zusammenfassungen hat man sich darüber Rechenschaft geben können. Es wird sich noch besser feststellen lassen, wenn man – nach den „*Contiones*" von Fédel – den Plan des ersten Teils der berühmten Rede von Vibius Virrius untersucht (26, 13):

Es handelt sich um die Begründung des Hasses der Römer gegen die Einwohner von Capua, der durch den Abfall selbst und dessen Begleitumstände erwachsen ist:

1. Der Abfall. Erschwerende Umstände: Zeit; Roms Lage.
2. Was die Capuaner außer dem Abfall begangen haben:
   a) Massenmorde, vermehrt durch Quälereien und Beschimpfungen,
   b) Beharren in ihrem Haß, den sie durch zahlreiche heftige Ausfälle und durch einen Angriff auf das römische Lager bekundeten,
   c) sie haben Rom zu vernichten gesucht, indem sie Hannibal herbeiriefen und ihn gegen Rom lenkten.

Es zeigt sich hier, „wie man sieht, eine Reihe von Begründungen, von denen jede die vorhergehende überbietet. Jede der Begründungen teilt sich wiederum in sekundäre Begründungen, die in gleicher Weise in einer wachsenden Steigerung aufgebaut sind. All die Umstände, an die der Redner erinnert, bilden in ihrer stetigen Steigerung die Motive für den Haß, den die Römer gegen die Einwohner von Capua empfinden können" (Fédel).

Das offenkundige Fehlen von Geschicklichkeit stellt oft selbst ein Zeichen von Geschicklichkeit dar. Das sieht man in der Antwort, die der Konsul Varro nach der Schlacht bei Cannae den Campanern gibt, die trotz ihrer Sympathien für die Karthager noch vor dem Übergang zu ihnen zaudern. Varros Lage, sagt uns Livius, „hätte bei hochherzigen Verbündeten Mitleid erwecken können; bei hochfahrenden und treulosen Verbündeten wie den Campanern weckte er ihre Verachtung. Außerdem steigerte er ihren Abscheu für seine Lage und für seine Person, weil er in übertriebener Weise den Umfang der Niederlage ihren Blicken bloßlegte" (23, 5, 1–2). Wir würden gern hinzufügen: weil er allzu nachdrücklich auf die Dienste, die Rom ihnen erwiesen hatte, hinwies und ihnen zu große Verpflichtungen nahelegte. Denn Livius will Varro auch die Verantwortung für den kampanischen Abfall aufbürden. „Aus demselben Grunde", sagt Pichon, „schreibt er ihm lächerliche Unkenntnis der Geschichte zu, naive Vertrauensseligkeit Hannibal gegenüber, grotesken Mangel an praktischem Verständnis und politischem Geist."

Diese gedrängte und geschickte Logik ist nicht kalt, Livius verwirklicht wunderbar Ciceros Ideal: belehren, gefallen, erregen *(docere, delectare, movere).*

Die Rede, die Philipp seinen Söhnen hält, ist die pathetische Klage eines unglücklichen Vaters (40, 8). In Fabius' Rede gegen Otacilius spürt man Bitterkeit und Gewalt (24, 8); als Marcellus auf die Anschuldigungen der Syrakusaner antwortet, herrschen Abscheu und hochmütiger Stolz vor (26, 30). Die einzige kleine Rede, die Pacuvius Calavius seinem Sohn hält, genügt, um die glühende Leidenschaft, die sich mit der Kunst des Aufbaus verbindet, aufzuzeigen.

‚Per ego te' inquit, ‚fili, quaecumque iura liberos iungunt parentibus, precor quaesoque, ne ante oculos patris facere et pati omnia infanda velis. Paucae horae sunt, intra quas iurantes per quidquid

deorum est, dextrae dextras iungentes, fidem obstrinximus – ut sacratas fide manus digressi a conloquio extemplo in eum armaremus? Ab hospitali mensa surgis, ad quam tertius Campanorum adhibitus es ab Hannibale, – ut eam ipsam mensam cruentares hospitis sanguine? Hannibalem pater filio meo potui placare, filium Hannibali non possum? Sed sit nihil sancti, non fides, non religio, non pietas; audeantur infanda, si non perniciem nobis cum scelere ferunt. Vnus adgressurus es Hannibalem? Quid illa turba tot liberorum servorumque? Quid in unum intenti omnium oculi? Quid tot dextrae? Torpescent in amentia illa? Voltum ipsius Hannibalis, quem armati exercitus sustinere nequeunt, quem horret populus Romanus, tu sustinebis? Vt alia auxilia desint, me ipsum ferire corpus meum opponentem pro corpore Hannibalis sustinebis? Atqui per meum pectus petendus ille tibi transfigendusque est. Sed hic te deterreri sine potius quam illic vinci. Valeant preces apud te meae, sicut pro te hodie valuerunt.‘ (23, 9, 2–8).

Wie man an dieser kurzen Rede sieht, verwendet Livius sehr ausgiebig rhetorische Figuren. Das braucht bei einem Mann, der gewohnt war, Rhetorenschulen zu besuchen, nicht zu verwundern, zumal wir wissen, daß ein Mann wie Albucius sich bei dem Gedanken bedrückt fühlt, ohne solche rhetorische Figuren leben zu müssen, durch die der Stil des Moschus, wie Seneca der Ältere sagt, nicht figurenreich, sondern figurenüberladen war (und zwar so weit, daß die Freunde dieses Deklamators, um ihm „Guten Tag“ zu sagen, eine rhetorische Figur verwendeten). Übrigens empfiehlt etwa 75 Jahre später der gelehrte Quintilian selber noch das Praktizieren von wenigstens einer dieser Figuren (der Prosopopöie) als sehr nützlich für einen werdenden Historiker.

Fast immer macht Livius, wie Canter[4] gezeigt hat, einen überlegten Gebrauch von rhetorischen Figuren. Sentenzen finden sich fast immer bei den Männern von Erfahrung, bei Hannibal, Cato, Fabius Maximus. Asyndeta, Anaphern, rhetorische Fragen, Apostrophen und Ausrufe begegnen fast nur in erregten und leidenschaftlichen Reden: man trifft Beispiele dafür in Scipios und Hannibals Reden vor der Schlacht am Ticinus (21, 40–44), doch

[4] American Journal of Philology, 39 (1918), S. 44–64.

nicht in den Reden des karthagischen und des römischen Feldherrn vor Zama (30, 30–31). Ebenso erscheinen Hyperbeln – übrigens recht selten – nur in den Momenten, in denen die Einbildungskraft und die Leidenschaften der Hörer hinreichend erregt sind, so daß deren Verwendung wahrscheinlich wird. Ganz allgemein gibt es mehr rhetorische Figuren in der ersten Dekade, was die Glut der politischen Kämpfe rechtfertigt.

Auch der Ton und der Hintergrund stimmen fast immer überein, ob nun im Charakter der Personen, wie wir ihn kennenlernen, oder in der augenblicklichen Haltung, die Livius dem Sprecher gibt. Fabius' Worte an Aemilius Paulus (22, 39), ernst, gewichtig, lehrhaft und sententiös, stimmen ziemlich überein mit den Ausführungen Plutarchs über die Beredsamkeit des Fabius. In der Rede gegen die Beseitigung der Lex Oppia (34, 2–4) hat unser Historiker natürlich die Gedanken, die Redeweise und den Stil Catos wiedergeben wollen: die Gedanken kennzeichnet er durch Achtung vor der Überlieferung, durch Zielsetzungen, die der Plebs günstig sind, durch Abscheu vor Luxus und Eifer für die Aufrechterhaltung der Familienautorität; die Redeweise durch seine Rauheit in den Vorwürfen und seine brüske Art bei Angriffen; seinen Stil durch die Härte gewisser Ausdrücke, das Fehlen von Verbindungen und Übergängen, ironische Vertraulichkeit, seine Vorliebe für Maxime, Antithesen, Vergleiche und – besonders militärische – Metaphern, Neigung zu Wortspielen, all dies übrigens von sich aus gemildert, um – wie bereits erwähnt – eine zu große Diskrepanz zwischen dem Stil seines eigenen Werkes und dem der Reden Catos zu vermeiden. Noch mehr: nach einer Bemerkung Fédels haben einige *gentes* in ihrer Sprechweise verschiedenartigen Charakter. Die *gens Valeria* ist immer volksverbunden (heißt derjenige ihrer Angehörigen, der zum Sturz des Königtums beitrug, nicht Publicola?), die *gens Claudia* immer von hochfahrendem Stolz.

In logischer Konsequenz werden die Ereignisse vom Redner mitunter in einer Richtung umgeformt, die der von ihm vertretenen These entspricht. Im Jahre 446 v. Chr. haben die Auseinandersetzungen zwischen Patriziern und Plebejern die Aequer und Volsker ermutigt, das römische Gebiet zu verwüsten. T. Quinctius Capitolinus, zum vierten Male Konsul, versucht die Plebs anzutreiben, die vergangenen Zwistigkeiten zu vergessen und den Feind zurückzuschlagen. Eine der von ihm angeführten Begründungen geht dahin, die Plebejer müßten über die ihnen verliehenen Rechte befriedigt sein; er entwickelt dies folgendermaßen:

Pro deum fidem, quid vobis voltis? Tribunos plebis concupistis; concordiae causa concessimus. Decemviros desiderastis; creari passi sumus. Decemvirorum vos pertaesum est; coegimus abire magistratu. Manente in eosdem privatos ira vestra, mori atque exulare nobilissimos viros honoratissimosque passi sumus. Tribunos plebis creare iterum voluistis; creastis. Consules facere vestrarum partium; etsi patribus videbamus iniquos, patricium quoque magistratum plebi donum fieri vidimus. Auxilium tribunicium, provocationem ad populum, scita plebis iniuncta patribus, sub titulo aequandarum legum nostra iura oppressa tulimus et ferimus (3, 67, 7–9).

Man erkennt den Aristokraten, der die Privilegien, die durch das Zwölftafelgesetz beseitigt waren, als „Rechte" bezeichnet, der das Konsulat als Eigentum der Patrizier zu betrachten, durch seine Redeweise die Dezemvirn zu entschuldigen scheint und schließlich die Tatsachen ungenau darstellt. Denn wenn die Patrizier der Einsetzung von Volkstribunen zugestimmt haben, so ist das nicht einfach ein Verlangen nach Eintracht; der Auszug der Plebejer auf den Heiligen Berg nahm dem Staat ein gut Teil seiner Kräfte; wenn die Plebejer die Dezemvirn vertrieben haben, so ist das nicht einfach der Akt einer schlechten Laune *(pertaesum est)*; es geschah vielmehr, weil sie von ihnen tyrannisiert worden waren. Außerdem hatte ihre Regierung gleichermaßen gewisse Patrizier verstimmt, wie verschiedene Reden bei Livius selbst zeigen; die Plebiszite besaßen auch für die Patrizier Gesetzeskraft, jedoch erst nach Billigung durch den Senat. Schließlich waren die anderen Zugeständnisse von weniger Wohlwollen bestimmt gewesen, als Capitolinus erklärt.

Aber man darf diese Forderung nach innerer Wahrscheinlichkeit nicht übertreiben. In seiner Antwort an T. Quinctius Capitolinus „verläßt der Volkstribun C. Canuleius (4, 3) nicht die Grenzen des guten Benehmens", wie Ullmann zutreffend bemerkt: „der Redner wahrt sogar in seinen heftigsten Angriffen eine Würde, die ungewöhnlich ist in den Volksreden, die von einem Demagogen vor der Plebs gehalten werden." Andererseits ist Livius nicht immer darauf bedacht, jedem Redner einen streng individuellen Charakter zu geben. Die Volkstribunen ähneln sich mitunter. In mehr als einem Fall könnte man versucht sein, auf Livius das Urteil anzuwenden, das Dosson über die Reden des Quintus Curtius Rufus abgegeben hat: es scheint, daß sie immer unter gleichen Umständen von irgendeiner beliebigen Person ausgesprochen sein könnten. Tatsächlich ist der Aufbau einer Rede, wie Kohl gezeigt hat, oft der gleiche, weil Livius immer versucht, sich den Regeln der Rhetorik anzupassen, so wie sie von Cicero dargelegt sind oder wie man sie den Suasoriae von Seneca d. Ä. entnehmen kann. Witte hat in Hannibals Worten an Scipio vor der Schlacht bei Zama (30, 30) zwei Teile nachgewiesen, die Livius der ihm von Polybios gebotenen Rede zugefügt hat: die *captatio benevolentiae* und das Lob des Scipio. Nach den Vorschriften der antiken Rhetorik müssen beide Topoi in Bittsteller-Reden auftreten. Noch charakteristischer ist folgendes : Cicero empfiehlt – wie Anaximenes – den sogenannten Bittstellern, sie sollten, um besser Mitleid zu erwecken, darauf hinweisen, daß sie selbst brüsk und unmittelbar aus glänzendster Lage in den unglücklichsten Zustand gestürzt sind. Das unterläßt Hannibal nicht, und diese Sprache hatten bereits der alte Horatius (1, 26), Tarquinius (2, 6) oder die Gesandten Karthagos (30, 42, 18) geführt.

Dieselbe Feststellung, so muß man zugeben, könnte man auch bei Sallust treffen; wie dieser gewinnt Livius beim Fortschreiten in seinem Werke Leichtigkeit und Gewandtheit. Schließlich wird die Wahl zwischen den generellen Vorschriften, die Cicero empfiehlt, durch die Berücksichtigung des Persönlichkeitscharakters, der Situation und besonders der Hörerschaft bestimmt: die moralischen Überlegungen überwiegen vor Hörern von etwas gehobenem moralischem oder sozialem Niveau, während in den Reden vor einer ungebildeten Volksmenge, der Plebs oder den Soldaten, Nützlichkeitserwägungen sich vordrängen.

Diese Ähnlichkeit, die wir im Plan der Reden hervorheben, ergibt sich – oft aus analogem Grunde – aus den Argumenten: Alle Feldherren – von Coriolan bis Scipio – verwenden, um ihre Soldaten zum Kampfe anzufeuern, „die klassischen Argumente:

Achtung vor den Göttern, Denken an Frauen und Kinder, Staatsinteresse, persönliche Ehre" (Pichon). Diese Begründungen finden sich übrigens auch bei Tacitus in Agricolas Rede an seine Legionen, ebenso wie dort die Worte des Calgacus – mit mehr Nachdruck und Kraft – an Hannibals Ansprache vor der Schlacht am Ticinus erinnern.

Mitunter liegt sogar eine Ähnlichkeit vor in der Art und Weise, diese Begründungen zu entwickeln. Am Tage nach der Besetzung Roms durch die Gallier beschreibt Camillus den Ardeaten, um sie zur Teilnahme am Kampf zu ermutigen, die Feinde:

Qui effuso agmine adventant, gens est, cui natura corpora animosque magna magis quam firma dederit; eo in certamen omne plus terroris quam virium ferunt. Argumento sit clades Romana. Patentem cepere urbem: ex arce Capitolioque iis exigua resistitur manu: iam obsidionis taedio victi abscedunt vagique per agros palantur. Cibo vinoque raptim hausto repleti, ubi nox adpetit, prope rivos aquarum sine munimento, sine stationibus ac custodiis passim ferarum ritu sternuntur, nunc ab secundis rebus magis etiam solito incauti (5, 44, 4–6).

Als fast genau zweihundert Jahre später der Konsul M. Manlius Vulso sich den Galliern aus Kleinasien gegenüber sieht, verwendet er folgende Ausdrücke, um seinen Truppen Mut zuzusprechen:

‚*Non me praeterit, milites, omnium quae Asiam colunt gentium Gallos fama belli praestare. Inter mitissimum genus hominum ferox natio pervagata bello prope orbem terrarum sedem cepit. Procera corpora, promissae et rutilatae comae, vasta scuta, praelongi gladii; ad hoc cantus ineuntium proelium et ululatus et tripudia, et quatientium scuta in patrium quendam modum horrendus armorum crepitus, omnia de industria composita ad terrorem. Sed haec, quibus insolita atque insueta sunt, Graeci et Phryges et Cares timeant; Romanis Gallici tumultus adsueti, etiam vanitates notae sunt. Semel primo congressu ad Aliam eos olim fugerunt maiores nostri; ex eo tempore per ducentos iam annos pecorum in modum consternatos caedunt fugantque, et plures prope de Gallis triumphi quam de toto orbe terrarum acti sunt. Iam usu hoc cognitum est: si primum impetum, quem fervido ingenio et caeca ira effundunt, sustinueris, fluunt sudore et lassitudine membra, labant arma;*

mollia corpora, molles, ubi ira consedit, animos sol, pulvis, sitis, ut ferrum non admoveas, prosternunt (38, 17, 1–7).

Einheitlichkeit findet sich auch im Ton der Reden, und zwar in dem Sinne, daß alle Redner von P. Valerius Publicola oder Cincinnatus bis zu den Römern, zu den Griechen oder zu den Orientalen des zweiten Jahrhunderts v. Chr., daß alle – Politiker, Feldherren, Centurionen – nicht nur die Feinheiten der Rhetorik kennen, sondern die der schönen Sprache, und zwar unabhängig von den historischen Umständen. Es ist wenig wahrscheinlich, daß die Sabinerinnen, die sich an ihre Väter und an ihre Ehemänner wenden (1, 13), oder daß Camillus, der das Angebot des Schulmeisters von Falerii zurückweist (5, 27), die schönen Sätze gesprochen haben, die Livius ihnen zuschreibt. Man kann daran zweifeln, ob Aemilius Paulus auf dem Schlachtfeld von Cannae, verwundet und von Feinden umringt, im Bewußtsein, daß die Schlacht verloren sei, erschüttert von der Erregung über das Unglück, sonore Perioden abgewogen und Antithesen aufgestellt hat (22, 49, 9), wie es auch Gracchus (25, 16, 17) und Marcius (25, 38) unter solchen Umständen tun. Es ist zweifelhaft, ob ein Feldherr, um eine Revolte der Soldaten zu beschwichtigen, eine blumenreiche Rede wie die Scipios hält (28, 27–29). Solche Einwände hatte zweifellos Napoleon, als er erklärte, daß „keine der Ansprachen des Livius von einem Frontgeneral gehalten worden ist, denn keine einzige zeigt Stegreifzüge".

Im übrigen muß man zugeben: war für Aemilius Paulus, für Gracchus und für Marcius eine Rede nicht das letzte, an das sie gedacht hätten? Hatten sie nichts Besseres zu tun? Aber das sind Ausnahmen. Meistens sind Livius' Reden auch unter dem Gesichtspunkt der Zeit wahrscheinlich; sie stehen sogar in bedeutungsvoller Beziehung zu den besonderen Umständen, und ihre Länge entspricht der Epoche, in die sie gehören. So läßt Livius in den ersten beiden Büchern seine Personen nur selten reden, oder er gibt ihnen nur kurze Einwürfe, die in indirekter Rede allgemein formuliert sind. Die kurze Verteidigungsrede des Menenius Agrippa führt er mit dem Vorbehalt ein: *narrasse fertur* (2, 32, 8). Bei Dionysios von Halicarnassos dagegen spricht er mehrere Kapitel lang, übrigens ganz wie Aeneas, Romulus, Tullus Hostilius, Mettius Fufetius, Servius Tullius und Brutus. Mit dem Tage, von dem an die Volkstribunen auftreten und mit ihnen die innenpolitischen Kämpfe erwachsen, werden die Reden in den Dekaden zahlreicher und ausführlicher.

Die Alten müssen bei Livius die Reden vom Geschichtswerk getrennt und für sich betrachtet haben, um ihnen das übermäßige Lob auszusprechen, mit dem sie sie überhäuft haben. Wenn man sie auf diese Weise untersucht, muß man in der Tat zugeben: Niemand hat besser die Kunst beherrscht, die Argumente zu finden, sie in logischer und überzeugender Ordnung zu gruppieren, sie ohne Übertreibung und ohne Mangel zu entwickeln, mit Kraft, mit Glut, mit Emotion, die nur selten das rechte Maß überschreiten.

Diese Eigenschaften treten noch klarer in Erscheinung, sobald man Livius' Reden mit denen vergleichen kann, deren Stoff ihm, wie wir noch feststellen können, von seinen Vorgängern[5] geliefert worden ist. Man bemerkt es beispielsweise an der Art, wie er sie einführt: 1, 35, 2: „Tarquinius, so sagt man, hielt eine Rede." 3, 67, 1: „Man sagt, daß Scipio folgende Rede hielt" usw. Anderswo stellt er die Fakten in den Reden und im Bericht nicht in derselben Weise dar. In der Rede des Vibius Virrius (26, 13, 5) erinnert der Redner daran, daß die römische Besatzung von den Capuanern getötet worden sei, während nach einer Stelle des Buches 23 lediglich die wenigen Römer, die sich in Capua aufhielten, umgebracht worden waren (7, 3).

Weiter unten sagt er: „Mit ungeheueren Kräften an Fußtruppen und an Reiterei griff Hannibal das (römische) Lager an und nahm es teilweise ein" (25, 13, 10). Aber acht Kapitel weiter oben hatte Hannibal nur leichte Truppen herangeführt und nicht den Erfolg gehabt, ins feindliche Lager einzudringen (6, 6). Man könnte versucht sein, in den rednerischen Übertreibungen situationsbedingte Begründungen zu sehen, aber der Fall ist nicht einzig. Schließlich haben die Untersuchungen von Flierle[6] gezeigt, daß die Reden in den ersten Büchern des Dionysios von Halicarnassos sich größten-

[5] Der erste Teil dieses Abschnitts nach Ullmann.

[6] Über Nachahmungen des Demosthenes, Thukydides und Xenophon in den Reden der römischen Archäologie des Dionysios von Halikarnassos, Diss. Leipzig 1890.

teils – zumindest als Andeutung – bei Livius im 1. Buch finden, in dem manche Sätze mit dem Text des Dionysios übereinstimmen. Da es sicher ist, daß die beiden Historiker unabhängig voneinander gearbeitet haben, muß man schließen, daß diese Reden schon bei den Annalisten, einer ihrer gemeinsamen Quellen, standen.

Leider sind die Werke, aus denen Livius geschöpft hat, – außer Polybios – verloren. Stellt man die Reden des lateinischen Historikers denen gegenüber, die sein griechisches Vorbild über denselben Gegenstand verfaßt hatte, so stellt man fest, daß Livius seine Quelle sehr spürbar abgewandelt hat. Er hat hier gekürzt und dort ausgestaltet; aus patriotischen Gründen, die wir früher erwähnt haben, und besonders aus literarischen Gründen hat er zwei oder drei Reden kontaminiert: Er will in den Aufbau mehr Klarheit bringen, mehr Profil in die gedankliche Entwicklung, mehr Überzeugungskraft in die Wahl der historischen Beispiele, mehr Abwechslung in das Stimmungskolorit und ganz allgemein mehr Leben, Bewegung, Pathos. Man versteht dann das Urteil von La Harpe besser: „Die Reden, die die Alten bewunderten und die die Modernen ihm zum Vorwurf gemacht haben, sind so schön, daß ihr strengster Beurteiler es zweifellos bedauern würde, wenn sie nicht existierten."

André Lambert, Die indirekte Rede als künstlerisches Stilmittel des Livius, Diss. Zürich 1946, S. 43–57.

DIE INDIREKTE REDE ALS KÜNSTLERISCHES STILMITTEL

Von André Lambert

[A. Lambert geht in seiner Untersuchung von der Tatsache aus, daß die indirekte Rede bei Livius „jedem Leser durch ihr ungeheuer reiches Vorkommen auffallen" muß. Er hat unter Berücksichtigung auch der kleinsten Beispiele in den Büchern 1–6 insgesamt 524 indirekte Reden gegenüber 147 direkten gefunden, im 24. Buch 80 indirekte Reden gegenüber 7 direkten. Auf dieser Beobachtung fußend hat er sich die Aufgabe gestellt (S. 19): 1) aufzuweisen, „daß auch die indirekte Rede, wie jede Rede, ja auch wie die reine Erzählung bei Livius stark rhetorisch durchgebildet ist", 2) „die Bedeutung der indirekten Rede als Stil- und Ausdrucksmittel für bestimmte Vorgänge oder Stimmungen" darzulegen und 3) von diesen Untersuchungen aus einen Blick „auf die Bedeutung der indirekten Rede im allgemeinen" zu tun, wobei er sowohl Sallust und Caesar als auch Polybios zum Vergleich heranzieht. Das Material für seine Arbeit hat er den Büchern 1–6 und 24 entnommen, dazu aber auch zusätzlich Beispiele aus den anderen Büchern benützt. – Anm. d. Hrsg.]

Gebrauch der indirekten Rede

Wenn wir nun an dieser Stelle einen Blick auf das bisher Festgestellte werfen, so wird es uns unmöglich sein, irgendeine feste Regel aufzustellen. Einmal ist die indirekte Rede wirklich nur Inhaltsangabe gewesen, dann wieder ausgebaute Rede, die an Bedeutung einer direkten gleichkommt, wobei alle Zwischenstufen durchlaufen werden. Ein anderes Mal diente der Übergang von indirekter zu direkter Rede zur Hervorhebung des Handlungfördernden, ein anderes Mal nur zur besseren Ausmalung der rhetorisch wirksamen Situation, während das Handlungfördernde in die indirekte Rede verwiesen wird. Es durfte auch nicht behauptet werden, daß die direkte Rede nur der dem Autor sympathischen Seite reserviert sei und er nur dann seine volle Kunst anwende[1]. Auch der früher gewonnenen Ansicht, daß die Meinung, welche nachher siegt, von indirekt zu direkt übergehe (2, 29, 7–12), also, daß das Direkte stärker sei, können Gegenbeispiele gegenübergestellt werden: 22, 40, 1–3 siegt nämlich die indirekte Rede gegenüber einer langen direkten (c. 39), und 36, 8, 1 wird ausdrücklich gesagt, daß die in einer langen direkten Rede (c. 7) vorgebrachten Vorschläge nicht ausgeführt wurden. Die gleiche Feststellung wäre zu machen für Sall. Iug. 14–15, 1 (cf. 16, 1).

Aus diesen Beobachtungen ergibt sich also methodisch, daß jeder einzelne Fall für sich zu betrachten ist, und daß jeweilen aus der speziellen Situation die Wahl der Stilmittel erklärt werden muß. Es würde ja auch von einem schlimmen Verkennen künstlerischer Arbeit zeugen, wenn man nun um jeden Preis strenge Regeln und Schemata finden wollte, nach denen der Künstler in jedem Fall gearbeitet hätte; und dies noch für Stellen von gewissem Umfang und gewisser Wichtigkeit.

Hier ist wohl auch der Platz, ein Bedenken zu zerstreuen, daß die indirekte Rede nur für Situationen untergeordneter Bedeutung

[1] Einen schlagenden Beweis für diese Behauptung sehe ich in der Stelle 4, 40, 4–41, 7: Die Hetzrede eines Volkstribunen ist direkt gegeben. Sie ist für diesen eine *occasio . . . renovandae . . . invidiae* (40, 4). Dagegen ist die Antwort des von ihm um Auskunft gefragten Soldaten *incompta . . . ceterum militariter gravis, non suis vana laudibus, non crimine alieno laeta* (41, 1), und als Abschluß heißt es, daß er *cum ingenti laude non virtutis magis quam moderationis* entlassen worden sei (41, 7). Diese Rede des Soldaten ist aber indirekt, obschon es klar ist, wo des Livius Sympathien stehen. Wir dürfen hier wohl sagen, daß Livius die indirekte Ausdrucksweise aus zwei Gründen gewählt hat: einmal um das *incomptum* etc., wenn es direkt nachgeahmt wäre, als Stilbruch zu vermeiden, und zweitens bietet der Charakter der *oratio obliqua* doch wieder die Möglichkeit, die Schlichtheit des Berichtes ganz anders zum Ausdruck zu bringen als die *oratio recta*, der leicht etwas Rhetorisches anhaftet. Trotzdem bleibt aber die stilistische Einheit gewahrt.

verwendet würde. Gerade bei dramatischen Szenen wird sie nämlich bevorzugt, da sie den Gang der Erzählung nicht stark unterbricht. Auch bei Momenten der Erzählung, die einen gewissen Abschluß darstellen, finden wir sie. Aus den verschiedensten Beobachtungen hätten wir das schon ersehen können, und es seien hier nur noch einige bezeichnende Stellen hervorgehoben: Die letzte Rede des Tiberius Gracchus vor seinem schmählichen Tod, den er durch Verrat findet, ist indirekt (25, 16, 17–20), obschon seine heldenhafte Gesinnung darin großartigen Ausdruck findet; Zurufe des Feldherrn an die Soldaten mitten im Schlachtgetümmel (1, 27, 8; 2, 64, 6; 3, 70, 5–6; 7, 15, 2); Ansprachen des Feldherrn vor der Schlacht (10, 39, 11–17; 33, 8, 3–6); das Flehen der Heraclia vor ihrer Ermordung (24, 26, 3–9). Doch wäre es auch hier falsch, feste Regeln aufstellen zu wollen.

Besser wird sich in den folgenden Ausführungen über gewisse immer wiederkehrende kleine Situationen, in denen die indirekte Rede Anwendung findet, eine feste stilistische Haltung feststellen lassen. Wie ja auch die Wissenschaft der bildenden Künste schon lange die Methode ihr eigen nennt, durch Beobachtung kleinster Details und deren Ausführung zur Erkenntnis und Bestimmung gewisser Künstler und Künstlergruppen zu gelangen, da eben in diesen Details, die immer wieder vorkommen, jeder Künstler nicht sein Ganzes gibt, sondern mit einer gewissen Stereotypität vorgeht.

Bedeutung der indirekten Rede

Nachdem wir die indirekte Rede in ihren mannigfachen Formen von der angedeuteten Rede bis zur ausgeführten Rede mit ihrer letzten Steigerung, dem Übergang zur direkten Rede, betrachtet, also mehr das Formale ins Auge gefaßt haben, wollen wir uns jetzt dem inhaltlichen Ausdrucksgehalt der indirekten Rede zuwenden. Es lassen sich hier einige ganz bestimmte Fälle erkennen, bei denen die indirekte Rede als besonders geeignet von Livius verwendet wird:

I.

Zum *Ausdruck der Gefühle, Gedanken, Meinungen oder Stimmungen mehrerer Personen.* Sprechen mehrere Personen, soll z. B. den Gedanken des Volkes oder den Umtrieben der Volkstribunen Gestalt verliehen werden, dann ist wohl die indirekte Rede besonders am Platze, da sie stilistisch nicht die Forderung auf absolute Gültigkeit des Wortlautes zu erheben scheint wie die direkte Rede. Ihr haftet meist etwas Unbestimmtes, Fließendes, Unpersönliches an, das gerade in dem Fall, wo mehrere sprechen, besonders geeignet ist, eine nicht festgelegte, aber doch die wesentlichen Punkte all dieser Meinungen hervorhebende Zusammenfassung zu geben. In diesem Zusammenhang darf auch an die bekannte Neigung des Livius erinnert werden, möglichst alle Vorgänge in das Innere der Personen zu verlegen, oder doch wenigstens einen Widerhall dieser Vorgänge in ihrem Innern zu zeigen. Dies muß aber durch die Wiedergabe der Gedanken der Leute geschehen[2]. Genau wie Livius bei den meisten Schlachtenschilderungen Sieg oder Niederlage mit Vorliebe auf innere Zustände zurückführt (Furcht, Leichtsinn, Übermut usw.), so sind auch in der Politik die treibenden Kräfte solche inneren Stimmungen des Volkes oder

[2] cf. H. Taine, Essai sur Tite-Live, Paris 1856, p. 129: „*... et il arrive qu'en observant les âmes il explique les événements*", oder p. 243: „*Les objets de l'imagination oratoire ne sont point les couleurs, les sons, les formes corporelles, mais le monde intérieur de l'âme*", ferner p. 126–129, 186, 343. Burck, Erzählungskunst, p. 230: „Dabei ist es für die Art seiner Darstellung wichtig, daß er sich nicht darauf beschränkt, den Erregungszustand eines Menschen oder einer Masse mit eigenen Worten zu beschreiben, sondern darüber hinaus ebensogut durch ihr Tun wie durch ihre Reden oder durch die Wiedergabe ihres Denkens und Empfindens (in *or. obliqua*) ihre Erregung zu charakterisieren sucht", ferner p. 217. Fr. Klingner, Römische Geisteswelt, Leipzig 1943, p. 302–303: „Livius verlegt nun überhaupt in den Stücken, die mit starker Teilnahme ausgestaltet sind, dort wo er darstellt und nicht bloß berichtet, seine Darstellung gern aus der Ebene der äußeren Geschehnisse soweit wie möglich in die der inneren Bewegungen, und nicht nur Pathos, sondern auch Ethos bezieht er in dieses Verfahren ein", ferner p. 90, 298.

dessen Führer. Das Ausmalen verschiedenster Gemütsbewegungen ist die besondere Stärke des Livius, und hier hat er in der indirekten Rede ein besonders geschmeidiges Instrument gefunden[3].

Es seien hier nur einige Beispiele aus dem übergroßen Material ausgewählt[4]:

1. 2, 32, 5–7: § 6 gibt in zwei indirekten Fragen die wichtigsten Befürchtungen der *patres* wieder, während *ducere* (§ 7) schon wieder *inf. hist.* ist und dem *timere* von § 5 entspricht. Ein eigentliches *verbum dicendi* fehlt – es ist ja auch keine Rede, sondern es sind Gedanken – und muß aus dem *timere* erschlossen werden. Dadurch, daß er diese Befürchtungen nicht als seine Reflexion wiedergibt, sondern als die der handelnden Personen, erreicht er stilistisch eine große Geschlossenheit der ganzen Episode.

2. 2, 49, 1–2: Häufiger Fall, daß ein *rumor* auf diese Weise wiedergegeben wird. Auch hier muß wieder das *verbum dicendi* aus dem *laudibus ferre* erschlossen werden.

3. 3, 56, 7–8: Grammatikalisch ist das Ganze ein Satz *(dum fremunt ... audiebatur)*, doch wird zwischenhinein, nur gedanklich verknüpft, das *murmur contionis* gestellt (§ 8). Es fehlt wieder ein eigentliches *verbum dicendi*. Der Satz bekommt so ein erstaunliches Leben.

4. 4, 50, 1: Dies ist die Reaktion auf eine direkte Rede: eine kurze indirekte Rede, die in ihrer Kürze doch die ganze *indignatio* der Soldaten enthält. Wieder ohne eigentliches *verbum dicendi*. Der Satz könnte gerade so gut fehlen oder durch eine Begründung *(nam; quia)* des Schriftstellers selbst ersetzt werden. Was uns dann aber an Miterleben verlorenginge, ist offensichtlich.

5. 5, 24,5–6: Hier geht Livius etwas anders vor als in Beispiel 4: zuerst gibt er eine gewöhnliche Begründung *(quia ...)*, dann folgt ohne eigentliches *verbum dicendi* eine indirekte Frage, die diese

[3] cf. K. Witte, Rhein. Mus. 65, 1910, p. 389: „... man weiß, daß Livius eine große Vorliebe für die Schilderung von Verwirrungen hat und keine Gelegenheit, dergleichen Situationen oft bis ins einzelnste auszumalen, unbenutzt läßt". Diese Bemerkung gilt auch für die inneren Verwirrungen.

[4] [Der lateinische Wortlaut, den Lambert natürlich anführt, ist aus Gründen der Raumersparnis weggelassen worden. – Anm. d. Hrsg.]

Begründung noch illustriert: dies war der Gedanke, der in allen Köpfen rumorte. Zuletzt (§ 6) wird diese Frage, warum man sie in das Gebiet der Volsker schicke, anstatt nach Veii, noch einmal durch einen erklärenden Aussagesatz des Schriftstellers erläutert.

6. 5, 45, 6: Gleiche Bemerkung wie zu Beispiel 4 und 5.

7. 24, 47, 4–6: Hier werden die Gespräche von einer Gruppe Leute mit einer anderen Gruppe geschildert. *Verba dicendi* sind vorhanden. Die indirekte Rede ist besonders passend, weil solche Gespräche nicht im genauen Wortlaut gegeben werden können, sondern nur ihr allgemeiner Inhalt angedeutet werden kann.

Weitere Beispiele: 2, 2, 3 (ohne eigentliches *verbum dicendi;* Abschluß: *hic sermo)*[5]; 2, 23, 2; 2, 28, 2–4 (ohne eigentl. *v. d.);* 2, 35, 1 (ohne eigentl. *v. d.);* 2, 55, 2–3 (Abschluß: *his vocibus*); 3, 2, 12–13; 3, 7, 3; 3, 15, 2–3 (ohne eigentl. *v. d.*); 3, 38, 10 (ohne eigentl. *v. d.*; Abschluß: *haec fremunt plebes*)[6]; 4, 25, 12 (ohne eigentl. *v. d.*); 4, 35, 5–11 (Abschluß: *huius generis orationes*); 4, 51, 6 (ohne eigentl. *v. d.*); 4, 58, 9–10 (Abschluß: *haec sua sponte agitata*); 5, 2, 3–12 (Abschluß: *haec taliaque vociferantes*)[7]; 5, 11, 4–16 (§ 7 ohne eigentl. *v. d.*; Abschluß: *his orationibus*); 5, 39, 13 (Abschluß: *haec iactata solacia*); 6, 16, 5; 6, 17, 2–5 (ohne eigentl. *v. d.*); 6, 28, 6 (ohne eigentl. *v. d.*; Abschluß: *has volventes cogitationes*); 6, 28, 7–9; 6, 36, 9–37, 11 (ohne eigentl. *v. d.*; Abschluß: *huius generis orationes*); 6, 39, 6–12 (ohne eigentl. *v. d.*; Abschluß: *adversus tam obstinatam orationem*)[7]; 22, 1, 5–6 (ohne eigentl. *v. d.*); 33, 33, 5–8 (ohne eigentl. *v. d.*).

Es sei hier noch auf einige Punkte hingewiesen: Auffallend ist, daß bei der Mehrzahl dieser Beispiele ein *verbum dicendi* fehlt, was ihnen eine ganz besondere Schwerelosigkeit und Lebendigkeit verleiht. Man muß es sich nur einmal anders denken, mit Partizipien oder andern Mitteln (*dicentes; et dixerunt* usw.), um dies zu ver-

[5] cf. Weissenborn-Müller zu 2, 2, 3: „Die *Orat. obl.* schließt sich ohne ein *Verbum dicendi* an, wie L. sehr häufig aus der Erzählung *unmittelbar* oder mit Einsetzung einer Copulativpartikel in diese Form übergeht, um die Ansichten und die Motive der Handelnden zu bezeichnen."

[6] cf. Burck, o. c. p. 230/31.

[7] Antwort eines Einzelnen darauf ist direkt!

stehen. Ganz besonders erleichtert wird dieser unmittelbare Übergang allerdings durch den häufigen Gebrauch des *infinitivus historicus,* der vor oder nach einer indirekten Rede stehend, diese auch formal gar nicht besonders in die Augen springen läßt.

Die Art, wie Livius der Bedeutung nach hier die indirekte Rede verwendet: zur Darlegung der Gedanken, die die Leute sich machen, und damit zur Verlebendigung der Handlung, läßt uns beinahe an den von den Romanisten für das Französische so viel diskutierten *„style indirect libre"* denken, der ebenfalls mit Vorliebe für die Gedankendarstellung verwendet wird[8] und seit der vollkommenen Ausgestaltung durch Flaubert aus dem modernen Roman nicht mehr wegzudenken ist.

Es ist nun selbstverständlich nicht so, daß nicht auch *Überlegungen einer einzelnen Person* in indirekter Rede gestaltet werden (z. B.:

[8] Ein wichtiger Unterschied besteht allerdings darin, daß im Lateinischen die grammatikalische Form der indirekten Rede gleichbleibt (A. c. I. und Konjunktiv), während im französischen *style indirect libre* nur die Person wechselt, die Form aber gleichbleibt wie im *style direct* (Indikativ). Man vergleiche etwa Beispiel 1, S. 419, mit den vielzitierten Versen aus La Fontaine 1, 16, La Mort et le Bûcheron: „*... il met bas son fagot, il songe à son malheur. Quel plaisir a-t-il eu depuis qu'il est au monde? En est-il un plus pauvre en la machine ronde?*" Caesar kommt an manchen Stellen dieser Ausdrucksweise am nächsten, schon weil er von sich selber in der dritten Person schreibt, cf. z. B. bellum Gallicum 7, 10, 1. Grammatikalisch entsprechend sind die Stellen Cic. epist. 15, 21, 4; ad Att. 2, 19, 3; Livius 44, 19, 8, doch wäre das ganze Problem einmal auf breiterer Grundlage zu untersuchen. Vorarbeiten wurden geleistet von A. C. Juret, Le style indirect libre en latin, Mélanges Vendryes, 1925, p. 199–201 und von J. Bayet unter dem gleichen Titel, Rev. de Phil. 5 u. 6, 1931/32, p. 327 ff. und 5 ff. Zur Sache im allgemeinen cf. die grundlegende Arbeit von M. Lips, Le style indirect libre, Diss. Genf 1926; W. Günther, Probleme der Rededarstellung. Diss. Bern 1928, p. 81 ff.; v. Wartburg, Evolution et structure de la langue française, 2. Aufl. Teubner, 1937, p. 233/35. [Nachtrag: A. C. Juret, Réflexions sur le style indirect libre, Rev. de Phil. 12, 1938, p. 163 ff.; G. Devoto, Storia della lingua di Roma, Bologna 1944, p. 134; J. Cousin, Evolution et structure de la langue latine, Paris 1944, p. 87; Ch. Hyart, Les origines du style indirect latin, Brüssel 1954 (Ac. Roy. de Belg. – Mém. Cl. des Lettres, T. XLVIII, fasc. 2), p. 22 ff.]

2, 58, 5: eigentl. *v. d.* fehlt; Abschluß: *haec ira indignatioque... stimulabat.* 4, 13, 4: ohne eigentl. *v. d.* 6, 11, 4–5: ohne eigentl. *v. d.*; Abschluß: *his opinionibus*), doch sind sie seltener und für den Gebrauch der indirekten Rede nicht so typisch. Daneben muß aber auch noch erwähnt werden, daß es auch einzelne *direkte Reden* gibt, *wo mehrere Personen sprechen* (z. B.: 1, 13, 3: allerdings im Übergang von indirekter Rede. 3, 52, 6–9: Fragen und Rufe der Menge; Abschluß: *cum haec iactarentur.* 7, 30, 1–23: Rede von Gesandten, wobei aber zu bemerken ist, daß der Plural nur eine Umschreibung für den Wortführer der Gesandtschaft ist[9], also streng genommen nicht in diese Kategorie gehört[10]. Das gleiche gilt auch für die Rede mehrerer Volkstribunen 6, 19, 6–7[11] und 38, 52, 6–7, wobei letztere im Übergang von indirekter Rede steht[12]. Es bleiben also als echte Beispiele nur 1, 13, 3, das durch vorhergehende indirekte Rede noch gemildert ist, und 3, 52, 6–9 bestehen[13]).

II.

Von einer besonderen Funktion der indirekten Rede muß in diesem Zusammenhang noch gesprochen werden, die bei manchen der vorangehenden Beispiele schon angedeutet war (Beispiele 4–6; S. 419/20). Das ist die *weitere Ausführung, Erklärung oder*

[9] cf. 6, 26, 4–7, wo es zu Beginn der Rede heißt: *dictator Tusculanus ita verba fecit,* und zum Abschluß der Rede: *tantum fere verborum ab Tusculanis factum.*

[10] Ein eventuelles Befremden über den Plural wird auch noch dadurch abgeschwächt, daß es zu Beginn heißt: *legati introducti in senatum maxime in hanc sententiam locuti sunt,* cf. das *tantum fere* in Anm. 9.

[11] Übrigens eine direkte Rede ohne *verbum dicendi,* was auch ziemlich häufig vorkommt, cf. 3, 11, 12; 3, 53, 6; 3, 54, 8; 5, 9, 5; 6, 7, 3; 28, 40, 3 u. a. Diese Erscheinung öfters auch, wenn vorher die Rede indirekt begonnen war, cf. 1, 13, 3; 1, 47, 3; 4, 42, 6; 8, 34, 11; 29, 17, 1.

[12] Wie 1, 13, 3.

[13] Nach R. Hanssen, Festschr. W. Munthe, Oslo 1933, 348 ff. findet sich bei Tacitus nur ein Beispiel für die direkte Rede von mehreren: ann. 1, 28, 4.

nähere Begründung irgendeines Vorganges, einer Handlung oder auch einer Aussage durch indirekte Rede, meist ohne eigentliches *verbum dicendi*[14]. Wir könnten es auch als Motivierung der Vorgänge oder Handlungen bezeichnen, die aber nicht vom Schriftsteller von außen herangetragen, sondern ins Innere der Handelnden selbst verlegt wird. Wie oben bekommen wir dadurch eine besondere Lebendigkeit und Anschaulichkeit des Stils. Trockene Begründungen, Erklärungen, logische Folgen aus Tatsachen oder Handlungen werden so verlebendigt, indem sie in die Seele der handelnden Personen projiziert werden. Die Reflexion des Schriftstellers wird zum unteilbaren Bestandteil der Geschichte, und jede Untersuchung, die des Livius eigene Anschauungen zum Gegenstand nimmt, hat diesen Umständen Rechnung zu tragen. So sagt G. Stübler, der die Religiosität des Livius untersucht, mit Recht: „Wer die Persönlichkeit des Livius beurteilen, seine letzten Anschauungen und höchsten Ziele erfassen will, wird stets derselben großen Schwierigkeit gegenüberstehen, die in der Eigenart der Darstellung des römischen Geschichtschreibers begründet ist: er tritt nicht selbst mit seiner Ansicht hervor, sondern läßt allein die Menschen, von denen er berichtet, reden und handeln. Die Deutung der geschichtlichen Ereignisse ist mit der Erzählung zu einer unauflösbaren Einheit verschmolzen“ (S. 1)[15]. Ein Weiteres wird durch diese stilistische

[14] Hier steht der Doppelpunkt vor der indirekten Rede in unseren Ausgaben mit besonderer Berechtigung.

[15] cf. H. Taine, o. c. p. 128/29: „*On voit comment les raisons des faits sont contenues dans les discours des personnages, comment la science est devenue éloquence, et comment l'historien se trouve philosophe parce qu'il est orateur. A ce titre, les harangues de Tite Live sont la partie la plus utile de son histoire. C'est là qu'il raisonne et réfléchit.*“ Wobei Taine allerdings hauptsächlich an die direkten Reden denkt. cf. auch J. Bayet in seiner Ausgabe p. LXXII: „*... les développements les plus liviens sont ceux qui donnent aux faits leur pleine expression humaine (et, par là, dramatique), ne fût-ce que par un mot ou une formule parlée, plus souvent par quelques lignes de discours indirect ou même direct, quand la passion s'échauffe: ces soi-disant „discours“ font alors partie intégrante du récit; ils en scandent les étapes et en accentuent ou modèrent la valeur émotive selon que, brefs ou longs, directs ou indirects, ils éveillent ou im-*

Eigenart gewonnen: eine große Gedrängtheit des Stils, die aber nie die beklemmende Form wie bei einem Tacitus annimmt.

Beispiele:

1. 3, 38, 6–7: In § 7 wird die Besorgnis der Decemvirn erklärt. Gleichzeitig werden ihre Gedanken über die zu ergreifende Haltung gegen diese *invidiae tempestas* mitgeteilt. Beides sind eigentlich Ideen des Schriftstellers, die er sich bei der Beurteilung der Lage gemacht hat. Sie werden aber durch die indirekte Rede in die Leute selbst hineingelegt.

2. 5, 16, 2–3: In § 2 werden die Gründe angeführt, die die Tarquinier veranlassen, das römische Gebiet zu verwüsten, und zwar in gewöhnlich erzählendem Stil. In § 3 aber malen sie sich die möglichen Folgen dieser *iniuria* aus (in indirekter Rede), und diese fallen ebenfalls so aus, daß sie die Expedition wagen zu können glauben. Zugleich also Gedankendarstellung und Begründung einer Handlung[16].

3. 5, 17, 2–3: Die Erklärung der Tatsache, daß die Götter sich beleidigt fühlten, und die Gegenmaßnahme, die sich daraus ergibt, wird indirekt dargestellt.

4. 6, 14, 12: Die Patrizier haben das den Galliern wieder abgenommene Gold, das einst zur Befreiung der Stadt vom ganzen Volk zusammengetragen worden war, für sich behalten. Durch öffentliche Aufteilung könnte aber die *plebs* von ihrer Schuldenlast befreit werden: *quae ubi obiecta spes est, enimvero indignum facinus videri: cum conferendum ad redimendam civitatem a Gallis aurum fuerit, tributo conlationem factam, idem aurum ex hostibus captum in paucorum praedam cessisse.* Warum diese Handlung unwürdig erscheint, das wird im indirekten Satz mitgeteilt. Die

posent la communion spirituelle du lecteur avec les personnages du drame. En de telles conditions, et quelle que soit la diversité de styles, il n'y a pas entre discours et récits de Tite-Live la nette opposition littéraire qui s'impose chez Thucydide ou Salluste; comme il n'y a point non plus des uns aux autres l'unité un peu monotone d'un Xénophon ou même d'un César."

[16] Die Reaktion der Römer ist für livianische Darstellungsweise sehr typisch (§ 4): *Romanis indignitas maior quam cura populationis Tarquiniensium fuit.* (Inneres Moment gibt den Ausschlag!)

Gedanken der *plebs* zum Vorgehen der *patres* werden so erklärend beigefügt, nicht durch den Mund des Schriftstellers, sondern durch sie selber.

Folgende Stellen können hier zu diesen Beispielen noch als Ergänzung dienen: 2, 7, 6; 2, 45, 2; 2, 45, 10; 3, 20, 4; 3, 20, 7; 3, 38, 3; 3, 62, 1; 3, 65, 9; 6, 20, 3; 6, 20, 16; 6, 22, 9; 7, 38, 6–7; 24, 25, 1–6; 24, 29, 7–9; 24, 37, 7.

Auch unter den Oberbegriff der Erklärung oder Begründung einer Handlung gehörig ist die folgende Gruppe von Beispielen, in der *Befehle oder Beschlüsse* in einem indirekten Satz noch näher erläutert werden (meist ohne eigentliches *verbum dicendi*):

5. 1, 41, 5: Hier werden die Gründe, warum sie guten Mutes sein sollen, gegeben, woran sich dann noch weitere Befehle anschließen.

6. 2, 28, 5: Beschluß und indirekte Erklärung des Beschlusses.

7. 4, 32, 11: *se, cum opus sit* ... ist eine nähere Erläuterung zum eigentlichen Befehl, während der zweite Teil des Satzes wieder von *praecipit* abhängig ist.

Weitere Beispiele: 1, 50, 1; 3, 34, 2–5; 3, 50, 14; 6, 3, 4; 6, 13, 4–5; 6, 34, 10; 24, 13, 4; 24, 15, 6; 25, 13, 11.

Öfters wird auch zu einem Befehl indirekt hinzugefügt, was geschehen würde, wenn das und das nicht gemacht wird:

8. 2, 45, 8: *edicunt inde, ut abstineant pugna: si quis iniussu pugnaverit, ut in hostem animadversuros.*

9. 3, 44, 6: ... *sequique se iubebat: cunctantem vi abstracturum.* Ferner 33, 20, 3.

III.

Einem ähnlichen Zweck wie oben dient die außerordentlich häufige Verwendung der *Botenberichte*[17], die hier aber eine viel weitgehendere Funktion haben als z. B. im klassischen Drama, wo sie letzten Endes der Notwendigkeit entspringen, den Hörer mit Vorgängen vertraut zu machen, die auf der Bühne nicht gezeigt werden können. Der Geschichtsschreiber ist aber an keine Einheit

[17] cf. K. Witte, o. c. p. 365, Anm. 1.

des Ortes und der Zeit oder an eine bestimmte Personenzahl gebunden. Es ist ihm gestattet, mit eigenen Worten Raum und Zeit zu überspringen und beliebig viele Personen in sein Werk einzuführen. Livius bedient sich aber doch dieses, man möchte fast sagen, altertümlichen Mittels des Botenberichtes, und zwar nicht nur, um noch unbekannte Ereignisse schildern zu lassen, sondern auch zur Wiederholung von Ereignissen, die der Leser schon kennt. Warum dies? Aus der trockenen Erzählung wird eine menschlich bewegte Handlung. Der Leser erlebt die Vorgänge, gespiegelt in der Seele verängstigter, freudiger, zaudernder Menschen, ganz anders mit, als wenn sie nur vom Autor registriert werden. In dem Moment, da ein Bote das erzählt, was der Schriftsteller mit eigenen Worten sagen könnte, oder was sogar schon in eigenen Worten gesagt war, erhalten wir einen neuen Standort, von dem aus die Ereignisse betrachtet werden können. Wir erhalten eine Vielfalt von Schichten, in denen sich die Vorgänge abspielen. Erst dadurch bekommt die Erzählung ihre „*pleine expression humaine*“ (cf. Anm. 15).

Beispiele:

1. 3, 30, 4: Ohne eigentliches Verbum des Meldens. Durch *terror* ist die Art der folgenden Aussage schon gekennzeichnet. Ebenso ist durch *metus* die Reaktion auf die Aussage gegeben. Die indirekte Ausdrucksweise erlaubt, die Art und die Wirkung eines Ereignisses ganz anders zu charakterisieren, als wenn es einfach geschildert würde. Inneres Erleben wird sofort angedeutet[18].

2. 3, 31, 3: Durch das *trepidi* wird wieder ein Licht auf die folgende Meldung geworfen[19]. Es kann also außer der Wirkung auch das Wesen der *nuntii* selbst beschrieben werden.

3. 4, 47, 4: Diese Meldung der Reiter erspart Livius eine ausführlichere Beschreibung der Vorgänge nach der Eroberung des Lagers. Das Stilmittel der indirekten Rede erlaubt ihm, die Raschheit des ganzen Kampfes zu unterstreichen, verschiedene Ereignisse

[18] Man stelle sich das gleiche einfach erzählt vor: *Sabinus exercitus praedatum descenderat in agros Romanos, inde ad urbem venit. quo facto tribuni metu commoti* . . . Das Intime, Menschliche, das in der indirekten Fassung der Meldung liegt, geht hier ganz verloren.

[19] Der gleiche Ausdruck 6, 31, 3; cf. ferner 2, 24, 1: *inter haec maior alius terror: Latini equites cum tumultuoso advolant nuntio* . . .

in einen Satz hineinzunehmen und so dazu beizutragen, die Kürze der Diktatur des Q. Servilius Priscus, der sein Amt nur acht Tage ausüben mußte (§ 6), augenfällig zu machen. Zugleich wird auch der Entschluß des Diktators, sein Heer am nächsten Tage schon weiterzuführen, motiviert.

4. 6, 2, 2: Zwischen zwei erzählenden Sätzen steht plötzlich ein indirekter Aussagesatz. Dies wird wohl hier aus dem Bestreben des Schriftstellers nach Abwechslung geschehen sein. Dies ist überhaupt ein Punkt, der hin und wieder ins Auge gefaßt werden muß: die indirekte Ausdrucksform bietet neben der bloßen Erzählung und der direkten Rede eine weitere Möglichkeit der Aussage, und damit, wie z. B. hier, eine *variatio* innerhalb einer Aufzählung.

Weitere ähnliche Beispiele von *nuntii:* 1, 27, 7; 1, 31, 1 (ein *prodigium* wird gemeldet)[20]; 2, 26, 1; 2, 54, 9; 4, 37, 4–5; 4, 45, 3; 4, 45, 6; 4, 46, 9; 4, 53, 3; 4, 55, 4; 5, 8, 10; 6, 27, 10; 24, 2, 9; 24, 40, 2–3; 24, 40, 7 u. a.

In den folgenden Beispielen von *nuntii* gibt Livius dem Leser schon Bekanntes noch einmal wieder:

5. 3, 70, 10–13: Wenn wir diesen *nuntius* auf seinen Inhalt hin betrachten, so erkennen wir, daß im ersten Teil (– *castris*) das uns schon aus § 10 Bekannte gesagt wird. Der zweite Teil (– *esse*) gibt uns die Absicht des Quinctius bekannt, die uns noch neu ist. Im dritten Teil (– *potiretur*) erfahren wir dessen Vorschlag an seinen Kollegen, falls dieser ebenfalls gesiegt habe. Diese Annahme ist aber bereits durch das in § 10–11 Geschilderte überholt, nämlich durch den schon erfolgten Sieg des Agrippa. Die Botschaft ist also in kompositorischer Hinsicht nicht ein handlungsförderndes, sondern ein retardierendes Moment. Nochmals soll Spannung erzeugt werden. Es könnte ja doch noch etwas Unvorhergesehenes eintreten, falls Agrippa nicht mit diesem Vorschlag einverstanden sein sollte, oder er bereits mit der Plünderung begonnen hat. Aber

[20] Die Darstellung von Prodigien kommt oft in der Form von Meldungen vor. Vielleicht verschafft diese Art der Darstellung dem Autor die nötige Distanz zu Vorgängen, die er selbst nicht ganz ernst nimmt. Er legt sie anderen Leuten in den Mund und muß sich nicht mit diesen Nachrichten identifizieren; cf. ferner 22, 1, 8–12; 24, 10, 6–12.

nein: *victor... ad victorem... venit* (§ 13). Ein großartiger Abschluß der ganzen Kampfszene, in der Wirkung eben gesteigert durch diese Verzögerung in Form eines *nuntius.*

6. 6, 28, 1–2: In dieser Botschaft werden die Zustände in Rom, wie wir sie aus der zweiten Hälfte des c. 27 kennengelernt haben, noch einmal zusammengefaßt. Einerseits wird uns dadurch die Reaktion der Feinde noch verständlicher, und andererseits wird uns die doppelte Gefahr, die Rom droht, innere Unruhe und äußere Feinde, nochmals deutlich vor Augen geführt. Die indirekte Ausdrucksweise gestattet Livius, dies alles in einem Satz zu sagen, und zwar eben indirekt, ohne daß wir mit ausdrücklichen Worten darauf hingewiesen werden müssen.

7. 21, 36, 2–3: Die Frage nach Hannibal und die Meldung an ihn sind für den Leser eigentlich nicht nötig, da wir ja bereits wissen, was geschehen ist. Was will Livius hier erreichen? Das Interesse des Lesers soll auf die Hauptperson, auf Hannibal, gerichtet werden. Er soll sich fragen: was tut er jetzt dieser neu sich auftürmenden Gefahr gegenüber? Die Spannung wird durch diese kleine Verzögerung erhöht, und im Moment, da es heißt: *digressus deinde ipse ad locum visendum,* atmen wir eigentlich erleichtert auf, denn damit wird die Situation gerettet werden[21].

8. 5, 39, 1–2: Was hier die Boten melden, wissen wir schon aus 38, 10: *Romam omnes petiere et ne clausis quidem portis urbis in arcem confugerunt.* Aber es soll das *miraculum* verdeutlicht werden, das sich an das erste *miraculum victoriae tam repentinae* anschließt. Das Staunen der Gallier wird deshalb noch einmal unterstrichen durch einen indirekten Aussagesatz, der auch rhetorisch ihrer Stimmung deutlichen Ausdruck gibt: Trikolon asyndeton mit dreifach wiederholtem *non.*

Weitere Beispiele: 24, 12, 5; 24, 15, 5; 24, 30, 4 u. a.

Ich habe hier nur die eigentlichen *nuntii* berücksichtigt. Zum Teil gehören hierher auch die *Briefe,* die bei Livius immer in indirekter Form gegeben sind, und dann alle Sorten von *rumores*[22]. Doch

[21] Die Interpretation wird bestätigt durch den Vergleich mit Polybios 3, 54, 7.

[22] Diese finden sich auch direkt: cf. 9, 3, 1–4.

ließen sich aus ihnen keine wesentlichen neuen Gesichtspunkte gewinnen.

Ein Beispiel anderer Darstellungsmöglichkeit als die bis jetzt besprochenen sei noch angeführt. Es kann uns vielleicht das Wesen livianischer Kunst noch deutlicher werden lassen:

5, 7, 1–4: In § 1–3 werden die Vorgänge bei der Belagerung von Veii durch Livius rein erzählend geschildert. § 4 heißt es dann: *quod ubi Romam est nuntiatum, maestitiam omnibus, senatui curam metumque iniecit* ... Also zuerst Schilderung, dann Beschreibung der Wirkung des Ereignisses. Dieses Beispiel dürfen wir wohl als die ursprüngliche, primitive Art von Darstellung ansprechen, sie ist aber nicht die für Livius typische, sondern er zieht es vor, die Ereignisse unmittelbar in ihrer Wirkung auf die beteiligten Personen zu zeigen, und zwar durch indirekte Rede, mit der sie die Vorgänge wiedergeben oder mitanhören. Er bereichert dadurch die Möglichkeiten der Charakterisierung: 1. kann Art und Weise eines *nuntius* oder ganz allgemein einer sprechenden Person geschildert werden (*trepidus, tumultuosus* etc.), bevor sie überhaupt das Wort ergreift; 2. kann durch die Art der Rede selbst der Zustand des Sprechenden gekennzeichnet werden, und 3. kann die auf die Rede folgende Reaktion der Hörer mitgeteilt werden. Dies alles bewirkt, daß das Ereignis lebendig in die Erzählung hineingestellt ist und uns unmittelbar anzusprechen vermag. Nochmals sei betont, daß die indirekte Rede vor der direkten in diesem Fall den Vorteil hat, doch nicht zu stark aus dem Rahmen zu fallen; stilistisch bleibt die Einheit gewahrt, und alle drei oben aufgezählten Punkte können mit Leichtigkeit z. B. in einem einzigen Satz miteinander verbunden werden. Erscheint dieses Verfahren auf den ersten Blick vielleicht umständlicher, so ist es in Wahrheit kürzer, und in seiner Kürze spannungsgeladener und bedeutungsvoller. Wer alle in diesem Abschnitt aufgezählten Beispiele daraufhin noch einmal durchgeht, wird unschwer die ungeheure Vielfalt der Ausdrucksmöglichkeiten, die Livius durch diesen einzigen Kunstgriff der indirekten Rede zur Verfügung stehen, erkennen können. Vielschichtig und nuanciert, wenn auch oft in psychologischer Hinsicht etwas grob, sind Handlungen und Tatsachen gleichsam personifiziert. Die Geschichte wird menschlich und dadurch jedem verständlich.

Originalbeitrag 1966.

EINZELINTERPRETATION VON REDEN

Von Erich Burck

a) Scipio vor seinen Soldaten nach der Meuterei von Sucro

Unter den Reden des Livius kommt von methodischen und inhaltlichen Gesichtspunkten aus denjenigen eine besondere Bedeutung zu, die in Anlehnung an Reden des Polybios konzipiert sind und deren griechisches „Vorbild" erhalten ist[1]. Denn hier kann man eindringlicher als in den erzählenden Partien die Art des Anschlusses an die griechische Vorlage, vor allem aber die Zusätze und Streichungen des Livius studieren und so zu präziseren Vorstellungen über die Beurteilung der verschiedenen historischen Persönlichkeiten oder Situationen durch Livius gelangen. Dies ist natürlich vornehmlich dann der Fall, wenn es sich um hervorragende Gestalten oder exceptionelle Ereignisse handelt, für deren Motivierung und Deutung die eingeschobenen Reden einen wesentlichen Beitrag liefern. Dazu gehört die Rede, die Scipio im Jahre 206 vor den Soldaten gehalten hat, die nach der Eroberung Spaniens und nach der Meldung von einer gefährlichen Erkrankung Scipios zu meutern begonnen hatten, aber nach seiner Genesung durch Sonderbeauftragte zur Ordnung zurückgeführt worden waren und danach von Scipio zur Rechenschaft gezogen wurden (Pol. 11, 25–30; Liv. 28, 24–29).

Mit Recht ist W. Hoffmann, der diese Ereignisse und die Rede Scipios in der Darstellung des Polybios und des Livius analysiert

[1] Das ist leider wegen der fragmentarischen Erhaltung der späteren Polybios-Bücher gar nicht so oft der Fall, zumal die Fragmente auch historische Berichte bieten oder nur Teile einzelner Reden enthalten. Livius hat außerdem eine Reihe von Reden, die Polybios bietet, nicht übernommen.

hat[2], davon ausgegangen, daß eine Meuterei römischer Soldaten in der damaligen Zeit „etwas Unerhörtes" war[2a] und nicht nur in Spanien, sondern auch in Rom eine erhebliche Erregung ausgelöst hat. Die Gegner Scipios haben ihm deswegen schwere Vorwürfe gemacht, seine Freunde haben ihn und sein Verhalten zu rechtfertigen gesucht. Für die Historiker, die in den kommenden Jahrzehnten – bis zu Livius hin – diese Meuterei von Sucro und ihre Bestrafung durch Scipio zu berichten hatten, waren diese Ereignisse aufs engste mit den Vorstellungen verbunden, die sie von dem Endsieg Scipios in Spanien, von seiner Persönlichkeit und vom Ethos und der Disziplin der römischen Truppen hatten. So kann ihre Darstellung Aufschluß über zentrale Punkte ihres Rombildes und über ihre Konzeption von der Gestalt Scipios geben. Zur Klärung dieser Fragen wird man gut tun, die Scipio-Rede nicht zu isolieren, sondern im Rahmen des Gesamtberichts zu interpretieren.

Der Bericht des Polybios weist am Anfang eine größere Lücke auf, in der von der Erkrankung Scipios und dem Beginn der

[2] Der Nachdruck seiner Darlegungen in seinem Buche „Livius und der zweite punische Krieg" (Hermes-Einzelschr. Heft 8, Berlin 1942, S. 83–88) wurde von der Weidmannschen Verlagsbuchhandlung nicht gestattet. Meine Ausführungen schließen sich ziemlich eng an Hoffmanns Untersuchungen sowie an die Aufbau- und Inhaltsanalysen der drei Reden an, die R. Treptow in seiner Dissertation „Die Kunst der Reden in der 1. und 3. Dekade des Livianischen Geschichtswerks", Kiel 1964 (masch. schr.), S. 179–199 gegeben hat.

[2a] Livius unterstreicht das Erschreckende dieser Tatsache indirekt dadurch, daß er in der knappen, aber eindrucksvollen Würdigung Hannibals, die der Schilderung des spanischen Endkampfes (samt dem Aufstand von Sucro) unmittelbar vorausgeht, als besonders bewunderungswürdig hervorhebt, daß es im Heere Hannibals trotz der gewaltigen Heterogenität der ihm unterstellten Truppenkontingente und trotz der häufig sehr knappen Lebensmittellage und der unregelmäßigen Soldzahlungen keine Revolte gegen den Oberbefehlshaber gegeben hat. Dieses bemerkenswerte Faktum hatte zwar Polybios in seiner Charakteristik Hannibals (11, 19, 1) auch hervorgehoben, aber Livius führt es angesichts der Zwangslage Hannibals in der Enge des Bewegungsraumes, der ihm im Jahre 206 in Bruttium noch verblieben war, wesentlich breiter aus (28, 12, 2–9).

Meuterei berichtet war[3]. Diesen Anlaß hat Polybios (am Beginn des erhaltenen Textes) benutzt, um – von der Schwierigkeit der Lage Scipios ausgehend – einige prinzipielle Aussagen über die Entstehung einer Meuterei zu machen (25, 1–7). Sie ist nach Ansicht des Polybios ernster zu nehmen und schwieriger zu bekämpfen als auswärtige Feinde – genau wie Krankheiten, die von innen kommen, oder innerstaatliche Umwälzungen nicht mit den üblichen Abwehrmaßnahmen gegen äußere Bedrohungen bewältigt werden können, sondern Sonderüberlegungen erfordern. Sein Rat lautet für alle drei Formen der Bedrohung, daß Untätigkeit und Überfluß die Wurzeln des Übels sind und daher nicht Platz greifen dürfen[4]. Diese Zurückführung des vorliegenden Sonderfalls auf allgemein gültige physische und soziologisch-ethische Gesetze und Normen ist für Polybios – und für griechisches wissenschaftliches Denken überhaupt – charakteristisch, selbst wenn Polybios im folgenden den Scipio kaum eine Konsequenz aus der geschilderten Gesetzmäßigkeit ziehen läßt. Denn die ersten Maßnahmen, die er bei ihm auf Grund der Lage trifft, beziehen sich auf die Eintreibung von Kontributionen, um den Soldaten ihren Sold zahlen zu können (25, 9–11). Dann folgt eine eingehende Schilderung der Überlegungen und Anordnungen, durch die die Meuterer nach Neu-Karthago gelockt und die Rädelsführer von ihnen getrennt und verhaftet werden. Diese wohlbedachten Tricks haben Erfolg: ein Beweis für die der exceptionellen Lage gewachsene Umsicht und Tatkraft Scipios (26, 1–27, 4). In der Heeresversammlung des folgenden Tages hält er eine Rede an die Rebellen, die Polybios mit einer kleinen *oratio obliqua* einleitet (28, 1–2). In ihr geht Scipio von einer prinzipiellen

[3] Das hat W. Hoffmann verkannt, der die Ansicht vertritt, Polybios habe das Motiv der Erkrankung Scipios noch nicht gekannt (S. 86) – richtiggestellt unter Hinweis auf Pol. 11, 27, 8 von R. Treptow a. a. O. S. 180.

[4] Auch Livius führt den Anfang der Unruhen auf Untätigkeiten zurück (*licentia ex diutino, ut fit, otio conlecta* 24, 6), aber dazu tritt – im Gegensatz zu Polybios – die plötzlich erforderliche Einschränkung der Soldaten, die durch Plünderung und Raubüberfälle üppig zu leben gewohnt waren *(artiores in pace res)*.

Erwägung aus, nach der Revolutionen aus drei Gründen entstehen können: 1. Aus Groll über die Vorgesetzten, 2. aus Unzufriedenheit mit der Lage, 3. wegen verlockender Hoffnungen.

Diese drei Gesichtspunkte bilden nun auch die leitenden Aspekte für die Disposition seiner weiteren Ausführungen (in *oratio recta*).

Zuerst widerlegt er die Möglichkeit, daß die Meuterer an seiner Person, der von ihm (oder früher von Rom) verschuldeten Säumigkeit der Soldzahlung oder an seiner Menschenbehandlung hätten Anstoß nehmen können (28, 3–11). Dann stellt er knapp die erfolgreiche Lage dar (29, 1) und zeigt schließlich, wie trügerisch die etwaigen Hoffnungen der Rebellen auf gemeinsame Aktionen mit den aufständischen Spaniern oder auf die Leistungskraft ihrer revolutionären Führer sein müßten (29, 2–7). In einer überraschenden Wendung erklärt er sich nunmehr, nachdem er ihnen alle Entschuldigungsgründe aus der Hand geschlagen hat, dazu bereit, ihre Haltung zu verteidigen (29, 8–11). Denn sie seien – wie das Meer unter der Macht der Stürme – durch die wenigen Rädelsführer zur Meuterei verleitet worden. Zum drittenmal greifen wir hier die für Polybios typische Argumentationsweise, mit allgemeinen Gesetzmäßigkeiten, wie den wechselnden Zuständen des Meeres, zur Erklärung menschlicher Verhaltensweisen zu operieren. Damit wird der Schluß der Rede vorbereitet: die Masse soll straflos ausgehen, die Rädelsführer aber sollen hingerichtet werden (29, 12–13).

W. Hoffmann hat einleuchtend entwickelt, daß der Beweis der Unschuld Scipios an der Entstehung der Revolte und die Begründung der milden (nicht etwa einer strengen!) Strafe[5] schwerlich zum Tenor eines überlegenen Feldherrn und nur wenig zu einer Strafrede an meuternde Soldaten passen. Er vermutet mit Recht, daß diese Argumentation sich an die Kritiker Scipios in Rom wende und den Niederschlag einer zeitgenössischen Scipio-freundlichen Version darstelle, die ihn vor den Angriffen seiner politischen Gegner, wie des Fabius (vgl. Liv. 29, 19, 3 ff.), in Schutz nehmen

[5] Hoffmann weist darauf hin, „mit welcher Härte zwei Generationen vorher die meuternde Besatzung in Rhegion bestraft worden war“ und mit welcher Rücksichtslosigkeit „man noch im zweiten punischen Kriege selbst geringere Vergehen zu ahnden pflegte“ (S. 85).

sollte. Polybios hat sich die sachlichen Argumente dieser Version zu eigen gemacht, aber er hat sie in der für seine rationalistischen Deduktionen typischen Beweisführung zum Ansatz für generelle politische Überlegungen benutzt und von ihnen her das Verhalten Scipios gestaltet. Dabei stimmen die einzelnen Vorschläge, die Scipio in der Besprechung mit seinen Unterführern zur Beilegung der Meuterei macht, ebenso wie die kühle Überlegenheit bei der Widerlegung der einzelnen Ansatzmöglichkeiten der Revolte und die überraschende Milde durchaus zu dem Scipio-Bild, das Polybios auch sonst vor Augen hat: eine durch Klugheit und Erfahrung souverän über der Menge stehende, alle Mittel der Menschenführung in berechnender Rationalität einsetzende und dadurch zum Erfolg gelangende Persönlichkeit.

Wesentlich anders nehmen sich die Gestalt und die Rede Scipios bei Livius aus. Schon die Proportionen der Gesamtdarstellung sind verändert. Wenn Polybios – mit Schätzung der Lücke – etwa zwei Drittel seines Berichts der Wiedergabe der Ereignisse, den Beratungen und den eigenen Erwägungen widmete und der Rede Scipios nur das letzte Drittel einräumte, so halten sich bei Livius die erzählenden Abschnitte und die Rede genau die Waage (24, 1–26, 15; 27, 1–29, 8). Eigene Reflexionen fehlen so gut wie ganz. Die beiden Hauptteile werden innerlich dadurch zusammengehalten, daß Livius die Meuterei, deren einzelne Phasen er mit der ihm eigenen stufenmäßigen Steigerung klar voneinander abtrennt (24, 6–16), als *civilis furor* (24, 4), als Verblendung sieht und Scipios Rede dahin anlegt, den Soldaten ihre *insania* und *amentia* (27, 12) zum Bewußtsein und sie dadurch zu Scham und Reue zu bringen. So liegen im Gegensatz zu den rationalen Leitpunkten des Polybios emotionale Elemente als Dominanten über der lateinischen Darstellung. Dies gilt im besonderen Maße für die Rede Scipios, die fast den doppelten Umfang der Polybianischen hat und zu den längsten Reden des Livius gehört[6]. Sie berührt sich in einigen Punkten – aber nur oberflächlich – mit der Rede bei Polybios, ist

[6] Sie umfaßt 143 Zeilen; nur drei Reden haben einen Umfang, der zwischen 150 und 200 Zeilen liegt, und nur eine Rede hat mehr als 200 Zeilen.

jedoch in Ansatz, Durchführung und Zielsetzung von der polybianischen Fassung grundverschieden. Es kommt Scipio bei Livius, wie Hoffmann richtig erkannt hat, „nicht mehr darauf an, den Soldaten die Ziellosigkeit ihres Tuns darzulegen, sondern er zeigt ihnen in immer neuen Wendungen die Schwere ihres Vergehens, daß sie gewagt hätten, die geheiligten Zeichen der römischen Befehlsgewalt auf Unwürdige zu übertragen" (S. 87).

Der Aufbau der Rede erfolgt in sechs etwa gleich großen Teilen, wobei – wie immer bei Livius – die logische Gliederung durch weitgespannte Empfindungsbögen ergänzt und gelegentlich überspielt wird[7]. Im Unterschied zu Polybios fehlt eine Angabe der leitenden Gesichtspunkte am Beginn der Rede, wie Livius überhaupt nur relativ selten die Unterteile seiner Reden durch Formulierung der Leitgedanken hervortreten läßt. Die starke innere Beteiligung der Redner, die wir fast immer bei Livius konstatieren, schien ihm offenbar solche logische Markierungen zu verbieten.

Scipio setzt mit einer Aporie ein (27, 1–4), durch die Livius die Einmaligkeit der Situation deutlich werden läßt, auf die es ihm auch im weiteren Verlauf der Rede wesentlich ankommt. Scipio weiß nicht, wie er die Rebellen ansprechen soll: *cives* oder *milites* oder *hostes*[8]. Ihre Meuterei, insbesondere die Übertragung des *auspicium* und *imperium* auf zwei Rädelsführer aus gemeinem Volk, stellt etwas so Ungeheuerliches dar, daß Scipio die Schuld dafür nicht bei den Soldaten insgesamt, sondern nur bei wenigen Verblendeten sehen kann (27, 5–6). Mit dieser Wendung bereitet Livius bereits am Eingang der Rede ihr Endergebnis vor (d. h. die Scheidung der straflos ausgehenden Menge von den Hauptschuldigen), das bei Polybios erst am Ende der Rede ganz überraschend eingeführt wurde. Dabei geht Scipio bei Livius davon

[7] Eine zutreffende kurze Wiedergabe – ohne Gliederungszäsuren – bei W. Hoffmann, S. 87 und eine intensive Nachzeichnung mit Angabe der dispositionellen Fugen und Verbindungen und mit Würdigung der sprachlichen Ausdrucksweise bei Treptow a. a. O. S. 185 ff.

[8] Natürlich liegt hier eine Variante zu der bekannten Situation des Jahres 47 vor, in der Cäsar seine meuternde 10. Legion in Rom mit „*Quirites*" anredete (vgl. Suet. Caes. 70).

aus, daß die Menge der Soldaten sich auch jetzt noch nicht der Ungeheuerlichkeit ihres Tuns bewußt ist, so daß es also seine Aufgabe ist, diese exceptionelle Lage in aller Evidenz zur Geltung zu bringen. Wie bei Polybios beginnt er mit seiner eigenen Person – aber nicht um seine Unschuld zu beteuern, sondern um die bittere Enttäuschung zum Ausdruck zu bringen, daß man seinen Tod erwartet habe (27, 7–9): ein Grund mehr zu der Annahme, daß die Menge aller gesunden Empfindungen bar und krankhaft verblendet war. Dies aber geht zu Lasten der Führer, die – wie die Stürme das Meer – die Soldaten zur Raserei gebracht haben. Das überraschende Schlußargument Scipios bei Polybios baut Livius bereits hier ein und verstärkt damit die Entlastung der Menge der Soldaten (27, 10–11).

Aber nun reiht Scipio – mit formal höchst wirksamen Mitteln zum Ausdruck der starken Erregung – Argument an Argument, um das Ausmaß der gewaltigen Verirrung mit wahrhaft erschreckender Stärke hervortreten zu lassen: zuerst das schändliche Verhalten gegen ihn selbst, dann gegen das Vaterland, die Eltern und Kinder, dann gegen die Götter und schließlich gegen alle sittlichen, religiösen und militärischen Gebote – ohne jede Schuld seiner Person, des Vaterlandes und des römischen Volkes. Die ganze Schande aber ist offenbar geworden in dem angemaßten feldherrlichen Auftreten der beiden Hauptr, ädelsführer – ein Vorgang, der nur durch Blut gesühnt werden kann (27, 12–16). Damit ist Livius wieder – ganz im Unterschied zu Polybios – in paralleler Intention vorgegangen: Anprangerung der Meuterei und zugleich Vorbereitung der Strafe für die Hauptakteure.

Hatte er sich bisher vorwiegend im ideellen Raum bewegt, so blendet er nun, wie er das gern tut, in den historischen Bereich hinein. Auch im Vergleich mit den revolutionären Gewaltmaßnahmen einer römischen Legion, die im Jahre 280 eigenmächtig die reiche Stadt Rhegium zehn Jahre besetzt hielt, ist das Verbrechen der Meuterer furchtbarer, weil sie sich mit dem Landesfeind verbunden hatten (28, 1–7). Hier berührt sich Livius wieder ein wenig mit Polybios, ohne doch den eigenen Gedanken- und Empfindungsstrom dadurch einzuengen. Im Gegenteil: die erneute Erwähnung der spanischen Feinde führt ihn zur kritischen Prüfung der gegenwärtigen Lage – von Polybios als zweiter Dispositionspunkt ganz knapp abgetan – und läßt ihn nach der eindrucksvollen Aufzählung seiner Erfolge die von den Meuterern geglaubte Möglichkeit seines Todes ins Auge fassen. Selbst dann hätten die Soldaten keine Chance gehabt. Denn Rom überstehe nach dem Willen der Götter trotz aller Verluste, die auch dieser Krieg der römischen Führungsschicht gebracht habe, alle solche Schicksalsschläge, da es für die Ewigkeit gegründet sei, und sogar jetzt gäbe es Führer genug, die römische Herrschaft in Spanien zu behaupten (28, 9–15). Hier lenkt Scipio noch einmal in die historische Perspektive ein, so daß das Bekenntnis von der Ewigkeit Roms von zwei geschichtlichen Exempla eingerahmt ist, die beide von revolutionären Umtrieben und Trennung bzw. Kampf gegen Rom berichten, die aber beide erfolglos geblieben sind – eine Art indirekter Beweis für Roms Standfestigkeit und Dauer. Denn auch Coriolan hat sich trotz ungerechter Verbannung zuletzt doch nicht zum Kampf gegen Rom entschlossen, weil seine *pietas* ihn vor einem solchen ruchlosen Schritte bewahrte. Wenn die Meuterer nur wegen ihrer Soldforderungen solche Hemmungen über Bord geworfen hätten, dann sei dies ein erneutes Zeichen ihrer *insania* (29, 1–3). Damit läßt Livius den Scipio auf den Eingang seiner Rede zurückverweisen, unterstreicht noch einmal, was ihm von Anfang des Berichts über die Meuterei als Leitvorstellung vor Augen stand (der *furor* des ganzen Beginnens) und bahnt sich den Weg zur Schlußentscheidung: Vergessen und Verzeihung für die Menge der Soldaten, Todesstrafen für die Hauptrādelsführer (29, 4–8).

Auf einzelne Berührungen und Unterschiede der Polybianischen und Livianischen Fassung der Scipio-Rede haben wir bereits hingewiesen. Die große Selbständigkeit des Livius, die bei einem solchen Vergleich zutage tritt, bedarf aber noch einer kurzen Betrachtung. Diese Eigenprägung beruht zunächst darauf, daß Livius seinen Scipio im Unterschied zu der kühlen Berechnung und der intellektuellen Argumentation des Polybios mit stärkster persönlicher Anteilnahme, mit einem unmittelbaren Engagement sprechen läßt. Diese Ergriffenheit findet ihren Ausdruck nicht nur in den stark emotionalen, an die Gefühle der Soldaten appellierenden, suggestiven Fragen und Ausrufen und in dem reichen sprachlichen Schmuck, den im einzelnen nachzuweisen leicht ist[9], sondern vor allem in der von Anfang an gewahrten doppelten Zielsetzung der Rede. Scipio sträubt sich, die Soldaten insgesamt als bewußte und verantwortliche Revolutionäre anzusehen. Sie erscheinen ihm als Verführte, daher aber auch von ihrer Raserei heilbar und nicht straffällig. Daß diese Einstellung Scipios aufs engste mit der Konzeption zusammenhängt, die Livius von den römischen Soldaten der Frühzeit und der punischen Kriege hat, bedarf wohl keines besonderen Beweises.

Nicht weniger wichtig ist ein zweiter Unterschied, auf den schon W. Hoffmann aufmerksam gemacht hat. Für Polybios bietet der Aufstand von Sucro den willkommenen Anlaß zur Erörterung des Wesens einer militärischen Meuterei. Die Unterdrückung dieser Revolte durch Scipio bestätigt ihm die Fähigkeit dieses Feldherrn zur Improvisation und Bewältigung exceptioneller Ereignisse durch die erforderlichen Sondermaßnahmen. Bei Livius findet dagegen der Aufstieg Scipios, den er seit der freiwilligen Übernahme des spanischen Kommandos und der Eroberung von Neu-Karthago bis zur Vertreibung der Punier und der Unterwerfung ganz Spaniens planmäßig Schritt für Schritt entwickelt hat, seine höchste Kulmination in den Tagen jenes Aufstandes von Sucro. Bei seiner Erkrankung scheinen alle seine Erfolge illusorisch zu werden, bei seiner Genesung beginnt die Lage sofort sich zu bessern und wird von ihm selbst durch die überlegene Behandlung der Meuterer und die maßvollen Strafmaßnahmen vollkommen in Ordnung gebracht. In dieser überlegten Zuordnung der spanischen Ereignisse auf die Person Scipios möchte Hoffmann die Hand des Coelius Antipater erkennen, wofür mancherlei spricht[10].

Ein dritter – und wohl der tiefgreifendste – Unterschied ist in

[9] Vgl. R. Treptow a. a. O. S. 198 f.

[10] Außer Hoffmanns Begründung wird man auch daran denken dürfen, daß Coelius Antipater in den von ihm benutzten Hannibal-Historikern eine solche Konzentration auf die Führergestalten vermutlich vorgefunden hat und daß er in seinen künstlerischen Ambitionen, die er gegenüber den Annalisten herausstreicht, wohl auch eine kompositionelle Geschlossenheit anstrebte, für die eine personale Bindung der Ereignisse an die Hauptgestalten eine gute Voraussetzung schaffen konnte.

dem durchgängigen Rom-Bezug der Livianischen Rede zu sehen. Während Polybios weitgehend mit allgemein menschlichen Belangen und Gewohnheiten operiert, setzt Livius immer wieder spezifisch römische Vorstellungen voraus. Das beginnt mit der Aporie des Eingangs, wo sich die übliche Anrede *commilitones* nicht einstellen will. Es führt dann über den Gegensatz ordnungsgemäß gewählter Magistrate und willkürlich zur Führung erhobener gemeiner Soldaten aus der Provinz[11] zur ersten Kulmination in der massiven Vorhaltung der Vergehen gegen das Vaterland, die Götter und allen römischen Brauch und Sitte (27, 12). In dem mittleren Teil wird das Verhalten der Rebellen eindringlich mit Beispielen aus der römischen Geschichte konfrontiert – nichts davon bei Polybios –, und die Schlußfolgerungen werden durch den Kontrast zwischen der *pietas* Coriolans und der *insania* der Soldaten eingeleitet. Der stärkste Rom-Bezug aber ist zwischen die historischen Exempla eingebettet, als Scipio den Jupiter Optimus Maximus beschwört, nicht zuzulassen, daß das unter der Schutzherrschaft der Götter für die Ewigkeit gegründete Rom seinem gebrechlichen und sterblichen Körper gleichgesetzt werde. Rom wird alle Verluste – und seien sie noch so groß und schmerzvoll – unversehrt überstehen. Auf dem Höhepunkt seiner spanischen Erfolge bekennt sich Scipio angesichts der Kürze und Bedrohung des menschlichen Lebens durch Krieg und Krankheiten zur Ewigkeit des Vaterlandes, in dessen Dienst der einzelne seine Lebensaufgabe zu erfüllen hat. „Damit gibt Livius dem Scipio eine Haltung, die hinausführt über das polybianische und coelianische Bild. Die persönliche Größe des Mannes erfährt ihre letzte Steigerung, indem er in dem Augenblick, wo ihn die anderen als den alleinigen Träger des Geschehens verehren, sich selber freiwillig dem größeren Rom unterordnet. Diese tiefe Deutung des Verhältnisses von Einzelmenschen und Staat trägt die Merkmale des ersten Jahrhunderts. Erst in einer Zeit, wo man

[11] Livius hebt dies am Beginn der Scipio-Rede ebenso hervor (27, 5) wie in der Mitte (27, 15; 28, 4 und 9) und am Ende (29, 8); Polybios erwähnt die beiden Namen überhaupt nicht. Livius wird die beiden Namen dem Coelius Antipater (oder einer annalistischen Quelle?) entnommen haben.

die Größe und die Grenzen der Einzelpersönlichkeit kennenlernte, konnte man der Nichtigkeit des Einzelnen die Ewigkeit Roms gegenüberstellen" (Hoffmann S. 88). So wird die Rede Scipios ein nicht minder großartiges Rom-Bekenntnis, als es in der ersten Dekade die Rede des Camillus nach dem Galliersturm (5, 51–54) und in der vierten Dekade die Rede Scipios vor den Gesandten des Antiochos nach der Schlacht von Magnesia (37, 45, 4–18) oder die unmittelbar folgende Rede der Rhodier vor dem römischen Senate (37, 54) sind: die beiden letzten wieder in erheblicher Umgestaltung zum Ruhme Roms gegenüber den Vorlagen des Polybios (21, 16 und 21, 23).

b) Hannibal und Scipio vor Zama

Auch die beiden Reden Hannibals und Scipios vor Zama am Schluß der dritten Dekade, ein eindrucksvolles Gegenstück zu dem Redenpaar vor der Schlacht am Ticinus im Eingangsbuch der gleichen Dekade (21, 40–44)[12], lassen einen Vergleich mit Polybios zu und zeigen bei mancherlei Bindungen an die griechische Vorlage die Art und Stärke der Livianischen Transformation und „Romanisierung" (30, 30–31). Auch hier ist natürlich die Einbettung der beiden Reden in den Gang der Ereignisse und die Motivierung der Zusammenkunft der beiden Feldherren für das Verständnis ihrer Worte zueinander nicht ohne Bedeutung. Wie stellte Polybios dies dar? (15, 1, 1 ff.)

Die Karthager hatten im Herbst 203 um einen Waffenstillstand gebeten, ihn aber noch, während ihre Gesandten in Rom verhandelten, durch einen Überfall auf römische Transportschiffe gebrochen. Scipio protestiert durch Gesandte in Karthago, die jedoch abgewiesen, auf der Rückfahrt hinterlistig überfallen und nur durch einen Zufall gerettet werden. Der Waffenstillstand ist unheilbar zerbrochen. Dennoch läßt Scipio die karthagischen Unterhändler, die in diesem Augenblick aus Rom zurückkehren, aus Scheu vor dem heiligen Gesandtenrecht und im Bewußtsein der

[12] Eine gründliche Analyse gibt R. Treptow a. a. O. S. 110–128.

römischen Tradition ohne jede Gegenmaßnahme nach Karthago zurückkehren. Ja karthagische Späher, die gefangengenommen wurden, läßt er durch das römische Lager führen, um ihnen die umfassenden militärischen Vorbereitungen und die Siegeszuversicht seiner Truppen vorzuführen. Dann schickt er sie unbehelligt in Hannibals Lager zurück. Hannibal ist voller Bewunderung über diese μεγαλοψυχία und τόλμα Scipios und empfindet „aus einem unerklärlichen Drange", wie Polybios formuliert, den Wunsch nach einer Unterredung mit Scipio (15, 5, 8). W. Hoffmann (S. 94 Anm. 2) hält diese Begründung, so ungewöhnlich sie im ersten Augenblick erscheinen mag, geschichtlich wohl für möglich. Jedenfalls soll sie die menschliche Größe Scipios und die Achtung Hannibals vor einer solchen Selbstsicherheit und Großherzigkeit unterstreichen, die ihm den Anstoß zu einem Versuch der friedlichen Beilegung des Krieges gegeben haben mag[13].

Die beiden Reden, die wiederholt analysiert worden sind[14], will ich nun nicht, wie die Scipio-Rede vor Sucro, im Fluß ihres

[13] Daß die antiken Historiker sich erhebliche Gedanken über die Motivierung der Zusammenkunft beider Feldherren gemacht haben, lehrt Liv. 29, 6–7. Ob Polybios auf einer karthagischen Quelle oder auf mündlicher Tradition fußt oder aus eigener Überlegung dies Motiv erfunden hat, muß offen bleiben.

[14] K. Witte, Rh. Mus. 65, 1910, S. 300 ff. und R. Ullmann, *La technique des discours dans Salluste, Tite Live et Tacite,* Oslo 1927, S. 127 ff. sind unter erzählungstechnischen und rhetorischen Gesichtspunkten, W. Hoffmann a. a. O. S. 93 ff. (dessen Darlegungen durch das Veto der Weidmannschen Verlagsbuchhandlung nicht, wie ursprünglich beabsichtigt, nachgedruckt werden konnten) sowie A. Lambert und S. Cavallin – beide im Eranos 45, 1947, S. 25–36 und 46, 1948, S. 54–71 – unter quellenkritischen und inhaltlichen Gesichtspunkten an die Würdigung dieses Redenpaars bei Polybios und Livius herangegangen. Dabei sind die besonderen Ansatz- und Zielpunkte, die Empfindungswerte und Argumentationsweisen beider Historiker glücklich herausgestellt worden. Zu den religiösen Ideen, namentlich der Hannibal-Rede, vgl. auch G. Stübler, Die Religiosität des Livius, Tübinger Beitr., Heft 35, 1941, S. 162 ff.; eine Nachzeichnung des Aufbaus und Gedankenganges mit Würdigung des stilistischen Charakters findet sich auch bei R. Treptow a. a. O. S. 129 ff. und 200 ff. Daß der Stil dieses Feldherrndialogs beträchtlich von dem der Rede

Gedankengangs nachzeichnen, sondern nur in der Thematik ihrer Unterteile stichwortartig festhalten, um die gedanklichen Ansatzpunkte für den Vergleich mit Livius zur Hand zu haben. Beide Redner setzen mit einer kurzen *oratio obliqua* ein, um sehr schnell in die direkte Rede überzugehen. Ihre Reden sind – im Unterschied zu Livius – etwa gleich lang und haben den halben Umfang der Hannibal-Rede des Livius. Stilistisch sind sie wesentlich nüchterner und kühler als ihre lateinischen Gegenstücke.

Hannibal geht (1) von dem verhängnisvollen, verbissenen Ringen Karthagos und Roms aus, die sich beide nicht mit den von der Natur gegebenen Grenzen begnügt und im Ausgreifen auf Sizilien und Spanien ihre Kräfte aufgerieben hätten (6, 4–7). (2) Er sei bereit, durch die Wechselfälle des Schicksals belehrt, die Gegensätze friedlich beizulegen. Ob Scipio, jung und auf der Höhe seiner Erfolge, sich darauf einlassen werde? (6, 8–7, 2.) (3) Hannibals Schicksal – einst Sieger von Cannae, jetzt Bittsteller vor Scipio – solle ihn warnen und den Chancen eines Siegs nicht allzusehr vertrauen lassen (7, 3–7, 7). (4) Karthago verzichte auf die umstrittenen Länder Sizilien, Sardinien und Spanien sowie auf die Inseln zwischen Italien und Afrika; der Friede werde sicher für Karthago und ehrenvoll für Scipio und Rom sein (7, 8–9).

Ihm erwidert Scipio, indem er zunächst die ersten beiden Argumente Hannibals kurz widerlegt: (1) Rom habe die Kriege um Sizilien und Spanien nicht herbeigeführt, sondern Karthago. Dafür zeugten die Götter und die römischen Siege (8, 1–2). Er selbst bedenke die Macht der Tyche und die menschlichen Wechselfälle; doch stehe dies jetzt nicht zur Rede (8, 3). Und nun folgen – wie in der Hannibal-Rede – vier Leitgedanken: (2) ein Rückzug Hannibals aus Italien vor dem siegreichen Auftreten Scipios in Afrika hätte eine Hoffnung auf eine friedliche Lösung eröffnen können (8, 4–5). (3) Hannibals Angebot bleibe hinter den Waffenstillstandsbedingungen zurück, die Karthago leichtfertig ausgeschlagen hätte (8,

Scipios vor den Soldaten nach der Revolte von Sucro differiert, sei wenigstens ausdrücklich vermerkt; wenn dort rhetorische Fragen und affektische Verstärkungsmittel aller Art dominierten, so ist hier davon fast nichts zu merken.

6–9). (4) Bessere Bedingungen würden geradezu als Belohnung für ihren Verrat empfunden werden müssen (8, 10–12). (5) Nur härtere Verzichte würden neue Verhandlungen ermöglichen; es gäbe also für sie nur entweder volle Unterwerfung oder Sieg in der Schlacht (8, 13–14).

Beim Vergleich dieser beiden Reden hat W. Hoffmann den Unterschied in der menschlichen Haltung der Feldherren eindringlich herausgearbeitet: „Der karthagische Feldherr ergreift durch die Schilderung seiner menschlichen Tragödie. Als alter Mann blickt er zurück auf die vergangenen Kämpfe zwischen Rom und Karthago, in denen er selbst unvergänglichen Ruhm erwarb und die ihm nachträglich so sinnlos erscheinen. Wäre es nicht besser gewesen, so meint er, wenn sich beide Völker stets in ihren natürlichen Grenzen gehalten hätten und nie zum Kriege geschritten wären? Er fühlt in seinem Leben das Walten der Tyche, die den Menschen auf den Gipfel seines Daseins emporhebt und dann erbarmungslos in tiefstes Leid stürzt. Nur ein Mann mit griechischer Bildung konnte Gedanken dieser Art äußern, die mit ihrer tiefen Weisheit zugleich die Hoffnungslosigkeit einer späten Zivilisation verbinden[15]. Sein Partner Scipio erscheint ohne persönliche Wärme. Kühl und unerbittlich formuliert er den Standpunkt seines Staates. Gewiß weiß auch er um das Walten der Tyche, aber in diesem Augenblick sind für ihn entscheidend der Glaube an die Götter, die Rom dank seines rechten Verhaltens stets den Sieg gaben, und die Erwägung, daß Karthago wegen seines Vertragsbruches unter keinen Umständen eine Milderung der Friedensbedingungen erwarten dürfe“ (S. 95).

W. Hoffmann geht so weit – vielleicht zu weit? –, an der starken Bindung Scipios an das Verhalten der Vorfahren sowohl bei der bedingungslosen Entlassung der karthagischen Unterhändler als auch der Späher aus seinem Lager Anstoß zu nehmen. Außerdem

[15] Unbeschadet der Tatsache, daß die Vorlagen des Polybios kein authentisches Quellenmaterial hatten, geht doch F. W. Walbank, A historical commentary on Polybius, Oxford 1957, S. 14 entschieden zu weit, wenn er behauptet, die Reden Hannibals und Scipios enthielten nur Gemeinplätze; dagegen mit Recht M. Gelzer, Gnom. 29, 1957, S. 402.

hält er die Berufung Scipios auf die Götter, die Rom den Sieg gegeben hätten, und die Härte seiner Unterwerfungsforderung für unvereinbar mit dem Bilde, das Polybios sonst von Scipio gegeben habe: ein Feldherr und Staatsmann, „in dem klare und nüchterne Überlegenheit alle gefühls- und traditionsgebundenen Erwägungen ausschaltet" (S. 96). Hoffmann zieht daraus den Schluß, daß hinter dem Bericht als Ganzem und besonders hinter der Rede Scipios ein *römisches* Scipio-Bild gestanden hätte, das in den Grundzügen bis auf die Zeitgenossen zurückreiche. In der Hannibal-Rede erblickt er einen gewissen Widerspruch zwischen der Tyche-Auffassung, die mit ihrer Willkür dem Hannibal sein ganzes Wirken als ergebnislos erscheinen lasse, und der Grundauffassung des Polybios, der in der Eingliederung der von Rom unterworfenen Staaten das planmäßige Ziel der Tyche sah. Daher glaubt er, für die Hannibal-Rede mit einer *griechischen* Vorlage rechnen zu müssen, die Polybios benutzt und mit der typisch römischen Scipio-Rede verbunden habe. Doch ist es schwer, hier zu einer bündigen Antwort zu kommen, da uns die Materialien fehlen, die Polybios vorgelegen haben. Dies gilt natürlich auch *mutatis mutandis* für die Fassung der Reden bei Livius, die in einer Reihe von Gesichtspunkten Verwandtschaft mit Polybios zeigen, aber doch sehr viel Eigenes haben. So drängt sich die Frage auf, ob Livius hier den Polybios unmittelbar benutzt und von sich aus erweitert hat (was Hoffmann in Abrede stellt) oder ob er sich dazu noch einer Mittelquelle, etwa des Coelius Antipater, bedient hat. Die Selbständigkeit, die wir in der Hinführung seiner Gesamtkomposition auf den Höhepunkt der Begegnung der beiden Feldherren beobachten können, spricht für einen hohen Grad von eigener Gestaltung in den Feldherren-Reden. Was ist in der Berichterstattung des Livius vor der Zusammenkunft der beiden Feldherren bemerkenswert?

Zunächst wird man, wie dies auch W. Hoffmann getan hat, darauf hinweisen, daß Livius den Entschluß Hannibals zur Unterredung mit Scipio anders als Polybios motiviert hat. Hannibal ist zwar auch bei ihm durch die bedingungslose Freigabe der karthagischen Unterhändler und der Späher von der *fiducia* Scipios sehr betroffen, aber im Bewußtsein seiner Schuld am Kriege will er lieber als Unbesiegter mit Scipio verhandeln und hofft auf günstigere

Bedingungen als im Falle einer Niederlage (29, 4). Diese Beobachtung führt dahin, daß wir es bei Livius mit einer anderen Zeichnung der beiden Hauptgestalten zu tun haben, die bereits in den vorangehenden Büchern angelegt ist.

Nach der Beendigung des spanischen Krieges hat Livius immer wieder darauf hingewiesen, daß Scipio sein nächstes Ziel darin sieht, nach Afrika überzusetzen und dort den Krieg zu beenden. Zum erstenmal geschah dies bereits in dem Rückblick auf die Ereignisse des Jahres 206: *L. Scipio ... inexplebilis virtutis veraeque laudis ... iam Africam magnamque Carthaginem et in suum decus nomenque velut consummatam eius belli gloriam spectabat* (28, 17, 3; anders Pol. 11, 24a, 3). Dann trat Scipio nach seiner Rückkehr nach Rom in der großen Senatsdebatte des folgenden Jahres über die Fortführung des Krieges gegen Hannibal und die Karthager in aller Entschiedenheit im Widerstreit gegen Fabius für die sofortige Verlegung seiner Truppen nach Afrika ein: *id est viri et ducis non deesse fortunae praebenti se et oblata casu flectere ad consilium* (28, 44, 8). Wenn ihm dies auch zunächst noch versagt blieb, so weist Livius doch am Beginn des nächsten Buchs immer wieder auf diesen Plan Scipios hin (29, 1, 13; 3, 6; 6, 1; 12, 16) und läßt das Volk bereits im Anfang des Jahres 204 auf eine siegreiche Entscheidung in Afrika hoffen (29, 14, 1). Bei der Inspektion der Truppen Scipios in Sizilien durch eine Senatskommission kehrt diese nach Rom zurück *tamquam victoriam, non belli magnificum apparatum nuntiaturi Romam essent* (29, 22, 6 und 11). Als schließlich die Überfahrt nach Afrika erfolgt, betont Livius, daß es so aussah, als ob die Truppen nicht zum Kriege, sondern zu den sicheren Belohnungen des Sieges geführt würden (29, 24, 11; vgl. 26, 4–5; 28, 5). Die großen Erfolge Scipios in Afrika, die im einzelnen hier aufzuzählen zu weit führen würde, sichern ihm für 203 und 202 die Verlängerung seines Oberkommandos (30, 1, 10–11; 27, 3) und lassen nach dieser großartigen Gradatio steigender Siegeszuversicht kaum noch einen leisen Zweifel am Endsieg aufkommen, wenn Scipio nun endlich auf Hannibal stoßen wird.

Umgekehrt ist Hannibal in diesen Büchern nicht nur immer weiter zurückgetreten, sondern Livius berichtet von ihm nicht ohne ein Gefühl für die Tragik seines Schicksals. Nach der Niederlage und dem Tod seines Bruders Hasdrubal am Metaurus läßt ihn Livius die Ahnung aussprechen, daß er jetzt Karthagos Schicksal erkenne, und läßt ihn sich in den äußersten Winkel Italiens zurückziehen (Buchende 27: 51, 12–13). Am Ende von Buch 28 offenbart er die völlige Tatenlosigkeit Hannibals, zu der er verurteilt ist, und erwähnt den Tatenbericht, den er im Rückblick auf seine Erfolge in punischer und griechischer Sprache im Tempel der Juno Lacinia aufstellen ließ: er sieht seine italische Mission als beendet an (46, 15–16). Kurz vor dem Schluß des 29. Buchs notiert Livius sogar eine Niederlage, die Hannibal 204 hinnehmen muß (36, 9). Am Ende des Jahres 203 läßt er ihn schließlich unter bitteren Vorwürfen gegen seine Heimatstadt den Befehl zur Rückkehr nach Afrika geben. Er verläßt das Land seiner militärischen Triumphe in tiefer Trauer und unter Vorwürfen gegen die Götter und gegen sich selbst, daß er den Sieg von Cannae nicht zum Marsch gegen Rom genutzt hätte (30, 20). Während Scipios Schiffe am „Schönen Vorgebirge" Afrika erreicht hatten (29, 27, 12), erblickt Hannibals Ausguckposten zuerst ein verfallenes Grabmal am afrikanischen Strande, ehe der Steuermann Kurs auf Leptis nimmt (30, 25, 11): ein böses Vorzeichen für die kommenden Aufgaben.

Wenn man diese beiden Darstellungskurven vor Augen hat, könnte man erwarten, daß Livius schon vor der Schlacht von Zama die Entscheidung für Roms Sieg nahezu gefällt sieht. Dem ist aber nun überraschenderweise nicht so. Im Gegenteil: Livius läßt seinen bisher zügigen Sachbericht stocken und gibt eine Schilderung der Stimmung in Rom und Karthago, wo allgemeine Besorgnis um sich greift (30, 28). Die Römer erinnern sich der Warnungen des Fabius Maximus, daß Hannibal in seiner Heimat ein schwererer Gegner sein würde als in der Fremde und daß nur der Platz der Kämpfe, nicht die Gefahr eine Veränderung erfahren habe. Sie halten sich Hannibals Persönlichkeit und Erfolge von der Jugend bis zu seinen großen Siegen in Spanien und Italien vor Augen und denken angstvoll an die Härte und Erfahrung seines ihm adäquaten Heeres und der so oft siegreichen Unterführer und Einzelkämpfer. Die Karthager, vor kurzem noch durch Hannibals Rückkehr zu dem Bruch des Waffenstillstandsabkommens verführt, bereuen ihre Tat, erschrecken vor der in den letzten Jahren bewährten *virtus* und dem *consilium* Scipios und fürchten ihn als den für ihren Untergang bestimmten *fatalis dux*. Mit der Würdigung Hannibals durch die besorgten Stadtrömer weist Livius auf die Charakteristik zurück, die er selbst im Jahre 206 vor Scipios letzten Kämpfen in Spanien eingelegt hatte und in der er in objektiver Weise in Anlehnung an Polybios (11, 19) die Führerqualitäten Hannibals gerühmt hatte. Gerade im Unglück hätten sich diese bewährt, indem er trotz der bunten Zusammensetzung seiner Truppen und trotz häufiger Notsituationen nie eine Revolte der Soldaten hätte zu fürchten brauchen. Mit der Bezeichnung Scipios als *fatalis dux huiusce belli* weist Livius auf das erste Eingreifen Scipios in den Krieg zurück (21, 46, 8; 22, 53, 7)[16] und hebt sein Charisma und die über Rom liegende Schicksalsbestimmung hervor. Der Sinn dieser Komposition mit dem überraschenden Umbruch der beiden einander entgegengesetzten Schicksalskurven im Aufbau der Spannung auf den Endkampf ist zunächst darin zu sehen, daß Livius vor dem Endpunkt der Gradationen eine Retardierung schaffen will. Aber dieser künstlerische Effekt wird nur durch die sachliche Absicht möglich, daß Livius, wie auch Hoffmann bemerkt hat, eine Besinnungspause eingeschoben wissen wollte. Diese aber dient dem Zweck, durch die Schilderung der Sorge und Furcht beider Hauptstädte die Größe beider Feldherren herauszustellen und die einmalige Bedeutung des historischen Augenblicks der Begegnung der beiden Feldherren und der folgenden Kriegsentscheidung zu verdeutlichen. Es sind zwei ebenbürtige Gegner mit ebenbürtigen Heeren angetreten: *non suae modo aetatis maximi duces, sed omnis ante se memoriae, omnium gentium cuilibet regum imperatorumve pares* (30, 1). Auch Polybios hebt die Denkwürdigkeit der Entscheidung hervor, auf die alle Menschen schauen würden (15, 3, 1–4): aber wieder in der für ihn typischen kühlen Sachlichkeit mit dem wissenschaftlichen Anspruch

[16] Mit dem in der Rede Hannibals unmittelbar folgenden Schuldbekenntnis am Ausbruch des Krieges will Livius vermutlich die dem Hanno in den Mund gelegte Formulierung vom Kriegsanfang ins Gedächtnis zurückrufen: *hunc iuvenem (scil. Hannibalem) tamquam furiam facemque huius belli odi ac detestor* (21, 10, 11).

einer objektiven Betrachtungsweise. Livius schildert sie dagegen mit persönlichem Engagement und mit suggestiver Kraft zur Weckung der unmittelbaren Anteilnahme seiner Leser an dem Geschehen.

Dieser Unterschied trifft nun auch weitgehend auf die Reden der beiden Feldherren zu. Livius gibt im Unterschied zu Polybios dem Scipio nur etwa ein Drittel des Umfangs der Rede Hannibals, eine bemerkenswerte Änderung, auf die wir noch zurückkommen werden. Wie bei Polybios seien auch hier nur abschnittweise die Hauptgedanken herausgehoben und im Vergleich zur Fassung des Polybios mit jenen Hauptabschnitten (vgl. S. 442) verglichen[17]. (1) Hannibal beginnt mit der Konfrontation seiner Person und der Scipionen, die in seltsamer Laune des Schicksals ihm am Anfang und Ende des Krieges entgegengestellt worden sind (30, 3–5) – ein Abschnitt, der bei Polybios gänzlich fehlt und der weniger eine *captatio benevolentiae* (Weißenborn-Müller z. St.) als vielmehr die Fortsetzung des Gedankens der Ebenbürtigkeit beider Gegner darstellt, auf die Livius so zielbewußt hingearbeitet hatte (richtig W. Hoffmann S. 98). (2) Nach einer stärkeren Zäsur fährt Hannibal in lockerer Anlehnung an den ersten Hauptgedanken des Polybios[18] fort, das Unheil der Expansion beider Staaten und die Verbissenheit der Kämpfe um Sizilien und Sardinien herauszustellen. Nun müsse Karthago in ungünstiger Position um Frieden bitten (30, 6–9). (3) Er sei zu ruhiger Beratung bereit, durch Alter und Erfahrung gereift, aber er fürchte, daß Scipio trotz des Blicks auf Hannibals Sturz sich von der Jugend und seiner *perpetua felicitas* vom Wege der Vernunft fortreißen lasse (30, 9–12). Hier hat Livius das zweite und dritte Argument aus der Hannibal-Rede des Polybios übernommen, aber er baut sie sofort eigenständig aus, indem er in höchst eindrucksvoller Zusammenballung die Erfolge Scipios aufzählt

[17] Für die eingehendere Nachzeichnung des Aufbaus und der Entfaltung der Gedanken und Empfindungen sei auf die in der Anm. 14 genannte Literatur verwiesen.

[18] Die Einzelformulierung weist freilich hier – wie auch im folgenden – beträchtliche Unterschiede auf; der Gedanke der gebotenen Beschränkung auf die naturgegebenen Lebensräume, von dem Polybios ausgeht, fehlt bei Livius.

(30, 13–15). Diese Ausweitung, die in der stolzen Leistungsschau des Siegers Scipio im Munde Hannibals psychologisch nicht gerade überzeugen wird[19], stellt in der Mitte der ganzen Rede die von Livius beabsichtigte Kulmination der Verherrlichung Scipios am Ende der Dekade dar. Daß gerade Roms größter Feind dieses Lob ausspricht, soll ihm den stärksten Nachdruck verleihen. Hier drückt sich der Stolz der augusteischen Zeit auf die größte Phase der römischen Vergangenheit aus.

Im unmittelbaren Anschluß an diesen preisenden Rückblick lenkt Hannibal (4) mit schmerzvollem Hinweis auf sein persönliches Schicksal zu dem Gedanken zurück, daß Scipio die Gunst der Stunde nutzen und auf den Abschluß eines Friedens eingehen solle (30, 16–17). Dabei kommt es wieder – wie schon in Abs. (1) und (3) – zu einer erneuten Gegenüberstellung der beiden Feldherren, diesmal aber mit stärkerer Ausrichtung auf die unmittelbare Konsequenz dieser Begegnung, auf den Frieden. (5) Hannibal warnt Scipio vor der Unsicherheit eines Entscheidungskampfes, wie er dies auch bei Polybios (3) getan hatte. Er fügt aber hier als entscheidendes Argument das Schicksal des M. Atilius Regulus aus dem ersten punischen Kriege hinzu (30, 18–23). Von hier kommt er (6) wie bei Polybios am Schluß der Rede zu den konkreten Friedensvorschlägen (30, 24–26) und bietet abschließend in seiner Person im Unterschied zu seinen wortbrüchigen Landsleuten die Garantie für einen Frieden von Dauer (30, 27–30); dieser Schlußstein fehlt bei Polybios.

Wenn wir fragen, welche Züge das Hannibalbild dieser Rede bestimmen, so werden zunächst – wie bei Polybios – die Tatsache des hohen Alters und der menschlichen Reife ins Auge fallen. Sie werden – abgesehen von der direkten Betonung (§§ 10 und 15) – noch dadurch unterstrichen, daß Hannibal sich so vieler Sentenzen und allgemeiner Lebensweisheiten bedient, wie wir sie in keiner Rede des Livius sonst finden. Aufs engste sind damit die zahlreichen Verweise Hannibals auf das Schicksal und den Willen der Götter

[19] Hier trifft Quintilians Lob über Livius' Reden und Darstellungsweise *omnia cum rebus tum personis accommodata sunt* (10, 1, 101) nicht zu; um so stärker gilt dies aber für die Antwort Scipios.

verbunden[20], wodurch er in bitterer Resignation seine Ziele und Erfolge durchkreuzt sieht[21]. So fühlt er sich getrieben, auch Scipio vor den jähen Umschlägen des Glücks und den launischen Tücken des Schicksals zu warnen. Unbeschadet dessen aber erhebt Hannibal die Person und Erfolge Scipios in so nachdrücklicher Form, daß seine Rede im Unterschied zu Polybios zu einem hohen Preis seines Gegners wird und das eigene Schicksal dahinter fast zu sehr zurücktritt. Hierbei mag auch politische Berechnung und diplomatische Taktik im Spiele sein (obwohl das Lob Scipios besonderen kompositionellen Zielen des Livius dient; vgl. S. 449). Durch die Betonung der persönlichen Verantwortung für die Entstehung des Kriegs, die Livius ihn sowohl am Anfang wie am Ende der Rede klar aussprechen läßt (§§ 3 und 30; beides fehlt bei Polybios), kommt ein starkes Schuldbewußtsein in seine Worte. Das wiederholte Herausstellen seines Sturzes und der Notwendigkeit der Bitte um Frieden hat beinahe etwas Unterwürfiges an sich. Daß aber dieser Eindruck nicht vorherrschend wird, liegt daran, daß Livius doch die Größe seiner Kriegserfolge und die gewaltige Gefahr, die Rom durch ihn gedroht hat, immer wieder durchschimmern läßt (§§ 3, 4, 8, 12, 17, 30)[22]. So gelingt es Livius, auch durch die Rede Hannibals (worauf er seinen ganzen Bericht angelegt hat) die Ebenbürtigkeit der Gegner nach ihrer Persönlichkeit und ihren Siegen evident zu machen und dadurch die Spannung auf die Entscheidung von Zama noch mehr zu intensivieren.

Der Lösung dieser Spannung kommt die Rede Scipios bereits näher. Scipio weist im unmittelbaren Anschluß an die letzten Sätze

[20] Vgl. dazu G. Stübler a. a. O. S. 162 ff. Es sei darauf aufmerksam gemacht, daß *fortuna* elfmal, *fatum* und *sors* je einmal begegnen und sechsmal auf die Götter verwiesen wird. Es ist wohl kein Zufall, daß Livius den Hannibal auch in seiner ersten großen Rede vor der Schlacht am Ticinus wiederholt auf die Fortuna verweisen läßt, dort allerdings im Sinne einer für die Karthager günstigen Haltung (21, 43, 2–44, 9).

[21] Indirekt bedeutet natürlich die Entscheidung des Schicksals und der Götter gegen Hannibal eine Begünstigung Roms bis zum letzten Triumph.

[22] W. Hoffmann irrt, wenn er meint, daß Hannibal „der umfassende Hintergrund seines Wirkens fehlt“ (S. 101).

Hannibals und in sehr lockerer Anlehnung an Polybios Hannibals Angebot als sachlich völlig unzureichend und trügerisch zurück (31, 1–3). Ebenso lehnt er Hannibals These (von der er bei Polybios ausgegangen war) von einer Schuld der Römer an den Kämpfen um Sizilien und Spanien ab. Nur die Karthager trügen daran die Schuld, Rom habe im Interesse seiner Bundesgenossen *pia ac iusta bella* geführt; die Götter und Roms Siege hätten dies bewiesen und würden es auch weiterhin beweisen (31, 4–5). Nach diesem stolzen Hinweis auf die Huld der Götter, die Bündnistreue der Römer und die Größe der militärischen Erfolge[23] wendet sich Scipio seiner Person zu. Er ist sich der menschlichen Schwäche und der Wechselfälle des Schicksals bewußt, hat aber in der gegenwärtigen Situation keinen Grund zur Rücksichtnahme auf Hannibal (31, 6–8). Wie hier, so greift er auch am Schluß das letzte Argument der Rede Scipios bei Polybios auf, als er Hannibal vor die Alternative der Annahme härterer Bedingungen oder der Bereitschaft zum Kampfe stellt.

Wenn Livius die Rede Scipios wesentlich kürzer als die Hannibals gestaltet hat, so zunächst darum, weil der Ablehnende sich knapper und schroffer ausdrücken kann als der Bittende. Es kommt hinzu, daß er Scipio zur Begründung seiner Haltung auf eine eingehendere Darlegung der römischen Erfolge verzichten lassen kann, da Hannibal diese ja bereits hinreichend gegeben hatte. Und schließlich entspricht die Kürze der Antwort einerseits dem Selbstvertrauen und der Siegeszuversicht Scipios, andererseits aber auch der gewünschten Diktion idealer römischer Oberbeamten. Als solchen aber will Livius hier offenbar den Scipio gesehen wissen, wenn er ihn am Anfang nicht mit seinem Namen, sondern als *imperator Romanus* einführt und wenn er ihn mit der politischen Ideologie und Nomenklatur operieren läßt, wie wir sie aus der Kriegsgeschichte Roms von den ersten Büchern des Livius her kennen. So ergänzt das in Verstärkung Polybianischer Ansätze entwickelte, in traditionalisti-

[23] Livius weist hier, wie Hoffmann bemerkt, auf die inhaltlich verwandte Warnrede Hannos im karthagischen Senat bei Kriegsbeginn (21, 10, 9) zurück, wie er überhaupt zahlreiche Verbindungsglieder zwischen dem Ende und dem Anfangsbuch der Dekade zur Stärkung ihrer gedanklichen und künstlerischen Geschlossenheit geschaffen hat.

schem Geist gezeichnete Scipio-Bild dieser Rede den auf den persönlichen *virtutes* und *res gestae* beruhenden Preis Scipios, den wir den Worten Hannibals entnehmen können. Beide Beleuchtungen Scipios aber lassen ihren vollen Glanz auf den römischen Staat zurückfallen. Denn dieser hat sich nicht nur in der Zähigkeit des Widerstands gegen Hannibals überwältigende Anfangserfolge behauptet und in dem grandiosen Aufstieg Scipios siegreich durchgesetzt, sondern er weiß sich auf die Treue zu den Bundesgenossen, d. h. auf die rechtliche und sittliche Größe Roms, gegründet, wie die Scipio-Rede es dartut. So hat den Römern trotz aller Rückschläge und trotz der Länge der beiden punischen Kriege nicht der Schutz der Götter gefehlt, die Rom auch den Endsieg geben werden: *di testes sunt, qui et illius belli exitum secundum ius fasque dederunt et huius dant et dabunt* (31, 5). Mag Livius für die Gestaltung seiner Reden und des Bildes von Hannibal und Scipio manche Anregung dem Polybios, andere dem Coelius Antipater, andere einzelnen uns nicht mehr faßbaren Autoren entnommen haben, so ist die Großartigkeit seiner Konzeption vom Rom der punischen Kriege ebenso wie die unmittelbare Anteilnahme an den Ereignissen und Persönlichkeiten und die suggestive Kraft der Darstellung sein eigenes Werk.

c) Die Reden auf dem panätolischen Landtage im Jahre 200

Wenn den im Vorangehenden vorgelegten Reden-Analysen noch die Besprechung eines dritten Redenkomplexes (31, 29–32) folgt, so hat dies mehrere Gründe. Sie sind zunächst darin zu sehen, daß die Reden auf dem panätolischen Landtag im Jahre 200 sowohl eine sachlich als auch kompositionell herausgehobene Stelle einnehmen: es ist die erste große Diskussion über das Eingreifen Roms in die griechische Welt, der erste Redenkomplex am Beginn der als Einheit komponierten Bücher 31–45. Es kommt hinzu, daß Livius bei dieser Gelegenheit ein entscheidendes Phänomen der römischen Politik aufgreift (wenn auch nicht umfassend erörtert): Roms Verhältnis zu den Bundesgenossen und Roms Expansionspolitik. Dabei ist es von besonderer Bedeutung, daß Livius diese beiden miteinander eng verschlungenen Fragen nicht nur aus römischer Sicht beleuchtet, sondern auch von der Seite der Unterworfenen oder Bedrohten, von der Warte der Kritiker und Gegner Roms in den Griff zu bekommen sucht. Solche Perspektiven sind bei Livius – wenigstens im erhaltenen Werk – nicht gerade häufig und zumeist auf gelegentliche kürzere Bemerkungen beschränkt[24]. Sie sind übrigens auch bei den anderen lateinischen Historikern nur selten zu finden.

Weiter ist zu vermerken, daß eine Reihe von Indizien dafür spricht, daß Livius diese Reden weitgehend selbst erfunden und ausgearbeitet hat[25]. Wir haben nämlich bei keinem der Autoren, die uns die Anfänge des römisch-makedonischen Konflikts und die Stellungnahme der griechischen Städte und Bünde berichten, eine Andeutung über diese panätolischen Landtagsberatungen erhalten. Gewisse chronologische Unklarheiten, die namentlich von der Rede der Athener im Hinblick auf den vorangehenden Bericht des Livius über den Einfall Philipps nach Attika ausgehen, sowie die Anonymität der Redner der Makedonen und der Athener und schließlich der fast ergebnislose Ausgang des Rededuells lassen vermuten, daß Livius keine Quelle mit exakten Angaben über diesen Landtag vor sich gehabt hat. Eher könnte man daran denken, daß Livius in einer Art Analogie zur Einleitung des zweiten punischen Kriegs vorgeht. Wie dort mit grundsätzlichen Erörterungen über Roms Bundesgenossenpolitik und mit zukunftweisenden Reden über den Ausgang des Krieges die Dekade eröffnet wird, so ist auch hier am Anfang der neuen, sich bis 167 hinziehenden Kämpfe im Osten die Konzeption eines Redenkomplexes entstanden. Vielleicht haben einige kritische Überlegungen des Polybios

[24] Vgl. etwa 9, 11, 6–8; 37, 25, 4–7; 44, 24, 1–6.

[25] P. Pédech, *La méthode historique de Polybe*, Paris 1964, S. 266 weist darauf hin, daß zahlreiche Gedanken der drei Reden sich an verschiedenen Stellen bei Polybios belegen lassen. Er ist geneigt, daraus den Schluß zu ziehen, daß Livius doch vielleicht Ansätze zu diesem Redenkomplex bei Polybios gefunden haben könnte. Es sei freilich durchaus fraglich, ob Polybios diese Reden, falls er sie gehabt haben sollte, erfunden hätte oder ob er irgendwelches authentisches Material darüber in den Händen gehabt oder mündlich erfahren hätte.

zur römischen Expansionspolitik in Sizilien und Griechenland ihm gewisses Material für die drei Reden geliefert[26].

Für das Verständnis dieser Reden sind nur wenige historische Zusammenhänge und einige kompositionelle Voraussetzungen zu klären. Im unmittelbaren Anschluß an den zweiten punischen Krieg ist Rom bekanntlich in den Krieg mit Philipp von Makedonien eingetreten. Dieser betrieb sowohl in Thrakien wie gegen Mittelgriechenland eine hemmungslose Eroberungspolitik und hatte sogar nach den griechischen Städten in Kleinasien, die im Besitz der Ptolemäer waren, ausgegriffen. Dabei war er in Konflikt mit Pergamon und Rhodos geraten, die sich an Rom um Hilfe wandten. Diesen Anlaß benutzte der Senat – durch Bitten der Athener um römischen Schutz in seinem Vorhaben bestärkt –, um Philipp ein Ultimatum zu stellen und die Befreiung der griechischen Städte zu fordern. Nach der erwarteten Ablehnung erklärten die Römer ihm den Krieg, setzten im Jahre 200 Truppen nach Griechenland über und warben dort um Bundesgenossen. In dieser Situation schickten sie – nach der Darstellung des Livius – den Legaten L. Furius Purpurio zum panätolischen Landtag, um den ätolischen Staatenbund für sich zu gewinnen.

Livius rückt diese Verhandlungen an das Ende einer Klimax, die er in der ersten Buchhälfte sehr zielstrebig aufgebaut hat[27]. Unmittelbar auf das Proömium der neuen Dekade läßt er den

[26] Wir dürfen aber nicht übersehen, daß es in der Literatur des ersten vorchristlichen Jahrhunderts, namentlich in der griechischen, eine scharfe Polemik gegen Roms Expansions- und Unterdrückungspolitik gegeben hat und daß die Gegner den Römern Barbarentum von den Anfängen ihrer Geschichte an vorwarfen und ihre Erfolge lediglich ihrer Grausamkeit, ihrer Politik des „divide et impera" und der Laune der Tyche zuschrieben; vgl. Caes., BG 7, 77, 15; Sall., Hist. Ep. Mithr. 5, 17, 20; Jug. 81, 1; Dion. Hal. Antiqu. 1, 4, 2 ff.; Pomp. Trog. (= Justin 28, 2, 8–10; ebda. 38, 3, 10–7, 10 (bes. 6, 7–8; 7, 8). Grundlegend H. Fuchs, Der geistige Widerstand gegen Rom in d. antiken Welt, Berlin 1938, S. 13 ff. mit den reichen Anmerkungen.

[27] Vgl. hierzu sowie insbesondere zu den Reden der ätolischen Bundesversammlung H. Brüggmann, Komposition und Entwicklungstendenz der Bücher 31–35 des T. Livius, Diss. Kiel 1954 (masch. schr.).

thematischen Satz folgen, der für die Bücher 31 bis 45 gilt: *pacem Punicam bellum Macedonicum excepit* (31, 1, 6). Er setzt dann im Vergleich zum punischen Krieg den besonderen Charakter, die tieferen Hintergründe und die unmittelbaren Anlässe des neuen Konflikts auseinander (31, 1, 6–2, 4). Auf diese nachdrückliche Einleitung folgen in der ersten Buchhälfte (Kap. 1–22, 3) im Wechsel mit kurzen Sachberichten aus anderen Gebieten immer neue Momente, die das Eingreifen Roms in Griechenland zugunsten der Bundesgenossen und der hilfesuchenden Städte gebieten. Sie werden in drängender Dynamik von den Berichten über die ersten Kriegsvorbereitungen und Rüstungen abgelöst, bis nach der Kriegserklärung Livius seine Erzählung schließlich in den Höhepunkt der ersten Buchhälfte einmünden läßt: in die Schilderung der Belagerung von Abydos durch Philipp und des fürchterlichen Blutbades und Untergangs dieser Stadt[28]. Die zweite Buchhälfte enthält im Zusammenhang (22, 4–47, 3) die ersten Unternehmungen der Römer zu Wasser und zu Lande in Griechenland während des Restes des Jahres 200. Hatte Livius bereits vorher den Beginn des Angriffs Philipps gegen Athen erwähnt, so gehen dessen verheerende Verwüstungen des attischen Landes und vor allem der Heiligtümer (24, 1–26, 13) dem Bericht über die ätolische Bundesversammlung fast unmittelbar voraus. Sie geben den furchtbaren Hintergrund für die Verhandlungen auf dem Landtage ab.

Livius, der sich auch sonst mit der Beschreibung äußerer Gelegenheiten sehr zurückhält, verzichtet hier auf jede Angabe von Milieu und Begleitumständen. Er erreicht damit eine absolute Konzentration auf den Inhalt der drei Reden. Die erste und dritte Rede sind in *oratio recta*, die mittlere in indirekter Form gegeben[29]. Dadurch wird nicht nur ein Wechsel erzielt, der ästhetisch befriedigt, sondern der auch eine besondere Akzentuierung der beiden Randreden

[28] Die Hauptabschnitte dieser Entwicklung sind folgende: 1, 6–2, 4; 3, 1–3, 6; 5, 1–6, 1; 7, 1–9, 10; 14, 1–18, 8.

[29] Aus dieser Formverschiedenheit zieht R. Ullmann, La technique des discours dans Salluste, Tite Live et Tacite, Oslo 1929, S. 135 zu Unrecht den Schluß, daß Livius die drei Reden aus Polybios übernommen habe, da dieser häufig zwischen den Formen gewechselt habe.

beabsichtigt. Von diesen ist die dritte etwas länger als die beiden vorangehenden und dadurch von allen drei Reden durch Stellung und Umfang als besonders gewichtig markiert. Dennoch nimmt um ihres kritischen und aggressiven Tons willen in unserem Zusammenhang die erste Rede unser Interesse vornehmlich in Anspruch.

Der Sprecher der Makedonen beginnt zunächst verhalten, dann eindringlicher mit der Forderung, daß die Ätoler den mit Philipp abgeschlossenen Friedensvertrag und ihre Neutralität bewahren sollten. Als Begründung weist er darauf hin, daß das frühere Bündnis mit Rom sich als nutzlos erwiesen hätte und daß die Römer sich in ihren Verhandlungen mit den Ätolern damals und heute völlig gegensätzlich verhalten hätten (29, 3–5). Die Ätoler sollten sich vor einer solchen leichtfertigen Inkonsequenz *(licentia, levitas)* gegenüber Philipp hüten. So sehr diese Worte primär auf die Bewahrung der Bindung der Ätoler an Philipp aus Selbstachtung und politischer Konsequenz abzielen, so sehr sind sie zugleich gegen die Römer gerichtet. Denn sie treffen diese an einer der empfindlichsten Stellen ihrer politischen Ideologie, enthalten sie doch latent die Vorwürfe mangelnder Bündnistreue und Bündniswirksamkeit sowie des unberechenbaren politischen Stellungswechsels. Damit sind die Römer politisch und ethisch schwer angeprangert: Roms vielgerühmte *fides* hat versagt.

Aber es kommt noch schlimmer. Denn auf die andeutungshafte Diffamierung folgt im ersten Hauptteil der Rede (29, 6–11) – statt einer verstärkten Werbung für Philipp – der unmittelbare Angriff gegen Rom. Er setzt mit einer Kritik an der angeblichen Hilfsbereitschaft und Bündnistreue Roms ein und exemplifiziert das Trügerische und Verlogene der römischen Politik an den Beispielen von Messina und Syrakus. Beide Städte, vorgeblich von Rom in ihrem Freiheits- und Selbstbehauptungskampf unterstützt, sind heute samt dem ganzen Sizilien Rom steuerpflichtig und seiner Macht *(securibus et fascibus!)* unterworfen. Wie Roms Herrschaft dort aussieht, macht der Redner an dem Vergleich des panätolischen Landtags und einer sizilischen Provinzialversammlung in schneidenden Gegensätzen deutlich: in Naupactus eigene Gesetze, frei gewählte Führungsgremien, freie Wahl der Bundesgenossen oder Gegner, freie Entscheidung über Krieg und Frieden; in Sizilien:

Kommando des römischen Prätors; eine herausfordernde, willkürliche Rechtsprechung; entehrende, harte Strafen durch die Liktoren und jährlich die Erscheinung eines neuen Tyrannen *(dominus)*. Schärfer und anschaulicher kann die Willkür und Gewaltherrschaft des römischen Provinzialregiments kaum gegeißelt werden[30]. Und doch gelingt Livius eine Steigerung, indem er die Blicke der Hörer, zu deren Abschreckung diese drohenden Bilder in ihrer apodiktischen Kürze entworfen worden sind, auf die frühere römische Expansion in Italien lenkt. Drei geballte Vorwürfe werden in wenige Sätze eingeschlossen: Roms Macht auf den Ruinen der Nachbarstädte erwachsen; Italiens Städte wie Rhegium, Tarent und Capua der römischen Herrschaft völlig untertan; Capua *sepulcrum ac monumentum Campani populi*, eine verstümmelte Stadt ohne jede Eigenbefugnis, grausam zu bewohnen, ein warnendes *prodigium* für alle Völker. Der Redner verzichtet darauf, diesem furchtbaren Tatbestand eine direkte Warnung an die Ätoler anzuschließen. Die von ihm entworfenen Bilder und geprägten Formulierungen zur Verdeutlichung des wahren Wesens römischer Herrschaft wirken erschütternd und abschreckend genug.

Im Vertrauen darauf kann er im zweiten Teil (29, 12–15) den Vorwurf der *levitas* zu *furor* steigern und eventuelle Hoffnungen der Ätoler auf die Römer als absolut abwegig zurückweisen. Und dies geschieht nun dadurch, daß er die Römer als *alienigenae homines*, ja als *barbari* hinstellt, die mit den Griechen weder die Sprache noch die Sitten und Gebräuche noch die Gesetze gemein haben. So werden die Römer in dem übersteigerten Stolz der Griechen auf die eigene Kultur aus dem Kreis der Kulturstaaten ausgestoßen. Während der Redner die Zwistigkeiten und Kriege

[30] Diese Kritik erinnert an Ciceros – freilich situationshaft bedingte – Darstellung in De imp. Cn. Pomp. 22, 65: *Difficile est dictu, Quirites, quanto in odio simus apud exteras nationes propter eorum, quos ad eas per hos annos cum imperio misimus, libidines et iniurias. Quod enim fanum putatis in illis terris nostris magistratibus religiosum, quam civitatem sanctam, quam domum satis clausam ac munitam fuisse? Urbes iam locupletes et copiosae requiruntur, quibus causa belli propter diripiendi cupiditatem inferatur.* Die bittere Illustration dazu hatte Cicero bereits in den Verrinen gegeben.

zwischen den griechischen Städten und Stämmen als zeitlich bedingte und vorübergehende bagatellisiert, spricht er die landfremden Römer kraft eines Naturgesetzes als ewige Feinde an. Dies ist ein später Niederschlag des bei den Griechen schon früh ausgebildeten Gegensatzkomplexes „Hellenen und Barbaren", der aber in der Polemik gegen Rom bis in die Kaiserzeit nachgewirkt, ja in ihr sich sogar noch verstärkt hat[31]. Als keiner die römischen Kriegserfolge und politische Weltherrschaft mehr in Abrede stellen konnte, blieb den Griechen als letzte Stütze der geistigen Selbstbehauptung das Bewußtsein der kulturell-wissenschaftlichen Suprematie des Griechentums, selbst wenn diese der Vergangenheit angehörte. Livius aber konnte damit rechnen, daß diese Position, die in seiner eigenen Zeit noch von manchen Griechen vertreten wurde, am Beginn der römisch-makedonischen Auseinandersetzung eine wirkungsvolle Abwehrstellung gegenüber der römischen Invasion in Griechenland bedeutete. Nach dieser Verdammung der Römer kann der Redner seine Ausführungen kurz mit einem Rückgriff auf seine Einleitung schließen: die Ätoler haben keinen Grund, den Friedensvertrag mit Philipp aufzuheben (29, 16).

Die folgende Rede des Sprechers der Athener wird durch die Stichworte *foeda passi – crudelitas saevitiaque regis* eingeleitet. Der Ausführung dieses Gedankens dient der erste Teil der Rede (30, 2–7). Dabei wird der Eindruck der Verwüstungen, die Philipp in Attika angerichtet hat, noch dadurch gesteigert, daß die Athener einleitend einräumen, daß Plünderungen, Brände, Vieh- und Menschenraub als schmerzliche, aber unausbleibliche Kriegsfolgen hingenommen werden müssen. Aber Philipp hat mit der Zerstörung von Gräbern, Tempeln und Götterstatuen schlimmste Verbrechen gegen die ober- und unterirdischen Götter begangen. Diesem Vorwurf gibt Livius eine besondere Intensität dadurch, daß er damit wiederholt und steigert, was er selbst in seinem Tatsachenbericht vorher geschildert hatte (31, 26, 8). Der Sinn dieser Beschreibung ist zunächst darin zu sehen, daß solche wahnsinnige Ausschreitungen

[31] Ich verweise noch einmal auf das Buch von H. Fuchs (Anm. 26) sowie auf die Vorträge Grecs et barbares, Entret. Fond. Hardt, Bd. VIII, Vandœuvres – Genève 1961.

den Ätolern und ganz Griechenland drohen (Teil 2: 30, 8–10). Aber zugleich hat Livius damit, wie H. Brüggmann S. 31 f. gezeigt hat, den Gegensatz zwischen *alienigenae* und *Graeci,* auf den der Sprecher Philipps gepocht hatte, auf einer höheren Ebene durch einen neuen Gegensatz abgelöst. Nicht Sprache, Brauchtum und Gesetze sind die entscheidenden Kriterien zwischen den Menschen und Völkern, sondern die Achtung vor den Göttern und die Pflege ihrer Kultstätten. Die alte Spannung zwischen Hellenen und Barbaren wird aufgehoben durch die religiös-ethischen Maßstäbe, nach denen die Menschen ihr Handeln richten sollen. Der Makedonenkönig, dessen Sprecher ihn als Hellenen und Schützer des Hellenentums ausgab, hat sich als *impius* erwiesen, als ein zweiter Hannibal, und er hat die Gebote der Religion mit Füßen getreten. Aber die Römer haben die Stadt Athen und Eleusis vor der Plünderung ihrer Heiligtümer bewahrt. Sie sind nicht als Barbaren, sondern als Hüter der Religion und der göttlichen Rechte nach Griechenland gekommen. So gebührt ihnen – damit schließt der Redner – nächst den Göttern der höchste Dank. Wenn er dabei die Kraft der Römer über die den Athenern geleistete Hilfe hinaus ins Allgemeine steigert *(Romani, qui secundum deos plurimum possent),* dann braucht er keine Bitte an die Ätoler mehr zu richten, sich ihnen und den Römern im Kampf gegen Philipp anzuschließen.

Mit diesem Lobe Roms aus fremdem Munde, wie es Livius wiederholt in die Reden von Nichtrömern einfließen läßt, bereitet er bereits den Übergang zur dritten Rede vor. L. Furius[32] entwickelt in der Widerlegung der schweren Anwürfe des makedonischen Gesandten die Grundprinzipien der Behandlung der italischen und der ehemals feindlichen Städte durch die Römer. Aber ehe er sich diesem Hauptanliegen zuwendet, weitet er einleitend in unmittelbarer Anknüpfung an die vorangehende Rede

[32] Wird er hier mit Absicht als *Romanus legatus* ohne Namen eingeführt, um zum Ausdruck zu bringen, daß er eine für einen Vertreter Roms typische Rede hält, bei der persönliche Ansichten hinter einer ausgeformten und womöglich gar propagandistisch verbreiteten Ideologie zurücktreten, wie wir es auch in der Rede Scipios vor Zama beobachten zu können glaubten? (vgl. oben S. 451 f.).

die von den Athenern erhobenen Vorwürfe gegen Philipp aus. Er tut dies nicht in der Aufzählung neuer Freveltaten, sondern in der Anhäufung der Namen der von Philipp heimgesuchten Städte. Dadurch erweist er die Unwahrheit der Behauptung des makedonischen Vertreters von der inneren Bindung Philipps an die hellenischen Städte und von seiner Friedensliebe. Die von Philipp begehrte *facultas nocendi* gegenüber den griechischen Städten und Inseln ist ebenso Leitwort wie in der Rede der Athener seine *crudelitas* und *saevitia*. Diese Haltung steht im schärfsten Gegensatz zu der Gesinnung und Haltung der Römer gegenüber den italischen und sizilischen Städten. Damit hat Furius den Anschluß an die ersten Vorwürfe des makedonischen Gesandten gefunden.

Er rechtfertigt das Verfahren der Römer von Fall zu Fall, wobei Livius eine großartige Klimax in fünf Stufen aufbaut. Zuerst der Fall Rhegium (31,6–7). Hier räumt Furius nicht nur ein, daß eine widerrechtliche Besitznahme erfolgt ist, sondern stellt das Verbrechen der römischen Legion mit schärfsten Ausdrücken des Abscheus heraus – allerdings zugleich auch mit Hervorhebung der harten Bestrafung und der völligen Wiederherstellung der Freiheit und Rechte von Rhegium. Dann Syrakus (31, 8): hier hat Rom nicht nur die Stadt unter den schwersten persönlichen Opfern von den Tyrannen befreit, sondern ebenfalls die Bürger in das Selbstregiment zurückversetzt. So erweisen beide Städte die Römer als Helfer für die Unterdrückten und als Hüter der Freiheit und des Rechts. Es folgt an dritter Stelle Sizilien (31, 9). Hier betont Furius, daß diese Städte mit Karthago gegen Rom gekämpft hatten und mit Fug und Recht nach dem römischen Siege tributpflichtig geworden sind. Er weitet dieses Faktum zu der Grundsatzerklärung aus: *(scite) pro merito cuique erga nos fortunam esse:* ein Satz, der ebenso den Anspruch auf objektive Gerechtigkeit als Römertugend erhebt wie eine leise Warnung an die Ätoler und die griechischen Städte enthält.

Am ausführlichsten behandelt Furius den Fall Capua, der offenbar seit dem Hannibalischen Kriege in der antirömischen Propaganda eine große Rolle gespielt hat (41, 10–15). Livius zeigt in einer kompakten Periode mit zunehmender Steigerung zunächst Roms Opfer für Capua und die wachsende Verbindung beider

Städte bis zur Erteilung des Rechts des *conubium* und der *civitas*, um dann im stärksten Kontrast dazu die Verräterei anzuprangern, die bis zu der fürchterlichen Bedrohung Roms durch den Marsch Hannibals auf die Hauptstadt reichte. Hier, wo jeder die Vernichtung der Stadt als gerechte Strafe empfinden würde, hat Rom nach Bestrafung der Schuldigen Milde walten lassen. Und dies auch im letzten der fünf Fälle: bei Karthago (31,15–16. Damit bringt der Redner das zweite Prinzip, das sich nach der Anschauung des Livius mit dem römischen Rechtsdenken zu paaren pflegt, zur Geltung: die Kraft des Verzeihens, die *clementia*. Daß sie freilich gerade an dem Beispiel Karthagos belegt werden soll, mag den modernen Leser einigermaßen überraschen, gehörte aber wohl schon früh zu den gängigen Exempla römischer Propaganda[33]. Immerhin war ja nach dem Hannibalischen Kriege die Stadt Karthago unversehrt und vorerst von römischen Schikanen frei geblieben. So kann Furius mit diesem – übrigens wohl bewußt von Livius nur kurz erwähnten – Beispiel die Reihe der Widerlegungen beenden.

Der Schluß der Rede (31, 17–20) wendet sich noch einmal Philipp zu, um zu den bereits gegeißelten *vitia* noch seine Verbrechen im Freundes- und Verwandtenkreise hinzuzufügen: ein erneuter Beweis seiner *impietas*. Wenn diese Warnung die Ätoler nicht dazu bringt, dem Werben der Römer zu folgen, dann soll es die Erinnerung an die erste Hilfe tun, die die Römer den Ätolern während des Hannibalischen Krieges geleistet hatten, vor allem aber das Bewußtsein, daß Rom nach dem siegreichen Ende dieses Krieges nun mit allen Kräften den Kampf mit Philipp aufnimmt. In diesem Ringen haben die Ätoler die Wahl, entweder mit Philipp unterzugehen oder mit den Römern zu siegen – eine letzte Werbung und zugleich eine unüberhörbare Warnung; großartig in der Kürze und Spannung der Gegensätze und der historischen Situation durchaus angepaßt[34].

[33] Vgl. Pol. 18, 37, 1 ff.; Liv. 33, 12, 5 ff. Daß es aber selbst in Griechenland Gruppen gab, die das römische Verhalten gegenüber Karthago im Jahre 201 im Vergleich zur Zerstörung im Jahre 146 als gemäßigt empfanden, lehrt Pol. 36, 9, 6 ff. (37, 1, 6 ff.).

[34] Vgl. Quintilians o. a. Lob für Livius' Darstellungsweise: *omnia cum rebus tum personis accommodata sunt* (10, 1, 108).

Die Rede des Furius ist von einem hohen Selbstgefühl getragen, das sich mit dem Romglauben der Scipio-Rede vor Sucro und dem Sendungsbewußtsein der Scipio-Rede vor Zama vergleichen läßt. Wenn dieses römische Selbstbewußtsein sich hier vornehmlich in der Abwehr schwerer Vorwürfe äußert und mehr in indirekter, gedämpfter Form als im Tone selbstsicheren Rühmens auftritt, dann geschieht dies deswegen, weil diese Rede nicht wie die beiden anderen Reden am Ende langjähriger siegreicher Kämpfe steht, sondern die jahrzehntelangen Auseinandersetzungen Roms mit Makedonien und den griechischen Staaten eröffnet. Hier hat sich Livius durchaus von einer richtigen Einfühlung in die historische Situation leiten lassen. Beachtlich ist dabei, daß er am Beginn der langen Kriegszeit und der neuen Einheit von fünfzehn Büchern die bittere Kritik an der römischen Expansionspolitik dem Leser vor ihrer späteren Rechtfertigung ungeschminkt vor Augen hält. Das Bild der Wirklichkeit, wie es sich in Italien und Sizilien nach dem Hannibalischen Kriege den Griechen darbot, wird offen kontrastiert mit den politischen und ethischen Ansprüchen einer Rom-Ideologie, die das Eingreifen Roms in die griechischen Verhältnisse rechtfertigen soll. Für die Arbeitsweise des Historikers Livius ist es wesentlich, daß dieser Fall des Pro und Contra nicht allein dasteht. Vielmehr beginnt er gerade in den Büchern 31–45 damit, neben den großen römischen Erfolgen auch die am Ende dieser Periode sich häufenden Schwächen, Fehler und Ungerechtigkeiten römischer Magistrate und Soldaten klar aufzudecken. Die Kritik an Roms Moral und Herrschaft, die in der ersten Dekade nur ganz gelegentlich in Form kleiner Kontrastbemerkungen zur Erzählung der Großtaten der römischen Frühzeit auftritt, nimmt wachsend zu, wie dies ja auch das in der Praefatio kurz umrissene Entwicklungsbild Roms erwarten läßt. Dabei kann freilich nicht übersehen werden, daß diese kritischen Berichte über Triumphstreitigkeiten, Eindringen des Luxus, Ausschreitungen der Soldaten, Bereicherung der römischen Führer und Beutegier der Heere doch immer wieder abgelöst werden von wesentlich größeren Abschnitten zum Ruhme und zur Ehre Roms. Die Römer, die auf dem panätolischen Landtag um Bundesgenossen werben und den Verdacht der Machtgier nicht ganz auszuräumen vermögen, werden schon bei den Isthmischen Spielen im Jahre 196 als die Hüter der Freiheit Griechenlands bejubelt (33, 32, 4–33, 8) und nach ihrem Sieg in der Schlacht von Magnesia im Jahre 190 von den rhodischen Gesandten im Senat als uneigennützige Wahrer des Rechts in aller Welt gepriesen (37, 54, 3–28). So läßt Livius die Bestätigung der Position, die Furius auf dem Landtag vertreten hat, in eindrucksvoller Weise in den folgenden Büchern bis zum Ende des Krieges im Jahre 167 durch die Sprecher der verschiedenen Staaten vornehmen, die sich in Roms Machtbereich eingliedern. Das interessante Wechselspiel zwischen Lob und Kritik Roms zu verfolgen führt über die Würdigung der Reden des panätolischen Landtags weit hinaus und muß den Gegenstand einer besonderen Untersuchung bilden[35].

[35] Vgl. hierzu die Beobachtungen von F. Kern, Aufbau und Gedankengang der Bücher 36–45 des T. Livius, Diss. Kiel 1960 (masch. schr.).

IX

DER PHILOSOPHISCHE UND RELIGIÖSE HINTERGRUND

Gerhard Stübler, Die Religiosität des Livius. Tübinger Beiträge zur Altertumswissenschaft H. 35. Stuttgart: Verlag W. Kohlhammer 1941. S. 205–207.

DIE ERNEUERUNG DER RÖMISCHEN RELIGION

Von Gerhard Stübler

Livius gibt uns einen tiefen Einblick in die merkwürdige Erscheinung der Erneuerung der römischen Religion unter Augustus. Daß Livius von echtem, unerschütterlichem Glauben an die alten Götter beseelt ist, steht außer Zweifel. Urtümliche römische Volksreligion ist in ihm mächtig: die Kraft der Götter wird beinahe wie nach magisch-symbolischer Vorstellungsweise gegenständlich gedacht; die Götter selbst erscheinen als wirkende Mächte, die an Ort und Zeit gebunden sind, die in Prodigien, Auspizien und anderen Vorzeichen ihren Willen kundtun. Niemals steht bei ihm die Religion in Widerspruch mit dem Verstand, im Gegenteil, ohne die Religion ist er lückenhaft, ja wertlos, denn die Götter sind ein Teil der Wirklichkeit, und zwar der wichtigste, mit dem der Mensch stets rechnen muß. So lebendig ist in Livius der alte Glaube, daß er mehrmals selbständig einen entscheidenden Vorgang in der Geschichte als Gottesgericht gedeutet hat, mit dem er die Folgen der Achtung oder Mißachtung der Götter und ihrer Zeichen aller Welt vor Augen führt; die ganze Geschichte ist für ihn im Grund ein Gottesgericht.

Und doch ist Livius' Glaube nicht einfach der seiner Vorfahren aus früheren Jahrhunderten. Wenn dies der Fall wäre, müßte man tatsächlich seine Religiosität als Romantik bezeichnen, und man verstünde eher den Vorwurf der Heuchelei, den man Augustus wegen seiner religiösen Politik gemacht hat; denn was einmal war, kehrt nie in derselben Form wieder, und der Versuch, das Alte einfach wiederherzustellen, so wie es war, ist stets von dem Makel des innerlich Unwahren behaftet und schließlich zur Erfolglosigkeit verurteilt. Doch gerade das entscheidend Neue im Glauben des Livius darf nicht übersehen werden; es widerlegt auch schlagend jene Vorwürfe, die man gegen die Religion der Augusteischen Zeit erhoben hat.

Das Gefühl der religiösen Schuld kannte der alte Römer schon immer, aber doch nur im Zusammenhang mit einzelnen Vergehen und einzelnen Unglücksfällen, die er als göttliche Strafe für irgendeine Sünde auffaßte. Noch nie aber hat die Römer das Sündengefühl so allgemein und in einer solchen Stärke wie gegen Ende der Republik beherrscht. In der ganzen Geschichte der letzten Jahrhunderte mit ihren frevelhaften Bruderkriegen schien sich der Zorn der Gottheit zu offenbaren; ja eine regelrechte „Erbsünde" lastete sichtbar von Anfang an auf Rom, ohne jedoch dem Römer den Vorwurf eigener Schuld zu ersparen. In furchtbaren Bildern hat Livius die Folgen der Vernachlässigung der Götter und – was im Grund dasselbe ist – der Verehrung falscher Götter und Dämonen beschrieben: Zwietracht, sinnloses Wüten gegen die Mitbürger, Zerstörung aller Sitte und Ordnung reißen in rasendem Wirbel die Menschen in den Abgrund. Immer wieder ertönt laut der Ruf zur Umkehr, und immer wieder wendet sich Livius unmißverständlich an seine eigene Zeit, um sie darauf hinzuweisen, wo die Wurzel allen Übels zu suchen ist.

Der gesteigerten Angst vor der Sünde entspricht eine ganz neue Vorstellung von der Erlösung durch die Gnade des Himmels. Es ist von entscheidender Bedeutung, daß sie stets an einen großen Mann gebunden erscheint, der in einem besonderen Verhältnis zur Gottheit steht: so sind Camillus, Decius und Scipio die von Gott gesandten Retter, die ihr Volk von Schuld und Niederlage befreien. Alle diese Gestalten aber hat Livius so deutlich auf Augustus bezogen, daß es seine Zeitgenossen merken mußten. Vor allem aber hat er die beiden Gründergestalten, Romulus und Numa, in vollkommen neuem Lichte gezeigt: er stellt in ihnen den wiedergeborenen Romulus, den zweiten Numa dar, Augustus, und macht sie zu Trägern der neuen Verheißung und der neuen Gnade, die der Himmel mit Augustus Livius' eigener Zeit hat zuteil werden lassen. Erst bei Livius erhält der Frieden, den Numa bringt, religiöse Bedeutung: erst Livius stellt ihn als Geschenk des Himmels dar, das allein durch beständige Verehrung Gottes bewahrt werden kann, erst Livius verbindet damit den religiösen Begriff der Ewigkeit des Reiches; die höchsten, letzten Ideen, deren Verwirklichung man von Augustus erwarten durfte, hat Livius auf jene Zeit übertragen, und hinter

Numa steht Augustus, mit dem sich die Zeit erfüllte. In Augustus war auch das verkörpert, was Romulus, dem Mann des Kriegs, der Gewalt, ja des Brudermords zum vollkommenen Gründer gefehlt hatte. Die Weltherrschaft, die Romulus als Sohn des Gottes eingeleitet hatte, ist durch Augustus vollendet und zugleich durch den inneren Frieden gesichert worden, der Rom bisher infolge der Bluttat des Romulus versagt geblieben war. Von aller Schuld gereinigt und vollkommen ist Romulus in Augustus wiedererstanden, die Gründung Roms ist aufs neue und nun auf ewig vollzogen; deshalb hat auch Livius diesen Romulus-Augustus so hoch erhoben, daß er nie wieder von irgend jemand erreicht werden konnte: er ist Gott, Gottes Sohn.

Gerade für Livius, der sonst so scharf das Göttliche vom Menschlichen scheidet, enthält diese Bezeichnung einen unfaßbaren Widerspruch, der das einzigartige Wunder kennzeichnet, das sich hier der Welt offenbart hat. Augustus, Gott, Gottes Sohn, vollendet seine Aufgabe, der Menschheit auf ewig die Gnade des Himmels zu bringen dadurch, daß er sich selbst der Gottheit zum Opfer weiht, um Rom von aller Sünde zu erlösen: Gott hat seinen Sohn hingegeben, nicht aber, um dem einzelnen den ewigen Frieden der Seele zu verschaffen, sondern um dem römischen Volk den Frieden der unaufhörlichen Siege und des unvergänglichen Ruhms zu senden.

Jean Bayet, Tite-Live, Histoire Romaine, Tome 1, Paris: Soc. d'Édition „Belles lettres". 1947, S. 38—41. Übersetzt von Richard Carstensen.

PHILOSOPHISCHE TENDENZEN BEI LIVIUS

Von Jean Bayet

Nicht weniger offenkundig ist der Einfluß gewisser „philosophischer" Tendenzen im Werke des Livius. Gegenüber der Fülle abfälliger Kritiker, die ihm jegliche höhere Reflexion absprechen, haben so gute Sachkenner wie P. Lejay und Ph. Fabia die ideologische Tragweite seines Werkes herausgestellt und ihn in eine Reihe mit politischen Historikern wie Thukydides, Polybios und Sallust[1] gerückt. Seine „Philosophie" zeigt freilich einen sehr römischen Charakter: juristisch, militärisch und moralisch; im Verlauf der historischen Berichte entwickelt sie sich dramatisch und vielfach im Blickpunkt von Erzählungen mit didaktischer Tragweite oder von Exempla. Aber wollte man sämtliche – mitunter recht umfangreiche – Anekdoten, mit denen Livius die rechtlichen und konstitutionellen Fortschritte, auf denen sich die römische Kultur aufbaut, ins rechte Licht rückt, in der Reihenfolge ihres Auftretens anordnen, so würde man nicht nur über ihre lebensvolle Intensität und ihre Tragweite erstaunt sein, sondern über die minutiöse Genauigkeit einer Fülle von Fragen des praktischen Lebens wie von technischen Einzelheiten[2]. Auch wird man die Schlachten der

[1] Ph. Fabia, Journal des Savants, 1903, S. 456 ff. (dagegen Ed. Courbaud, *Procédés d'art dans les Histoires de Tacite,* S. 49, Fußn. 1); P. Lejay, *Histoire de la littérature latine des origines à Plaute,* Paris 1923, S. 31.

[2] So – in der Reihenfolge des Textes –: 1, 17, 5–6 und 9 (das *Interregnum*); 22, 4–7 (die *repetitio bonorum*); 24, 4–9 und 32, 5–14 (die Fetialen und ihre Riten); 26, 5–12 (der Prozeß der *perduellio)*; 28, 9 (geheiligter Charakter der internationalen Verpflichtungen); 38, 1–3 (die *deditio*); – 2, 5, 9/10 (Einrichtung der *vindicta*); 35, 3–6 (rechtliche Ausweitung der Machtbefugnisse des Volkstribunats); 41, 11 (die *perduellio*); – 3, 44–48

Frühzeit, von denen man nicht viel mehr weiß, als daß sie aus allerlei Komponenten frei zusammengesetzt sind und keinerlei Realität darstellen, unter militärischem Blickpunkt ganz anders beurteilen, wenn man sie als Exempla – als Typen für militärische Planungen, strategisches Vorgehen, taktische Überraschungen, Anpassung an das Gelände – ansehen will, aus denen man eine vollständige Theorie der Kriegsführung ableiten könnte. Hier wie dort enthalten die Darstellungen reiche und mannigfaltige Zielsetzungen – aber dadurch entsprechen sie um so weniger unserer Vorstellung von der Geschichte!

Ein wenig anders verhält es sich mit der Religion und der Moral. Mit seinem skeptischen Rationalismus näherte sich Livius sehr der „ciceronischen" Geisteshaltung; aber die junge Generation, die die letzten Bürgerkriege erlebt hatte, war in ihrer Denkrichtung zu einer ziemlich wirren Religiosität geführt worden. Echter Römer in seiner Abneigung gegen die *superstitio*[3] und in der Wertschätzung, die er der exakten Durchführung der Riten beimißt, hat Livius das ungeheuere Verdienst, der Bedeutung des religiösen Phänomens in der alten Geschichte mißtraut zu haben[4]; er besaß auch das Feingefühl, es in die Geschichte nicht in der Form von

(rechtliche Neuerung gegen die *vindicatio in servitutem*); 55, 8 ff. (über die Sakrosanktität); 71–72 (über den internationalen Schiedsspruch); – 9, 11, 13 (der Rechtsfall einer Person, welche die *deditio* vollzogen hat, die aber von den Feinden nicht angenommen ist); usw. ...

[3] Bemerkenswerte Phänomene, zum Beispiel: 5, 15, 6 *(vir haud intacti religione animi)*; 24, 10, 6; 27, 23, 2 (aber dasselbe *prodigium* wird 30, 2, 9 ohne tadelnden Vorwurf vermerkt). – Das gibt ihm das Recht, die „Gottlosigkeit" seiner Zeit mit Bedauern zu erwähnen (3, 20, 5).

[4] Über die Anführung der Vorzeichen (sehr ins einzelne gehend und exakt) und den Sinn, der mit ihnen zu verbinden ist, siehe die wesentliche Stelle 43, 13, 1 ff. Selbst wenn Livius religiöse Verständnislosigkeit zeigt, vermerkt er doch die Einzelheiten sehr genau (so 5, 22, 5–6). Trotz seines Rationalismus bleibt er empfänglich gegenüber dem Wechsel der Leichtgläubigkeit der breiten Öffentlichkeit (s. u. Fußn. 6) wie gegenüber der Unterscheidung von theologischen Merkwürdigkeiten und fabulösem Gerede *(fabula)*: siehe 5, 21, 8.

Exempla[5], sondern nur durch die Aufnahme von Vorzeichen, Zeremonialhandlungen und Formeln einzuführen, die bis zu schonungsloser Nacktheit präzisiert sind. Übrigens fehlen bei ihm auch nicht Stellen, an denen er sich es angelegen sein läßt, die spontanen Äußerungen und auch das Abirren des religiösen Gefühls als Folge von Hungersnot und Pest, von Furcht und schweren Unglücksfällen[6] zu beschreiben. Unter diesem Blickpunkt ist er den anderen antiken Schriftstellern erheblich überlegen und kommt unseren modernen kritischen Forderungen sehr nahe[7] – unabhängig davon, aus welchen Quellen er geschöpft hat. Der Grund dafür liegt bei ihm in einer Art religiöser Indifferenz[8].

Wenn dagegen das moralische Hauptinteresse[9] bei ihm den Platz

[5] Außer – gelegentlich – bei der Diana des Aventin, deren Bedeutung politisch ist (1, 45), und bei dem *lacus Albanus* gegen Ende des Krieges gegen Vei (5, 15).

[6] So: 3, 10, 6; 4, 30, 9–11; 5, 18, 12; 21, 62, 1; 24, 10, 6 ff.; 25, 1, 6 ff.; 25, 12; 31, 9, 5.

[7] Dies hat H. Bornecque, Tite-Live, S. 59 ff., sehr unzureichend empfunden.

[8] Gewisse Nuancen von Livius' Einstellung gegenüber der Religion lassen sich nach 3, 8, 1; 10, 6; 20, 5 präzisieren. Man beachte die feststehenden Ausdrücke (z. B. 4, 12, 7; 45, 2), deren Tragweite aber nicht zu hoch zu veranschlagen ist.

[9] Die Frage nach den Bedeutungszusammenhängen zwischen *numen*, *fatum* (oder *fata*), *necessitas*, *fors* (oder *fortuna*), die Weißenborn (Einleitung S. 19 ff.) als etwa identisch bezeichnet, wenn er *numen* auch einen moralischen Wert zuerkennt und in Fortuna eine Gottheit sieht, müßte insgesamt gestellt und durch Vergleich mit allen Historikern untersucht werden. Diese Wörter erhalten Bedeutungen, die sie dringend benötigen, um das Irrationale in der Geschichte auszudrücken, auch wenn sie sich auf jeden Fall einem schicksalhaften Determinismus entziehen. – In den kultivierten Lebenskreisen vom Ende der Republik, in denen man an die nationale Religion nur noch glaubt in Verbindung mit den orientalischen Religionen, in denen sich mystische Lebenshilfe findet, muß man unbedingt eine Tendenz erkennen, eine geistige Unterstützung in einer Moral zu suchen, die rigoroser begründet und durch Autorität bekräftigt ist: Das scheint uns Livius' wahre Stellungnahme zu sein (5, 46, 7 ff. begreift man sogar, wie er religiöse Skrupel in einen moralischen Sinn umdeutet).

des religiösen Gefühls einnimmt[10] – es handelt sich in dieser Zeit nicht mehr um wirklichen Glauben –, so scheint uns dies übertrieben und oft unangebracht. Wenn er das moralische Bild des Römers fixieren wollte und wenn er – nach Polybios und Cicero – sich im römischen Staat die Verwirklichung eines philosophischen Ideals[11] vorgestellt hat, so darf man dabei freilich höchstens eine Übersteigerung seines systematischen Vorgehens tadeln; es spricht sich darin eine ethnische Psychologie aus, ohne die eine Geschichte, die die Entwicklung eines Volkes von den Ursprüngen an nachzeichnet, nicht möglich ist. Aber die allzu sichtbare apologetische Tendenz[12] und eine gewisse predigtartige Übersteigerung, in der man Züge von Stoizismus[13] (einem praktischen römischen Stoizismus, der noch ciceronischen Ursprungs sei) hat sehen wollen, geben der Annahme solcher Entwicklungen unrecht. Geht man noch weiter und faßt man – mit G. Curcio[14] – die Spannungen für ein Gleichgewicht zwischen den menschlichen, völkischen und individuellen Eigenschaften *(mores, viri, artes)* und den „mitwirkenden Umständen" ins Auge, worauf Livius seine Gesamtdarstellung gegründet zu haben scheint, so erkennt man vor allem, wie sehr bei ihm die menschliche Freiheit stärker ist als die göttlichen Willensäußerungen *(numen)* und die Zufälligkeiten *(fortuna)*, denen alle antiken Historiker und vielleicht besonders die, welche Tatmenschen waren, so große Bedeutung beizumessen geneigt waren[15]. Dann ist man zu

[10] Nicht ohne Noblesse in seiner Entschiedenheit, die nur ein wenig naiv gegenüber der Geschichte erscheint. Man begegnet einigen wichtigen Nuancen, z. B. 3, 46, 10; 56, 7 ff.; 70, 15; 4, 10, 6; 58, 2. Bürgerliche und familiäre Gesichtspunkte vereinigen sich 3, 58, 1 ff.

[11] Siehe Liv. 26, 22, 24. Vgl. Prooem. 11 (dazu Cic., De re publ. I, 70).

[12] Bekanntlich ist dies auch Vergils Einstellung: patriotischer Aufschwung von Männern, die vom Hellenismus durchdrungen sind und die fürchten, gewisse nationale Unterlegenheiten zugeben zu müssen (vgl. Vergil, Aen. VI, 847 ff.; IX, 602 ff.).

[13] Weißenborn, Einleitung, S. 17 und 18 ff.

[14] La filosofia della storia nell'opera di T. Livio (Riv. Indogreco-ital., I, 1917, S. 321–329).

[15] Er betont nachdrücklich, daß weder *eventus* noch *fama* Führer oder Richter des menschlichen Handelns (22, 39, 10; 27, 44, 2 und 45, 5) sein

der Erkenntnis genötigt, daß unser Historiker so gut wie mancher andere eine „Philosophie der Geschichte", voll von gesundem Menschenverstand und von Reichtum, sogar von Originalität, gehabt hat[16]. Aber daß sie sich mit einem übersteigerten – wenn auch aufrichtigen – Patriotismus verbindet und dabei einige seiner Berichte verfälscht, ist ebenfalls evident.

dürfen, doch versucht er, sich einzureden (4, 37, 7), daß Fortuna „gewöhnlich" der Tugend folgt.

[16] Ohne den Einfluß von ›*De re publica*‹ auf ihn zu unterschätzen, wo ganz besonders (2, 22) die Nebenabsicht zum Ausdruck kommt, die Geschichte zur Lehrmeisterin zu erheben.

Mit Genehmigung der Turun Yliopiston Kirjasto entnommen aus: Iiro Kajanto, God and Fate in Livy, Turku 1957, S. 23, 52–54, 62–64, 98–101. Übersetzt von Erich Burck.

DIE GÖTTER UND DAS FATUM BEI LIVIUS

Von Iiro Kajanto

Die Götter

Wir sind in der glücklichen Lage, eine eigene Erklärung des Livius für seine Einstellung zum Problem der konstitutiven Triebkräfte in der Geschichte zu haben. In seiner Vorrede, in der er das Thema seines Werks festlegt, sagt er einiges über die Legenden, die sich auf die Gründung der Stadt Rom beziehen (§ 6–7), findet sie unwahr und fährt fort (§ 8): *Sed haec et his similia, utcumque animadversa aut existimata erunt, haud in magno equidem ponam discrimine.* Was er mit den Worten *his similia* meint, wird aus dem folgenden Paragraphen klar. Livius sagt, daß für ihn die wichtigsten Komponenten in der Geschichte die *vita, mores, viri* und *artes* sind, die Rom die Herrschaft eingebracht haben; es behielt diese so lange, bis ein moralischer Verfall einsetzte und immer weiter um sich griff, *donec ad haec tempora, quibus nec vitia nostra nec remedia pati possumus, perventum est.* An dieser Stelle wird die Determinierung der Ereignisse den soziologischen und psychologischen Faktoren zugeschrieben, und die Konzeption der Geschichte ist hier der des Sallust ähnlich. *Haec et his similia,* wie Livius sagt, waren vergleichsweise von geringer Bedeutung; sie müssen aber (angesichts des beabsichtigten Kontrasts) so angesehen werden, daß sie im allgemeinen die irrationalen Faktoren darstellen. Die Stelle, deren Bedeutung öfter übersehen worden ist[1], macht es von Anfang an

[1] Soweit ich sehe, hat nur K. Nawratil, Die Geschichtsphilosophie der Aeneis, Wien. Stud. 1939, S. 114 aus dieser Stelle geschlossen, daß Livius den Ereignissen eine psychologische, keine metaphysische Erklärung gibt. G. Stübler, Die Religiosität des Livius, Stuttgart 1941, S. 5 versucht die Stelle folgendermaßen zu erklären: „An den göttlichen Ursprung

zweifelhaft, ob Livius die Ansicht Vergils teilte, daß die Größe des römischen Imperiums unter einer göttlichen Bestimmung gestanden habe.

Es ist indessen möglich, daß die Praefatio für sich steht und nicht die wahre Ansicht des Livius zum Ausdruck bringt. Man könnte argumentieren, daß Livius hier konventionelle Vorstellungen wiedergibt, die für Vorreden historischer Werke typisch sind. Wenn man bedenkt, daß die religiösen Themen bei Livius eine größere Aufmerksamkeit gefunden haben als z. B. bei Caesar und Sallust, könnte man eine solche Ansicht sehr natürlich finden. Deswegen muß das gesamte Material, das sich bei Livius findet, ausgebreitet und erklärt werden.

Aus den §§ 6–9 der Vorrede hatten wir den Schluß gezogen, daß Livius die historischen Führungsprinzipien für sich so festgelegt hat, daß er die letzte Erklärung für das Geschehene nicht den Göttern zuschreibt. Nachdem wir das sehr reichhaltige Material, das sich auf religiöse Fragen bei Livius bezieht, durchmustert haben, können wir sagen, daß er bei der Abfassung seines Werks genau dasselbe Prinzip befolgt, das er in der Praefatio angegeben hatte. Es gibt zahlreiche Stellen, an denen er zum Ausdruck bringt, daß ein Ereignis von den Göttern verursacht sei, aber sie sind meist von geringer Bedeutung. Anderseits finden sich religiöse Ideen in konventionellen und rhetorischen Ausdrücken, in alten Geschichten (für die Livius die Verantwortung ablehnt) oder in Reden, wo sie die Ansichten und die fromme Haltung alter Zeiten veranschaulichen und die Basis für religiöse Beweisführungen der Redner abgeben. Die Tatsache, daß Livius ohne Mißbilligung die Ausbeutung der Religion für politische Zwecke beschreibt, beweist einen rationalistischen Zug in seinem Denken, und seine Zweifel an der Glaubwürdigkeit von Prodigien zeigen, daß er von der Kritik der hellenistischen Philosophie an den alten religiösen Vorstellungen der Römer beeinflußt gewesen ist.

Roms und an die von Gott bestimmte Weltherrschaft dürfen wir, sagt Livius, nicht denken, solange wir nicht gegen die Gefahr der Vernichtung des Reichs von innen heraus mit allen Kräften ankämpfen". Aber eine solche Erklärung steht im völligen Widerspruch zum Text.

Weiter ist zu bemerken, daß sich die meisten Stellen, die sich mit religiösen Gegenständen befassen, wie wir es erwarten konnten, in der ersten und dritten Dekade finden.

All dies zeigt, daß Livius, obwohl er in einer für die augusteische Zeit charakteristischen Weise der Religion mehr Aufmerksamkeit zuwendet als z. B. Caesar und Sallust, letztlich mehr dazu neigt, Horazens konventionellen Respekt für die staatliche Religion zu teilen als den Glauben Vergils an eine vom Schicksal gesetzte Ordnung für die römische Geschichte. Das macht es natürlich Livius nicht unmöglich, an die Götter zu glauben. Aber die Frage, woran er persönlich glaubt, läßt kaum eine Lösung zu, da er kein persönliches Bekenntnis ablegt. Was aber klar ist, ist die Tatsache, daß die Götter als Faktoren der Geschichte für ihn eine Bedeutung haben, über die man hinweggehen kann.

Fatum

Ich möchte zuerst in aller Kürze zusammenfassen, was über *fatum* in der römischen Literatur ausgesagt ist. Im Gegensatz zu den Schriftstellern der Ciceronischen Zeit haben Horaz und in noch größerem Ausmaß Vergil ein lebhaftes Interesse an diesem Gegenstand gehabt. Die Anschauung der älteren Autoren ist eindeutig so, daß Cicero sie als *superstitiose* bezeichnet (de div. 1, 126). Für sie ist *fatum* (oder *necessitas* oder *Parcae*) ein Äquivalent für die griechische Moira, eine heimtückische Macht, die oft vorausgesetzt wird, um eines Mannes Todesstunde zu bestimmen oder – mehr allgemein – ihn mit unglücklichen Schicksalsschlägen heimzusuchen. Auf der anderen Seite verbindet Vergil in der Aeneis die „physikalischen" Vorstellungen (stoisch: *heimarméne*) und „superstitiösen" Vorstellungen *(moira)*. Obwohl in den Büchern 10–12 *fatum* (oder *Parcae*) sehr häufig nichts anderes ist als die homerische *moira*, welche die Lebensdauer eines Helden begrenzt, ist *fatum* in der überwiegenden Bedeutung, die manches der Natur jener *moira* verdankt, die häufig in der Odyssee vorkommt, identisch mit dem Willen Jupiters; es leitet den Aeneas in einer vorher festgelegten Weise dazu, die Grundlagen für das römische Imperium zu legen.

Zugegeben, daß Livius nicht daran denkt, daß der Lauf der römischen Geschichte in einem größeren Ausmaß von den Göttern gelenkt wird, und daß seine Skepsis gegenüber den Weissagungen zeigt, daß er sicher kein Stoiker ist, könnte man dennoch postulieren, daß er der Ansicht sei, daß *fatum* eine solche all-lenkende Macht sei. Daß sich das Wort *fatum* nur an 40 Stellen in dem umfangreichen Werke des Livius findet, spricht sicherlich nicht dafür, daß dieser Vorstellung eine große Bedeutung zuzumessen ist[2]. Diese Beobachtung wird keineswegs dadurch entkräftet, daß es dieses Wort bei Caesar und Sallust noch weniger häufig gibt. Und zum Vergleich einige Autoren der Kaiserzeit anzuführen, die über historische Gegenstände geschrieben haben, so finden wir bei Vergil etwa 130 Belege für das Wort *fatum*, bei einem anderen Stoiker, Lukan, über 200. Es gibt sogar einige nicht-stoische Schriftsteller, die dem *fatum* ihre Aufmerksamkeit zugewandt haben. In den Schriften des Tacitus, die nur etwa ein Drittel des Livianischen Werks ausmachen, haben wir die gleiche Zahl von Belegen wie bei Livius, und in dem vergleichsweise kurzen Werk des Florus haben wir über 20 Belege. Es scheint, daß Livius, wie die Augusteer überhaupt, in einer Periode des Übergangs für die Bedeutung des *fatum* gelebt hat[3].

Bei Livius bezeichnet natürlich *fatum* nicht immer eine Macht,

[2] Die Synonyma für *fatum* spielen eine unbedeutende Rolle bei Livius. *Sors* findet sich bisweilen, aber in der Verbindung *velut sorte quadam* (6, 21, 2 und 10, 19, 16) ist das Wort im bildlichen Sinne gebraucht. Es findet sich 30, 30, 3 in einer Rede und 38, 23, 4 ist die Bedeutung von *sors* „Zufall“: *praedaque eorum, iniquissima sorte, qui pugnae non interfuerant, facta est. Necessitas* bezeichnet das Schicksal bei Livius nur an einer Stelle (9, 4, 16): *subeatur ergo ista, quantacumque est, indignitas et pareatur necessitati, quam ne di quidem superant* (vgl. Sil., Pun. 5, 76).

[3] Es ist interessant, sich darüber Gedanken zu machen, auf welche Umstände das große Interesse für *fatum* während der Kaiserzeit zurückzuführen ist. Einige Gründe sind bereits erwähnt. Horaz und Vergil folgen älteren griechischen Dichtern und sind natürlich von der griechischen Vorstellung der *moira* beeinflußt. Weiter ist die Verbreitung stoischer Vorstellungen bedeutsam. Bei Vergil und Lukan ist dies evident, aber eine berühmte Stelle bei Tacitus (Ann. 6, 22) zeigt, daß das Problem der *heimarméne* ihn ebenfalls beschäftigt hat. In Verbindung mit dem

die das Geschehen bestimmt. Das Wort hat oft den ursprünglichen Sinn der „Voraussage" (1, 7, 11; 8, 6, 11; 10, 8, 2; 29, 10, 8 usw.). Es wird beim Schicksal einer einzelnen Person gesetzt, oft bei einem vorausgesagten Verhängnis (5, 40, 3; 8, 24, 2, 4, 11; 9, 18, 19; 10, 28, 12; 21, 22, 9). Das Wort wird sogar als Synonymon für *mors* verwandt (3, 50, 8; 9, 1, 6; 10, 29, 3; 26, 13, 17; 42, 11, 5; 52, 7).

Livius war bis zu einem gewissen Grade von der stoischen Vorstellung des *fatum* bestimmt – das ist ganz natürlich, wenn man die Verbreitung des Stoizismus in seiner Zeit berücksichtigt –, aber seine Idee des *fatum* ist nicht spezifisch stoisch. Obgleich die Gründung der Stadt Rom von ihm in Übereinstimmung mit einer populären Vorstellung der augusteischen Zeit den Auswirkungen des vorausplanenden *fatum* zugeschrieben wird, ist das *fatum* für Livius meist die heimtückische Macht wie für Horaz und die älteren griechischen Dichter. Die Stellen, an denen er die Unentrinnbarkeit des *fatum* betont, erinnern an stoischen Determinismus, aber er übernimmt nicht die physikalischen Vorstellungen der *heimarméne*.

Die Vorsehung nimmt bei den Stoikern bald die Stelle der Götter ein (bei Vergil wird sie mit Jupiter gleichgesetzt), bald die des *fatum*. Was aber über die Vorstellungen des Livius von den Göttern und dem *fatum* als letzte Ursache des Geschehens festgestellt werden konnte, zeigt ohne Zweifel, daß Livius nicht so denkt wie Vergil, daß die Entwicklung des römischen Imperiums in erster Linie der Lenkung der Vorsehung verdankt werde.

Stoizismus möchten wir auch die Astrologie erwähnen, die in der Kaiserzeit eine gewaltige Macht darstellt. In der Astrologie wird der Einfluß des Laufs der Planeten auf die irdischen Ereignisse als unverbrüchliches Naturgesetz betrachtet, ähnlich der *heimarméne* (*fatum*; vgl. Manil. 4, 1 ff.). Die Überlegungen des Tacitus sind ein gutes Beispiel für die ernsten Gedanken, die gerade die Astrologie hervorruft. An der eben erwähnten Stelle schwankt er zwischen der stoischen und der astrologischen Konzeption des *fatum*. Jedoch bin ich der Ansicht, daß der in *fatum* beschlossene Glaube nur eine Widerspiegelung der Zufälle in der politischen Sphäre ist. Der Verlust des politischen Friedens und die Konzentration der Macht in der Hand des Kaisers führten zu einem Ersatz des Glaubens an das menschliche Vermögen durch den Glauben an eine vorbestimmte Ordnung der menschlichen Dinge und Ereignisse.

Die Gründe, aus denen Livius *fatum* in seine Geschichtsschreibung einführt, sind literarischer Art. Er wünscht dem Tode eines edlen Menschen eine tragische Größe zu geben oder eine Vorahnung zu schaffen für den drohenden Einbruch einer großen Katastrophe. In späteren Fällen solcher Katastrophen ist der Gebrauch von *fatum* eindeutig beschönigender Natur, weil er die Vermutung vermeiden läßt, daß die Römer bei einer Niederlage die Unterlegenen gewesen wären.

Weiter oben hatte ich erwähnt, daß die Einführung von religiösen Themen sich meist in der ersten und dritten Dekade findet. Um zu sehen, ob dies auch auf *fatum* zutrifft, gebe ich eine Liste der Belege für *fatum* und *fatalis* (mit Ausnahme der *libri fatales*):

Buch		*fatum*	*fatalis*
1	....	5	
2	....	1	
3	....	3	
5	....	8	3
6	....		1
8	....	6	
9	....	2	1
10	....	3	
21	....	1	
22	....	1	1
25	....	2	
26	....	3	1
28	....		1
29	....	1	
30	....	1	1
31	....	1	
38	....		1
39	....		2
42	....	2	

Der zahlenmäßige Abfall ist eindeutig. Von 40 Belegen für *fatum* finden sich 28 in der 1. Dekade; in den Büchern 31–45 aber nur drei (bei zwei von ihnen bezeichnet *fatum* den Tod). Dieser Schwund kommt wahrscheinlich daher, daß die Vorstellung des *fatum* als Ursache des Geschehens mehr der legendenhaften frühen Vergangenheit als den späteren Zeiten angemessen ist, die im hellen Lichte der Geschichte exakt festgelegt sind.

Fortuna

A. Ich darf zuerst rekapitulieren, was über *fortuna* in der römischen Literatur bis zur Zeit des Livius ausgesagt ist. *Fortuna* kann eine günstige Wendung und Glück bezeichnen oder bei den Römern ein Äquivalent für die hellenistische wankelmütige und willkürliche *Tyche* sein. Es ist natürlich oft schwierig, zwischen diesen Bedeutungen zu unterscheiden. Im Gegensatz zu *fatum* findet sich *fortuna* (in allen Bedeutungen) in der römischen Literatur von den Anfängen an. Die Frage der *fortuna* ist insofern besonders wichtig, weil einige griechische Schriftsteller (aber nicht Polybios und Dionys) den Erfolg des römischen Aufstiegs der Gunst der schwankenden *fortuna* zuschreiben. Obgleich Cicero behauptet, daß *fortuna* nicht *gegen* Rom gewesen sei, betrachten Caesar und Sallust *fortuna* meist als eine böswillige Macht, die bei Mißerfolgen getadelt werden kann. Die Bosheit der *fortuna* kann aber durch *virtus* wettgemacht werden. Horaz spricht bisweilen vom *ludus fortunae* in Roms Geschichte, und bisweilen schreibt er die Erfolge des Augustus der *fortuna* zu. Für Vergil ist *fortuna* von geringer Bedeutung im Vergleich mit *fatum*, und sie bezeichnet oft dasselbe.

Im Livius habe ich 493 Belege für *fortuna* gezählt (die römische Göttin *Fortuna*, die in Verbindung mit ihrem Kult erwähnt wird, nicht mitgerechnet). Verglichen mit den 40 Belegen für *fatum* ist das eine beträchtliche Zahl. Nicht immer bezeichnet freilich *fortuna* eine Ursache oder einen Antrieb außerhalb der menschlichen Kontrolle. Diese Vorstellung findet sich in etwa einem Drittel der Fälle, in den ersten Büchern etwas häufiger als in den späteren. Andere Wortbedeutungen interessieren nicht in unserem Zusammenhange. Es mag genügen festzustellen, daß die meisten allgemeinen Bedeutungen bei Livius das „Los oder Schicksal einer Person oder Gemeinschaft“ (z. B. 1, 25, 3; 27, 1; 4, 15, 2) oder die „Lage, Umstände“ bezeichnen (z. B. 1, 39, 4; 2, 14, 8; 5, 17, 8).

B. Livius übernimmt die übliche Bezeichnung der besonderen *fortuna populi Romani* als einer Art Hüterin der Nation. *Fortuna populi Romani* ist nicht wankelmütig, sondern wirkt immer für den Nutzen der Bürgerschaft. Sie findet sich oft verbunden mit *virtus Romana.* Diese Formel (persönliche Fortuna und Virtus), nach der sich der Staat dank der Gunst der besonderen Hüterin Roms und der Tüchtigkeit seiner Bürger entwickelt, ist abgeleitet (aber bestärkt und modifiziert durch hellenistische Einflüsse) von einer altrömischen Idee, die den Erfolg (meist den militärischen) sowohl einer segnenden Gottheit zur Belohnung für das fromme Verhalten als auch der eigenen Tüchtigkeit zuschrieb *(felicitas et virtus).*

In einigen Fällen ist *fortuna* nicht eine übermenschliche Macht, sondern entweder dasselbe wie *felicitas* oder die klare Vorstellung eines bewegenden Faktors: des Glücks. Sie kann also der glückliche Zufall oder das schlechthin Unberechenbare sein. Die Bedeutung des späteren Gebrauchs ist, obgleich es eine große Zahl von Varianten gibt, größtenteils festgelegt durch die Tatsache, daß diese *fortuna* sich meist in ganz festen Wortverbindungen findet.

Fortuna-Tyche, der unbeständige und wankelmütige Dämon der hellenistischen Weltanschauung, begegnet öfter bei Livius. Aber das geschieht meist an Stellen von geringerer Bedeutung, in Reden, oder ist beschränkt auf die Wendungen in individuellen Schicksalen. Wenn sie in größeren Textzusammenhängen erscheint, wird sie nur selten als Helferin für das Gedeihen Roms bezeichnet. In den meisten Fällen ist sie eine bösartige Macht, der Roms Niederlagen zugeschrieben werden können. Es ist natürlich, daß Livius nicht die Behauptung eifersüchtiger Griechen übernehmen kann, die das römische Imperium auf einer Gunst des Schicksals aufgebaut sehen wollten; denn eine solche These verletzt den römischen Stolz schwer. Livius macht hier sogar weniger Zugeständnisse als Cicero, der immerhin einräumt, daß die *fortuna* in gewisser Weise *nicht* gegen Rom gewesen sei. Wenn man *fortuna* als eine Ursache von römischen Niederlagen und Rückschlägen bezeichnet, ist Livius leichter bereit, die Ansicht des Sallust zu übernehmen.

Fortuna als Ursache für das historische Geschehen findet sich im Vergleich zur Häufigkeit ihres Auftretens im Werk des Livius nicht oft, und *virtus* und *consilium,* wenn sie ihr gegenübergestellt werden, sind als stärkere Mächte gedacht.

Ich habe oben festgestellt, daß Belege für die Götter und das *fatum* sich meist in den ersten Büchern finden. Es ist interessant zu sehen, daß dies auch für *fortuna* zutrifft. Ich gebe in der folgenden Aufstellung die Zahlen, wie oft *fortuna* begegnet; dabei wird auch *fors* registriert, jedoch nicht *casus*, ein Wort, das nur selten eine Ursache oder einen Antriebsfaktor bezeichnet.

Buch		*fortuna*	*fors*
1	....	17	3
2	....	15	
3	....	16	1
4	....	19	
5	....	25	3
6	....	22	
7	....	18	
8	....	12	
9	....	26	1
10	....	13	1
	1. Dekade	183	9
21	....	16	
22	....	28	
23	....	22	1
24	....	9	
25	....	20	1
26	....	22	
27	....	5	
28	....	18	1
29	....	8	1
30	....	26	
	3. Dekade	174	4
31	....	10	1
32	....	3	
33	....	13	
34	....	9	
35	....	11	
36	....	8	1
37	....	12	
38	....	13	
39	....	6	
40	....	6	
	4. Dekade	91	2

Buch		*fortuna*	*fors*
41	....	1	
42	....	17	1
43	....	2	
44	....	7	
45	....	18	
	9. Pentade	45	1

Neben der Tatsache des zahlenmäßigen Abfalls, wie ihn die Liste zeigt, halten wir fest, daß das Wort *fortuna* eine Ursache oder einen Antriebsfaktor etwas häufiger im ersten Teil des Werks als nach dem Ende hin bezeichnet. Obgleich *fortuna* also weniger wichtig für den späteren Livius ist, wirkt doch das Zurücktreten des Interesses nicht ebenso markant wie gegenüber den religiösen Themen oder besonders dem *fatum.* Als Gestalt gehört *fortuna* nicht der römischen Legende der frühen Vergangenheit in größerem Ausmaß zu als die Götter und das *fatum,* obgleich es klar ist, daß Livius es zu vermeiden sucht, Ereignisse der *fortuna* zuzuschreiben, wenn er die Perioden behandelt, die mehr im hellen Lichte der Geschichte liegen.

Zusammenfassung

Das Material, das Livius verarbeitet, besteht aus den alten Traditionen von Roms Frühgeschichte, die von seinen Vorgängern immer wieder behandelt worden waren. Es umfaßt eine große Zahl von Erzählungen mit göttlichen Eingriffen, Prodigienlisten usw. So weit Livius davon entfernt ist, viel irrationale Faktoren zu verwenden, selbst dann nicht, wenn er alte Geschichten wieder erzählt und die Listen von Prodigien wiedergibt, bewahrt er darüber hinaus eine skeptische Haltung gegenüber diesem oder jenem Faktor und fügt hinzu, daß dieses oder jenes nicht geglaubt werden kann. In den Reden, welche zum größten Teil Livius' eigenes Werk sind, gibt es freilich eine große Zahl von Berufungen auf die Götter, aber dies kann nicht als Zeugnis für des Schriftstellers eigenen Glauben ausgewertet werden. Wenn wir die alten Geschichten, die Prodigien und die Reden ausschließen, bleiben nur wenige zufällige

Erwähnungen der Götter als den letzten Urhebern für irgendein Ereignis übrig.

Fatum und *fortuna* sind als historische Faktoren für Livius wichtiger als die Götter, wenn man bereit ist, in seinem Urteil von der Tatsache auszugehen, daß ihre Erwähnung sich meistens in den Erzählungen findet. Livius hat zwei verschiedene Vorstellungen von dem Einfluß des Schicksals. Während der Gründung der Stadt Rom und der älteren Phasen der römischen Geschichte übten *fatum* und *fortuna populi Romani* eine vorausschauende Fürsorge für die Stadt aus. Aber in den meisten Fällen sind *fatum* und *fortuna* mißgünstige oder wankelmütige und willkürliche Faktoren, und Livius bedient sich ihrer öfter, um römische Niederlagen zu mildern. Diese Vorstellungen vom Einfluß des Schicksals sind der griechischen und römischen Literatur der späten Republik und der augusteischen Zeit gemeinsam. Im ganzen hat indessen der Einfluß des Schicksals auf den Lauf der römischen Geschichte bei Livius keine große Wirkung.

Die Bedeutung der irrationalen Faktoren wird weiter dadurch gemindert, daß dieselben Ereignisse unterschiedslos und oft nebeneinander den Göttern oder dem Schicksal oder „metaphysischen" oder rationalistischen (besonders psychologischen) Erklärungen zugeschrieben werden. Bei der Erklärung von Ursachen der Ereignisse macht Livius von irrationalen Faktoren weniger oft Gebrauch am Ende seines Werks als am Anfang.

Es ist klar, daß Livius in Übereinstimmung mit dem, was er selbst in der Praefatio §§ 6–9 sagt, den Gang der Ereignisse hauptsächlich durch menschliches Wesen und menschliche Taten bestimmt sieht, aber nicht durch die Götter und das Schicksal.

P. G. Walsh, Livy, Cambridge Univ. Press 1961, S. 46–65. Übersetzt von Marie-Louise Gülzow.

DIE RELIGIÖSEN, PHILOSOPHISCHEN UND MORALISCHEN VORSTELLUNGEN

Von P. G. WALSH

Der biographische Hintergrund – die Einflüsse im Hause und die freundschaftlichen Beziehungen zum kaiserlichen Hofe – und die historiographische Tradition, in der Livius stand, sind beide offensichtlich wichtig für ein vollständigeres Verständnis seines Werkes. Ebenso bedeutsam ist die Notwendigkeit, sich der vorgefaßten religiösen, philosophischen und moralischen Vorstellungen bewußt zu werden, mit denen er an die Ereignisse der Vergangenheit herangeht. Es gibt wenig äußere Anhaltspunkte, die uns dabei helfen, doch bietet glücklicherweise die Geschichte selbst eine Fülle von Hinweisen. Dennoch ist es erstaunlich, wie verschieden diese Zeugnisse gedeutet worden sind. Der eine Gelehrte betont den *rationalisme sceptique* des Livius und erklärt sein Interesse an religiösen Zeremonien als ein rein wissenschaftliches Bestreben; dem Historiker wird zugute gehalten, daß er die Bedeutung religiöser Phänomene in der frühen Geschichte zu würdigen weiß. Eine neuere interessante Analyse der Religiosität des Livius kommt genau zu dem entgegengesetzten Ergebnis: „Daß Livius von echtem, unerschütterlichem Glauben an die alten Götter beseelt ist, steht außer Zweifel[1]." Derartig voneinander abweichende Ansichten zeigen, wie komplex das Problem ist; doch sie können auch auf eine Lösung hinweisen, denn beide enthalten wichtige Wahrheiten.

Das Dilemma an sich ist deutlich zu erkennen. Wenn man die

[1] Zu Livius als Skeptiker s. J. Bayet, Budé-Edition von Buch I, S. XXXIX; als Anhänger des alten Glaubens s. G. Stübler, Die Religiosität des Livius, S. 205, eine Ansicht, die M. A. Levi, Il tempo di Augusto (Florenz, 1951), S. 214 ff. unterstützt.

Glaubensgrundsätze der offiziellen römischen Religion untersucht und prüft, wie die Gebildeten des ersten Jahrhunderts wie Varro, Caesar oder Cicero dazu standen, so kommt man bald zu der Überzeugung, daß kein gebildeter Mensch nach ihnen jemals solchen Glaubensgrundsätzen eine uneingeschränkte Zustimmung hätte geben können. Der religiöse Kalender der Römer beruhte auf den Tätigkeiten einer Gesellschaft, die vom Ackerbau lebte; die religiösen Formeln und Riten, die ausschließlich von den zuständigen Staatsbeamten rezitiert wurden, waren nur für Altertumsforscher von Interesse. Viele religiöse Ämter waren mit Ungläubigen wie Caesar besetzt, die in ihnen nur Vorteile für ihr politisches Prestige sahen und nicht mehr. Die Philosophen der epikureischen Schule und der Akademie hatten vernichtende Kritik an der Unlogik, die solchen Glaubensgrundsätzen eigen ist, und an dem groben Unglauben, auf dem sie beruhen, geübt[2]. Livius jedoch, der diese schädlichen Angriffe gelesen haben muß, schreibt so, als sei der Abfall von der Religion eine nationale Katastrophe gewesen, und betont, daß eine Erneuerung wünschenswert sei.

Gibt Livius also seine uneingeschränkte Zustimmung zu den traditionellen Glaubensgrundsätzen der Römer? Man braucht nur etwas sorgfältig die frühen Bücher zu lesen, um auf diese Frage ganz entschieden antworten zu können. Hier finden sich in der Tat reichlich Beweise für den *rationalisme sceptique* des Livius. Nachdem er deutlich betont hat, daß er weder beabsichtigt, das frühe legendäre Material zu verteidigen noch es abzulehnen (ein sicheres Zeichen für einen Skeptizismus, der im Gegensatz zu der römischen Verehrung der Tradition steht), mildert er häufig die traditionelle Version vom göttlichen Eingreifen in die Angelegenheiten Roms durch eine andere vernunftgemäßere Erklärung. So läßt er an der Behauptung, daß Mars der Vater von Romulus und Remus wäre, und dann an der angeblichen Apotheose des Romulus Zweifel aufkommen[3]. Häufig leitet er auch seinen Bericht mit Ausdrücken

[2] Zum Verfall der Religion gegen Ende der Republik s. C. Bailey, Phases in the Religion of Ancient Rome (Oxford, 1932) 149 ff.

[3] 1, 4, 2; 16, 4. Er legt sich auch nicht fest, ob die Zwillinge von einer Wölfin gesäugt wurden (1, 4, 7). Andere Beispiele: 1, 31, 4; 3, 8, 1; 5, 13, 4.

wie *dicitur, ferunt, traditum memoriae, visi sunt* ein, so daß er, ohne die angeblich wunderbaren Berichte im wesentlichen zurückzuweisen, höflich von einem Glauben an sie Abstand nehmen kann[4]. Besonders bemerkenswert ist seine Skepsis gegenüber dem Wirken der Götter in Menschengestalt. Hier finden wir in der Tat keine leichtgläubige, pietätvolle Bearbeitung; Livius hat seine Augen vor den Absurditäten in der Staatsreligion durchaus nicht absichtlich verschlossen.

Überzeugender als mögliche Erklärung dafür, daß Livius eine religiöse Erneuerung befürwortet, ist die Tatsache, daß er wie Polybios und Cicero[5] den *sozialen* Wert der Religion als die sicherste Grundlage für eine gesunde öffentliche Moral erkannte. Der Kommentar, den er zu der Einrichtung religiöser Riten durch Numa macht, ist nicht zu übersehen: *ne luxuriarent otio animi, quos metus hostium disciplinaque militaris continuerat, omnium primum, rem ad multitudinem inperitam et illis saeculis rudem efficacissimam, deorum metum iniciendum ratus est* (1, 19, 4). Natürlich (und mit Recht) ist dieser Beweggrund, der für die religiösen Neuerungen durch Numa vorgebracht wurde, als ein Zeichen für den Rationalismus[6] des Livius gedeutet worden, besonders da er als nächstes bemerkt, daß Numa vorgab *(simulat)*, seine göttlichen Anweisungen bei nächtlichen Zusammentreffen mit der Göttin Egeria zu erhalten[7]. Doch es wäre falsch anzunehmen, daß solche Skepsis jedes echte religiöse Gefühl erstickt hätte. Der Unterschied, den Varro zwischen Aberglauben und der höher entwickelten Form religiösen Empfindens, der *pietas*, macht, ist sehr nützlich: der abergläubische Mensch fürchtet die Götter, doch der wahrhaft reli-

[4] s. 1, 45, 4; 55, 5; 3, 7, 2; 36, 8; 6, 33, 5; 8, 6, 1 etc. Solche Einschränkungen erinnern an die Einstellung Herodots: ἐγὼ δὲ ὀφείλω λέγειν τὰ λεγόμενα, πείθεσθαί γε μὲν οὐ παντάπασι ὀφείλω (VII 152). Mit ähnlichen Sätzen leitet er in Buch VIII die Geschichte der Verfolgung der Perser durch zwei übermenschliche Gestalten ein sowie die Behauptung, daß die Akropolis von einer großen Schlange bewacht wurde.

[5] Pol. VI, 56, 6–14; Cic. De Rep. II, 26 f.

[6] So K. Glaser, RE XVII, 1245.

[7] 1, 19, 4–5.

giöse Mensch verehrt sie so wie seine Eltern[8]. So ist die Livianische Erklärung für die Nützlichkeit, Furcht vor den Göttern einzuflößen, nicht der Ovidische Zynismus des *expedit esse deos;* sein Rationalismus beschränkt sich auf die niedere Form von Aberglauben, und einzig und allein dieses Element in der Religion hat für ihn nur sozialen Wert. So betont er auch zu Beginn des sechsten Buches, daß allein das *vulgus indoctum* durch die Furcht vor den Göttern geistig gebunden ist[9]. Das gesamte Werk *Ab Urbe Condita* hindurch wird so viel Nachdruck auf die Notwendigkeit einer rechten Beziehung zwischen Menschen und Göttern gelegt, und die Bedeutung der *religio* wird so häufig betont, daß man unmöglich glauben kann, Livius sei ein extremer Skeptiker.

Wir müssen daher die Ansicht zurückweisen, daß Livius eine religiöse Erneuerung suche, weil er die Staatsreligion mit ihren Absurditäten und allem anderen blind befolge; auch das andere Extrem, daß er um einer moralisch gesunden Gesellschaft willen den theologischen Vorstellungen, die er als absurd ansehe, bloßen Lippendienst erweise, trifft nicht zu. Die wahre Erklärung muß sicherlich lauten, daß er in diesen Glaubenssätzen eine symbolische Wahrheit sieht. Er versucht, aus der Masse der auf Aberglauben beruhenden Mythen eine zentrale Lehre von der Beziehung zwischen Menschen und Göttern herauszuheben, die dem menschlichen Leben Ordnung und Bedeutung verleihen wird. Das ist die grundlegende Kraft der Livianischen *pietas* – eine Verehrung für die Gottheit, die die richtige Ordnung im Leben der Menschen gewährleistet. Diese Überzeugung von einer symbolischen Wahrheit im Innersten der römischen Religion kann allein das Glaubensschema erklären, das immer wieder und sogar leidenschaftlich in der Livianischen Interpretation der Vergangenheit zum Ausdruck kommt.

Das Interesse des Livius an der Philosophie ist schon erwähnt worden; der jüngere Seneca berichtet uns, daß Livius Dialoge geschrieben habe, die man ebensogut der Philosophie wie der Geschichte zurechnen könne, und außerdem auch Bücher mit

[8] Aug. Civ. Dei VI, 9: *ut a superstitioso dicat (sc. Varro) timeri deos, a religioso autem tantum vereri ut parentes.* Vgl. Stübler, 40.

[9] 6, 1, 10.

spezifisch philosophischem Inhalt[10]. Zu welcher Schule gehörte er? Man könnte mit Recht behaupten, daß er unter dem Einfluß stoischen Gedankengutes zur Geschichte fand – nicht dem starren Determinismus der frühen Stoa folgend, sondern dem Neo-Stoizismus, wie ihn Poseidonios lehrte, und der ohne große Schwierigkeiten mit dem religiösen Denken der Römer weitgehend in Einklang zu bringen war. Dieser Unterschied zwischen der alten und neuen Stoa ist besonders wichtig, weil Livius das Ethische auf Kosten des Physischen stärker betont. Man hat behauptet[11], Livius könne kein Stoiker sein, da er die Allwirksamkeit des unpersönlichen Schicksals wenig hervorhebt und weil die menschlichen Eigenschaften immer das führende Element sind, das den Lauf der Geschichte bestimmt. Doch die philosophische Vorstellung der Römer von stoischem Determinismus ist von ihrer herkömmlichen Achtung vor ethischen Beweggründen beeinflußt. Der Mensch, der die Rechte der Götter und Menschen achtet, der sein religiöses, politisches und privates Leben auf die Tugenden gründet, die die Stoiker hochhalten, von dem heißt es, daß er mit dem Schicksal in Einklang lebt. Die zentrale Lehre der stoischen Physik – daß in der Materie eine vollkommene Harmonie liegt, die von einer materiellen Gottheit bestimmt wird, die sich in ihr befindet – wird so vom ethischen Standpunkt aus betrachtet; und der Mensch, der der Vernunft und Tugend folgt und somit mit dem Universum in Einklang steht, wird unweigerlich Erfolg haben, während derjenige, der Unbesonnenheit und Laster nachgeht, unvermeidbar versagt. Dies ist der Determinismus, den Livius gewöhnlich darlegt, und seine enge Verbindung zur römischen Stoa läßt sich zum Beispiel aus Ciceros *De natura deorum* ersehen, wo der Stoiker Balbus eine Reihe von Niederlagen aufzählt, die Feldherren erlitten haben, weil sie die Götter mißachteten[12].

Nun war Livius hauptsächlich ein Traditionalist und kein

[10] *scripsit enim et dialogos, quos non magis philosophiae adnumerare possis quam historiae, et ex professo philosophiam continentis libros* ... (Ep. 100, 9).

[11] Bayet, Budé-Livius I, xl.

[12] 2, 7 ff.

schöpferischer Denker, und ein gut Teil der Betrachtungsweise, die seiner Geschichtsschreibung eigen ist, und der Sprache, die diese Betrachtungsweise ausdrückt, ist in der römischen Geschichtsschreibung von Cato bis Tacitus gebräuchlich. Diese ist von der Stoa stark beeinflußt. Doch bei Livius lassen sich die Folgerungen dieser stoischen Betrachtungsweise am besten in ihrer Gesamtheit beurteilen; denn er ist unter den großen römischen Geschichtsschreibern der einzige, der ein einheitliches Bild der Geschichte gibt, das durchweg auf stoischen Prämissen beruht. Tacitus löst sich beispielsweise an einer Stelle ganz von der konventionellen stoischen Färbung und erklärt, daß er an keine philosophische Position gebunden sei[13]; und wenn die Monographien Sallusts auch ethisches Gedankengut der Stoa widerspiegeln, so bemüht er sich doch kaum darum, den Lauf der Ereignisse nach einem vorgefaßten stoischen Muster darzustellen.

Natürlich weist die ethische Lehre des Livius an sich kein genau festgelegtes Bekenntnis zu stoischen Glaubensgrundsätzen auf. Zwar betont er in der Vorrede, daß der Leser sich die sittlichen Qualitäten der alten Römer vor Augen halten solle und daß die Gründe für den Verfall die Laster sind, die die Stoiker verurteilten – Habgier und weichliches Leben, Begierde und niedriger Ehrgeiz –, und sein ganzes Werk hindurch leitet er aus den Ereignissen der Vergangenheit moralische Urteile ab, die die Wichtigkeit der stoischen Tugenden hervorheben. Doch diese Art stoischen Einflusses findet sich ebenso bei Sallust und Tacitus, obwohl keiner von beiden ein Anhänger der frühen Stoa war; dies war ein fester Bestandteil der römischen Historiographie geworden. Die Zugehörigkeit des Livius müßte eher durch kosmologische Anschauungen aufgezeigt werden, wie sie sich aus seiner Darstellung der Geschichte ergeben, und selbst dabei muß die gebräuchliche Ausdrucksweise berücksichtigt werden, die nicht unbedingt seine persönlichen Ansichten widerspiegeln muß[14].

[13] Ann. 6, 22. Gute Bemerkungen zur konventionellen stoischen Terminologie (und dazu, daß sie auf die persönlichen Ansichten des Tacitus nicht anwendbar ist) finden sich bei B. Walker, The Annals of Tacitus (Manchester, 1952), 245 ff.

[14] Weitere Einzelheiten s. Walsh, AJP (1958), 355 ff.

Ein negativer Beweis für eine stoische Betrachtungsweise ließe sich vielleicht aus der energischen Ablehnung von Lehrmeinungen der Akademie und der Epikureer erbringen, die in historische Zusammenhänge eingefügt ist und in einer Sprache ausgedrückt wird, die einen philosophischen Gegner verrät[15]. Wichtiger jedoch ist der positive Nachweis in den frühen Büchern – das Anwachsen Roms wird als unaufhaltbar und vorherbestimmt angesehen. Dies wird nicht nur in theologischen Wendungen ausgedrückt, die die Überzeugung noch unterstützen, daß Rom durch das Wohlwollen der Götter gegründet und in seinem ersten Wachsen gefördert wurde, sondern auch in einer Sprache, die eine unpersönlichere Entwicklung beschreibt und dabei den Einfluß der stoischen Physik nahelegt.

Interessant ist hier, daß Livius Finalsätze benutzt, um den Eindruck zu erwecken, daß ein unpersönlicher Zwang ausgeübt wurde, und somit zu verdeutlichen, daß die Römer ständig mit Schwierigkeiten von außen und von innen konfrontiert wurden. Die gesamte frühe Geschichte Roms wird als eine Probezeit beschrieben, in der die militärischen und bürgerlichen Tugenden des römischen Volkes gründlich auf die Probe gestellt werden, so daß es physisch und moralisch fähig werden sollte, die Welt zu regieren. Regelmäßig wiederholt sich der Ansturm fremder Volksstämme: „Damit sich von Jahr zu Jahr derselbe Kreis der Ereignisse wiederhole, melden die Herniker, daß die Volsker und Aequer, obwohl sie schwere Verluste hatten hinnehmen müssen, neue Heere aufstellen[16]." Interne Schwierigkeiten beunruhigen die Römer immer dann, wenn sie nicht von außen hart bedrängt werden: „Damit nicht von allen Seiten die römischen Verhältnisse friedlich und beruhigt waren, brachen die Volkstribunen einen Streit zwischen den Führern der

[15] Z. B. 10, 40, 10; Sp. Papirius wird gerühmt als *iuvenis ante doctrinam deos spernentem natus*, und 10, 40, 14: *nunquam humanis rebus magis praesentes interfuisse deos*. Vgl. auch die Äußerungen der *plebs* in 3, 56, 7: *deos tandem esse et non neglegere humana*. Ein ausführlicher Kommentar bei Weißenborn, Einl. 17; Stübler, 80.

[16] 3, 10, 8: *ecce ut idem in singulos annos orbis volveretur . . .*

Gemeinschaft, den Patriziern und Plebejern, vom Zaune[17]." Wenn die Gefahren von außen und auch die Uneinigkeit im Innern nachgelassen haben, werden sie durch den Ausbruch einer Seuche auf eine harte Probe gestellt: „Als dann L. Genucius und Q. Servilius Konsuln waren und der Staat von inneren Unruhen und von Krieg verschont war, brach eine große Seuche aus, damit sie nicht von Furcht und Gefahren frei blieben[18]." Es ließe sich argumentieren, daß solche Sätze nur emotional und rhetorisch sind, doch seltsamerweise tauchen sie nur in der ersten Dekade auf, in der die philosophischen Vorstellungen des Historikers am deutlichsten ausgeprägt sind. Selbst wenn sie nur als stilistische Merkmale angesehen werden, müssen sie doch die Denkweise des Livius widerspiegeln.

Mit dieser Serie von Bedrohungen für den römischen Widerstandsgeist ist ein übernatürlicher Schutz verbunden, der die Römer davor bewahrt, daß die drei Gefahren des Krieges, der Uneinigkeit und der Seuche sie gleichzeitig überfallen. So erklärt Livius an einer Stelle[19], daß während einer Pestzeit keine äußere Gefahr oder innere Uneinigkeit entstanden sei; diese Schwierigkeiten treten erst dann wieder auf, wenn die Seuche vorüber ist. Bei einer anderen Gelegenheit wird Anarchie im Innern durch einen plötzlichen Angriff der Äquer abgewendet, der, „so möchte man sagen, nicht zufällig" *(velut dedita opera)* gemacht wurde[20].

Diese Beschreibung des vorherbestimmten Ablaufs der römischen Geschichte ist kaum einem Historiker angemessen, doch wäre sie für einen Philosophen mit stoischen Ansichten sehr viel weniger überraschend. Die Anwendung des Begriffes *fatum* bei Livius liefert weitere Beweise für diesen Standpunkt, obwohl er das Wort selten

[17] 10, 6, 3: *tamen, ne undique tranquillae res essent ...*

[18] 7, 1, 7: *ne quando a metu ac periculis vacarent ...*; und vgl. 7, 27, 1: *ne nimis laetae res essent, pestilentia civitatem adorta ...*

[19] 6, 52, 8.

[20] 3, 30, 2. Polybios (war er ebenso mit stoischen Vorstellungen vorbelastet?) benutzt eine ähnliche Wendung, ὥσπερ ἐπίτηδες (1, 86, 7; 2, 4, 3 etc.). Solche Wendungen sind nicht entscheidend für einen genau festgelegten Glauben an einen Determinismus, sondern sie deuten an, daß eine Gesetzmäßigkeit der Ereignisse erkannt wird.

im strengen Sinne von ἡ Εἱμαρμένη benutzt, dem vorherbestimmten Ende, zu dem die Providentia (Πρόνοια) die Menschheit führt. In der neueren Stoa ist dieser Begriff mit der religiösen Auffassung der Römer von *fata* als *Göttersprüche* kontaminiert worden, das sind Offenbarungen der Götter durch Orakel, Träume, Wunder, Weissagung und Augurium. Die späteren Stoiker Chrysipp und Poseidonius lassen beide gelten, daß die Zukunft durch diese Mittel vorherbestimmt werden kann auf Grund der vollkommenen Harmonie (συμπάθεια) des Universums, das den Makrokosmos mit dem Mikrokosmos verbindet. Ordnung oder Unordnung im Kleinen hat einen ähnlichen Zustand im Großen zur Folge. Die neuere Stoa gibt daher dem *fatum* nicht den Sinn eines unerforschlichen Schicksals, sondern eines Schicksals, das trotz seiner Vorherbestimmung vorhergesehen werden kann[21].

Livius benutzt die Worte *fatum* oder *fata* meist entweder im Sinne von *Göttersprüche,* was dem religiösen Denken der Römer entspringt[22], oder sie sind bei ihm nur ein gebräuchlicher Ausdruck für „Tod“ oder anderes Unheil. An anderen Stellen findet sich hingegen die strengere stoische Bedeutung. Der Plan des Servius Tullius, den Haß der Tarquinier dadurch abzuwenden, daß er ihnen seine Töchter zur Ehe gibt, wird von der Bemerkung begleitet: „Aber er brach dennoch nicht die Zwangsläufigkeit des Schicksals mit seinen menschlichen Berechnungen[23].“ Livius bezieht sich hier auf die vorherbestimmte Vertreibung der Könige und die Einführung der *libertas.* An anderer Stelle, in der Erzählung der berühmten Episode von dem jungen Mann, der seinem Vater und Feldherrn, Manlius Torquatus, den Gehorsam verweigerte und von ihm getötet wurde[24], sind die Gründe, die für solchen Ungehorsam angegeben werden, „Zorn oder ein Gefühl der Scham über eine Verweigerung

[21] *Fata* als *Göttersprüche,* W. F. Otto, RE VI, 2048. Zur Geltung der Prodigien, Träume etc. in der neueren Stoa Cic. De Div. 1, 3, 6; 31, 66. Zu einer stoischen Auffassung über vorhergesehenes Schicksal Sen. Nat. Quaest. 2, 38, 2.

[22] 5, 16, 10; 19, 1; 8, 24, 2 und 11; 21, 22, 9; 29, 10, 8 etc.

[23] 1, 42, 2: *fati necessitatem.*

[24] 8, 7, 8.

des Zweikampfes oder eine unausweichliche Macht des Schicksals" *(inexsuperabilis vis fati)*. In Buch 25 finden sich zwei weitere auffallende Sätze, die stoischen Einfluß verraten. Einer davon steht in einer Rede, die ein Sprecher der bestraften Überlebenden von Cannae hält – eine besondere Art der Verteidigung, um ihre schmachvolle Niederlage zu erklären; doch der Satz „das Schicksal, nach dessen Gesetz der unverrückbare Gang der menschlichen Dinge bestimmt wird" klingt offensichtlich stoisch[25]. Später wird der Tod des Tiberius Gracchus erzählt, der vor drohender Gefahr gewarnt wurde, als Schlangen immer wieder die Leber seines Opfertieres fraßen: „Durch keine Voraussicht konnte das drohende Schicksal abgewendet werden[26]." In allen diesen Fällen ist der Satz zu sehr betont, um nur eine allgemein übliche Floskel zu sein, die ohne philosophische Bedeutung oder Absicht geschrieben wurde; hier haben wir eher positive Anzeichen einer *Weltanschauung*.

Besonders aufschlußreich ist die Beobachtung, wie oft die großen Krisen der römischen Geschichte in dem Livianischen Bericht mit dem *fatum* in Verbindung gebracht werden. Der Fall von Veji (Camillus ist *fatalis dux*), die Plünderung Roms durch die Gallier, die Katastrophe von Cannae, das Auftreten des Scipio Africanus (wie Camillus ein *fatalis dux*), die Ereignisse, die zum Tode des Marcellus führten, werden alle als vorherbestimmt dargestellt. Man sollte hier unbedingt die Möglichkeit in Betracht ziehen, daß die herkömmliche Darstellung dieser Ereignisse den Bericht des Livius beeinflußt hat; und der literarische Reiz des *fatum*-Motivs ist nicht unbedeutend. Doch es wäre töricht, über die philosophischen Folgerungen solcher immer wieder vorgebrachten Schicksalsbegriffe völlig

[25] 25, 6, 6: *fato, cuius lege immobilis rerum humanarum ordo seritur . . .*

[26] 25, 16, 4: *nulla tamen providentia fatum imminens moveri potuit.* Beachtenswert ist jedoch, daß Gracchus es ablehnt, sich seinem Schicksal zu beugen, obwohl er getötet wird: *Gracchus ex equo desilit; idem ceteros facere iubet hortaturque, ut, quod unum reliquum fortuna fecerit, id cohonestent virtute* (16, 17). Hier zeigt Gracchus eine stoische Haltung, indem er wie Seneca sich weigert, sich dem Schicksal demütig zu ergeben, dadurch daß er ihm *contumeliose* begegnet.

hinwegzugehen[27], obwohl sich Livius unter dem Einfluß des Polybios nach der dritten Dekade immer weniger mit solchem stoischen Determinismus beschäftigt[28].

Diese stoische Sicht des Schicksals wird durch Zusammenhänge, in denen Livius behauptet, daß selbst die göttliche Macht begrenzt sei, noch bekräftigt; die Götter können den unerbittlichen Lauf der Geschichte nicht beeinflussen. „Die Soldaten wandten sich zum Praetorium und forderten von den Feldherrn Hilfe, die kaum die Götter hätten gewähren können", schreibt Livius über die Katastrophe bei Caudium, die er als die Folge römischer *saevitia* und *superbia* ansieht; und um die Bestrafung eindringlich zu erklären, wird von Lucius Lentulus berichtet, er habe den Konsuln gesagt: „Wir müssen die unwürdige Lage, so groß sie auch sein mag, auf uns nehmen, und wir müssen uns der Notwendigkeit fügen, die nicht einmal die Götter überwinden können[29]." Die Anwendung des Begriffes *fortuna* bei Livius zeigt ebenfalls Merkmale des stoischen Determinismus. Kurz nach dem Tode des Geschichtsschreibers berichtet Plinius der Ältere in einer aufschlußreichen Passage[30] von der Wichtigkeit, die seine Zeitgenossen der *fortuna* beimessen. Sie allein wird zu allen Zeiten und an allen Orten angerufen, gepriesen und geschmäht; sie wird als blind und launisch angesehen und begünstigt die Unwürdigen. Selbst wenn in dieser Beschreibung eine rhetorische Übertreibung mit in Betracht gezogen wird, muß man doch zugeben, daß *fortuna* in Rom genau das geworden ist, was *Tyche* für das hellenistische Griechenland bedeutete. In ihren verschiedenen Phasen des religiösen Denkens ahmten die Römer wie

[27] Vgl. 5, 19, 1–2; 33, 1 ff.; 22, 43, 9; 53, 6; 26, 29, 9. Diese Belege werden von I. Kajanto, God and Fate in Livy (Turku, 1957) 54 ff., nicht berücksichtigt, mit der Begründung, *fatum* sei nur ein literarisches Motiv, obwohl auch er meint, daß es die Niederlagen der Römer entschuldigt.

[28] S. Kajanto, 63, für den Gebrauch von *fatum* bei Livius – achtundzwanzigmal in der ersten Dekade, neunmal in der dritten und später dann nur noch dreimal (vgl. in diesem Bande S. 480).

[29] 9, 2, 15: ... *opem, quam vix di immortales ferre poterant;* 4, 16: ... *necessitati, quam ne di quidem superant.*

[30] Nat. hist. II, 22.

in so vielem anderen die Griechen nach. Genau wie im Athen des fünften Jahrhunderts die neue wissenschaftliche Sicht des Universums, wie sie die ionischen Physiker vorbrachten, den Glauben an die olympischen Götter langsam zerstörte und ein Vakuum zurückließ, das schließlich durch die vernunftwidrige Verehrung des blinden Zufalls oder der *Tyche* aufgefüllt wurde, so beschleunigte in Rom der wachsende Einfluß des philosophischen Denkens der Griechen die Auflösung der Staatsreligion und ebnete unbewußt der Herrschaft der *fortuna* den Weg. In der frühen römischen Theologie, in der jede einzelne Gottheit ihr besonderes Gebiet hatte, stellte Fortuna das unberechenbare Element des Lebens dar und hatte eine Reihe von Heiligtümern, die ihr geweiht waren, so daß es zahlreiche Präzedenzien für ihre Verehrung gab; doch ihr Wesen wurde unter dem Einfluß der griechischen *Tyche* radikal gewandelt[31].

Die Stoiker, die ein Universum postulierten, das sich auf einer vorherbestimmten Bahn bewegte und durch die Weltvernunft zu einem vorherbestimmten Ende geführt wurde, hatten in ihrer Lehre keinen Platz für *fortuna / Tyche*, deren wesentliche Merkmale Unbeständigkeit, Blindheit und Begünstigung der Ungerechten sind. Dennoch machte die vorherrschende Auffassung von der vergöttlichten *fortuna* es für die Anhänger der verschiedenen Schulen erforderlich, eine Erklärung im Zusammenhang der eigenen Glaubensgrundsätze zu finden. So setzten die Epikureer sie mit *natura* gleich, mit der natürlichen Bewegung der Atome, die das Universum einschließen[32]. Für die Stoiker war die Lösung genauso eindeutig: *fortuna* ist nichts weiter als ein Symbol der Weltvernunft (πρόνοια) oder – unpersönlich betrachtet – das Wirken dieser Welt-

[31] Ausführliche Darstellungen der Fortuna bei G. Wissowa, Religion und Kultus der Römer (München, 1912), 256 ff.; W. Warde Fowler, The Roman Festivals of the Period of the Republic (London, 1899), 67 ff.

[32] Bemerkenswert ist der Gebrauch von *natura* und *fortuna* in den gleichen Zusammenhängen bei Lukrez in V, 77, 107; und die Bemerkung Menanders, eines Freundes des Epikur: ὁ μὴ φέρων δὲ κατὰ φύσιν τὰ πράγματα τύχην προςηγόρευσετὸν ἑαυτοῦ τρόπον (fr. 594 Kock, 468 Körte-Thierfelder).

vernunft und daher fast identisch mit *fatum*[33]. In der symbolischen Sprache der römischen Religion stellt *fortuna* die Macht der Götter dar.

Livius weist der *fortuna* eine Rolle zu, die oft mit dieser Anschauung übereinstimmt, besonders in den frühen Büchern. Zwar erscheint sie an mehreren Stellen im Gewand der hellenistischen *Tyche,* doch diese Beispiele finden sich hauptsächlich in Reden, in denen Livius mehr auf Charakterisierungen als auf die Darlegung seines eigenen Standpunktes bedacht ist, und in gebräuchlichen Redewendungen[34]. Wenn er in seinen Erzählungen ausführlicher auf die *fortuna* eingeht, vermeidet er sorgfältig, ihr irgendwelche der berüchtigten Qualitäten der *Tyche* zuzuschreiben, und an mehreren Stellen setzt er sie besonders dem göttlichen Willen oder der göttlichen Macht gleich. Aufschlußreich ist beispielsweise die Beobachtung, wie Livius, wenn er Polybios folgt, dessen Erzählungen voll von gebräuchlichen Anspielungen auf die *Tyche* als einer launischen und rachsüchtigen Gottheit sind, bewußt viele dieser Anspielungen übergeht oder sie durch eine andere Erklärung ersetzt[35].

Es ist ebenfalls bemerkenswert, daß die Livianische Anschauung von der *fortuna* deutlich im Gegensatz zum Gebrauch bei seinen Vorgängern Sallust, Cicero und Caesar steht. Sallust kann von ihr im hellenistischen Sinne als von einer eigenwilligen Herrin sprechen,

[33] Vgl. Vergil Aen. 8, 333 ff.: *Me pulsum patria pelagique extrema sequentem / Fortuna omnipotens et ineluctabile fatum / His posuere locis* . . ., und den Kommentar des Servius dazu, daß die Stoiker Geburt und Tod dem *fatum,* die dazwischen liegende Zeit der *fortuna* zuschrieben; vgl. C. Bailey, Religion in Virgil (Oxford, 1935) 234.

[34] Kajanto, 79 ff., zitiert 23, 5, 8; 13, 4; 2, 35, 1; 28, 8, 1; 30, 30, 5, und ähnliche Auszüge aus Reden; aus den historischen Berichten 2, 5, 5; 5, 42, 4; 6, 3, 9; 9, 22, 5 – alles zufällige und herkömmliche Anwendungen des Wortes.

[35] Weitere Einzelheiten s. Walsh, AJP (1958), 365 ff. Die Stellen sind: Pol. 20, 7, 1–2 und Livius 36, 6, 2 (die kritische Lage Boötiens, die Polybios der Tyche, Livius den moralischen Unzulänglichkeiten zuschreibt); Pol. 33, 10, 2 ff. und Livius 40, 5, 1 (der Wahnsinn Philipps, ein Werk der Tyche bei Polybios, ist bei Livius göttlicher Zorn). S. auch Pol. 15, 15, 5, und Livius 30, 36, 9 ff.; Pol. 11, 19, 5 und Livius 28, 12, 1–9.

die über alles Macht hat; Cicero kann im gleichen Geiste sagen, daß nichts so unvernünftig und unbeständig ist wie sie; und Caesars Werke sind voller Anspielungen auf ihre Bedeutung bei den Schlachten[36]. Die augusteischen Schriftsteller, Vergil nicht minder als Livius, bemühen sich ganz bewußt darum, die sich überschneidenden Ansprüche der *fortuna* und der traditionellen Gottheiten in Einklang zu bringen. Daher scheint Livius absichtlich das Wort mit den Göttern zu verbinden. Wir lesen beispielsweise, wie Camillus die Römer drängte, Antium zu zerstören und wie seine Rede unterbrochen wurde: „In der Mitte seiner Rede – ich glaube, daß es den Göttern am Herzen gelegen hat, die Gemeinschaft von Antium länger bestehen zu lassen – kamen Gesandte von Nepete und Sutrium, um Hilfe zu erbitten ... So hat das Schicksal *(fortuna)* die Macht des Camillus von Antium abgewandt[37]." Oder von Flaminius heißt es an einer anderen Stelle, daß er „weder auf die Majestät der Gesetze oder der Senatoren, ja nicht einmal auf die der Götter achtete. Diese ihm angeborene Leichtfertigkeit hatte *fortuna* durch seine Erfolge gestärkt"[38]. Obwohl *fortuna* hier das herkömmliche Gewand der hellenistischen *Tyche* trägt, hat sie besonders die Aufgabe, die Harmonie in der Welt aufrechtzuerhalten, indem sie die Tugend unterstützt und das Laster bestraft; sie symbolisiert das gerechte Wirken der *Providentia.* So schreibt Livius an einer ande-

[36] Sall. Cat. 8: *res cunctas ex libidine magis quam ex vero celebrat obscuratque;* Cic. De Div. 2, 7, 18. Ciceros Ansichten sind im allgemeinen widerspruchsvoll, doch sein endgültiges Urteil ist, daß es nur ein Ausdruck ist, um die Unwissenheit der Menschen über Ereignisse und Ursachen zu verbergen. Zu Caesars Vorstellung von *fortuna* s. W. Warde Fowler, Cl. Rev. (1903) 153–6, der die Ansicht von Rice-Holmes zurückweist, daß Caesar glaubte, *fortuna* sei eine übernatürliche Macht, und der behauptet, daß Caesar nur „an Glück oder Unglück glaubt, wie wir es alle tun". Zweifelsohne sah Caesar *fortuna* kaum als eine mystische Macht, doch ist er irgendwie abergläubisch, wenn er sich mit ihr befaßt, wie in B. C. 3, 10, wo sie dreimal in einem einzigen Kapitel erscheint.

[37] 6, 9, 3: *credo rem Antiatem diuturniorem manere dis cordi fuisse ... eo vim Camilli ab Antio fortuna avertit.*

[38] 12, 3, 4: *... ne deorum quidem satis metuens; hanc insitam ingenio eius temeritatem fortuna ... aluerat.*

ren Stelle: *et successisset fraudi ni pro iure gentium . . . stetisset fortuna;* und immer wieder tritt sie ein für den Mut, die Vorsorge oder die Gerechtigkeit und bringt diejenigen zu Fall, die diese Tugenden mißachten[39].

Es läßt sich auch unschwer erkennen, wie die „aufgeteilte" Macht der *fortuna,* die in Wendungen wie *fortuna populi Romani, fortuna urbis* und ähnlichen deutlich wird, sich mit einer stoischen Auffassung vereinbaren läßt, denn dies verrät die stoische πρόνοια, die auf einem besonderen Gebiet wirksam wird. Dieser Gedanke taucht schon früher bei Cicero und Sallust auf[40], doch findet er sich immer häufiger bei den augusteischen Schriftstellern. Hier kann sich wieder der philosophische Begriff ohne Schwierigkeiten mit dem herkömmlichen Glauben der Römern an die *pax deorum* verbinden – die Gewähr für göttliches Wohlwollen, vorausgesetzt, daß das kultische Verfahren bei jedem Ritus genau befolgt wird. Beachtenswert ist der Kommentar des Livius zu der Uneinigkeit zwischen den Äquern und Volskern, die einen Angriff auf Rom vorbereiteten, sich dann aber statt dessen gegenseitig angriffen: *ibi fortuna populi Romani duos hostium exercitus haud minus pernicioso quam pertinaci certamine confecit*[41]. Dies ist nun eine Ausdehnung des Schutzes der Providentia, den Livius für Rom beansprucht. Der gleiche Gedanke wird mit noch größerem Nachdruck etwas später vorgebracht: *Deserta omnia, sine capite, sine viribus, dii praesides ac fortuna urbis tutata est, quae Volscis Aequisque praedonum potius mentem quam hostium dedit*[42]. Solche Passagen wie diese weisen auf das Wirken einer göttlichen Macht im Staate hin.

Natürlich finden sich eine ganze Reihe von Stellen, an denen *fortuna* nichts anderes als „Glück" oder „Zufall" bedeutet. Dies läßt nicht unbedingt darauf schließen, daß Livius irgendwelche

[39] 38, 25, 8; 5, 19, 8 etc. Die Vorstellung, daß das Glück vom Mut abhängig ist *(„fortes fortuna iuvat")* oder von der Tugend etc., ist gebräuchlich: z. B. Cato, ap. Gell. 3, 7, 19: *dii immortales tribuno militum fortunam ex virtute eius dedere.*

[40] Cic. Cat. 1, 15; Phil. 5, 29; Sall. Cat. 41, 3.

[41] 2, 40, 13.

[42] 3, 7, 1; vgl. 1, 46, 5.

Vorbehalte gegenüber den stoischen Glaubensgrundsätzen vom Determinismus hatte; letzten Endes ist ein solches Glück von den Göttern gesandt. Bei seiner Charakterisierung militärischer Befehlshaber ist diese Bedeutung besonders häufig; Fabius Cunctator vertraut beispielsweise *plus consilio quam fortunae*[43].

Darüber hinaus gibt es genügend Beweismaterial dafür, daß die Geschichtsbetrachtung des Livius, besonders in der ersten und dritten Dekade, stark von einer Neigung zu stoischem Gedankengut beeinflußt ist. Dies erklärt geradezu seine Ambivalenz gegenüber den religiösen Überzeugungen der Römer – seine rationalisierenden Tendenzen in den frühen Büchern im Gegensatz zu seinem Wunsch nach religiöser Erneuerung. Denn die Anhänger der neueren Stoa förderten solche Ambivalenz. Ihre defensive Haltung, wenn sie mit dem Skeptizismus der gegnerischen Schulen konfrontiert wurden, wird in Ciceros *De natura deorum* deutlich, wo sie versuchen, den symbolischen Wert der religiösen Überzeugungen durch das „Rationalisieren" der Mythen zu erklären – *commenticiarum fabularum reddere rationem*[44]. Gleichzeitig bestanden sie darauf, daß die volkstümlichen Vorstellungen von den Göttern auf keinen Fall zu verachten seien, denn der *consensus gentium* war ein höchst gewichtiges Argument für die Existenz des Göttlichen. Diese Überzeugungen enthielten eine wichtige allegorische Wahrheit, denn die Götter des römischen Pantheon waren ein Symbol für die Existenz der Gottheit, die der Materie innewohnt. In *De natura deorum* betont Balbus diesen Punkt[45]. Die deutlichen Berührungspunkte zwischen der alten römischen und der stoischen Theologie kommen hier stark zur Geltung. Der römische pantheistische Begriff der *numina,* die jeweils für die besondere Sphäre der Wälder, der Flüsse, des Getreides und so weiter zuständig sind, läßt sich leicht mit der *Pronoia* der stoischen Physik in Einklang bringen, der materiellen Gottheit, die der Materie innewohnt. Die Ähnlichkeit schließt die wichtige Überlegung ein, daß in beiden Systemen die Götter nicht anthropomorph sind, wie sie es für die Griechen waren; sie wandern

[43] 12, 18, 8; s. Erkell, Augustus, Felicitas, Fortuna, 167 ff.

[44] De nat. deor. 3, 63.

[45] 2, 12; 3, 63.

nicht frei auf der Erde herum oder greifen direkt in menschliche Angelegenheiten ein. Sie üben ihre Macht ganz unpersönlich aus. Es gibt Verhaltensregeln, von deren Befolgung das Glück abhängt. Wie Manlius Capitolinus es ausdrückt: *Bene facitis, quod abominamini: „Di prohibebunt haec". Sed nunquam propter me de caelo descendent; vobis dent eam mentem oportet, ut prohibeatis, sicut mihi dederunt armato togatoque, ut vos a barbaris hostibus, a superbis defenderem civibus*[46]. Das Gleiche wird in einer anderen Rede hervorgehoben: *Minime convenire, quibus iratos quisque deos precatus sit, in iis sua potestate, cum liceat et oporteat, non uti. Nunquam deos ipsos admovere nocentibus manus; satis esse, si occasione ulciscendi laesos arment*[47].

Die stoische Haltung des Livius, die so stark mit den herkömmlichen römischen Glaubensgrundsätzen im Einklang steht, ist zum Teil durch den Geist der Zeit bedingt; in keiner anderen Hinsicht hat der augusteische Idealismus einen so klaren Einfluß auf sein Werk. Die angestrebte religiöse Erneuerung, die sich nicht nur in der Vorliebe eines Vergil und eines Livius widerspiegelt, alte Riten und Gebräuche wiederzugeben, sondern auch in Ovids *fasti* und in der Dichtung des Properz zum Ausdruck kommt, gab ihre geistigen Probleme auch anderen klugen Köpfen als Livius auf. Es ist daher nicht verwunderlich, daß unter seinen Zeitgenossen Dichter sind, deren Werke eine ähnliche Beschäftigung mit stoischen Lehrsätzen zeigen. In einem gewissen Sinne kann die Aeneis ein stoisches Gedicht genannt werden, da ihr zentrales Thema zeigt, wie das Schicksal Roms durch die *Providentia* gelenkt wurde[48]. Es ist auch behauptet worden, daß sich in den Oden des Horaz stoische Elemente finden – nicht nur die ethischen Allgemeinplätze wie „Die Natur verlangt wenig" oder „Nur der Weise ist König" oder das ebenso gebräuchliche Lob des Regulus und Cato, sondern noch auffälliger ist der häufige Gebrauch des Singulars *deus*, etwa wie Seneca als Vertreter der neueren Stoa ihn in seinen Briefen benutzt[49]. Wenn daher Livius die Geschichte von diesem philoso-

[46] 6, 18, 9. [47] 5, 11, 16.

[48] Z. B. in Aen. 1, 205, 257, 382; 2, 294, 777; 3, 395; 4, 224 etc.

[49] Od. 1, 3, 21; 12, 14; 2, 4, 45; 29, 29.

phischen Standpunkt aus betrachtet, ist er kein alleinstehender Zeuge dieser Lehre; man hat das Gefühl, daß dies im Einklang mit der offiziellen religiösen Erneuerung stand[50].

Dies ist die religiöse Lebensanschauung, die Livius für gesund und objektiv hält, im Gegensatz zu dem subjektiven Aberglauben fremder Religionen, die er immer wieder verurteilt, da sie den Geist krank machen und den Körper verderben. Er hat sich besonders offen über den Bacchanalien-Skandal im Jahre 186 v. Chr. geäußert: *Huius mali labes ex Etruria Romam veluti contagione morbi penetravit* (39, 9, 1). Und ähnlich mißbilligend urteilt er über einen weniger schweren Frevel im Krieg gegen Hannibal[51].

Aus dem Zusammenhang der Lehren der neueren Stoa, die mit dem religiösen Denken der Römer in Einklang gebracht wurde, läßt sich die Einstellung des Livius zu Prodigien und Träumen am besten verstehen – eine beliebte Zielscheibe der Kritiker des 19. Jahrhunderts, die im „Zeitalter der Aufklärung“ schrieben. Von dem ersten Jahr des zweiten punischen Krieges an zählt Livius regelmäßig die übernatürlichen Ereignisse auf, die ursprünglich in den *tabulae pontificum* aufgezeichnet waren[52]. Es finden sich acht solcher Prodigienlisten in der dritten Dekade und ein Verzeichnis für jedes Jahr zwischen 201 und 167 v. Chr. mit wenigen Ausnahmen. Livius gibt selbst den Grund an, warum er diese Listen aufgenommen hat: *Non sum nescius ab eadem neglegentia, qua nihil deos portendere vulgo nunc credant, neque nuntiari admodum ulla prodigia in publicum neque in annales referri. Ceterum et mihi vetustas res scribenti nescio quo pacto antiquus fit animus, et quaedam religio tenet, quae illi prudentissimi viri publice suscipienda censuerint, ea pro indignis habere, quae in meos annales referam*[53]. Dies ist eine defensive Aussage; er beruft sich auf die Weisheit der Vergangenheit, um der Kritik zu begegnen, die seine Zeitgenossen an seinem Werk übten; denn das Wort *antiquus* hatte für die Römer nicht die abfällige Bedeutung unseres Wortes „altmodisch“, sondern

[50] So J. F. D'Alton, Horace and his Age (London, 1917), 101.

[51] 25, 1, 6 ff.; vgl. 4, 30, 9–11.

[52] Zu den *tabulae pontificum* s. Walsh, a. a. O. 110 f.

[53] 43, 13, 1.

erweckte in ihnen die Vorstellung von absoluter Lauterkeit und großen Leistungen. Wenn Livius seine eigene *religio* der allgemeinen *neglegentia* gegenüberstellt, verteidigt er das, was er für die älteren und besseren Werte hält. Schon die Tatsache, daß er die Prodigien so gewissenhaft berichtet – angesichts der Gepflogenheiten seiner Zeitgenossen – verrät, daß er die *Möglichkeit* einräumt, daß sie den göttlichen Willen ausdrücken – eine Ansicht, wie sie der Vertreter der jüngeren Stoa Poseidonius vertritt[54].

In diesem Punkte waren sich jedoch die Anhänger der neueren Stoa nicht einig. Obwohl Livius eine solche Möglichkeit im Prinzip gelten lassen mag, urteilt er häufig mit einer gewissen Schärfe über die Vielzahl der Prodigien, denen man Glauben schenken soll. Er ist sich der Gefahren religiöser Psychose in Zeiten des Schreckens und der Niederlagen bewußt, und er weiß, daß die Ankündigung nur eines Mirakels gleich viele nach sich ziehen kann. So berichtet er an einer Stelle: *Prodigia eo anno multa nuntiata sunt, quae quo magis credebant simplices ac religiosi homines, eo plura nuntiabantur*[55]. Und *Romae aut circa urbem multa ea hieme prodigia facta aut, quod evenire solet motis semel in religionem animis, multa nuntiata et temere credita sunt*[56]. Mit noch größerer Schärfe berichtet er, daß in Cumae Mäuse im Tempel des Jupiter am Gold genagt haben sollten: *Et ex Campania nuntiata erant ... Cumis – adeo minimis etiam rebus prava religio inserit deos – mures in aede Jovis aurum rosisse*[57].

Es gibt jedoch Aufzählungen von Prodigien ohne einen derartigen Kommentar. Vor seinen Bericht von den großen Niederlagen am Trasimenischen See und bei Cannae hat Livius beispielsweise eine Aufzählung von Prodigien gestellt, die in einer sehr

[54] S. o. 494 Anm. 21. Diese Meinung wird von L. W. Laistner, The Greater Roman Historians (Berkeley, 1947), 68 ff. vertreten, wird jedoch von Kajanto, 52 abgelehnt. Man sollte natürlich nicht die literarischen und gefühlsmäßigen Gründe für das Erzählen der Prodigien vernachlässigen; vgl. Walsh, a. a. O. 175 ff.

[55] 24, 10, 6.

[56] 21, 62, 1.

[57] 27, 23, 2; auch 28, 11, 1; 29, 14, 2.

bezeichnenden Weise eng nebeneinander stehen, als wollte er den göttlichen Unwillen hervorheben[58]. In der gleichen Dekade schreibt er später, nachdem er berichtet hat, wie die Opfer der Konsuln M. Claudius Marcellus und T. Quinctius Crispinus direkt nach der Ankündigung von Prodigien ungünstig ausfielen: *in capita consulum re publica incolumi exitiabilis prodigiorum eventus vertit*[59]. Hier wie an anderen Stellen hat Livius sich der Möglichkeit nicht verschlossen, daß ein Prodigium das Mittel einer göttlichen Warnung sein kann. Doch daraus darf man nicht zuviel folgern: wenn Livius der Bedeutung solcher Ereignisse wie dem Aufleuchten von Schiffsumrissen am Himmel, blutgetränkten Seen und ungeborenen Kindern, die im Mutterleib „*Io triumphe*" schreien, Glauben schenkt, dann kehrt er damit nicht zu der gedankenlosen Furcht und dem Aberglauben einer primitiven Gesellschaft zurück. Er betrachtet diese Ereignisse nicht als die direkten Handlungen einer mißgünstigen Gottheit, sondern sieht die Prodigien in der komplexen und verfeinerten Kosmologie der Stoiker als mögliches Symptom für ein gestörtes Universum, das auf künftiges Unheil hindeutet. In diesem Zusammenhang ist es lehrreich, den Bericht Plutarchs über den Wahrsager Cornelius aus Padua zu lesen, der aus dem Vogelflug den Zeitpunkt und den Ausgang der Schlacht von Pharsalus vorhersagte. Livius, so betont Plutarch, bezeugt die Wahrheit dieses Ausspruchs[60].

Solche philosophischen und religiösen Ansichten, die so stark stoische Glaubenssätze widerspiegeln, haben sicher Livius in der Ansicht bestärkt, daß die Römer ein Herrschervolk seien. Sein Bericht von der Gründung Roms beginnt mit der eindeutigen Behauptung, daß die Stadt von den Göttern auserwählt war: *sed debebatur, ut opinor, fatis tantae origo urbis maximique secundum deorum opes imperii principium*[61]. Der angebliche Schutz der *Providentia*, der der Stadt in den frühen Jahren gewährt wurde,

[58] 22, 1, 8; vgl. E. Burck, Einführung in die dritte Dekade des Livius (Heidelberg, 1950), S. 80, Anm. 16.

[59] 27, 23, 4.

[60] Plut. Caes. 47.

[61] 1, 4, 1.

ist schon erwähnt worden. So wird dem Patriotismus des Livius eine philosophische Rechtfertigung zuteil, und er zögert nicht zu verkünden, daß die Römer allen anderen Völkern in den moralischen Eigenschaften überlegen sind, von denen wahre Größe abhängig ist: *Ceterum aut me amor negotii fallit aut nulla umquam res publica nec maior nec sanctior nec bonis exemplis ditior fuit nec in quam tam serae avaritia luxuriaque immigraverint nec ubi tantus ac tam diu paupertati ac parsimoniae honos fuerit*[62]. Die unbezwingbare Haltung, die die Römer nach Cannae zeigten, läßt ihn meinen, daß *nulla profecto alia gens tanta mole cladis non obruta esset*[63]. Die Disziplin der römischen Plebs ist größer als in anderen Städten[64]. Wenn ein Fremder wie Timasitheus edel und gerecht ist, ist er *Romanis vir similior quam suis*, und wenn ein Römer wie Tarquinius Superbus ein Ziel durch Betrug und List erreicht, ist dies kein römischer Charakterzug[65]. Außergewöhnlich sind die Worte des Livius nach seinem mißbilligenden Urteil über die Hinrichtung des Führers der Albaner, Mettius, der zwischen zwei Pferdegespanne gebunden wurde, die dann in entgegengesetzten Richtungen auseinandergetrieben wurden: *primum ultimumque illud supplicium apud Romanos exempli parum memoris legum humanarum fuit; in aliis gloriari licet nulli gentium mitiores placuisse poenas*[66]. In jedem Buch finden sich Beispiele für so unverhohlenen Chauvinismus.

Seine Neigung ging jedoch nicht so weit, daß er das Rom des ersten Jahrhunderts gepriesen hätte. Wir finden einen patriotischen Ausbruch, in dem er behauptet, daß die Soldaten Roms „*mille acies graviores quam Macedonum atque Alexandri*[67]“ hätten vertreiben können, doch dies ist eine Ausnahme. Im großen und ganzen ist seine Haltung eher pessimistisch. Die Römer seiner Zeit, so behauptet er, können sich nicht mit ihren Vorfahren messen, und der Lohn, den er sich aus der Beschäftigung mit der Vergangenheit

[62] Praef. 11.
[63] 22, 54, 10.
[64] 4, 9, 8.
[65] 5, 28, 3; 1, 53, 4.
[66] 1, 28, 11.
[67] 9, 19, 17.

erhofft, ist die Linderung der Verzweiflung, die er bei der Betrachtung der Gegenwart empfindet. Derartige offene Zugeständnisse in der Praefatio werden durch ähnliche Äußerungen im Werk selbst noch bekräftigt. Typisch sind seine Bemerkungen zur Wahl dreier Patrizier durch die Plebejer, obwohl ihre eigenen Vertreter mittlerweile gewählt werden konnten: *hanc modestiam aequitatemque et altitudinem animi ubi nunc in uno inveneris, quae tum populi universi fuit*[68]!

[68] 4, 6, 12.

X

SPRACHE UND STIL

P. G. Walsh, Livy, Cambridge Univ. Press 1961. S. 245–270.
Übersetzt von Marie-Louise Gülzow.

DIE LATINITÄT DES LIVIUS

Von P. G. Walsh

Um die Mitte des ersten Jahrhunderts v. Chr. wurden entschiedene Schritte unternommen, strenge Maßstäbe reiner Latinität festzusetzen und einzuhalten. Drei Schriften Ciceros[1] geben einige Hinweise auf die bewußten Bemühungen einer kleinen Gruppe von gebildeten Römern, die die „ländliche Derbheit und den Gebrauch neuer Fremdwörter" ablehnten und die sich das Ziel setzten, nicht nur den Kasus korrekt anzuwenden, auf Geschlecht und Zeit zu achten, sondern auch den Sprachschatz auf Worte zu beschränken ‚*quae nemo iure reprehendat*[2]'.

Das Ergebnis dieses Reformversuches ist eine Latinität, die sich von der damaligen Umgangssprache und auch von der früheren Literatur stark unterscheidet. Denn nun gibt es eine einheitliche Grammatik und Syntax mit einer korrekten Form und einem korrekten Genus für jedes Wort und einer korrekten Konstruktion für jede Art von Sätzen. Durch diese Leistung der römischen Puristen verlor die Sprache manches von ihrer Vielseitigkeit und Anpassungsfähigkeit, doch sie gewann erheblich an Klarheit; ein Begriff, mit dem sich die Römer unter dem Einfluß der rhetorischen Theorie der Griechen besonders auseinandersetzten. Die Vorliebe für Klarheit erstreckte sich auch auf das Vokabular, und Intellektuelle wie Caesar strebten nicht nur danach, aus ihren Schriften das *inauditum atque insolens verbum*[3] auszumerzen, sondern sie versuchten auch, ein einziges Wort zu benutzen, um eine bestimmte Nuance in der Bedeutung auszudrücken. Mit dem Streben nach solcher *elegantia* entstand das, was wir die klassische

[1] De Oratore, Orator, Brutus.

[2] De Or. 3, 44: *neque solum rusticam asperitatem, sed etiam peregrinam insolentiam fugere discamus.* vgl. 3, 40; Brut. 171.

[3] s. Gell. 1, 10, 4.

Form der Prosa nennen, die in der Literatur des Altertums vor allem von Cicero und Caesar vertreten wird. Wo finden wir bei Livius eine Verwandtschaft zu solcher *urbanitas*, der Prosa Ciceros und Caesars? Seine eigene Einstellung verrät, daß er ein begeisterter Anhänger der Latinität Ciceros ist, denn er empfiehlt seinem Sohn, Demosthenes und Cicero zu lesen und dann die Schriftsteller, die ihnen am nächsten kommen[4]. Man stellt auch fest, daß spätere Römer Livius eher mit der republikanischen Prosa in Verbindung bringen als mit den Schriftstellern aus der Kaiserzeit[5]. Daher ist es verwunderlich, daß viele moderne Grammatiker ihn nicht zu den klassischen Prosaschriftstellern zählen. Geistvoller ist die Ansicht, daß sein Werk in mancher Hinsicht einen Übergang zwischen den Puristen und der mehr dekadenten Prosa der Kaiserzeit bildet, daß er aber dennoch mit Caesar und Cicero zu vergleichen ist, da seine Sprache im ganzen mit der ihren übereinstimmt. Der beste Kenner der Livianischen Grammatik bemerkt mit Recht: „Wenn man Livius auch noch zu der Zeit der klassischen Prosa rechnen darf, muß man doch zugeben, daß er sich sehr dicht an der Grenze befindet und daß die Sprache sich seit Cicero und Caesar bis zu ihm hin schon merklich gewandelt hat[6]."

Die einseitige Betrachtungsweise des Grammatikers mag allerdings eine Erwägung außer acht lassen, die für die Bewertung der Verwandtschaft zwischen der Latinität des Livius und der klassischen Prosa sehr wichtig ist. Die *historia* hat ihre eigenen literarischen Regeln, die eine größere Freiheit gewähren, als Cicero sie für das Forum für zulässig hält; wie Quintilian bemerkt, ist sie eng verwandt mit der Dichtkunst und vermeidet es, den Leser mit ‚ungebräuchlicheren Wörtern und freierer Behandlung der Charaktere' zu langweilen[7]. Gerade durch diese Freiheit in der Wortwahl (und natürlich durch Unterschiede in der Metrik) kommt Cicero zu

[4] Quint. 10, 1, 39: ... *legendos Demosthenem atque Ciceronem, tum ita ut quisque esset Demostheni et Ciceroni simillimus.*

[5] Tac. Agr. 10; Vell. Pat. 1, 17, 2.

[6] O. Riemann, Études sur la langue et la grammaire de Tite-Live² (Paris 1885), 13.

[7] Quint. 10, 1, 31: *verbis remotioribus.*

der Trennung von Dichtung und Rhetorik, *verborum ... licentia liberior*[8]. Cicero erklärt uns auch, daß für die *historia* und die epideiktische Rhetorik Isokrates und Theopomp als Vorbilder gelten sollten[9]. In der epideiktischen Rhetorik war poetische Sprache erlaubt, so daß ihre Verbindung zur *historia* hier von Bedeutung ist. Daraus läßt sich schließen, daß Cicero es gebilligt hätte, daß Livius sich einer stärker poetischen Sprache bediente, als er es selbst in politischen oder gerichtlichen Versammlungen zu tun pflegte. Wenn Ciceros Sprache kein Kriterium ist, ist die Sprache Caesars es auch nicht. Denn obwohl die Darstellung seiner Feldzüge von Cicero wegen ihrer Latinität gerühmt wird[10], ist sie doch nur ein Zwischending zwischen einem Tagebuch der Ereignisse und der eigentlichen *historia*.

Livius hat seiner Geschichtsschreibung also ganz berechtigt durch poetische Wendungen und Reminiszenzen Farbe verliehen, doch sein Stil zeigt auch eine Entwicklung, die sich entschieden von der klassischen Prosa entfernt. Der Einfluß der Rhetorenschulen wird hier deutlich, ihre Deklamationen zeichnen sich nicht nur durch seltsame Themen, sondern auch durch gekünstelte Sprache aus, die die Worte der Umgangssprache vermied. Wir alle wissen, daß Tacitus einen Spaten nicht einen Spaten nennen konnte und daß er einen *spado* einen ‚der Mannheit beraubten' Mann nannte – typische Beispiele dafür, wie die Rhetorenschulen nach einem Ausspruch Quintilians ‚große Teile aus dem Wortschatz der Alltagssprache herausschnitten'[11]. Diese Suche nach außergewöhnlichen Abwechslungen gab der Sprache der literarischen Prosa unvermeidbar eine starke poetische Färbung und machte sie zur ‚Dichtung, befreit vom Versmaß'.

Bei diesem zunehmend gekünstelten Wortschatz konnte ohne

[8] De Or. 1, 70.

[9] Or. 207.

[10] Brut. 262: *nihil enim est in historia pura et illustri brevitate perfectius.*

[11] Tac. Ann. 1, 65: *per quae egeritur humus*; 6, 31: *Abdus ademptae virilitatis.* Eine gute Darstellung der Deklamation im augusteischen Zeitalter bietet M. L. Clarke, Rhetoric at Rome (London, 1953), Kap. 8.

Zweifel auch eine Entartung der Syntax nicht ausbleiben. Die Maßstäbe der Puristen haben in der Umgangssprache nie gegolten, was die Briefe Ciceros bezeugen. Bei Livius finden wir deutliche Anzeichen dafür, daß diese Nachlässigkeit im literarischen Latein des augusteischen Rom weit verbreitet ist.

Diese Stelle bietet sich an, um eine Theorie über die Latinität des Livius zu erörtern, die in weiten Kreisen anerkannt worden ist. Ihre Grundthese behauptet völlig paradox, daß Livius in seiner ersten Dekade das Verlangen des augusteischen Zeitalters widerspiegelt, die Fesseln des Klassizismus zu sprengen, daß er jedoch im Verlauf der dritten und vierten Dekade zu den Richtlinien Caesars und Ciceros zurückgekehrt sei[12]. Es wird behauptet, daß ein solcher Rückschritt einerseits darauf zurückzuführen sei, daß Livius in den frühen Büchern bewußt versucht habe, seiner Sprache einen poetischen Charakter zu geben, indem er die Dichter nachgeahmt und einiges aus ihren Werken übernommen hätte, daß der Rückschritt aber andererseits auf sein Experimentieren mit einem historischen Stil zurückgehe, den er später aufgegeben hätte. Diese These wird durch einen statistischen Überblick über eine Vielzahl poetischer Wörter und Ausdrücke gestützt, die im Verlauf seiner Geschichtsschreibung immer seltener gebraucht wurden.

Vor kurzem sind diese Beispiele jedoch neu überprüft worden; das Ergebnis war, daß jene These nicht uneingeschränkt aufrecht erhalten werden kann[13]. Gries hat nämlich gezeigt, daß einige angeblich poetische Wendungen ganz gebräuchliche Entsprechungen bei Caesar und Cicero haben; andere Ausdrücke, die sich nicht in der klassischen Prosa belegen lassen, tauchen wahllos in allen erhaltenen Büchern auf. Wo die Statistiken gültig sind und einen geringeren poetischen Wortschatz in den späteren Büchern nach-

[12] S. G. Stacey, Die Entwicklung des livianischen Stiles (Leipzig, 1898), 118: „Das Merkwürdige aber ist, daß Livius nicht im Laufe der Jahrzehnte die goldene Latinität zur silbernen umgeformt, sondern umgekehrt gerade in der ersten Dekade dem neuen Zeitgeiste am meisten gehuldigt hat, und später, d. h. schon in der dritten und noch mehr in der vierten Dekade, zu den strengeren Formen und Normen des Klassizismus zurückgekehrt ist."

[13] K. Gries, Constancy in Livy's Latinity (New York, 1949).

weisen, muß man Unterschiede im Inhalt mitberücksichtigen. Die späteren Dekaden enthalten immer mehr Einzelheiten über die Tätigkeit des Senats, deren prosaische Natur gegen einen poetischen Stil spricht. Die Wahrheit liegt daher nicht in der klug erdachten (doch *a priori* unwahrscheinlichen) Theorie, daß ein erfolgloses stilistisches Experiment aufgegeben worden wäre. Eher leuchtet die Behauptung ein, daß der Inhalt der frühen Bücher *poeticis magis decora fabulis* sich mehr für poetische Färbung eignete, mit Anklängen an die frühen Dichter geschrieben wurde und durch den Gebrauch von Quellen beeinflußt war, die in ähnlicher Weise auf eine epische Darstellung des römischen Staates bedacht waren. Solche poetischen Ausdrücke werden natürlich in den recht nüchternen Unternehmungen der späteren Jahre seltener, doch werden sie da angewandt, wo angemessene Ereignisse sie erfordern. Schließlich schwindet die Begeisterung des Livius nach der dritten Dekade, als der Stoff weniger spannend wird, und sein Stil wird mechanischer und weniger künstlerisch und schöpferisch.

Alle genannten Faktoren – die natürliche Entwicklung der Sprache, die Freiheit, die der *historia* eingeräumt wurde, der indirekte Einfluß der Dichter-Historiker, besonders des Ennius, und die Wirkung der Quellen – geben der Latinität des Livius das Gepräge. Wenn man auch zugesteht, daß er ein Schüler Ciceros ist, der der *brevitas* Sallusts mit *lactea ubertas*[14] scharf entgegentrat, findet man doch in vielen Einzelheiten Unterschiede.

Eine Analyse des Satzbaues in den Erzählungen des Livius (der darin natürlich wegen des Unterschiedes der literarischen Gattung von Cicero abweicht) zeigt seine Technik, stilistische Mittel zu wählen, die dem Stoff angemessen sind. Wir finden einen deutlichen Kontrast zwischen den formellen, annalistischen Teilen, die an der Jahreswende stehen, und der ausführlicheren Erzählung; und andererseits erfordern Ereignisse von größerer Dramatik eine straffere Darstellung.

Die annalistischen Teile sind fast genauso nüchtern wie die Originalchroniken: *consules M. Valerius P. Postumius. eo anno bene pugnatum cum Sabinis. consules triumpharunt.* Oder: *deinde M.*

[14] Quint. 10, 1, 32.

Valerius Sp. Verginius consules facti. domi forisque otium fuit; annona propter aquarum intemperiem laboratum est. de Aventino publicando lata lex est, tribuni plebis idem refecti. Bei der Aufzählung von Prodigien wird ein einfacher, parataktischer Satzbau angewandt, obwohl in der Eingangsphrase *variatio* gesucht wird: *in Albano monte tacta de caelo erant signum Iovis arborque templo propinqua, et Ostiae lacus ... cruentam etiam fluxisse aquam Albanam quidam auctores erant ... et Priverni satis constabat bovem locutum ...*[15].

Für seine ausführlicheren Darstellungen erfand Livius einen regelmäßig wiederkehrenden Aufbau. Dieser periodische Stil ist seiner Technik der Einzelerzählung angepaßt. Seine persönlichen Ansichten sind eingeschlossen, um zur Architektur der ganzen Erzählung beizutragen. Nehmen wir als Beispiel den Bericht über die Rettung des Capitols durch die heiligen Gänse:

(A) Dum haec Veiis agebantur, interim arx Romae Capitoliumque in ingenti periculo fuit.

(B) Namque Galli, / seu vestigio notato humano qua nuntius a Veiis pervenerat, seu sua sponte animadverso ad Carmentis saxo in adscensum aequo, / nocte sublustri cum primo inermem qui temptaret viam praemisissent, / tradentes inde arma ubi quid iniqui esset, / alterni innixi sublevantesque in vicem et trahentes alii alios, prout postularet locus, / tanto silentio in summum evasere / ut non custodes solum fallerent, sed ne canes quidem, sollicitum animal ad nocturnos strepitus, excitarent.

Anseres non fefellere quibus sacris Iunonis in summa inopia cibi tamen abstinebatur.

Quae res saluti fuit;

(C) namque clangore eorum alarumque crepitu excitus / M. Manlius qui triennio ante consul fuerat, / vir bello egregius, / armis arreptis simul ad arma ceteros ciens/vadit,/et dum ceteri trepidant/ Gallum qui iam in summo constiterat umbone ictum deturbat.

Cuius casus prolapsi cum proximos sterneret, / trepidantes alios armisque omissis saxa quibus adhaerebant manibus amplexos trucidat.

[15] 2, 16, 1; 3, 31, 1; 27, 11, 2 ff.

(D) Iamque et alii congregati telis missilibusque saxis proturbare hostes, ruinaque tota prolapsa acies in praeceps deferri.

(E) Sedato deinde tumultu reliquum noctis, quantum in turbatis mentibus poterat cum praeteritum quoque periculum sollicitaret, quieti datum est[16].

Zuerst wird die Szene mit einem kurzen, unkomplizierten Satz umrissen (A). Dann folgt eine typisch Livianische Periode – ein geschickt entworfenes Satzgefüge von Partizipial- und Adjektivsätzen, die durch Nebensätze verbunden sind; dieser Komplex führt allmählich zur Klimax des Hauptverbs. Dieser Wechsel im Ausdruck der untergeordneten Gedanken ist typisch für die historische Darstellung im Lateinischen und spiegelt den Einfluß des Caesarischen Periodenbaus wider[17]: die Behauptung, daß der Mangel an logischer Beziehung zwischen den Nebensätzen der Klarheit des Lateinischen schade, ist absurd[18]. Hier wird der Versuch der Gallier, das Kapitol einzunehmen, in einen einzigen Satz zusammengefaßt. Mit eindrucksvoll sparsamen Mitteln erzählt Livius, wie sie den Weg fanden, einen Mann zum Auskundschaften vorschickten, das Klirren der Waffen vermieden, sich gegenseitig hochzogen und unbemerkt ankamen (B). Das Lateinische spiegelt die Etappen des Aufstiegs in angemessener Weise wider. Als sie den Gipfel erreichen, stören sie die Gänse auf; ein einfacher Satz genügt für diese Klimax. Die Aufmerksamkeit wendet sich nun von den Angreifern den Verteidigern zu. Um den langen Satz, der das Unternehmen der Gallier beschreibt, auszugleichen, wird die Reaktion des Manlius ganz ähnlich mit einem periodischen Satz beschrieben (C); und eine kurze Feststellung, als Gegengewicht zu *anseres non fefellere*... genügt, um auszudrücken, wie die ersten Gallier getötet werden. Beachtenswert ist, wie die Eile des Manlius, im Gegensatz zu der Verstohlenheit der Gallier, im historischen Präsens beschrieben wird

[16] 5, 47, 1–6.

[17] Beispielsweise B. G. 5, 3, 5: *sed postea quam nonnulli principes ex ea civitate / et familiaritate Cingetorigis adducti et adventu nostri exercitus perterriti / ad Caesarem venerunt et de suis privatim rebus ab eo petere coeperunt / quoniam civitati consulere non possent / veritus ne ab omnibus desereretur / Indutiomarus legatos ad Caesarem mittit.*

[18] Wie L. R. Palmer, The Latin Language (London, 1954), 137, behauptet.

(vadit ... deturbat ... trucidat), und diese dramatische Darstellungsweise wird in historischen Infinitiven fortgesetzt, als seine Kameraden zu ihm stoßen (D) *(proturbare ... deferri)*. Zuletzt schließt ein einfacher Satz die Episode ab (E).

Auffällig ist hier das Gleichgewicht, das Livius dadurch erreicht, daß er die Handlung zuerst vom Standpunkt der Angreifer und dann von seiten der Verteidiger beschreibt. „Dieser Wechsel der Handlung, der syntaktisch dargestellt wird, ist der Schlüssel zu einem großen Teil des ‚periodischen' Aufbaus bei Livius[19]."

In den späteren Büchern finden sich zahlreiche Kampfhandlungen, die innerhalb der eigentlichen Episode in dieser Form dargestellt werden. Es folgen Beispiele von drei Seeschlachten mit dem gleichen Aufbau. Sie zeigen uns, wie starr die stilistische Formulierung geworden ist. Jedesmal wird die Ankunft des Feindes zuerst erwähnt.

Schlacht A (bei Cissus)

Polyxenidas, ut appropinquare hostes adlatum est, occasione pugnandi laetus sinistrum ipse cornu in altum extendit, dextrum cornu praefectos navium ad terram explicare iubet, et aequa fronte ad pugnam procedebat.

Schlacht B (bei Phaselis)

Ab regiis sinistro cornu, quod ab alto obiectum erat, Hannibal, dextro Apollonius purpuratorum unus praeerat: et iam in frontem derectas habebant naves.

Schlacht C (bei Myonnesus)

Et regia classis, binis in ordinem navibus longo agmine veniens, et ipsa aciem adversam explicuit, laevo tantum evecta cornu, ut amplecti et circuire dextrum cornu Romanorum posset.

Daraufhin werden die Reaktionen der Römer oder der Rhodier dargestellt:

(A) Quod ubi vidit Romanus, / vela contrahit malosque inclinat, et simul armamenta componens opperitur insequentes naves ...

[19] A. H. McDonald, JRS (1957), 165, der dies am Beispiel der Schilderung des Livius vom Diebstahl der Rinder des Herkules in 1, 7, 4–7 erläutert.

(B) Eudamus postquam hostium aciem instructam et paratam ad concurrendum vidit, / et ipse in altum evehitur.

(C) Quod ubi Eudamus qui cogebat agmen vidit, / ... concitat naves ...

Schließlich kommen die Hauptflotten hinzu:

(A) Et iam classes quoque undique concurrerant ...

(B) Sed momento temporis et navium virtus et usus maritimae rei terrorem omnem Rhodiis dempsit.

(C) Iam totis classibus simul ab omni parte pugna conserta erat ...

In jedem Beispiel versetzt Livius den Leser gleich mitten in das Schlachtgeschehen. Bei zwei der Schlachten ist das Ergebnis eindeutig, und das Ende der Episode ist die Beschreibung der Flucht:

(A) ... sublatis dolonibus effuse fugere intendit (sc. Polyxenidas).

(C) (naves) sublatis raptim dolonibus ... capessunt fugam.

Dieses Muster[20] veranschaulicht vor allem, wie Livius seinen periodischen Stil dem Aufbau der Episode angepaßt hat, und wie das Prinzip, gegensätzliche Standpunkte im Wechsel darzustellen, als unbedingt erforderlich für das harmonische Ganze angesehen wird.

Innerhalb der eigentlichen Episode wird das komplizierte periodische Satzgefüge nur selten benutzt. Livius war sich durchaus bewußt, daß eine dramatische Wirkung sich nicht durch einen zu sehr verfeinerten und durchdachten Aufbau, sondern durch möglichst viele Verben erhöhen läßt, die nicht durch Partikeln verbunden sind. (‚Longinus', der diese Art von Wiederholungen und Asyndeta empfiehlt, zitiert den eindrucksvollen Satz Xenophons: ‚Ihre Schilde fassend stießen sie, kämpften sie, töteten sie, starben sie[21].') Wenn Livius die genannten Kunstmittel[22] anwendet, verbannt er den längeren Perioden-Satz aus dem eigentlichen, dramatischen

[20] 36, 44 f. (A); 37, 23, 7 ff. (B) 37, 29, 8 ff. (C).

[21] De Subl. 19, wird angeführt Hell. 4, 3, 19: Καὶ συμβαλόντες τὰς ἀσπίδας ἐωθοῦντο, ἐμάχοντο, ἀπέκτεινον, ἀπέθνησκον.

[22] Vgl. Walsh a. a. O. Kap. VII (in diesem Bande S. 352–361).

Geschehen; er benutzt ihn gewöhnlich dann, wenn er eine Reihe vorbereitender Ereignisse in knapper Form erzählt, als Einleitung zu einer spannenderen Erzählung.

Ein Hauptmerkmal in diesem ‚periodischen' Aufbau ist der poetische Einfluß. Wie schon erwähnt wurde, läßt sich dieser Einfluß teilweise auf den allgemeinen Wandel in der kultivierten Prosa des augusteischen Zeitalters zurückführen und teilweise auf eine bewußte Färbung, die den Verfassern der echten *historia* erlaubt wurde. Obwohl die frühen Bücher stärker poetisch gefärbt sind als die späteren, findet man im gesamten erhaltenen Werk ohne Schwierigkeiten in weit größerem Maße poetische Rhythmen, poetische Diktion und poetische Konstruktionen als in der klassischen Prosa.

Die einleitenden Worte des Livius *facturusne operae pretium sim* bilden vier Füße eines daktylischen Hexameters, wie Quintilian richtig bemerkte[23]. Es ist behauptet worden, daß dies ein Satz sei, „von dem niemand annimmt, daß er der Nachahmung eines Dichters eher zuzuschreiben sei als dem Zufall"[24]. Die hier vorgeschlagenen Alternativen sind unbefriedigend. Die Geschichte, daß nach Platos Tod eine Tafel mit den vier Anfangsworten der ‚Politeia' entdeckt wurde[25], auf der verschiedene Möglichkeiten der Wortfolge geschrieben waren, veranschaulicht in angemessener Weise die Sorgfalt, mit der eine solche Einleitung formuliert wurde. Die Wortfolge des Livius war genauso sorgfältig überlegt, ohne daß er einen bestimmten Dichter nachahmte. Solche daktylischen Effekte waren ein ganz übliches Merkmal der römischen Historiographie. Dies ist vermutlich ein Relikt des Einflusses des Ennius und der anderen Dichter-Historiker, die in Hexametern schrieben. Die Fragmente des Sisenna und des Coelius Antipater ebenso wie die erhaltenen Schriften des Sallust bestätigen auch, daß daktylische

[23] Quint. 9, 4, 74.

[24] Gries, 40.

[25] Quint. 8, 6, 64. Die Erzählung muß nicht wahr sein, doch zeigt ihr Vorhandensein, wie sehr sich die Alten mit stilistischen Merkmalen beschäftigt haben.

und spondeische Rhythmen der *historia* angemessen sind[26]. Es war genauso wenig ein Zufall, daß Tacitus seine Annalen mit einem vollständigen Hexameter begann: ‚*Urbem Romam a principio reges habuere*[27]‘.

Tacitus stellt hier unmittelbar die Abstammungslinie zur *historia* her, besonders in ihrer Verbindung zur frühen Geschichte Roms.

Die Erzählung des Livius enthält zahlreiche Wendungen, die entweder einen daktylischen Rhythmus haben, oder die mit einem Minimum an Umstellungen in Daktylen zerfallen. Einige von ihnen zeigen Anklänge an Ennius und sind bewußt angewandt worden, um die Atmosphäre der Originalverse einzufangen. So zerfällt die Beschreibung der Flucht des Sempronius Tuditanus, eines Militärtribunen, nach der Katastrophe von Cannae unmittelbar in Daktylen:

haec ubi dicta dedit, stringit gladium cuneoque
facto, per medios (vadit hostes . . .)[28].

Eine Schlacht gegen die Umbrer enthält die Wendung

scutis magi(s) quam gladiis geritur res,

die einige Wissenschaftler als eine bewußte Nachahmung des Ennius betrachten[29]. Diese Art der Quellenforschung ist jedoch übertrieben worden. Livius verwendet solche Rhythmen in Verbindung mit einem poetischen Wortschatz, um seinen eigenen poetischen Effekt zu erzielen. Beachtenswert ist jedoch, daß wenige dieser Wendungen in ihrer Form fast ganz dem Stil Vergils gleichen. Es gibt einige Beispiele wie

parcere lamentis Sutrinos iussit; Etruscis
se luctum lacrimasque (ferre . . .)

und

. . . imperat ut legionum signa sequantur[30],

[26] S. R. Ullmann, Symb. Osl. (1932), 72–6; (1933), 57–69.

[27] Gegen R. Syme, Tacitus, 357.

[28] 22, 50, 10.

[29] 9, 41, 18 (Ennius, Ann. 269 [Vahlen ³]: *vi geritur res*). Zuerst E. Wölfflin, RhM (1895), 152.

[30] 6, 3, 4; 42, 65, 12.

doch sie sind selten. Man hat sogar behauptet, daß die Leser des Livius viele der daktylischen Wendungen nicht bemerkt oder sie nicht als solche betrachtet hätten, da sie an die Feinheiten der Hexameter-Endungen bei Vergil gewöhnt gewesen wären[31]. Das hieße, die Aufmerksamkeit unterschätzen, die die Alten der Form der künstlerischen Prosa schenkten.

Die Reden sind eine andere Sache. Als Teil der rhetorischen Gattung bleiben die Klauseln größtenteils im Rahmen der Ciceronischen Regeln. Die am häufigsten angewandten Satzendungen sind der doppelte Spondeus (bei weitem am gebräuchlichsten), der doppelte Trochäus und der Spondeus/Paeon[32].

Wie steht es mit der poetischen Diktion des Livius? Man bemerkt immer wieder sein Bemühen, Farbe und Abwechslung in die Erzählungen zu bringen. Er schreibt *ad primam auroram* für das prosaischere *ad primam lucem; sopor* als Variante für *somnus; molimen* für *conatus*, und andere Formen auf „*-en*", die in der Dichtkunst üblich waren, wie *cacumen, hortamen, regimen*. Das poetische *amnis* erscheint als Variante zu *fluvius* und *flumen*. Er bevorzugt das poetische *cupido* gegenüber der Prosaform *cupiditas* und gebraucht ebenso gelegentlich *iuventa* und *senecta* anstatt *iuventus* und *senectus*. Häufig wählt er zusammengesetzte Adjektive wie *fatiloquus, sublustris, pernox, semianimus*, die früher nur in der Dichtkunst zu finden waren. Es gibt zahlreiche Verben mit ähnlich poetischer Form, wie *avolare, adorare, praepedire, ingruere, remordere* und andere ungewöhnliche Komposita, sowie wenige einfache Verben wie *mussare* und *hebetare*.

Ein auffallendes Merkmal dieser poetischen Diktion ist die große

[31] So Gries, 41 (Vergil vermeidet beim fünften Fuß ein Wort, das mit einer kurzen Silbe beginnt).

[32] R. Ullmann, Symb. Osl. (1925), 65 ff., berechnet die Klauseln in den Reden wie folgt: doppelter Spondeus 32 Prozent, Spondeus / Paeon 11 Prozent, doppelter Trochäus 11 Prozent, Daktylus / Trochäus 8 Prozent, Kretikus / Trochäus / Trochäus 5 Prozent, doppelter Kretikus 4 Prozent, Kretikus / Trochäus 5 Prozent, doppelter Kretikus 4 Prozent, Trochäus / Kretikus 4 Prozent, Kretikus / Paeon 4 Prozent. Das gelegentliche Vorkommen anderer Verbindungen macht die restlichen 21 Prozent aus.

Zahl von Worten, die auch Vergil benutzte. Ein Wissenschaftler hat eine Reihe von Adjektiven (einschl. *cristatus, effrenus, invius, semustus*) und Verben wie *abolescere, effulgere, hebetare, incessere* zusammengestellt, von denen er behauptet, sie seien Erfindungen Vergils[33]. Doch viele dieser Wörter werden von Vergil ausschließlich in der Aeneis gebraucht, die erst nach dem Tode des Dichters im Jahre 19 v. Chr. veröffentlicht wurde. Inzwischen hatte Livius schon seine erste Dekade veröffentlicht, in der sich viele dieser Worte finden. Es ist *möglich*, daß der Historiker die Acneis vor ihrer Veröffentlichung aus Dichterlesungen kannte, was offenbar für Properz zutrifft[34], oder daß er das Werk für sich allein las und daraus Worte entlehnte. Doch ist es sehr viel wahrscheinlicher, daß beide Schriftsteller bei einem so auffallenden Wortschatz auf die früheren Dichter-Historiker zurückgegriffen haben.

Nicht nur in einzelnen Wörtern wird die Verwandtschaft des Livius zu Vergil deutlich. Einige seiner bemerkenswerten Wortverbindungen finden wir auch in der *Aeneis,* und beide stammen zweifelsohne aus der frühen Tradition. Beispielsweise haben die Wendungen des Livius *vi viam faciunt* und Vergils *fit via vi*[35] vermutlich eine gemeinsame Quelle, und ebenso sind die Anrufung des Vater Tiber durch Horatius Cocles und das Gebet des Aeneas an den Flußgott bewußte Reminiszenzen einer erhaltenen Zeile des Ennius[36]. Ebenso auffallend ist die Übereinstimmung der Berichte von der Plünderung Trojas bei Vergil und der Zerstörung von Alba Longa bei Livius[37]. Nun bezieht sich das 2. Buch Vergils auf die Beschreibung des Falles von Alba Longa bei Ennius, und es wäre verwunderlich, wenn der Bericht des Livius nicht Spuren des

[33] M. Müller, in seiner Ausgabe von Livius I (Leipzig, 1875).

[34] Prop. 2, 34, 66.

[35] Livius 4, 38, 4; Aen. 2, 494.

[36] Ennius, Ann. 54 (Vahlen [3]): *teque, pater Tiberine, tuo cum flumine sancto*; Livius 2, 10, 11: *Tiberine pater, inquit, te sancte precor, haec arma et hunc militem propitio flumine accipias;* Verg. Aen. 8, 72: *tuque, o Thybri, tuo genitor cum flumine sancto / accipite Aenean et tandem arcete periclis.*

[37] Aen. 2, 486 ff.; Livius 1, 29.

gleichen Einflusses zeigte. Bemerkenswert ist die Ähnlichkeit zwischen Vergils

tum pavidae tectis matres ingentibus errant
amplexaeque tenent postis atque oscula figunt

und der entsprechenden Stelle bei Livius ... *nunc in liminibus starent, nunc errabundi domos suas ultimum illud visuri pervagarentur.* Hier zeigt sich deutlich, daß Ennius von beiden als Quelle herangezogen wurde[38]. Doch sollten wir uns nicht dazu verleiten lassen, die selbständige Gestaltungskraft des Livius zu übersehen. Die Suche nach poetischen Quellen ist unsinnig weit getrieben worden, wobei höchst zweifelhafte Parallelen aus Lukrez, Tibull und Horaz und anderen angeführt werden, von denen die meisten nur beweisen, daß alle Lateinisch schrieben[39].

Nun gibt es allerdings durchaus die Möglichkeit, daß Vergil, der Dichter, der den stärksten Einfluß ausübte, gelegentlich unmittelbar von Livius abhängig war[40]. Eine solche Abhängigkeit erklärt am besten die auffallende Übereinstimmung der Verben in den beiden Versionen von dem Diebstahl der Rinder des Herkules durch Cacus. Livius schreibt: *(Cacus) aversos boves ... caudis in speluncam trahit;* Vergil: *avertit ... cauda in speluncam tractos.* Und wenig später in der Beschreibung, als Herkules das Brüllen der Rinder hört, findet sich wiederum eine beachtliche Übereinstimmung[41]. Man hat auf andere Entsprechungen hingewiesen, wie in den Darstellungen der Hinrichtung des Mettius, doch keine sind so eindeutig wie im genannten Beispiel.

[38] Zu Vergils Bezugnahme auf Ennius siehe Servius ad Aen. 2, 486. Die gemeinsame Bezugnahme auf Ennius durch Livius und Vergil ist gut dargestellt bei E. Norden, Ennius und Vergilius (Leipzig-Berlin, 1915). Andere Stellen bei Livius, an Hand derer Norden den Einfluß des Ennius veranschaulicht, sind: 5, 54, 4; 21, 19, 6; 22, 49, 6.

[39] Vgl. z. B. Stacey, 52–56; Brakman, Mnem. (1925), 371 ff.; (1926), 29 ff.; (1927), 54 ff.

[40] So A. Rostagni, Da Livio a Virgilio e da Virgilio a Livio (Padova, (1942), 15.

[41] Livius 1, 7, 5 ff.; Aen. 8, 207 ff. Stacey nimmt eine gemeinsame Quelle an.

So viel zur Diktion, soweit sie ihrem Wesen nach poetisch ist. Doch wie Horaz betont, sind es häufig nicht die Wörter, sondern deren Anordnung, die eine poetische Wirkung erzielt[42]. Viele Schilderungen des Livius sind in diesem Sinne poetisch, wie seine Beschreibung der Alpen, als die Karthager sie zum erstenmal erblicken: *montium altitudo nivesque caelo prope immixtae, tecta informia imposita rupibus, pecora iumentaque torrida frigore, homines intonsi et inculti, animalia inanimaque omnia rigentia gelu*[43]. Oder nehmen wir seine Beschreibung des Falles einer Stadt: *cum . . . clamor hostilis et cursus per urbem armatorum omnia ferro flammaque miscet*[44] oder die Schilderung der Panik, die durch Elefanten ausgelöst wurde, (obwohl sich hier bereits in der Diktion ein poetisches Element findet): . . . *ubi ad invia venerant, delectis rectoribus cum horrendo stridore pavorem ingentem, equis maxime, incutiebant . . .*[45].

Die rhetorische Färbung in den stärker dramatischen Szenen erinnert auch an die poetischen Werke des Silbernen Zeitalters. Gelegentlich wird ein alliterierender Effekt angestrebt, besonders bei Charakterzeichnungen. Die geistigen Fähigkeiten des Camillus werden mit folgenden Worten beschrieben: *sed vegetum ingenium in vivido pectore vigebat virebatque integris sensibus*[46]. Von Hannibal wird gesagt, er habe eine *perfidia plus quam Punica*[47]. Ein anderes beliebtes Kunstmittel ist die *adnominatio:* Wörter mit ähnlichem Klang, aber verschiedener Bedeutung werden nebeneinander gestellt: *parendum atque imperandum, hostis pro hospite, perdere aut perire.* Die zentralen Beschreibungen dramatischer Episoden können in der Tat alle die verbalen Figuren enthalten, die für die Reden erwähnt wurden[48]. Der Bericht von der Zerstörung

[42] Ars poet. 47 f.

[43] 21, 32, 7.

[44] 1, 29, 2.

[45] 44, 5.

[46] 6, 22, 7 erinnert an Lucr. 5, 991: *viva videns vivo sepeliri viscere busto.*

[47] 21, 4. Andere Beispiele: 1, 31, 2; 21, 7, 5 etc.

[48] Walsh a. a. O. Kap. IX.

Alba Longas[49] enthält beispielsweise Figuren wie *Chiasmus* und *Congeries (silentium triste ac tacita maestitia)*, *Anaphora* und *Isocolon (quid relinquerent, quid secum ferrent)*. Solche rhetorische Behandlung, ebenso wie die poetische Färbung, wird im weiteren Verlauf des Werkes immer weniger ausgeprägt.

Die Diktion des Livius ist auch wegen des gelegentlichen Gebrauchs von Archaismen bemerkenswert. Daß dies hauptsächlich auf die Übernahme von Wörtern aus seinen annalistischen Quellen zurückzuführen ist, ist ganz logisch[50], seine Verurteilung des Sallustischen Stils beweist seine Abneigung gegen bewußt archaisierende Tendenzen. An mehreren Stellen benutzt er *occipere*, wo *incipere* der klassische Sprachgebrauch sein würde, und ebenso ist *indipisci* als eine Variante zu *adipisci* zu finden. Klassische Worte werden gelegentlich mit veralteten Bedeutungen gebraucht; wie Sallust benutzt Livius *supplicia* für „Akte der Verehrung“ und *tempestas* mit der Bedeutung „Zeit“. Viele derartige Merkmale in der ersten Dekade – der Gebrauch von Wörtern wie *sospitare* und Formen wie *ausit, faxo, duit* – stehen im Zusammenhang mit Zitaten aus religiösen und rechtlichen Formeln oder Reden, denen absichtlich eine archaische Färbung gegeben wird. Die archaische Atmosphäre der frühen Zeit veranlaßt Livius auch zum Gebrauch der alten Form „-ēre“ (die Caesar vermeidet) in der dritten Person Pluralis des Perfekts Indikativ Aktiv. Man hat berechnet, daß „-ēre“ in den frühen Büchern dreimal so häufig angewandt wird wie „-ērunt“, doch bis zur fünften Dekade ist das Verhältnis umgekehrt.

Konsequenter treten das ganze Werk hindurch gewisse Ausdrücke der Umgangssprache auf, die die Puristen vermeiden. Abgekürzte Formen wie *satin* (für *satisne)* und *forsan* werden angewandt, gelegentlich in der Absicht, eine Begebenheit möglichst schlicht zu beschreiben. So sagt Fabius Cunctator, als er seinen Sohn, den Konsul trifft: *experiri volui, fili, satin scires consulem te esse*[51].

[49] 1, 29. [50] So Riemann, 18, Anm. 1.

[51] 24, 44, 10; vgl. 1, 58, 7. (Dies ist vielleicht, wie R. M. Ogilvie annimmt, ein *archaischer* Ausdruck der Umgangssprache, der absichtlich gebraucht wird.)

Außerdem tauchen ab und zu Pleonasmen wie *itaque ergo* und *tum inde* auf, die wohl in der Umgangssprache gebräuchlich waren. Livius benutzt auch *oppido* (beispielsweise *oppido adulescens*), wo Cicero in formeller Prosa *admodum* gebrauchte, und *en umquam* („hast Du jemals?") findet sich an vier Stellen im Zitat. Andere Ausdrücke der Umgangssprache sind *qua ... qua* für *et ... et; aeque quam* für das korrektere *aeque ac; si* für *num* in indirekten Fragesätzen (... *nihil aliud locutum ferunt quam quaesisse si incolumis Lycortas ... equitesque evasissent)*[52]. Einige andere bildhafte Ausdrücke wie *coquere bellum*, „einen Krieg zusammenbrauen" erinnern auch an das Latein der Umgangssprache. Und es gibt zahlreiche Stellen, an denen frequentative Formen wie *imperito, clamito, agito, rogito* nicht in übertragener Bedeutung angewandt werden, die über die der einfachen Verben hinausgeht – ein besonders geeignetes Beispiel dafür, wie auf die Genauigkeit der Diktion der Puristen allmählich verzichtet wird[53].

Schließlich bleibt unter der Rubrik Diktion noch die Neubildung von Wörtern und die Veränderung der Wortbedeutung, die natürliche Folge der sprachlichen Entwicklung. *titulus* findet sich beispielsweise im Sinne von „Vorwand", eine Bedeutung, die das Wort vor der Zeit des Augustus sicher nicht gehabt hat. Und während *celeber* in der klassischen Prosa häufig bei unpersönlichen Substantiven steht, wird es jetzt in bezug auf Personen im

[52] 39, 50, 7; auch 29, 25, 8; 34, 3, 5 etc. H. J. Roby, Latin Grammar, § 1754, behauptet, daß hier ein konditionaler Gebrauch vorliegt. Doch es besteht offensichtlich ein Unterschied zwischen Caes. B. G. 2, 9, 1: *hanc (sc. paludem) si nostri transirent hostes expectabant*, wo kein interrogatives Moment gegeben ist, und dem oben angeführten Beispiel bei Livius.

[53] Die Behauptung von Stacey, daß Livius zu den Richtlinien der Klassik zurückkehre, beruht bis zu einem gewissen Grade auf den Statistiken über frequentative Formen; z. B. kommt *agito* in der ersten Dekade siebenundvierzigmal, in der dritten Dekade fünfundzwanzigmal, in der vierten Dekade siebzehnmal, in der fünften Dekade viermal vor. Solche Statistiken sind irreführend. Diese Worte gehören in einen dramatischen Kontext und nicht in die detaillierte Beschreibung der Verwaltung durch den Senat, die im Verlauf des Werkes immer stärker in den Vordergrund tritt.

Sinne von *praeclarus* gebraucht. Einige wenige Worte wie *assuetudo* erscheinen jetzt zum erstenmal in der erhaltenen Literatur.

Doch das Gebiet, auf dem der Kontrast zwischen der Latinität des Livius und der eigentlichen Klassiker am stärksten in Erscheinung tritt, ist die Syntax. Die Anhäufung von Archaismen, Ausdrücken der Umgangssprache und poetischen Einflüssen und die Entwicklung der augusteischen Literatur, die sich von den starren Vorschriften der Klassik löste, sind so beträchtlich, daß es anscheinend kaum ein Gesetz für die Anwendung des Kasus oder den Satzbau gibt, das Livius nicht an irgendeiner Stelle übertritt. Doch dabei sind zwei Faktoren zu berücksichtigen. Erstens war die Kluft zwischen der literarischen Sprache der Puristen und der Umgangssprache so groß, daß ein gelegentliches Versehen nicht übermäßig verwunderlich ist; und zweitens werden die meisten der hier angeführten Eigentümlichkeiten nicht ständig gebraucht; sie sind nicht nur allgemein in der klassischen Prosa, sondern auch insbesondere in der Latinität des Livius durchaus eine Ausnahme. Diese Eigentümlichkeiten lassen sich unter vier Gesichtspunkten untersuchen – Gebrauch der Kasus, der Präpositionen, der Konjunktionen und der Satzbau.

Der Gebrauch des Akkusativs bei Livius zeigt vor allem den Einfluß der Dichtkunst. Man findet gelegentlich einen Akkusativ nach einem Partizip Perfekt in Anlehnung an das griechische ‚*Medium*' (*virgines longam indutae vestem*[54]) und auch den sogenannten Akkusativ der Beziehung nach einem passiven Verb (*adversum femur ... ictus*[55]). Demjenigen, der Vergil gelesen hat, sind diese Akkusative und auch der Gebrauch von *cetera* mit Adjektiven in einem adverbialen Sinne (*cetera egregium, cetera tereti*) nicht unbekannt[56]. Eine andere Konstruktion, die bisher in der Prosa selten war, ist der Akkusativ nach Adjektiven mit der Endung „*-bundus*", die dadurch die Wirkung eines Partizips haben; so verläßt Hanno, der Karthager, Bruttium, *vitabundus castra*

[54] 27, 37, 12.
[55] 21, 7, 10.
[56] 1, 32, 2; 21, 8, 10.

hostium[57]. Einige dieser Adjektive finden sich in der frühen Dichtung, doch lassen sich andere in der erhaltenen Literatur bis zu Livius nicht nachweisen, zum Beispiel *haec contionabundus*[58]. Ein weiterer nicht-klassischer Gebrauch ist der direkte Akkusativ nach Verben mit der Vorsilbe *„in-"*, *wie invadere, incedere, invehi,* denn Caesar benutzt hier immer *in* mit dem Akkusativ. Diese vereinfachte Konstruktion läßt sich auf eine natürliche Entwicklung der Sprache zurückführen.

Beim Gebrauch des Genitivs ist die wichtigste Neuerung die poetische Konstruktion mit Adjektiven. Man findet Parallelen zu der Stelle bei Horaz *integer vitae scelerisque purus* in Ausdrücken wie *incertus animi, feracior virtutum, vini capacissimum;* nicht weniger als 15 verschiedene Adjektive werden so angewandt[59]. Eine andere Tendenz, die von den Puristen abgelehnt wird, ist der Gebrauch von *urbs, flumen, mons* und ähnlichen Wörtern mit einem Namen im Genitiv wie *ad Asturae flumen*[60]; dieser bestimmte Genitiv ist sowohl in der Dichtung[61] als auch in der Umgangssprache gebräuchlich, obwohl die Klassiker auf *ad Asturam flumen* bestehen würden. Bei einem anderen Gebrauch des Genitivs läßt sich möglicherweise der Einfluß des Griechischen erkennen. Cicero läßt auf *opus est* den Ablativ oder Nominativ folgen, doch Livius setzt manchmal den Genitiv: *ad consilium pensandum temporis opus esse*[62].

Der Dativ wird häufig nach Verben der Bewegung wie *incurrere* und *inferre* gebraucht, eine Konstruktion, die sich auch ganz gelegentlich bei Caesar und Cicero findet, obwohl *in* mit dem Akkusativ regulär ist. Dies ist auch der natürlichen Entwicklung zuzuschreiben, die schon zu Ciceros Zeiten ihren Anfang nahm; Livius benutzt Wendungen wie *incidens portis exercitus* und *levi*

[57] 25, 13, 4.

[58] 3, 47, 2.

[59] 1, 7, 6; 9, 16, 19 und 13. Gries, Teil II, gibt unter ‚Genitive with Adjectives' weitere Beispiele an.

[60] 8, 13, 5.

[61] Z. B. Verg. Aen. 7, 714; Cic. Ad. Att. 5, 18, 1.

[62] 22, 51, 3; auch 23, 21, 5.

armaturae hostium incurrere[63]. *Fretus* läßt sich an mehreren Stellen mit dem Dativ nachweisen, ein typisch Livianischer Sprachgebrauch: *multitudo nulli rei freta*[64].

Einige Anwendungen des Ablativs haben poetischen Charakter. In Wendungen wie *portis ruere* und *crebri cecidere caelo lapides*[65] ist das sonst normale *e* oder *a* zugunsten eines einfachen Ablativs fortgelassen worden. Lokative Ablative sind auch häufiger als bei Caesar und Cicero, die sie auf eine kleine Gruppe von Wörtern wie *parte, regione, loco, proelio, terra, mari* und auf Substantive mit *totus* oder *medius* beschränken, und selbst diese werden in ihrem Ton als poetisch empfunden[66]. Cicero hätte sicherlich niemals *ei carpento sedenti* geschrieben, wie Livius es tut[67].

Die auffallendste Abweichung vom normalen Gebrauch der Präpositionen findet sich bei der Beschreibung von Bewegungen in Richtung auf oder fort von Städten und kleinen Inseln, wobei Livius Präpositionen anwendet. Er kann *ab Roma legatos venisse* und *ad Veios exercitus ductus* schreiben[68]. Dem Wort *domus* geht ebenso an mehreren Stellen eine Präposition der Bewegung voran[69]. Außerdem wird *a* oder *ab* häufig im kausalen Sinn an Stelle des einfachen Ablativs gebraucht: *non a cupiditate solum ulciscendi* oder *ab superbia et odio*[70]. Andere ungewöhnliche Merkmale sind der Gebrauch von *circa* im temporalen Sinn ebenso wie in Zahlenangaben[71], wofür Cicero beide Male *circiter* geschrieben haben würde; der gelegentliche präpositionale Gebrauch der Adverbien *palam* und *procul* mit dem Ablativ[72]; *sub* mit der Akkusativ-

[63] 5, 11, 14; 22, 17, 6.

[64] 6, 13, 1; auch 4, 37, 6; 6, 31, 6 etc.

[65] 27, 41, 8; 1, 31, 2 (vielleicht auch eine bewußte Anlehnung an die frühe Dichtkunst).

[66] Cic. Fin. 5, 4, 9: *caelo, mari, terra, ut poetice loquar.*

[67] 1, 34, 8.

[68] 21, 9, 3; 5, 19, 9.

[69] 9, 22, 2; 27, 16, 2 etc.

[70] 5, 5, 3; 9, 40, 17 (doch Walter-Conway lesen *ad superbiam*, was nicht gerechtfertigt ist).

[71] Z. B. 42, 57, 10; 27, 42, 8.

[72] 6, 14, 5; 3, 22, 4.

Bedeutung „gleich danach“ – wie in der Umgangssprache *(sub hanc vocem clamatum est*[73]); *super* mit dem Ablativ in der Bedeutung der Umgangssprache ‚betreffs‘ *(litteras super tanta re expectare)* und mit der Akkusativ-Bedeutung ‚außer‘ *(super morbum etiam fames*[74]); und *tenus* mit dem Genitiv, nicht mit dem sonst üblichen Ablativ – eine Konstruktion, die sich auch bei den Dichtern findet[75].

Der Gebrauch der Konjunktionen bei Livius zeigt, wie zur Zeit des Augustus in der Literatur der Wunsch nach größerer Beweglichkeit und Abwechslung lebendig war, und daher werden von nun an die starren Regeln der Wortfolge aufgegeben. Obwohl *itaque* gewöhnlich an den Anfang des Satzes gestellt wird, finden sich zahlreiche Stellen, an denen es nachgestellt ist, vielleicht weil das erste Wort betont werden soll[76]. Ebenso wechselt die Stellung von *namque,* und im Gegensatz zu der Regel, die Cicero und Caesar befolgen, läßt es sich etwa siebenundzwanzigmal nach einem oder mehreren Wörtern in einem Satz finden. Demgegenüber steht *igitur,* das bei Cicero für gewöhnlich (jedoch nicht immer) nachgestellt ist, bei Livius normalerweise zu Anfang. Er führt auch den Gebrauch von *quippe* als eine Alternative zu *nam* wieder ein, und das häufige Auftreten dieses Wortes in der Komödie läßt vermuten, daß es der Umgangssprache entnommen ist[77].

Einige Konstruktionen bei Livius verraten eine zunehmende Gleichgültigkeit gegenüber den Ciceronischen Regeln. Während Cicero sorgfältig darauf achtet, *coepi* mit Infinitiv Aktiv zu benutzen und *coeptus sum* mit Passiv, übergeht Livius häufig diese Unterscheidung[78]. An einer Stelle schreibt er *ne timete* für das richtigere *nolite timere*[79]. Erweiterte Infinitive werden sehr viel

[73] 21, 18, 13; auch 35, 31, 13.

[74] 26, 15, 5; 28, 46, 15.

[75] 26, 24, 11; 44, 40, 8.

[76] Gries rechnet aus, daß *itaque* an erster Stelle 538mal, an späterer 54mal vorkommt.

[77] Z. B. Ter. Phormio 362; Heaut. 539.

[78] 2, 29, 6; 24, 19, 6 etc.

[79] 3, 2, 9; Servius stellt bei einer Erläuterung einer ähnlichen Konstruktion Aen. 6, 544 fest, daß dieser Gebrauch von *ne* mit dem Imperativ ar-

freier gebraucht, beispielsweise nach *restat* (wo bei Cicero *ut* stehen würde) und nach Substantiven wie *copia* und *potestas*, bei denen Caesar das Gerundium gebrauchen würde[80].

In einigen Aussagesätzen finden sich deutliche Anzeichen einer Degeneration der Sprache. Bei den Klassikern steht *forsitan* mit dem Konjunktiv, da es eine indirekte Frage einleitet *(fors sit an . . .)*; Livius gebraucht häufig den Indikativ, indem er das Wort nur als eine Variante zu *fortasse* betrachtet[81]. An mehreren Stellen folgt auf Verben des Fürchtens der A.c.I.[82]. Am häufigsten kommt es vor, daß Livius den Gebrauch von *quin* nach negativen Verben des Zweifelns nicht beachtet; die klassische Konstruktion ist dreiundvierzigmal angewandt, doch an dreißig Stellen umgangen[83].

Die gleichen Anzeichen dichterischer Freiheit lassen sich auch in „Adverbialsätzen" beobachten. In Temporalsätzen kann man beispielsweise fünfmal einen nicht-klassischen Gebrauch nachweisen. *Cum* findet sich mit einem historischen Infinitiv (jedoch nur da, wo der temporale Gedanke nicht unbedingt vorherrschend ist); auf *cum* in der Bedeutung „jedesmal wenn" folgt der Konjunktiv; das Gleiche gilt für das „inversive" *cum;* auf *dum* im rein temporalen Sinn von „während" folgt der Konjunktiv Imperfekt; und *priusquam* wird auch mit dem Konjunktiv konstruiert, obwohl kein Moment der Antizipation oder der Absicht vorliegt[84]. Bemerkenswert ist in diesem Zusammenhang, daß sich bei Livius die Tendenz des Silbernen Zeitalters widerspiegelt, den Konjunktiv häufiger anzuwenden. In Kausalsätzen hingegen gebraucht er für eine

chaisch ist. Livius mag aus Gründen der Charakterisierung diese Konstruktion gewählt haben.

[80] 44, 4, 8.

[81] Praef. 12; 21, 40, 11; 1, 53, 9 etc.

[82] 2, 9, 7; 7, 39, 4; 10, 36, 3.

[83] So Gries, unter ‚non-classical usages'.

[84] *cum* mit Infinitiv, 2, 27, 1; 3, 37, 5; *cum* in der Bedeutung „jedesmal wenn" mit Konjunktiv, 2, 27, 8; 21, 28, 10; ‚inversives' *cum* mit Konjunktiv, 23, 27, 5; *dum* in der Bedeutung „während" mit Konjunktiv, 2, 47, 5; 10, 18, 1 (Walter-Conway lösen diese Schwierigkeit auf und lesen *cum* an der ersten Stelle, den Indikativ an der zweiten); *priusquam*, 25, 31, 12.

abgewiesene Begründung *non quia* mit dem Indikativ, wo Cicero *non quod* mit dem Konjunktiv setzen würde; und an sechs Stellen regiert das kausale Relativpronomen *quippe qui* den Indikativ, obwohl nach den Regeln der klassischen Prosa der Konjunktiv richtig ist[85]. Seine Reaktion gegen die Strenge der Puristen zeigt sich auch in Konzessivsätzen, in denen er *quamvis* mit dem Indikativ und *quamquam* mit dem Konjunktiv gebraucht[86]. Eine andere geringfügige Abweichung ist der Gebrauch von *ut* in Konsekutivsätzen nach *dignus,* wo Cicero immer *qui* schreibt. Und in Komparativsätzen wird bei dem genaueren *velut sit, tamquam si,* und ähnlichen Wendungen immer häufiger das *si* fortgelassen: eine Vereinfachung der Sprache, die schon zu Ciceros Zeiten begann[87].

Livius weicht auch in seiner Behandlung der *oratio obliqua* vom Ciceronischen Sprachgebrauch ab. Nach einem Nebentempus oder historischen Tempus benutzt er ganz frei die Haupttempora des Konjunktivs – ein Kunstmittel, das als *repraesentatio* bekannt ist –, um dem gesprochenen Wort größere Lebendigkeit zu verleihen; er schreibt in den Tempora, die der Sprecher tatsächlich gebraucht. Bei diesem Verfahren läßt sich durchaus ein systematisches Vorgehen erkennen. Bei Nebensätzen, die *direkt* vom einleitenden Verb des Sagens abhängig sind (das heißt, wenn sie in *demselben Satzgefüge* wie das einleitende Verb stehen), wird die Zeitenfolge durch den Gebrauch der abhängigen Konjunktionen eingehalten. Doch im Anschluß an dieses Satzgefüge wird immer dann, wenn die ursprünglich gesprochenen Worte *ein entsprechendes Tempus des Konjunktivs* haben, dieses Tempus beibehalten; sonst greift er auf die Nebentempora zurück. So wird *facit* zu *faciat,* und *fecit,* wenn es ein mit „haben" zusammengesetztes Perfekt ist, zu *fecerit;* doch *fac, faciet* und das Futur II *fecerit* werden jeweils *faceret, faceret,*

[85] *non quia* und der Indikativ, 7, 30, 13; *quippe qui* mit dem Indikativ, 3, 6, 6; 26, 41, 8; 42, 18, 1 etc.

[86] *quamvis* mit dem Indikativ, 2, 40, 7; *quamquam* mit dem Konjunktiv, 36, 34, 6.

[87] *dignus . . . ut,* 24, 16, 19; *indignus . . . ut,* 22, 59, 17; Auslassung von *si* in Komparativsätzen: 2, 36, 1; 29, 22, 1; 41, 24, 3 (vgl. Cic., In Verr. 2, 4, 49).

fecisset[88]. Ausnahmen von dieser Regel sind unvermeidlich, wenn Livius beispielsweise (sicher weil er *variatio* sucht) primäre und sekundäre Konjunktive durcheinander gebraucht, doch wird dieses Modell häufig genug angewandt, um als eine bewußte Technik gelten zu können. In der klassischen Prosa ist es erlaubt, dic *repraesentatio* anzuwenden, wenn das einleitende Verb im historischen Präsens steht; Livius hat diesen Gebrauch auch auf Passagen ausgedehnt, die mit einem Nebentempus eingeleitet werden. Bei einer solchen *repraesentatio* behält er oft die Adverbien *nunc* und *adhuc* und das Pronomen *hic* bei, die in klassischer Prosa nach einem Nebentempus in der *oratio obliqua* niemals angewandt werden[89].

Livius führt auch einen freieren Gebrauch des Partizips ein. Das Partizip Perfekt steht häufig als einziger Bestandteil eines Ablativus absolutus oder mit einem Subjektsatz an Stelle eines Subjekts oder Pronomens; *inexplorato, inaugurato* und einige andere stehen gelegentlich ohne ein Subjekt, und an anderer Stelle stehen Wendungen wie *edicto ut . . . hostem haberent*[90]. Der passive Gebrauch eines Partizips Perfekti läßt sich bei einigen Deponentien ebenfalls nachweisen. Dies ist in der klassischen Prosa bei einigen wenigen Worten wie *comitatus, meditatus* schon recht gebräuchlich, doch überträgt Livius diese Möglichkeit auch auf *ultus, abominatus, expertus* und andere[91]. Sein Gebrauch des Partizips Futuri wird erweitert, um den Gedanken der Absicht mit einzuschließen; Caesar hätte dies mit *in animo habeo* wiedergegeben; so sagt Livius vom Konsul Publius Cornelius ... *ad castra hostium venerat nullam dimicandi moram facturus*[92].

Cicero und Caesar beschränken den Gebrauch des Gerundiums

[88] Siehe R. S. Conways Pitt Press Ausgabe von Livius II, App. II.

[89] Für solche Tempora vgl. z. B. 2, 48, 2; 3, 34, 2-5; 10, 13, 6-7; 27, 5, 4 ff. Für *nunc, adhuc, hic,* etc. vgl. 5, 2, 3; 9, 45, 2, etc.

[90] 21, 25, 9; 23, 42, 9; 10, 36, 7, etc. Dieser Gebrauch gilt sogar für Adjektive, z. B. 28, 36, 12: *incerto quid . . . peterent*; 28, 17, 14: *haud cuiquam dubio . . . .*

[91] 31, 12, 8; 3, 44, 3, etc.

[92] 21, 32, 1.

und des Gerundivums auf den instrumentalen Ablativ. Livius benutzt sie viel freier. Wenn er *quieti, rem nullam nisi necessarium ad victum sumendo, per aliquot dies ... sese tenuere*[93] schreibt, wird das Gerundium in rein partizipialem Sinne angewandt. Caesar hätte *sumentes* geschrieben. Das Gerundium und das Gerundivum finden sich auch nach *inter,* ein Gebrauch, der seit Ennius und Terenz bekannt ist, doch in klassischer Prosa findet man den Akkusativ des Gerundiums selten mit anderen Präpositionen als *ad* oder *in.* Dieser Gebrauch von *inter* ist bei Livius so häufig, daß er ihn der Umgangssprache entnommen haben muß[94].

In diesem kurzen Überblick über die Livianische Syntax sind beiläufig einige Beispiele des Sprachgebrauchs erwähnt worden, in denen der Einfluß griechischer Konstruktionen deutlich wird. Ein anderer erwähnenswerter Graecismus ist die Attraktion des Relativpronomens. Sie ist in klassischer Prosa nicht völlig unbekannt; Caesar kann *cum essent in quibus demonstravi angustiis ...*[95] anstatt *in eis quas* schreiben, doch solche Fälle sind selten. Bei Livius finden sie sich häufiger[96].

Es liegt also auf der Hand, daß Livius ganz erheblich in der Diktion und der Syntax von den Regeln der klassischen Prosa abweicht, obwohl die angeführten Abweichungen wesentlich seltener sind als die Stellen, an denen er die Regeln befolgt. An dieser Stelle möchte ich die mutmaßliche Bedeutung der *patavinitas* erörtern, den angeblichen Fehler, den Asinius Pollio in dem Werk des Livius fand. Man sollte hervorheben, daß Pollio ein strenger Kritiker war, und Livius konnte sich zweifelsohne damit trösten, daß Sallust und Cicero ebenfalls die Opfer seiner scharfen Kritik gewesen waren[97]. Wenn die Bemängelung seiner *patavinitas* eindeutig und voll verständlich wäre, könnte diese spöttische Bemerkung wohl als

[93] 2, 32, 4; auch 22, 14, 7, etc.

[94] 6, 39, 10; 34, 25, 6; 40, 42, 1.

[95] B. G. 3, 15.

[96] 1, 29, 4; 4, 39, 9; 10, 40, 8, etc.

[97] Die anspruchsvollen Maßstäbe, nach denen Pollio die Latinität beurteilte, sind gut dargestellt bei J. F. D'Alton, Roman Literary Theory and Criticism, London 1931, S. 257 ff.

Pedanterie abgetan werden. Doch das Moment des Geheimnisvollen, die Gelegenheit zu geistvoller Spekulation haben jener Kritik eine Bedeutung zugemessen, die sie kaum verdient. Das Wortspiel des deutschen Gelehrten Morhof aus dem siebzehnten Jahrhundert faßt die ganze Angelegenheit kurz und bündig zusammen: ‚Es ist schwer zu entscheiden, ob der Patavinismus des Livius oder der Asinismus des Asinius größer ist[98].‘

Zwei Stellen bei Quintilian machen deutlich, daß er den Vorwurf des Pollio gegen die Latinität des Livius gerichtet sah, wenn er auch nicht zeigen kann, was Pollio genau meinte[99]. Da dies der einzige direkte Beleg für die Bedeutung des Wortes ist, muß man gegen jede Interpretation mißtrauisch sein, die es als eine Kritik an seinem historischen Denken betrachtet. Diese Ansicht ist in den letzten Jahren stark befürwortet worden und verdient es daher, ausführlich zitiert zu werden:

„Ein Kritiker von solcher Schärfe wie Pollio muß über einen Historiker aus Patavium ein vernichtenderes Urteil abgegeben haben als den beiläufigen und nichtssagenden Kommentar, daß seine Sprache Spuren seines heimischen Dialekts zeigte ... Er urteilte auch nicht über den Stil ... Das eigentliche Vergehen des Livius ist schwerer und noch mehr zu verabscheuen. Das Wort *Patavinitas* umfaßt, elegant und endgültig, die ganze moralische und romantische Sicht der Geschichte. Pollio wußte, was Geschichte war. Sie war nicht so, wie Livius sie sah[100].“

Dieser Pollio hat etwas von einer Gestalt des 19. Jahrhunderts an sich, die ‚die ganze moralische und romantische Sicht der Geschichte‘ verurteilt. Diese Kritik wäre teilweise für Sallust gültig, dessen einleitende Bemerkungen in seinem *„Catilina“* und *„Jugur-*

[98] D. G. Morhof, De Patavinitate Liviana (1685), zitiert von Bornecque, 203.

[99] Quint., 1, 5, 56: *taceo de Tuscis et Sabinis et Praenestinis quoque; nam ut eorum sermone utentem Vettium Lucilius insectatur quemadmodum Pollio reprehendit in Livio Patavinitatem* ... Ein zweites Mal wird das Wort in 8, 1, 3 im Zusammenhang mit einer Erörterung über nichtrömisches Vokabular erwähnt.

[100] R. Syme, The Roman Revolution (1939), 485.

tha" das Interesse an einer moralischen Sicht der Geschichte verraten, und könnte gleichfalls für Coelius Antipater, für Sisenna und für die gesamte annalistische Tradition der Römer gelten. Warum wird der Fehler dann *patavinitas* genannt?

Diese These unterschätzt nämlich den Fanatismus des Pollio hinsichtlich der Reinheit der Sprache; er war wegen seiner kritischen Bemerkungen zu dieser Frage berüchtigt[101]. Außerdem muß man Quintilian zutrauen, daß er von der Kritik, die an der Livianischen Interpretation der Geschichte schon zu Lebzeiten des Historikers und auch nach dessen Tode geübt wurde, durchaus wußte; seine Erklärungen bezeugen dennoch deutlich, daß die Kritik des Pollio sich nur auf den Stil bezog. Unter welchem bestimmten Aspekt wurde das Latein des Livius angegriffen? Die Frage kann nicht endgültig entschieden werden. Nicht vergessen werden sollte die interessante und gut bezeugte Tatsache, daß Livius *sibe* und *quase* anstatt *sibi* und *quasi* schrieb[102] – eine Besonderheit, die in Patavium offenbar üblich war[103]. Hypothetischer ist die Behauptung, daß der Historiker einen venetischen Akzent hatte. Nun bestanden die Puristen sehr auf korrekter Aussprache, wie Ciceros Bemerkungen beispielsweise über das stimmhafte – s am Schluß eines Wortes und die Aspiration von Konsonanten zeigen[104]. Cicero erklärt auch seinem Freund Brutus, daß er, wenn er nach Gallien gehe, Worte zu hören bekomme, die in Rom nicht gebräuchlich seien, die man aber tauschen und sich abgewöhnen könne. Von größerer Bedeutung sei die Tatsache, daß die Stimmen der römischen Redner einen eleganteren Ton und Klang hätten[105].

[101] S. Sen. Suas. 2, 10; Contr. 2, 3, 13; 4, pr. 11; Quint., 9, 3, 13; Gell. 10, 26, 1; Suet., De Gramm. 10.

[102] Quint. 1, 7, 24; *sibe et quase scriptum in multorum libris est, sed an hoc voluerint auctores nescio: T. Livium ita his usum ex Pediano comperi, qui et ipse eum sequebatur.*

[103] CJL 5, 2960 (gefunden in Padua) enthält *sibe*. Andere Inschriften aus Norditalien haben *nise* für *nisi*, *coniuge* für *coniugi*. Vgl. J. Whatmough, HSCP (1933), 95 ff.

[104] Or. 160 f.

[105] Brut. 171.

Auch Quintilian urteilt geringschätzig über eine provinzielle Aussprache des Lateins, wie etwa bei dem Mann aus Placentia, der *pergula* wie *precula* aussprach[106]. So bäurisch konnte Livius selbstverständlich nicht gewesen sein, doch im allgemeinen bieten die Besonderheiten der Schreibweise, der Aussprache und vielleicht der Intonation die am ehesten befriedigende Antwort, wenn der Vorwurf der *patavinitas* von seiten des Pollio irgendeine wörtliche lokale Bedeutung hat. Der Spott ist nichtssagend und schwer zugänglich.

Eine andere Möglichkeit bestünde darin, daß man dem Wort keine besondere lokale Bedeutung beimißt, sondern es als einen Ausdruck betrachtet, der ganz allgemein den Provinzialismus im Gegensatz zur *urbanitas* bezeichnet. Es ließe sich dafür anführen, daß das so sehr auf Feinheiten achtende Ohr des Pollio Wendungen und Ausdrücke ablehnte, die die Finessen und die Präzision der besten römischen Diktion vermissen ließen; und indem er diese Besonderheiten ‚Patavinisch' nannte, folgte er nur dem zeitgenössischen griechischen Brauch, den Solözismen und Barbarismen im Sprachgebrauch fremdländische Bezeichnungen zu geben, die keine topographische Nebenbedeutung haben[107]. Nun war Pollio ein Verfechter des einfachen Stils; wie Quintilian bemerkt: *tristes ac ieiuni Pollionem aemulantur*[108]. Er betrachtete zweifelsohne mit Abscheu die *lactea ubertas* des Livius – das Gemisch von poetischer Diktion, die daktylischen Rhythmen, die Fülle von poetischen Konstruktionen und vor allem die kunstvolle Architektur des ‚periodischen' Stils. Immerhin ist es möglich, daß Pollio diesen blumenreichen Stil als symptomatisch für die bedrückende Biederkeit cisalpiner Gewohnheiten betrachtete. Doch der Vorwurf des ‚Provinzialismus', betrachtet im Zusammenhang mit der Literatur des ersten Jahrhunderts, war viel wahrscheinlicher eine Kritik an den zahlreichen Abweichungen des Livius von den Regeln Ciceronischer Grammatik und Syntax.

[106] Quint. 8, 1, 3; 1, 5, 12.

[107] Dies ist die überzeugende These von K. Latte, CP (1940), 56-60, der einige interessante griechische Parallelen für diese Form literarischer Polemik anführt.

[108] Quint. 10, 2, 17.

Das Problem der *patavinitas* ist also ein Problem des Stils. Die Lösung hängt davon ab, ob Pollio im buchstäblichen Sinne auf die Besonderheiten des Lateins in Patavium anspielte oder ganz allgemein die *rusticitas* des Livius tadelte. Bei der ersten Interpretation ist das Wort ein Tadel an der Schreibweise und der Aussprache des Historikers; bei der zweiten verurteilt es die vielen Abweichungen vom Ciceronischen Sprachgebrauch, die in diesem Kapitel bereits dargelegt worden sind.

INDICES

Verzeichnis der Personen und Sachen (in Auswahl)

Verzeichnis der Einzelinterpretationen

TEXTE UND KOMMENTARE

Eine altertumswissenschaftliche Reihe

WALTER DE GRUYTER & CO

Die Altertumswissenschaft

[illegible]